Dennis Lehane

MIASTO NIEPOKOJU

PRZEKŁAD
MACIEJKA MAZAN

Prószyński i S-ka

Tytuł oryginału
THE GIVEN DAY

Fotografia na okładce
© Schenectady Museum: Hall of Eleotrical History Foundation /CORBIS

Projekt okładki
Sylwia Grządzka
Jacek Szewczyk

Redaktor prowadzący
Renata Smolińska

Redakcja
Ewa Witan

Korekta
Mariola Będkowska

Łamanie
Ewa Wójcik

ISBN 97-83-7648-103-6

Warszawa 2009

Wydawca
Prószyński Media Sp. z o.o.
02-651 Warszawa, ul. Garażowa 7
www.proszynski.pl

Druk i oprawa
OPOLGRAF Spółka Akcyjna
45-085 Opole, ul .Niedziałkowskiego 8-12

Dla Angie,
Która jest moim domem.

ŹRÓDŁA I PODZIĘKOWANIA

„A City In Terror" Francisa Russella to wyczerpująca relacja o strajku bostońskiej policji oraz jego konsekwencjach. Stanowiła dla mnie nieocenione źródło wiedzy.

Innym materiałem źródłowym była książka „The Great Influenza" Johna M. Barry'ego, „Babe: The Legend Comes to Life" Roberta W. Creamera, „The Burning" Tima Madigana, „Reds" Teda Morgana, „Standing at Armageddon" Nella Irvina Paintera, „Dark Tide" Stephena Puleo, „Babe Ruth: Launching the Legend" Jima Reislera, „Perilous Times" Geoffreya R. Stone'a, „The Red Sox Century" Glenna Stouta i Richarda A. Johnsona, „The Year the Red Sox Won the World Series" Ty Watermana i Mela Springera, „Babe Ruth and the 1918 Red Sox" Allana Wooda i „A People's History of the United States" Howarda Zinna.

Tysiące podziękowań dla Leonarda Alkinsa, Toma Bernardo, Kristy Cardelio, Christine Caya, Johna J. Devine'a, Johna Dorseya, Alix Douglas, Mala Ellenburga, Toma Franklina, Lisy Gallagher, Federica Maggio, Williama P. Marchione'a, Julieanne McNarry, Michaela Morrisona, Thomasa O'Connora (dziekana bostońskich historyków), George'a Pelecanosa, Pauli Posnick, Richarda Price'a, Ann Rittenberg, Hildy Rogers, Henry'ego F. Scannella, Claire Wachtel i Sterlinga Watsona.

I wreszcie szczególne wyrazy wdzięczności dla sierżanta armii USA Luisa Araujo, którego altruizm i heroizm rozniecił ten niezbędny ogień.

Gdy Jezus przybywa, by cię wezwać, powiedziała, przybywa pociągiem z gór…

Josh Ritter, „Wings"

SPIS POSTACI

Luther Laurence – służący, sportowiec
Lila Waters Laurence – jego żona

Aiden-Danny Coughlin – policjant z Bostonu
kapitan Thomas Coughlin – jego ojciec
Connor Coughlin – jego brat, zastępca prokuratora okręgu Suffolk
Joe Coughlin – najmłodszy brat Danny'ego
Ellen Coughlin – matka Danny'ego
porucznik Eddie McKenna – ojciec chrzestny Danny'ego
Nora O'Shea – służąca w domu Coughlinów
Avery Wallace – służący w domu Coughlinów

Babe Ruth – baseballista z Boston Red Sox
Stuffy McInnix – współlokator Rutha
Johnny Igoe – agent Rutha
Harry Frazee – właściciel Boston Red Sox
Steve Coyle – partner Danny'ego Coughlina
Claude Mesplede – szef szóstego okręgu
Patrick Donnegan – dowódca szóstego okręgu

Isaiah i Ivette Giddreaux – szefowie bostońskiej filii NAAC
Stary Byron Jackson – szef związku pracowników hotelowych
z hotelu Tulsa
Diakon Skinner Broscious – gangster z Tulsy
Dandys i Dym – ludzie Diakona Brosciousa
Clarence Jessup, Jessie, Tell – kurier, przyjaciel Luthera z Tulsy

Clayton Tomes – służący, przyjaciel Luthera z Bostonu
pani DiMassi – gospodyni Danny'ego Coughlina
Tessa Abruzze – sąsiadka Danny'ego
Federico Abruzze – ojciec Tessy

Louis Frania – przywódca Stowarzyszenia Robotników Litewskich
Mark Denton – policjant z Bostonu, działacz związkowy
Rayme Finch – agent BI
John Hoover – prawnik z Departamentu Sprawiedliwości
Samuel Gompers – przewodniczący Amerykańskiej Federacji Pracy
burmistrz Andrew J. Peters – burmistrz Bostonu
gubernator Calvin Coolidge – gubernator Massachusetts
Stephen O'Meara – komisarz policji bostońskiej do grudnia
1918 roku
Erwin Upton Curtis – jego następca
Mitchell Palmer – prokurator generalny Stanów Zjednoczonych
James Jackson Storrow – bostoński lobbysta, były przewodniczący
General Motors

BABE RUTH W OHIO

PROLOG

Z powodu restrykcji nałożonych podczas pierwszej wojny światowej przez Departament Obrony na baseballistów z zawodowej ligi światowe rozgrywki World Series w 1918 roku zostały rozegrane we wrześniu. Podzielono je na dwa mecze domowe. Pierwsze trzy odbyły się na boisku Chicago Cubs, a cztery następne w Bostonie. Siódmego września, kiedy Cubsi odpadli z trzeciego meczu, dwie drużyny weszły na Michigan Central, by odbyć podróż trwającą dwadzieścia siedem godzin. Babe Ruth upił się i zaczął kraść kapelusze.

Musieli go zaciągnąć do pociągu. Po meczu poszedł do lokalu o parę przecznic na wschód od Wabash, gdzie można sobie zagrać w karty, napić się i poznać ładne panie. Gdyby Stuffy McInnis nie wiedział, gdzie go szukać, pewnie by tam został.

A tak rzygał w kiblu, a parę minut po ósmej wieczorem pociąg ruszył ze stacji Illinois Central w stronę portu. W powietrzu czuć było dym i smród zarżniętego bydła, a Ruth za nic nie mógł wypatrzyć na czarnym niebie ani jednej gwiazdy. Pociągnął łyk z flaszki i spłukał smak wymiocin haustem żytniówki, którą wypluł za metalową balustradę. Przed nim rozciągała się panorama Chicago. Jak zwykle kiedy wyjeżdżał z miasta i czuł się ociężały od alkoholu, pomyślał, że jest gruby i samotny.

Napił się jeszcze żytniówki. Jako dwudziestotrzylatek w końcu zdobył pozycję jednego z budzących większy strach pałkarzy w lidze. W ciągu roku, gdy amerykańska liga zaliczyła dziewięćdziesiąt osiem home runów, Ruth miał ich jedenaście. Cholernie blisko dwunastu procent. I choć przez trzy tygodnie w czerwcu narzekał na spadek formy, miotacze zaczęli go szanować. Pałkarze z innych drużyn także, ponieważ w tym sezonie Red Soksi odnieśli dzięki Ruthowi trzynaście zwycięstw. W tym sezonie zaczął pięćdziesiąt dziewięć meczów z lewej i trzynaście na pierwszej bazie.

Ale nie potrafił odbijać piłek rzucanych przez leworęcznych. To była jego słabość. Nawet gdy ze składów drużyn znikali gracze, którzy zaciągnęli się do wojska, trenerzy przeciwników umieli wykorzystać tę jego usterkę.

Chrzanić ich.

Powiedział to na głos i pociągnął kolejny łyk z piersiówki, prezentu od Harry'ego Frazee, właściciela drużyny. Ruth odszedł z niej w lipcu. Przeszedł do Chester Shipyards z Pensylwanii, ponieważ trener Barrow bardziej cenił sobie jego umiejętności miotacza niż pałkarza, a Ruth miał już dość miotania. Jak uda ci się *strikeout*, dostajesz brawko. Jak zaliczysz *home run*, widownia szaleje. Problem w tym, że w Chester Shipyards także woleli, żeby był miotaczem. Kiedy Frazee zagroził im procesem, drużyna oddała mu Rutha.

Frazee wyszedł na spotkanie Rutha i zaprosił go na tylne siedzenie swojego rauch lang electric opera coupe. Samochód był brązowy z czarnymi ozdobami i Ruth zawsze się zastanawiał, jak to możliwe, że bez względu na pogodę czy porę dnia zawsze można się w nim przejrzeć. Spytał Frazeego, ile też może kosztować taka gablota, a Frazee od niechcenia przesunął dłonią po szarej tapicerce siedzeń.

– Więcej niż pan, panie Ruth – odpowiedział i wręczył mu piersiówkę.

Był na niej wygrawerowany napis:

Ruth G. H
Chester, Pa
7/1/18 – 7/7/18

Teraz Ruth przesunął po nim palcem i pociągnął kolejny haust. Tłusty smród krowiej krwi zmieszał się z metalicznym odorem przemysłowego miasta i szyn kolejowych. Chciało mu się krzyknąć przez okno: jestem Babe Ruth! A kiedy nie jestem pijany i samotny, trzeba się ze mną liczyć. Jestem małym trybikiem w machinie, tak, i dobrze o tym wiem, ale trybikiem z brylantów. Trybikiem nad trybikami. I pewnego dnia...

Ruth uniósł flaszkę i wypił zdrowie Harry'ego Frazeego i wszystkich Harrych tego świata, z niewyparzoną gębą i promiennym uśmiechem. Od alkoholu powieki mu opadły.

– Teraz zasnę, ty stara kurwo – szepnął Ruth do nocy, horyzontu, smrodu surowego mięsa. Do mrocznych pól środkowego zachodu. Do każdego szarego robotniczego miasteczka stąd aż po Governor's Square. Do zasnutego dymem bezgwiezdnego nieba.

Wtoczył się do przedziału, który dzielił z Jonem, Scottem i McInnisem, a kiedy obudził się o szóstej rano, nadal w ubraniu, byli już w Ohio. Zjadł śniadanie w wagonie restauracyjnym, wypił dwa dzbanki kawy i przyjrzał się dymowi, buchającemu z kuźni i stalowni, które przycupnęły na czarnych wzgórzach. Głowa go bolała, dodał więc do kawy parę kropel z flaszki i ból przeszedł. Przez jakiś czas grał w kanastę z Everestem Scottem, potem pociąg zrobił długi postój w Summerford, kolejnym fabrycznym miasteczku, więc wyszli na pole za stacją, aby rozprostować nogi, i wtedy po raz pierwszy usłyszał o strajku.

To Harry Hooper, kapitan drużyny Soksów i prawozapolowy, oraz drugobazowy Dave Shean gadali z lewozapolowym Lesliem Mannem i łapaczem Billem Killeferem z Cubsów. McInnis powiedział, że przez całą podróż nie mieli o niczym pojęcia.

– A o czym? – spytał Ruth, właściwie bez zainteresowania.

– Nie wiem – powiedział Stuffy. – Sprzedawanie meczów? Chlanie?

Hooper zbliżył się do nich.

– Będziemy strajkować, chłopaki.

– Upiłeś się? – spytał Stuffy McInnis.

Hooper pokręcił głową.

– Robią z nas jeleni.

– Kto?

– Komisja, a kto? Heydler, Hermann, Johnson. Oni.

Stuffy McInnis nasypał tytoniu na gilzę i delikatnie zwilżył ją językiem, zanim ją zwinął.

– Jak to?

Stuffy zapalił skręta, a Ruth pociągnął łyk z piersiówki i zapatrzył się na małą kępę drzew pod błękitnym niebem.

– Zmienili dystrybucję bramek w World Series. Procent z zysków. Zrobili to zeszłej zimy, ale dowiadujemy się dopiero teraz.

– Zaraz – powiedział McInnis. – Dostajemy sześćdziesiąt procent od biletów z czterech pierwszych bramek.

Harry Hooper pokręcił głową. Ruth powoli tracił zainteresowanie. Powiódł wzrokiem po linii telegraficznej na skraju pola i zaciekawił się, czy gdyby podszedł bliżej, usłyszałby brzęk przewodów. Dochody, dystrybucja... Interesowała go tylko dokładka jajecznicy z bekonem.

– Kiedyś dostawaliśmy sześćdziesiąt procent – oznajmił Harry. – Teraz pięćdziesiąt pięć. Mniej widzów. Wojna, rozumiecie. A naszym patriotycznym obowiązkiem jest zgadzać się na te pięć procent mniej.

McInnis wzruszył ramionami.

– Więc naszym...

– A potem w Cleveland, Waszyngtonie i Chicago obetną nam dochody do czterdziestu procent.

– Za co? – spytał Stuffy. – Za to, żeśmy im skopali tyłki?

– A potem jeszcze dziesięć procent na pomoc dla ofiar wojny. Już rozumiecie?

Stuffy stracił humor. Wyglądał, jakby naprawdę miał ochotę kogoś skopać, kogoś małego, kogo by zabolało.

Babe rzucił kapelusz w powietrze i złapał go za plecami. Podniósł kamień i cisnął w niebo. Znowu rzucił kapelusz.

– Ułoży się – powiedział.

Hooper obejrzał się na niego.

– Co?

– To coś. Odbijemy sobie.

– Jak? Możesz mi to wytłumaczyć? – spytał Stuffy.

– Jakoś. – Ból głowy znowu powrócił. To od tego gadania o pieniądzach. I od świata: bolszewicy obalili cara, kajzer terroryzuje Europę, anarchiści rzucają bomby na ulicach tego kraju, wysadzają w powietrze parady i skrzynki pocztowe. Ludzie są źli, krzyczą, umierają w okopach i maszerują przed fabrykami. A wszystko to ma związek z pieniędzmi. Tyle Babe wiedział na pewno. Ale nie znosił o tym myśleć. Lubił pieniądze, no pewnie. Lubił swój nowy motocykl, lubił kupować dobre cygara i mieszkać w szałowych hotelach, gdzie w oknach wiszą mięsiste zasłony, a w barze można stawiać drinki kolegom. Ale nienawidził rozmyślania ani gadania o pieniądzach. W Governor's Square było pełno burdeli i knajp. Nadchodziła zima; chciał się cieszyć życiem, dopóki mógł, dopóki nie spadnie śnieg, nie zacznie się mróz. Dopóki nie utknie w Sudbury z Helen, w końskim smrodzie.

Klepnął Harry'ego w ramię i powtórzył:
– Jakoś to będzie. Zobaczycie.

Harry Hooper spojrzał na swoje ramię. Odwrócił wzrok i znowu obejrzał się na Rutha. Ten się uśmiechnął.

– Ty już lepiej sobie idź, Babe – powiedział Harry – a rozmowy zostaw dorosłym.

Odwrócił się do niego plecami. Słomkowy kapelusz nosił lekko zsunięty z czoła. Ruth nienawidził takich kapeluszy; miał zbyt pyzatą, zbyt okrągłą twarz, żeby dobrze w nich wyglądać. Sprawiał wrażenie dzieciaka udającego dorosłego. Wyobraził sobie, że zrywa Harry'emu ten głupi kapelusz i rzuca na dach pociągu.

Harry ruszył w głąb pola, ciągnąc za łokieć Stuffy'ego McInnisa. Szedł pochylony ku niemu.

Babe wziął kamień i przyjrzał się plecom serżowej marynarki Harry'ego Hoopera. Wyobraził sobie rękawicę łapacza i ten dźwięk, trzaśnięcie kamienia o ostrych krawędziach w wystający kręgosłup. Usłyszał jeszcze jeden trzask, stłumiony trzask, podobny do tego, który wydaje pękające w piecu polano. Spojrzał na wschód, tam gdzie na końcu pola znajdowała się mała kępa drzew. Pociąg cicho syczał za jego plecami, a z pola dobiegały głosy kolegów i szelest roślin. Dwóch inżynierów szło za nim, rozmawiając o awarii flanszy i że naprawa potrwa dwie, może trzy godziny. Ruth pomyślał: dwie godziny na tym zadupiu? A potem znowu to usłyszał – suchy daleki trzask – i już wiedział, że za drzewami ktoś gra w baseball.

Poszedł w tę stronę samotny, niezauważony przez nikogo. Odgłosy gry stawały się coraz głośniejsze: szuranie stóp w trawie, mokre pacnięcia piłki o rękawicę. Przeszedł przez zagajnik, zdjął płaszcz, a kiedy wyłonił się spomiędzy drzew, gracze zmieniali strony, biegli w stronę płatu ziemi wzdłuż linii pierwszej bazy, podczas gdy druga grupa opuszczała miejsce przy trzeciej bazie.

Kolorowi.

Stanął i skinął głową środkowozapolowemu, który biegł, by zająć miejsce o parę metrów od niego. Ten odpowiedział krótkim ruchem głowy, a potem obrzucił zagajnik bacznym spojrzeniem, jakby sprawdzał, czy nie wyłonią się z niego jeszcze inni biali. Potem odwrócił się plecami, pochylił i oparł ręce na kolanach. To był kawał chłopa, równie barczysty jak Babe, choć bez tak wydatnego brzucha i (Babe musiał to przyznać) tyłka.

Miotacz nie marnował czasu. Zamachnął się tylko strasznie długimi łapskami i rzucił piłkę z taką siłą, że wyprysnęła jak z katapulty. Pałkarz zrobił zgrabny ruch, ale ominął ją o jakieś piętnaście centymetrów.

Za to następną trafił, i to jak, z trzaskiem tak głośnym, że chyba pękł mu kij. Piłka poszybowała prosto w błękitne niebo jak kaczka, która postanowiła popłynąć do tyłu. Środkowozapolowy przeniósł ciężar na jedną nogę, otworzył rękę w rękawicy i piłka spadła, jakby z ulgą, w skórzane gniazdko.

Ruth nigdy nie poddał się badaniu oczu. Nie pozwoliłby na to. Ale wiedział, że ma wzrok lepszy niż większość ludzi. Od dzieciństwa odczytywał napisy ulic, nawet te na bokach budynków, z większej odległości niż inni. Widział ułożenie piór jastrzębia frunącego sto metrów nad nim i pikującego na ofiarę. Piłki wydawały mu się wielkie i powolne. Kiedy rzucał, rękawica łapacza była wielka jak hotelowa poduszka.

Więc nawet z tej odległości widział, że pałkarz ma pokancerowaną twarz. Był mały, chudy jak patyk, a na twarzy miał wyraźne czerwone pręgi, a może blizny na beżowej jak toffi skórze. Był jak skoncentrowana energia, cały przyczajony jak chart wyścigowy, który o mało nie wyskoczy ze skóry. A kiedy po dwóch błędach trafił w piłkę, Ruth zrozumiał, że ten czarnuch będzie pędził jak rakieta, choć nie spodziewał się, że aż tak szybko.

Piłka nie zdążyła dolecieć do stóp prawozapolowego (Ruth jeszcze przed faktem wiedział, że tamten jej nie złapie), a chart już dotarł do pierwszej bazy. Kiedy piłka upadła na trawę, prawozapolowy złapał ją i zaraz puścił, a piłka uciekła z jego ręki tak szybko, jakby przyłapał ją w łóżku córki. W ułamku sekundy wpadła w rękawicę drugobazowego. Ale chart już był na drugiej bazie. Tkwił tam dumny jak paw. Jakby tylko wyszedł po poranną gazetę. Stał zwrócony w stronę środkowego pola i Ruth dopiero po chwili zrozumiał, że na niego patrzy. Więc uniósł czapkę, a chłopak rzucił mu dumny, zawadiacki uśmiech.

Ruth postanowił przyjrzeć się temu młodemu. Cokolwiek zaraz zrobi, będzie to coś wyjątkowego.

Chłopak na drugiej bazie grał kiedyś w Wrightville Mudhawks. Nazywał się Luther Laurence i został wyrzucony z Mudhawks w czerwcu po bójce z Jeffersonem Reese'em, kierownikiem drużyny i pierwszobazowym, przymilnym, szczerzącym się w uśmiechach wujem Tomem, który w towarzystwie białych zachowywał się jak perfumowany pudel, a bluzgał na swoich. Luther dowiedział się o tym od dziewczyny, z którą chodził, młodej piękności imieniem Lila, pracującej w tym samym domu, co Jefferson Reese. Powiedziała, że pewnego wieczoru Reese nalewał zupę z wazy, a biali gadali o zarozumiałych czarnuchach z Chicago, że tak butnie chodzą po ulicach i nawet nie spuszczają oczu, kiedy mija ich biała kobieta. Stary Reese od razu zaczął: „Ooo, panie, to straszne. Tak, kolorowi z Chicago są gorsi od szympansów, co się huśtają na lianach. Nie chodzi taki do kościoła. W piątek chleje, w sobotę przegrywa ostatnią koszulę, a w niedzielę sypia z cudzymi kobietami".

– Tak powiedział? – spytał Luther w wannie hotelu Nixon, tylko dla kolorowych. Napuścił do wody płynu i teraz piana pieściła małe twarde piersi Lili. Uwielbiał patrzeć na te bąbelki na jej skórze, skórze koloru starego złota.

– I jeszcze gorzej – powiedziała Lila. – Ale nie narażaj mu się, kochanie. Jest okrutny.

Luther jednak porozmawiał z nim w boksie dla zawodników w Inkwell Fidel, Reese od razu przestał się uśmiechać, a w jego oczach błysnął dziwny wyraz – niemiłosierny, kamienny, świadczący o świeżych wspomnieniach na temat tortury słońca na polu. Luther zdążył jeszcze pomyśleć „oho", a Reese już go dopadł i zdzielił w twarz pięścią twardą jak kij baseballowy. Luther usiłował się bronić, ale Jefferson Reese, dwa razy od niego starszy, od dziesięciu lat służący w domu, nagromadził w sobie tak potężną furię, że kiedy wreszcie się wyzwoliła, stała się jeszcze straszliwsza, bo tak długo była trzymana w zamknięciu. Przewrócił Luthera na ziemię, pobił go okrutnie i gwałtownie, do krwi, która zmieszała się z ziemią, kredą i pyłem z pola.

Jego przyjaciel, Aeneus James, spytał Luthera na oddziale dobroczynnym u świętego Jana:

– Cholera, chłopcze, jakżeś taki szybki, to czemuś nie uciekał, kiedy zobaczyłeś oczy tego starego wariata?

Luther przez całe długie lato zastanawiał się nad tym pytaniem i nadal nie znalazł na nie odpowiedzi. Był szybki i dotąd nie spotkał nikogo, kto by go prześcignął. Może miał już dość uciekania.

Teraz, patrząc na obserwującego go spomiędzy drzew grubasa podobnego do Babe'a Rutha, Luther przyłapał się na myśli: Uważasz, że umiesz biegać, biały człowieku? Nieprawda. Ale zobaczysz, jak to się robi. Będziesz miał o czym opowiadać wnukom.

I wystrzelił z drugiej bazy w chwili, gdy Lepki Joe Beam się zamachnął; miał jeszcze ułamek sekundy, żeby zobaczyć, jak oczy białego robią się prawie tak wielkie, jak jego brzuch. Luther pędził, jakby unosił się nad ziemią. Wydawało mu się, że rwie jak wiosenne wody; wyobraził sobie na trzeciej bazie rozdygotanego Tyrella Hawke'a, który przez całą noc pił. Luther na to właśnie liczył, bo nie chciał się dziś zadowolić tylko trzecią – o, nie, nic z tego, tak sobie kombinuję i kombinuję, i wychodzi mi, że najważniejsze w baseballu to szybkość, a ja jestem najszybszym skurkowańcem na świecie – a kiedy podniósł głowę, najpierw zobaczył rękawicę Tyrella tuż za swoim uchem. Zaraz potem na lewo ujrzał piłkę jak spadająca gwiazda. Luther wrzasnął „bu!" i faktycznie, rękawica Tyrella drgnęła o jakieś dziesięć centymetrów. Luther uchylił się, piłka śmignęła pod rękawicą Tyrella i musnęła włoski na karku Luthera, rozgrzana jak brzytwa Moby'ego na Meridian Avenue. Dotknął palcami prawej stopy trzeciej bazy i popędził dalej, a ziemia uciekała mu spod stóp tak szybko, jakby miał dotrzeć na jej skraj, na sam koniec świata. Słyszał jak łapacz, Ransom Boynton, krzyczy: „tutaj, tutaj! ". Podniósł głowę i zobaczył Ransoma o parę metrów dalej, dostrzegł w jego oczach odbicie zbliżającej się piłki, poznał je po jego napiętej postawie. Nabrał wielki haust powietrza i zderzył się z Ransomem tak mocno, że prawie go nie poczuł. Przeskoczył go i zobaczył piłkę wpadającą na drewniane ogrodzenie za domem dokładnie w chwili, gdy dotknął stopą bazy. Dwa dźwięki – jeden głośny i ostry, drugi cichy i stłumiony – zlały się ze sobą, a on pomyślał: jestem szybszy niż wy w waszych marzeniach.

Zatrzymał się koło chłopców z drużyny, którzy klepali go i pokrzykiwali. Odwrócił się, żeby zobaczyć minę białego tłuściocha, ale nie było go już w zagajniku. Nie, dotarł już prawie do drugiej bazy, biegł w stronę Luthera, jego mała niemowlęca buźka trzęsła się i uśmiechała, a oczy lśniły, jakby znowu miał pięć lat i ktoś mu obiecał kucyka, a on przestał się kontrolować i mógł tylko podskakiwać i biegać ze szczęścia.

Potem Luther przyjrzał mu się uważniej i pomyślał: nie.

Ale wtedy Ransom Boynton stanął obok niego i powiedział głośno:

– Nie uwierzycie, ale Babe Ruth pruje do nas jak cholerny pociąg towarowy.

Mogę zagrać?

Nikt nie uwierzył, że Babe Ruth to powiedział. Przypadł do Luthera, podniósł go do góry, objął i powiedział:

– Rany, widziałem już wielu biegaczy, ale nigdy – ale to nigdy – kogoś takiego jak ty.

I zaczął go ściskać, klepać po plecach i powtarzać:

– O rety, rety, co za widok!

Potem potwierdził, że faktycznie jest Babe'em Ruthem. Zaskoczyło go, że tak wielu o nim słyszało. Ale Lepki Joe raz widział go w Chicago, a Ransom dwa razy w Cincinnati, jak był miotaczem i lewozapolowym. Reszta czytała o nim w dziale sportowym i „Baseball Magazine". Ruth uniósł brwi, jakby nie mógł się nadziwić, że na tej planecie istnieją czarnuchy umiejące czytać.

– Czyli co, chcecie autograf? – spytał.

Nikt nie okazał większego zainteresowania. Ruthowi zrzedła mina, kiedy wszyscy z wielkim zajęciem zaczęli się przyglądać butom albo niebu.

Luther zastanowił się, czy nie wyjaśnić mu, że ma przed sobą równie świetnych graczy. Prawdziwe legendy. Ten, co ma takie giętkie ramię, jak ośmiornica? W zeszłym roku zdobył wynik 32 2 dla Millersport King Horns z ligi robotników z Ohio. 32 2 przy 1.78 ERA. Spróbuj go doścignąć! A Andy Hughes, łącznik drużyny przeciwnej, zdobył .390 dla Downtown Sugar Shacks z Grandview Heights. Poza tym tylko biali lubią autografy. O co w ogóle chodzi z tymi autografami, przecież to tylko gryzmoł na kawałku papieru?

Luther otworzył usta, żeby to wszystko wyjaśnić, ale przyjrzał się Ruthowi i zrozumiał, że nie da rady: ten człowiek był dzieckiem. Wielkim jak hipopotam dzieciakiem o udach grubych jak pnie drzew, ale jednak dzieciakiem. Luther w życiu nie widział bardziej naiwnych oczu. Zapamiętał je na długo, bo widział, jak się zmieniają na zdjęciach w gazetach, jak na każdej nowej fotografii stają się mniejsze i mroczniejsze. Ale wtedy, na polach Ohio, Ruth miał oczy małego grubaska z podstawówki, pełne nadziei, strachu i desperacji.

– Mogę z wami zagrać? – spytał, wyciągając łapy wielkie jak bochny chleba. – Z wami wszystkimi?

Wszystkim puściły nerwy, ludzie zataczali się ze śmiechu, ale Luther zachował powagę.

– No... – Spojrzał na swoich, a potem nie spiesząc się, na Rutha. – To zależy – powiedział. – Zna się pan na tej grze?

Reggie Polk padł na ziemię. Paru zaczęło rzęzić. Ale Ruth zaskoczył Luthera. Te naiwne oczęta stały się małe i czyste jak niebo i Luther od razu zrozumiał, że kiedy Babe Ruth trzyma w ręku kij, ma tyle samo lat, co oni.

Ruth włożył do ust niezapalone cygaro i rozluźnił krawat.

– W drodze nauczyłem się tego i owego, panie...?

– Laurence, proszę pana. Luther Laurence. – Luther nadal mierzył go nieprzeniknionym spojrzeniem.

Ruth objął go ramieniem. Było wielkie jak łóżko Luthera.

– Na jakiej grasz pozycji?

– Na środkowym polu, proszę pana.

– W takim razie, chłopcze, wystarczy, jak podniesiesz głowę.

– Słucham?

– Żeby zobaczyć, jak moja piłka nad nią przelatuje.

Luther nie mógł się opanować; uśmiech rozświetlił mu twarz.

– I przestań z tym „panem", dobrze? Jesteśmy tu wszyscy graczami.

O, ten pierwszy *strikeout* Lepkiego Joe! Trzy uderzenia poszły jak po sznurku, a grubas nawet nie dotknął piłki.

Po pierwszym Babe Ruth roześmiał się, wycelował kijem w Lepkiego Joe i skłonił mu się głęboko.

– Ale uczę się od ciebie. Uczę się jak w szkole!

Nie pozwolili mu być miotaczem, więc w każdym inningu zastępował innego gracza. Nikomu nie przeszkadzało, że posiedzi bezczynnie. Przecież to Babe Ruth, na miłość boską. Może nie chcieli jego głupiego podpisu, ale opowiadanie o nim zapewni im na długo darmowe drinki.

W jednym inningu grał na lewym polu, Luther na środkowym, a Reggie Polk, który był miotaczem, nie spieszył się, jak to zwykle on.

– To czym się zajmujesz, Luther, kiedy nie grasz? – spytał Ruth.

Luther opowiedział mu o swojej pracy w fabryce amunicji pod Columbus, że wojna jest straszna, ale można na niej nieźle zarobić, a Ruth odpowiedział „Taka jest prawda", choć Lutherowi wydało się, że powiedział to tylko tak, nie dlatego, że rozumiał. Potem spytał Luthera, co mu się stało w twarz.

– Kaktus, panie Ruth.

Potem usłyszeli trzask kija i Ruth popędził za piłką. Poruszał się jak baletnica na tych swoich małych, pulchnych paluszkach. Po chwili odrzucił piłkę.

– Dużo kaktusa macie w Ohio? Nie słyszałem.

Luther uśmiechnął się pod nosem.

– Właściwie „kaktusów", panie Ruth. I tak, są ich tu całe wielkie pola. Całe sterty kaktusów.

– A ty co, spadłeś na takie pole?

– Tak, panie. I to z wysoka.

– Chyba z samolotu.

Luther bardzo powoli pokręcił głową.

– Z zeppelina, panie Ruth.

Obaj się zdrowo uśmiali. Luther, jeszcze chichocząc, uniósł rękawicę i zgarnął piłkę Rube Graya prosto z nieba.

W następnym inningu z zagajnika wyszli jacyś biali. Natychmiast paru rozpoznali – Stuffy McInnis, bez wątpienia, Everett Scott, o Boże, a potem paru Cubsów, Jezusie kochany – Flack, Mann, jakiś trzeci, którego nikt nie znał z wyglądu, może grał dla innej drużyny. Ruszyli przez prawe pole i wkrótce stanęli za rozchwianą starą ławką koło pierwszej bazy. Byli w garniturach, krawatach i kapeluszach, w taki skwar, palili cygara, od czasu do czasu wołali do jakiegoś „Gidge", co zdumiewało Luthera, dopóki się nie połapał, że tak nazywają Rutha. Kiedy Luther spojrzał znowu, doszło jeszcze trzech – Whiteman z Soksów, Hollocher, łącznik Cubsów i jakiś chudy chłopak z czerwoną twarzą i wystającą brodą, którego nikt nie znał. Lutherowi nie spodobało się, że jest ich tylu – ośmiu plus Ruth to już cała drużyna.

Przez jakiś inning wszystko szło dobrze i biali trzymali się razem. Niektórzy naśladowali małpy, a paru krzyczało: „Te, asfalt, nie przepuść tej piłki!" albo „Co tak słabo, bambusie", ale Luther słyszał już gorsze, o wiele gorsze rzeczy. Nie podobało mu się, że tych ośmiu za każdym razem stało coraz bliżej pierwszej bazy. Wkrótce trudno było tam biec, bo biali stali tak blisko, że było czuć ich wodę kolońską.

Pomiędzy inningami jeden w końcu to powiedział:

– Może pozwolicie spróbować jednemu z nas?

Luther zauważył, że Ruth wygląda, jakby chciał się zapaść pod ziemię.

– Co ty na to, Gidge? Myślisz, że twoi nowi kumple pozwolą nam zagrać? Ciągle się słyszy, jakie dobre są podobno te czarnuchy. Latają jak strzały.

Któryś z mężczyzn wyciągnął ręce do Babe'a. Był to jeden z tych kilku nieznanych, może jakiś rezerwowy. Ale miał wielkie łapy, spłaszczony nos i potężne bary, cały był kanciasty. I miał spojrzenie białego biedaka, Luther dobrze je znał. Przez całe życie zastępował normalne posiłki wściekłością. Rozsmakował się w niej i już się z nią nie rozstanie, choćby jadał regularnie do końca swoich dni.

Uśmiechnął się do Luthera, jakby czytał mu w myślach.

– Co powiesz, mały? Możemy się przyłączyć?

Rube Gray zaproponował, że posiedzi na ławce. Biali wybrali Stuffy'ego McInnisa na transfer do Ligi Czarnuchów z Południowego Ohio. Ryczeli jak osły, jak wszyscy wielcy biali mężczyźni, ale Luther musiał przyznać, że nie ma nic przeciwko temu: Stuffy McInnis potrafił grać, że Matko Boska. Luther czytywał o nim, odkąd McInnis zawitał pod koniec 1909 roku do Filadelfii.

Ale pod koniec inningu Luther wybiegł ze środkowego pola i ujrzał wszystkich białych stojących przy bazie. Ich przywódca, Chicago Flack, miał kij na ramieniu.

Babe zrobił wysiłek, przynajmniej przez chwilę, Luther musiał mu to przyznać.

– Dajcie spokój, chłopaki – powiedział. – Przecież gramy.

Flack uśmiechnął się olśniewająco.

– Teraz zagramy jeszcze lepiej. Zobaczymy, co ci chłopcy poradzą przeciwko najlepszym z Ligi Amerykańskiej i Narodowej.

– A, czyli białej? – odezwał się Lepki Joe Beam. – O to chodzi?

Wszyscy spojrzeli na niego.

– Coś powiedział, chłopcze?

Lepki Joe Beam miał czterdzieści dwa lata i wyglądał jak kawałek wysmażonego bekonu. Wydął usta i spuścił wzrok, a potem podniósł oczy z takim wyrazem, że Luther zaczął się spodziewać bójki.

– Powiedziałem, zobaczmy, co potraficie. – Zmierzył ich przeciągłym spojrzeniem. – Panowie.

Luther spojrzał na Rutha, zajrzał mu w oczy. Gruby chłopczyk o twarzy niemowlęcia uśmiechnął się drżącymi wargami. Luther przypomniał sobie cytat z Biblii, który często powtarzała mu babka, gdy dorastał. O tym, że duch jest ochoczy, lecz ciało słabe.

Taki jesteś, Babe?, miał ochotę spytać. Taki jesteś?

Babe zaczął pić, kiedy czarni wybierali dziewięciu zawodników. Nie wiedział, co mu nie odpowiada – przecież to był tylko mecz, biali przeciwko czarnym, tak jak na treningu, ci w koszulach przeciwko tym bez koszul – ale czuł się jakoś smutny i zawstydzony. Nic z tego nie rozumiał. To tylko mecz! Letnia rozrywka, by skrócić sobie czas postoju. Nic więcej. A jednak smutek i wstyd go nie opuszczały, więc odkręcił flaszkę i pociągnął zdrowo.

Wykręcił się od rzucania. Wyjaśnił, że łokieć mu jeszcze dokucza po pierwszym meczu. Powiedział, że musi dbać o wyniki World Series i nie zaryzykuje dla jakiegoś meczu w krzakach. Zatem miotaczem został Ebby Wilson. Ebby był wrednym gnojkiem z Ozarks, a od lipca grał dla Bostonu. Ledwie dostał piłkę, uśmiechnął się szeroko.

– Dobra, chłopaki. Wykończymy czarnuchów, że się nawet nie obejrzycie. Oni też nie. – I znowu się zaśmiał, choć nikt do niego nie dołączył.

Najpierw Ebby rzucił szybką piłkę, która przedarła się przez zaporę przeciwników. Potem na miejscu miotacza stanął Lepki Joe, a ten czarnuch się nie oszczędzał i kiedy puścił w ruch te swoje giętkie jak macki ręce, nie było wiadomo, co się dzieje. Rzucał proste piłki tak szybkie, że aż niewidzialne. I piłki ślizgające się, chyba miały oczy, bo kiedy tylko znalazły się w pobliżu kija, uskakiwały w bok. I piłki podkręcone, które potrafiły zataczać kółka. I piłki, które spadały dziesięć centymetrów przed bazą. Zdobył *strikeout* przeciwko Mannowi. I Scottowi. I wyautował McInnisa dzięki piłce złapanej z powietrza przed końcem inningu.

Przez parę inningów toczył się pojedynek między miotaczami. Na boisku niewiele się działo i stojący na lewym polu Ruth zaczął ziewać. Coraz częściej pociągał z piersiówki. Ale czarni zdobyli run w drugim i kolejny w trzecim inningu. Luther Laurence z biegu z pierwszej do drugiej bazy zrobił bieg z bazy pierwszej do domowej, śmigając tak szybko, że zaskoczył Hollechera, który się zagapił, nie przejął piłki podanej ze środkowego pola i zanim się obejrzał, Luther Laurence już dotknął bazy.

Mecz, który miał być rozrywką, powoli zmieniał nastawienie białych graczy: od zaskoczonego respektu („Jeszcze nie widziałem, żeby ktoś tak rzucał piłki jak ten czarnuch. Nawet ty, Gidge. Cholera, nawet Walter Johnson. Ten facet jest niesamowity.") przez nerwowe żarty („Myślicie, że uda nam się zdobyć run, zanim wrócimy na to cholerne World Series?") po gniew („Czarnuchy znają boisko, w tym rzecz! Niechby zagrali na Wrigley! Albo na Fenway. Cholera.")

Kolorowi umieli robić skróty – dobry Boże, i to jakie! Piłka lądowała piętnaście centymetrów od bazy i nieruchomiała, jakby zdechła. I umieli biegać. Umieli kraść bazy, jakby to było coś najłatwiejszego na świecie. I znali się na zaliczaniu singli. Pod koniec piątego inningu zaczęło wyglądać na to, że mogą to robić przez cały dzień, wybijali piłkę za piłką, ale potem Whiteman przeszedł z pierwszej bazy na stanowisko miotacza i porozmawiał poważnie z Ebbym Wilsonem i od tego momentu Ebby przestał się silić na fajną czy inteligentną grę, tylko grzał jedną piłkę po drugiej, jakby go nie obchodziło, czy przez całą zimę będzie chodził z ręką na temblaku.

W szóstym inningu kolorowi wygrywali 6:3. Stuffy McInnis przejął prostą piłkę Lepkiego Joe Beama i wybił ją tak wysoko nad drzewa, że Luther Laurence nawet nie fatygował się szukaniem. Wyjęli następną z płóciennego worka pod ławką; Whiteman odbił długą piłkę i spokojnie zaliczył drugą bazę, potem Flack miał dwa błędy i sześć fauli, a potem zdobył singla i było 6:4, z zajętą pierwszą i trzecią bazą, bez wyautowanych zawodników.

Babe czuł to, wycierając kij szmatą. Czuł ich tętno, wchodząc na stanowisko i grzebiąc butem w piasku. W tej chwili słońce, niebo, las, skóra, kończyny, palce i niecierpliwość tego, co się wydarzy, były piękne. Piękniejsze od kobiet, słów i nawet śmiechu.

Lepki Joe rzucił ostrą podkręconą piłkę, która poleciała wysoko i daleko, i pewnie wybiłaby Babe'owi zęby w drodze do południowego Ohio, gdyby nie zrobił uniku. Wymierzył kij w Lepkiego Joe, zrobił gest, jakby spoglądał w celownik strzelby. Zobaczył radość w czarnych oczach tamtego i uśmiechnął się, a Lepki też się uśmiechnął. Obaj skinęli głowami, a Ruth miał ochotę pocałować go w guzłaste czoło.

– Zgadzacie się, że jest punkt? – krzyknął Babe i nawet Luther, stojący daleko na środkowym polu, roześmiał się głośno.

Boże, jak mu było dobrze. Ale oho, leci piłka jak błyskawica. Ruth dostrzegł jej szew, zobaczył tę czerwoną linię, gdy pomknęła w dół jak ryba, i zaczął uderzenie nisko, o wiele niżej niż znajdowała się piłka, ale wiedząc, że niedługo tam się znajdzie i niech go diabli, jeśli jej nie trafił, wyrwał tę pieprzoną piłkę z przestrzeni i czasu, zobaczył, że wyprysnęła w niebo, jakby wyrosły jej skrzydła. Zaczął biec; Flack ruszył z pierwszej bazy i wtedy zyskał pewność, że nie wszystko gra. Strzał nie był czysty. Wrzasnął: „Stać!", ale Flack już biegł. Whiteman był o parę kroków od trzeciej, ale się nie ruszał, stał z rozłożonymi rękami, Luther biegł w stronę zagajnika, a Ruth dostrzegł, że piłka wraca z nieba, w którym znikła i spada między drzewami prosto w rękawicę Luthera.

Flack już minął drugą bazę, a był szybki; w chwili, gdy Luther rzucił piłkę w stronę pierwoszobazowego, Whiteman dotknął trzeciej bazy. A Flack, tak, był bardzo szybki, ale Luther mknął jak strzała, piłka śmignęła nad zielonym polem, Flack potoczył się jak landara, a potem skoczył w powietrze, piłka spadła w rękawicę Aeneusa Jamesa, a ten wielki facet, grający jako środkowozapolowy, gdy Ruth wyłonił się z zagajnika, sięgnął długą ręką do Flacka, który rzucił się na ziemię i ślizgiem ruszył w stronę pierwszej bazy, dotknął jego ramienia, a potem Flack dotknął bazy.

Aeneus sięgnął wolną ręką w stronę Flacka, ale ten go zignorował i sam wstał.

Aeneus rzucił piłkę Lepkiemu Joe.

Flack otrzepał spodnie i stanął na pierwszej bazie. Oparł ręce na kolanach i postawił prawą stopę koło drugiej bazy.

Lepki Joe zmierzył go spojrzeniem.

– Co pan robi? – spytał Aeneus James.

– Ja? – rzucił Flack, nieco zbyt beztrosko.

– Dziwię się, dlaczego pan tu jest – odrzekł Aeneus James.
– Kiedy gracz stoi na pierwszej bazie, musi się znajdować tutaj, chłopcze.

Aeneus James nagle wydał się bardzo zmęczony, jakby wrócił do domu po czternastu godzinach pracy i przekonał się, że ktoś mu ukradł kanapę.

O Jezu, nie, pomyślał Ruth.

– Był pan wyautowany.

– O co ci chodzi, chłopcze? Byłem w porządku.

– Był bezpieczny, czarnuchu. – To Ebby Wilson, który niespodziewanie stanął obok Rutha. – Widzieliśmy z daleka.

Kolorowi zbliżyli się, pytając, dlaczego nie grają.

– Mówi, że był bezpieczny – powiedział Aeneus.

– Co? – krzyknął z drugiej bazy Cameron Morgan. – Chyba żartujesz!

– Tylko nie tym tonem, chłopcze.

– Mówię takim tonem, jak mi się podoba.

– Tak?

– A tak.

– Był bezpieczny.

– Był wyautowany – powiedział cicho Lepki Joe. – Z całym szacunkiem, proszę pana, ale był pan wyautowany.

Flack założył ręce na plecach i podszedł do niższego od niego Lepkiego Joe. Przechylił głowę. Nie wiadomo dlaczego głośno pociągnął nosem.

– Myślisz, że stoję na pierwszej, bo mi się pomyliło? Co?

– Nie, proszę pana.

– Zatem co myślisz, chłopcze?

– Że jest pan wyautowany.

Wszyscy stali już wokół pierwszej bazy – dziewięciu zawodników każdej drużyny i dziewięciu kolorowych, którzy zajęli miejsca, gdy rozpoczął się nowy mecz.

„Wyautowany", usłyszał Ruth. I „bezpieczny". Słyszał te słowa powtarzane raz po raz. Słyszał „chłopcze", „czarnuchu", „asfalcie". A potem usłyszał swój przydomek.

Podniósł wzrok i spojrzał na Stuffy'ego McInnisa, który wskazywał na bazę.

– Gidge, stałeś najbliżej. Flack mówi, że dotknął bazy. Ebby miał na niego oko i to potwierdza. Ty nam powiedz, Babe. Dotknął czy nie?

Babe jeszcze nigdy nie widział tylu gniewnych czarnych twarzy. Osiemnaście. Wielkie spłaszczone nosy, mięśnie jak ołowiane rury, kropelki potu w skręconych włosach. Podobało mu się to wszystko, ale nie podobało mu się, jak patrzyli na niego, jakby coś wiedzieli i nie chcieli powiedzieć. Nie podobało mu się, że te oczy szybko omiatały go szacującym spojrzeniem, po czym robiły się zamglone i niewidzące.

Sześć lat temu w wielkiej lidze odbył się pierwszy strajk. Detroit Tigers odmówili gry, dopóki Ben Johnson nie przywróci Ty Cobba, zawieszonego za pobicie kibica na stadionie. Fan był kaleką, nie miał rąk, nie mógł się bronić, ale Cobb bił faceta jeszcze długo po tym, gdy powalił go na ziemię. Tratował twarz i żebra biednego drania stopami w kolcach. A jednak koledzy z drużyny stanęli po stronie Cobba i zastrajkowali, choć żaden z nich go nawet nie lubił. Cholera, wszyscy go nienawidzili, ale nie w tym rzecz. Chodziło o to, że ten kibic nazwał Cobba „półczarnuchem", a nie można bardziej obrazić białego, może tylko nazywając go „miłośnikiem czarnuchów" albo po prostu „czarnuchem".

Ruth słyszał o tym, gdy był jeszcze w poprawczaku. Rozumiał postawę zawodników. Można gadać z kolorowymi, nawet śmiać się i żartować, a tym najbardziej ulubionym dawać co nieco w okolicach Bożego Narodzenia. Ale to było społeczeństwo białych, zbudowane na wartościach rodzinnych i umiłowaniu uczciwej pracy (no właśnie, co robią ci kolorowi w samym środku dnia na polu? Grają sobie w baseball, podczas gdy ich najbliżsi pewnie głodują). Wiadomo, że zawsze lepiej trzymać ze swoimi, ludźmi, z którymi trzeba być, jeść i pracować do końca życia. Ruth nie odrywał wzroku od bazy. Nie chciał wiedzieć, gdzie stoi Luther, nie chciał przypadkiem spojrzeć mu w oczy.

– Był bezpieczny – powiedział.

Kolorowi jakby oszaleli. Zaczęli krzyczeć, wskazywać bazę, wyć „Gówno prawda!". Trwało to przez jakiś czas, a potem nagle jakby na sygnał psiego gwizdka, niesłyszalnego dla białych ludzi – zamilkli. Ręce im opadły, ramiona się przygarbiły, spojrzeli na Rutha jak na powietrze, a Lepki Joe Beam powiedział:

– Dobrze, dobrze. Skoro tak gramy, to tak gramy.

– Tak gramy – oznajmił McInnis.

– Tak, proszę pana – mruknął Lepki Joe. – Teraz to już jasne.

I wszyscy wrócili na swoje pozycje.

Babe usiadł na ławce i zaczął pić. Czuł się brudny i przyłapał się na pragnieniu, by ukręcić łeb Ebby'emu Wilsonowi i rzucić go na stertę śmieci, a obok niego łeb Flacka. To nie miało sensu, przecież postąpił dobrze, ale tak się czuł i koniec.

Im więcej pił, tym gorzej się czuł. Przy ósmym inningu zastanowił się, co by było, gdyby po następnej zmianie nie wyszedł na boisko. Zamienił się już miejscami z Whitemanem, grał na pierwszej bazie. Tyrell Hawke stał na stanowisku pałkarza, Luther Laurence czekał na swoją kolej i patrzył na Babe'a jak na każdego innego białego człowieka, tymi pustymi oczami, które mają portierzy, pucybuci i boye hotelowi. Babe poczuł, że coś się w nim kurczy.

Nawet po dwóch dyskusyjnych tag outach (dziecko by zgadło, kto wygrał w tej dyskusji) i długiej foul ball, którą gracze zawodowi ogłosili home runem, pod koniec dziewiątego inningu kolorowi nadal górowali nad nimi wynikiem 9:6, i wtedy duma National i American League zaczęła grać, jak należy.

Hollecher rzucił za linię pierwszej bazy. Potem Scott odbił piłkę nad głową trzeciobazowego. Flack usiłował walczyć, choć znalazł się na straconej pozycji, ale McInnis wybił na pole. Bazy były zajęte, jeden wyautowany, George Whiteman pobiegł do bazy domowej, a Ruth czekał na swoją kolej. Po raz pierwszy w życiu zaczął się modlić o podwójną grę, żeby nie musiał wybijać piłki.

Whiteman wykorzystał zbyt niską piłkę i wybił ją w górę; skręciła w prawo tuż za pole wewnętrzne i była to foul ball. Bez wątpienia. Potem Lepki Joe Beam rzucił najstraszliwszą prostą, jaką kiedykolwiek Ruth widział.

Babe stanął na bazie. Zastanowił się, ile z ich sześciu runów zawdzięczali czystej grze i wyszło mu, że trzy. Trzy. Ci nieznani nikomu kolorowi chłopcy ćwiczący na jakimś nędznym ugorze w pipidówce w stanie Ohio pozwolili najlepszym graczom znanego świata na zaledwie trzy nędzne runy. I nie tylko dzięki Beamowi. Przysłowie głosi: uderzaj tam, gdzie ich nie ma, ale ci czarni byli wszędzie. Kiedy już myślałeś, że gdzieś jest luka, zaraz znikała. Rzucałeś tak, że żaden śmiertelnik nie powinien złapać piłki, a jeden z tych chłopaków ją łapał i nawet nie dostawał zadyszki.

Gdyby nie oszukiwali, byłby to jeden z najświetniejszych momentów w życiu Rutha – gra z najlepszymi przeciwnikami, jakich kiedykolwiek spotkał. Pod koniec dziewiątego inningu było dwóch wyautowanych, trzech w grze. Jeden ruch pałką i wygra.

I mógł wygrać. Od jakiegoś czasu przyglądał się Lepkiemu Joe i widział jego zmęczenie. Widział jego narzuty. Gdyby nie oszukiwali, powietrze upoiłoby go jak czysta kokaina.

Lepki Joe rzucił zbyt wolno, niezdarnie; Ruth miał czas zamachnąć się tak, żeby nie trafić. Rozminął się z piłką ostentacyjnie. Nawet Lepki Joe się zdziwił. Następna piłka była lepsza, bardziej podkręcona, a Ruth znowu nie trafił. Kolejna wylądowała w piasku, a jeszcze kolejna poleciała za wysoko.

Lepki Joe wziął piłkę i na chwilę zszedł ze stanowiska. Ruth poczuł na sobie jego spojrzenie. Widział drzewa za plecami Luthera Laurence'a, widział Hollechera, Scotta i McInnisa na bazach i pomyślał, jak pięknie by to było, gdyby nie oszukiwali, gdyby mógł ze spokojnym sumieniem wysłać w niebiosa następny narzut. I może…

Podniósł rękę i zszedł ze swojego stanowiska.

To tylko gra, prawda? Tak sobie powiedział, kiedy postanowił pić. Tylko gra. Kogo obchodzi, jeśli przegra jedną głupią grę?

Ale druga wersja także była prawdziwa. Kogo obchodzi, jeśli wygra? Czy jutro będzie to mieć jakieś znaczenie? Oczywiście, że nie. To nie wpłynie na niczyje życie.

Jeśli poda mi dobrą piłkę, postanowił Ruth, wstępując na stanowisko, to ją łyknę. Jak mogę się oprzeć? Ci gracze na bazach, pałka w ręce, zapach ziemi, trawy i słońca…

To jest piłka, a to kij. To jest dziewięciu mężczyzn. To jest chwila, nie wieczność. Tylko chwila.

No i piłka pofrunęła w jego stronę wolniej, niż powinna, a Ruth spojrzał w twarz tego starego czarnucha i zobaczył jego rozczarowanie.

Chciał nie trafić, zachować się jak należy.

Wówczas rozległ się gwizdek pociągu, głośny i przeraźliwy, a Ruth pomyślał: to znak. Mocno zaparł się nogami, zamachnął się kijem i usłyszał „cholera" łapacza, a potem – ten dźwięk, ten wspaniały stuk drewna o skórę… i piłka znikła w niebie.

Przebiegł parę metrów i stanął.

Obejrzał się i napotkał wzrok Luthera Laurence'a. W ułamku sekundy zrozumiał, co myśli Luther: że chciał zdobyć home run, chciał wygrać tę grę, nieuczciwie rozegraną przeciwko tym, którzy nie łamali zasad.

Luther odwrócił wzrok w taki sposób, że stało się jasne, iż nigdy więcej nie spojrzy na Rutha. Podniósł głowę i stanął, czekając na piłkę. Uniósł rękawicę nad głowę.

A potem odszedł.

Opuścił rękawicę i ruszył w stronę zapola. To samo zrobili prawozapolowy i lewozapolowy. Piłka upadła za ich plecami, a tamci nawet się na nią nie obejrzeli, tylko szli. Hollecher dobiegł do bazy domowej, ale nie czekał na niego łapacz. Odszedł wraz z trzeciobazowym.

Scott dotarł do bazy domowej, jednak McInnis zatrzymał się przy trzeciej i stał, patrząc na kolorowych idących w stronę swojej ławki, jakby to był dopiero początek meczu. Zebrali się tam, włożyli kije i rękawice do dwóch osobnych płóciennych toreb. Zachowywali się, jakby białych tu nie było. Ruth chciał podejść do Luthera, coś powiedzieć, ale ten się nie odwracał. Wszyscy ruszyli w stronę bitej drogi i Luther zniknął w morzu innych kolorowych, taki sam jak oni, i nie obejrzał się ani razu.

Znowu rozległ się gwizdek lokomotywy, a dziewięciu białych nawet nie drgnęło, a choć kolorowi szli wolno, niemal zeszli już z boiska.

Wszyscy oprócz Lepkiego Joe Beama. Ten podszedł i odebrał Babe'owi kij. Oparł go sobie na ramieniu i spojrzał Ruthowi w twarz.

Babe wyciągnął rękę.

– Świetna gra, panie Beam.

Lepki Joe Beam nie zauważył jego gestu.

– Zdaje się, że to pański pociąg – powiedział i odszedł.

Babe wrócił do pociągu. W barze zamówił drinka.

Pociąg opuścił Ohio i ruszył przez Pensylwanię. Ruth siedział sam, pił i przyglądał się pensylwańskim zakurzonym wzgórzom. Myślał o ojcu, który dwa tygodnie temu zmarł w Baltimore w wyniku bójki z bratem drugiej żony, Benjiem Sipesem. Ojciec Babe'a zadał dwa ciosy, a Sipes tylko jeden, ale ten okazał się skuteczniejszy, bo ojciec padając, uderzył głową w krawężnik i parę godzin później zmarł w szpitalu uniwersyteckim.

Gazety przez parę dni robiły z tego wielkie halo. Pytały Rutha o zdanie, o jego uczucia. Babe powiedział, że szkoda mu człowieka. To smutne, że umarł.

Ojciec oddał go do poprawczaka, kiedy Babe miał osiem lat. Powiedział, że syn musi się nauczyć dobrych manier. Że ma dość wbijania chłopakowi do głowy szacunku dla niego i matki. Trochę czasu u Świętej Marii wyjdzie szczeniakowi na zdrowie. On musi prowadzić knajpę. Odbierze Babe'a, kiedy ten nauczy się szacunku.

Matka umarła, zanim wrócił do domu.

To smutne, powiedział gazetom. Smutne.

Ciągle czekał na jakieś uczucie. Czekał od dwóch tygodni.

Na ogół czuł coś – oprócz żalu nad sobą, gdy pił – tylko wtedy, gdy uderzał w piłkę. Nie kiedy ją rzucał. Ani gdy ją łapał. Tylko, jak uderzał. Kiedy drewno uderzało w skórę, a on spinał mięśnie w udach i łydkach, obracał biodrami i ramionami i czuł wstrząs całego ciała, gdy kończył zamach czarnym kijem, a biała piłka wznosiła się wyżej niż cokolwiek na tej planecie. Dlatego wtedy, na polu zmienił zdanie i jednak się zamachnął – bo musiał. To uderzenie było zbyt oczywiste, zbyt czyste, na wyciągnięcie ręki. Dlatego się zdecydował. Oto cała historia. Nic więcej.

Zagrał w pokera z McInnisem, Jonesem, Mannem i Hollecherem, ale wszyscy mówili o strajku i wojnie (nikt nie wspominał o meczu, jakby się umówili), więc Babe poszedł się zdrzemnąć, a kiedy się obudził, niemal opuszczali Connecticut, a on strzelił sobie jeszcze parę drinków, żeby oprzytomnieć. Zdjął kapelusz z głowy śpiącego Harry'ego Hoopera, przebił pięścią dno i włożył go z powrotem Harry'emu. Ktoś parsknął śmiechem, ktoś spytał: „Gidge, czy ty niczego nie szanujesz?". Więc wziął następny kapelusz, Stu Sprintera, dyrektora handlowego Cubsów, i też wybił dziurę w denku, a po chwili połowa wagonu rzucała mu kapelusze i podjudzała do działania. Babe wspiął się na oparcie siedzeń i zaczął po nich łazić jak małpa, czując dziwną, niewytłumaczalną dumę, która wypełniała mu żyły jak błyskawicznie rosnące źdźbła pszenicy.

– Jestem człowiek-małpa! – krzyczał. – Jestem cholerny Babe Ruth! Zaraz was pożrę!

Niektórzy usiłowali ściągnąć go na dół i uspokoić, ale zeskoczył na podłogę, zaczął tańczyć między siedzeniami, potem znowu chwytał kapelusze i niektóre rzucał, a w innych wybijał denka. Wszyscy klaskali, krzyczeli i gwizdali. Babe też klaskał jak małpa, drapał się po tyłku i wydawał małpie dźwięki, a oni byli zachwyceni, po prostu zachwyceni.

Potem skończyły mu się kapelusze. Leżały na podłodze między siedzeniami, zwisały z wieszaków. Do paru okien przywarły słomki. Ruth poczuł ich łaskotanie na plecach, w mózgu. Był rozdrażniony, podekscytowany, gotów zabrać się teraz do krawatów, garniturów, walizek.

Ebby Wilson położył mu rękę na piersi. Ruth nie wiedział nawet, skąd tamten się wziął. Stuffy wstał, podał mu szklankę z jakimś płynem, uśmiechał się i coś wołał. Ruth machnął ręką.

– Zrób mi nowy – powiedział Ebby Wilson.

Ruth spojrzał na niego.

– Co?

Ebby rozłożył ręce, jak wcielenie rozsądku.

– Zrób mi nowy kapelusz. Zniszczyłeś tamten, więc teraz zrób nowy.

Ktoś gwizdnął.

Ruth wygładził rękaw marynarki Wilsona.

– Postawię ci drinka.

– Nie chcę drinka, tylko kapelusz.

Ruth miał już powiedzieć: „Pieprzę twój kapelusz", kiedy Ebby go popchnął. Nie było to silne pchnięcie, ale pociąg akurat szarpnął, podłoga zakołysała się pod nogami Rutha, a on uśmiechnął się do Wilsona i postanowił, że zdzieli go pięścią, zamiast go obrazić. Zadał cios i zobaczył jego odbicie w oczach Ebby'ego Wilsona. Wilson nie był już taki zarozumiały, taki zatroskany z powodu kapelusza, ale pociąg znowu szarpnął, zatrząsł się i Ruth nie trafił, zakołysało nim na prawo, a w jego sercu odezwał się głos, mówiący: „To niepodobne do ciebie, Gidge, oj, niepodobne".

Jego pięść trafiła w szybę. Poczuł ten cios w łokciu, w barku i szyi, a także tuż za uchem. Jego brzuch wyraźnie zafalował, a on znowu poczuł się gruby i opuszczony. Osunął się na puste siedzenie, syknął i przycisnął rękę do piersi.

Luther Laurence, Lepki Joe i Aeneus James pewnie siedzą gdzieś na ganku, w wieczornym upale, i popijają coś mocnego. Może rozmawiają o nim, o jego minie, kiedy zobaczył, że Luther odchodzi. Może się śmieją, opowiadając sobie o meczu.

A on jest tu sam, sam na świecie.

Przespałem Nowy Jork, pomyślał, kiedy przynieśli mu kubeł lodu, w który włożył rękę. Potem przypomniał sobie, że pociąg nie przejechał przez Manhattan, tylko Albany, jednak i tak miał poczucie straty. Widział Nowy Jork setki razy, ale ciągle uwielbiał na niego patrzeć, na te światła, mroczne rzeki, które wiły się przez miasto jak chodniki, na białe kamienne wieże na tle czarnego nocnego nieba.

Wyjął rękę z lodu i spojrzał na nią. Tą ręką rzucał piłki. Była czerwona, puchła i nie mógł już zacisnąć palców.

– Gidge – odezwał się ktoś w głębi wagonu. – Co ty masz przeciwko kapeluszom?

Nie odpowiedział. Wyjrzał przez okno, na równinę Springfield w stanie Massachusetts. Oparł czoło o chłodną szybę i zobaczył swoje odbicie, które nakładało się na odbicie krajobrazu, stopione z nim w jedno.

Podniósł spuchniętą dłoń i krajobraz przesunął się przez nią; wyobraził sobie, że ta ziemia uzdrawia jego obolałe kości. Miał nadzieję, że ich nie połamał z powodu jakichś głupich kapeluszy.

Wyobraził sobie, że spotyka Luthera na jakiejś brudnej ulicy w jakimś brudnym mieście, stawia mu drinka i przeprasza. Luther odpowie: „Pan się nie przejmuje, panie Ruth" i zasunie mu jeszcze jedną opowieść o kaktusach z Ohio.

Ale potem Ruth przypomniał sobie nieprzeniknione oczy tamtego, zdradzające tylko tyle, że prześwietlają człowieka na wylot i nie są zachwycone tym, co zobaczyły. Pieprzyć cię, chłopcze, razem z twoją aprobatą, pomyślał Ruth. Nie potrzebuję jej. Słyszysz?

Nie potrzebuję.

Dopiero nabierał rozpędu. Zaraz eksploduje. Czuł to. Wydarzą się wielkie rzeczy. Już się zbliżają. Do niego, do wszystkich. Miał ostatnio takie uczucie, jakby cały świat czekał w bloczkach, włącznie z nim. I wkrótce wystartuje.

Przytulił czoło do szyby, zamknął oczy i poczuł, że krajobraz przepływa przez jego twarz. Czuł to nawet wtedy, gdy zaczął chrapać.

GRA
W CIUCIUBABKĘ

ROZDZIAŁ PIERWSZY

Pewnego letniego deszczowego wieczoru Danny Coughlin, funkcjonariusz bostońskiej policji, stoczył czterorundową walkę z innym policjantem, Johnnym Greenem, w Mechanics Hall tuż koło Copley Square. Ich walka była finałem piętnastorundowego turnieju policyjnego, w którym brali udział zawodnicy wagi lekkiej, półśredniej, półciężkiej i ciężkiej. Danny Coughlin – metr osiemdziesiąt osiem centymetrów wzrostu, ważący sto dziesięć kilo – należał do zawodników wagi ciężkiej. Podejrzany lewy sierpowy i niezbyt zachwycająca praca nóg zamknęły mu drogę do zawodowstwa, ale jego morderczy lewy prosty połączony z prawym prostym, który wysyłał szczękę przeciwnika na drugi koniec kraju, zapewniły mu pierwsze miejsce wśród wszystkich półprofesjonalistów wschodniego wybrzeża.

Całodzienny turniej bokserski odbywał się pod nazwą „Pięści i Policjanci, walka o nadzieję". Zyski z niego dzielono po połowie między przytułek Świętego Tomasza – dla kalekich sierot – i Bostoński Klub Społeczny, organizację policyjną przeznaczającą wpływy na fundusz zdrowotny dla rannych gliniarzy i koszty mundurów i wyposażenia, których wydział nie zgadzał się uiścić. Ulotki reklamujące imprezę zawisły na słupach i w wystawach okolicznych sklepów, wymuszając w ten sposób datki od osób, które nigdy by nie poszły na ten turniej. Ogłoszenia pojawiły się także w najgorszych bostońskich slumsach, gdzie można było znaleźć sam kwiat przestępczej elity – osiłków, bandziorów, typy spod ciemnej gwiazdy i, oczywiście, Gusties, najpotężniejszy i najbardziej szalony uliczny gang, który mieścił się w południowym Bostonie, lecz obejmował swoimi mackami całe miasto.

Rozumowanie było proste.

Jedyne, co pociąga przestępców bardziej od spuszczania łomotu gliniarzom, jest przyglądanie się, jak robią to inni gliniarze.

Gliniarze mieli spuścić sobie nawzajem łomot w Mechanics Hall podczas bokserskiego turnieju „Pięści i Policjanci, walka o nadzieję".

A zatem przestępcy musieli się zgromadzić w Mechanics Hall.

Ojciec chrzestny Danny'ego Coughlina, porucznik Eddie McKenna, postanowił wykorzystać tę teorię dla dobra wydziału bostońskiej policji w ogólności i dowodzonego przez siebie oddziału specjalnego w szczególności. Ludzie z tego oddziału przez cały dzień mieszali się z tłumem, z zaskakująco bezkrwawą skutecznością dokonując kolejnych aresztowań. Czekali, aż któryś z przestępców wyjdzie do głównego hallu, przeważnie do wygódki, po czym walili delikwenta w łeb składaną pałką i wywlekali do czekających w zaułku więźniarek. Kiedy na ring wstąpił Danny, bandyci przeważnie zostali już zgarnięci lub też wymknęli się tylnym wyjściem, lecz kilku – beznadziejnie durnych do ostatniego tchu – nadal kręciło się po zadymionym pomieszczeniu o podłodze lepkiej od rozlanego piwa.

Trenerem Danny'ego był Steve Coyle. Był także jego partnerem z patrolu z posterunku pierwszego na North End. Razem przemierzali teren od jednego końca Hanover Street do drugiego, od Constitution Wharf po hotel Crawford House, a jak długo pracowali razem, tak długo Danny boksował, a Steve był jego trenerem i pielęgniarzem.

Danny, który uszedł z życiem z wybuchu bomby na posterunku przy Salutation Street w 1916 roku, cieszył się szacunkiem już od czasów, gdy był żółtodziobem. Miał szerokie bary, ciemne włosy i równie ciemne oczy; kobiety nieraz otwarcie gapiły się na niego, i nie tylko imigrantki albo te, które publicznie palą papierosy. Steve natomiast był niski i przysadzisty jak kościelny dzwon, miał wielką twarz, pyzatą i różową, i chodził zgarbiony. W tym roku wstąpił do chóru rewelersów w nadziei, że przypodoba się płci piękniejszej; ta decyzja przynosiła mu korzyści przez całą wiosnę, choć w miarę jak zaczęła się zbliżać jesień, dobre perspektywy zaczęły blednąć.

Powiadano, że Steve jest tak gadatliwy, że od jego ględzenia nawet aspiryna dostaje migreny. Wcześnie stracił rodziców; wstąpił do policji, nie mając żadnych znajomości ani pieniędzy. Po dziewięciu latach nadal był krawężnikiem. Natomiast Danny był synem kapitana Thomasa Coughlina z dwunastego komisariatu w południowym Bostonie i synem chrzestnym porucznika oddziału specjalnego,

Eddiego McKenny. Danny pracował niespełna pięć lat, ale każdy gliniarz w mieście wiedział, że nie będzie długo mundurowym.

– Gdzie on się podziewa? – Steve powiódł wzrokiem po sali.

Ubrał się tak, że trudno go było nie zauważyć. Twierdził, że gdzieś przeczytał, iż trenerami budzącymi największy szacunek w świecie boksu są Szkoci. Dlatego zjawiał się na ringu w kilcie. Autentycznym, czerwonym tartanowym kilcie i skarpetkach w czerwone i czarne romby, kruczoczarnej tweedowej marynarce i takiejże kamizelce na pięć guzików, srebrnym ślubnym krawacie, autentycznych szkockich butach, a także kaszkiecie Balmoral na głowie. Najdziwniejsze było to, że w tym kostiumie czuł się całkiem naturalnie, a przecież nawet nie był Szkotem.

Widzowie, czerwoni na twarzach i pijani, od godziny stawali się coraz bardziej agresywni; pomiędzy walkami na ringu wszczynali własne bójki. Danny oparł się o liny i ziewnął. W sali śmierdziało potem i alkoholem. Dym, gesty i wilgotny, otulał mu ramiona. Według wszelkich zasad powinien siedzieć w swojej garderobie, ale nie miał prawdziwej garderoby, tylko ławkę w korytarzu, na którą pięć minut temu posłali Woodsa z dziewiątki, a ten powiedział mu, że już pora wyjść na ring.

Zatem stał na pustym ringu, czekając na Johnny'ego Greena, a tłum szumiał coraz głośniej i niebezpieczniej. W ósmym rzędzie od końca jakiś gość zdzielił sąsiada składanym krzesłem. Był tak pijany, że zwalił się na swoją ofiarę. Do akcji wkroczył policjant, dzierżąc kask w jednej, a składaną pałkę w drugiej ręce.

– Może byś sprawdził, co zatrzymuje Greena? – odezwał się Danny do Steve'a.

– A może wejdziesz pod mój kilt i mi obciągniesz? – Steve wskazał ruchem głowy tłum. – Niebezpieczne sukinsyny. Jeszcze mi podrą kilt albo podepczą buty.

– Litości – mruknął Danny. – Bo ubrudzisz sobie buciki. – Parę razy odbił się od lin, wyciągnął szyję, rozruszał dłonie. – Oho, leci owoc.

– Co? – spytał Steve, w chwili gdy nad linami śmignęła zbrązowiała sałata, która plasnęła na środek ringu.

– Pomyłka – dodał Danny. – Warzywo.

– Nieważne. Nadchodzi rywal – zauważył Steve. – W samą porę.

Danny podniósł głowę i w jasno oświetlonych drzwiach ujrzał czarną sylwetkę Johnny'ego Greena. Tłum wyczuł jego obecność i odwrócił się. Green ruszył rzędem między krzesłami wraz ze swoim trenerem, facetem, którego Danny zapamiętał jako sierżanta z piętnastki, choć nie mógł sobie przypomnieć jego nazwiska. Jakieś piętnaście rzędów od nich gość ze specjalnego oddziału Eddiego McKenny, osiłek nazwiskiem Hamilton, chwycił innego gościa za nos i powlókł do wyjścia. Najwyraźniej kowboje z oddziału McKenny postanowili porzucić incognito widząc, że zaraz rozpocznie się ostatnia walka.

Carl Mills, rzecznik prasowy bostońskiej policji, zaczął machać do Steve'a, stojąc po drugiej stronie ringu. Steve przyklęknął, żeby z nim porozmawiać. Danny przyglądał się nadchodzącemu Johnny'emu Greenowi. Nie spodobał mu się wyraz jego oczu, jakiś taki nieobliczalny. Johnny Green patrzył na tłum, patrzył na ring i na Danny'ego – a jednak nic nie widział. Wydawało się, że jednocześnie spogląda na kogoś i prześwietla go wzrokiem na wylot. Danny widywał już taki wyraz, najczęściej u pijaków, którym zaraz urwie się film, i ofiar gwałtu.

Stanął za nim Steve i wziął go za łokieć.

– Mills mi powiedział, że to jego trzecia walka w ciągu ostatnich dwudziestu czterech godzin.

– Co? Czyja?

– A jak myślisz? Cholernego Greena. Jedną odbył wczoraj wieczorem w Clown w Somerville, drugą dziś rano w Brighton, a teraz tu.

– Ile rund?

– Mills słyszał, że wczoraj było trzynaście, na pewno. I przegrał przez nokaut.

– To co tu robi?

– Zarabia na czynsz. Dwoje dzieci, żona z brzuchem.

– Na czynsz?

Tłum wstał – ściany zadygotały, belki się zatrzęsły. Gdyby nagle dach uniósł się pod niebo, Danny nie byłby zdziwiony. Johnny Green wszedł na ring bez szlafroka. Stanął w kącie i uderzył o siebie rękawicami. Jego oczy wpatrywały się w jakiś nieistniejący widok.

– On nawet nie wie, gdzie jest – odezwał się Danny.

– Wie, wie – mruknął Steve. – I wychodzi na środek.

– Steve, na litość boską.

– Nie szantażuj mnie żadną litością. Wychodź.

Na środku ringu sędzia – detektyw Bilky Neal, także były bokser – położył ręce na ramionach obu zawodników.

– Walka ma być uczciwa. A jak nie, ma wyglądać na uczciwą. Jakieś pytania?

– Ten facet nie widzi na oczy – powiedział Danny.

Green gapił się pod nogi.

– Widzę tyle, że łeb ci urwę.

– Gdybym zdjął rękawicę, policzyłbyś mi palce?

Green podniósł głowę i splunął Danny'emu na pierś.

Danny cofnął się.

– Co jest, do cholery… – Wytarł ślinę rękawicą, a potem rękawicę o szorty.

Tłum wrzeszczał. Rzucane butelki uderzały o ring.

Green spojrzał Danny'emu w oczy; jego spojrzenie kołysało się jak przedmiot na pokładzie statku.

– Chcesz się poddać, to się poddaj. Ale publicznie, żebym dostał kasę. Łap megafon i mów.

– Nie poddaję się.

– To walcz.

Bilky Neal rzucił im uśmiech, jednocześnie nerwowy i wściekły.

– Panowie, oni się niecierpliwią.

Danny wskazał rękawicą.

– Spójrz na niego, Neal. Tylko spójrz.

– Dla mnie wygląda świetnie.

– Bzdura. Wiem…

Green walnął go lewym prostym w podbródek. Bilky Neal cofnął się gwałtownie i machnął ręką. Zabrzmiał dzwon. Tłum ryknął. Green skierował kolejny lewy prosty w krtań Danny'ego.

Tłum oszalał.

Przy następnym ciosie Danny zrobił krok naprzód i chwycił przeciwnika w klincz. Johnny obsypał jego szyję serią słabych uderzeń.

– Poddaj się. Zgoda? – odezwał się Danny.

– Wal się. Potrzebuję… potrzebuję…

Danny poczuł cieknący mu po plecach ciepły płyn. Rozluźnił chwyt.

Green odchylił głowę; z dolnej wargi spływała mu różowa piana. Stał tak przez pięć sekund – na ringu to wieczność – z opuszczonymi rękami. Wyraz twarzy miał zupełnie bezbronny, jakby dopiero się narodził.

Potem zmrużył oczy. Spiął się i uniósł ręce. Później doktor powiedział Danny'emu (który był tak głupi, że spytał), że ciało poddane wyjątkowemu obciążeniu często działa odruchowo. Gdyby Danny to wiedział, może zrobiłoby to jakąś różnicę, choć trudno mu byłoby odgadnąć jaką. Na ringu unosząca się ręka rzadko oznacza coś innego, niż się na ogół zakłada. Gdy lewa pięść Greena znalazła się między nimi, Danny odruchowo uderzył prawym prostym w skroń przeciwnika.

Instynkt. Wyłącznie.

Nie było nawet co odliczać. Johnny leżał na ringu, wierzgając nogami i tocząc z ust białą, a potem różową pianę. Miotał głową na boki i łapał powietrze jak ryba.

Trzy walki tego samego dnia, pomyślał Danny. Jakiś cholerny żart?

Johnny przeżył. Wyzdrowiał. Oczywiście nigdy więcej nie wszedł na ring, ale po miesiącu mówił już całkiem wyraźnie. Po dwóch przestał kuleć, a z lewego kącika ust znikł kurczowy grymas.

Z Dannym sprawa wyglądała inaczej. Nie chodzi o to, że czuł się za cokolwiek odpowiedzialny – chociaż może i tak, czasami, ale na ogół rozumiał, że ów wylew dopadł Johnny'ego, zanim ten otrzymał cios. Nie, chodziło o równowagę. W ciągu dwóch krótkich lat Danny przeżył wybuch bomby na Salutation Street i stratę jedynej kobiety, którą kiedykolwiek kochał. Nora O'Shea, Irlandka, pracowała jako służąca w domu jego rodziców. Ta miłość była skazana na niepowodzenie od samego początku i to Danny ją zakończył, ale odkąd Nora znikła z jego otoczenia, nie potrafił znaleźć ani jednego dobrego powodu do życia. Teraz omal nie zabił Johnny'ego Greena na ringu Mechanics Hall. A wszystko w dwadzieścia jeden miesięcy. Dwadzieścia jeden miesięcy stanowiących dobrą podstawę do pytania, czy Bóg się o coś na Danny'ego obraził.

Kobieta go rzuciła – powiedział Steve Danny'emu dwa miesiące później.

Był początek września, Danny i Steve obchodzili swój teren na North End w Bostonie. North End zamieszkiwali głównie Włosi i biedacy; szczury były tu wielkie jak prosiaki, a niemowlęta często umierały, zanim zrobiły swoje pierwsze kroki. Rzadko słyszano tu język angielski, jeszcze rzadziej widywano automobile. Jednak Danny i Steve tak ukochali tę dzielnicę, że zamieszkali w jej sercu, na różnych piętrach tej samej czynszowej kamienicy na Salem Street, o parę przecznic od pierwszego posterunku na Hanover.

– Czyja kobieta?

– Nie obwiniaj się. Johnny'ego Greena.

– Dlaczego go rzuciła?

– Idzie jesień. Dostali eksmisję.

– Przecież zaczął pracować. Przy biurku, fakt, ale zawsze.

Steve pokiwał głową.

– Nie nadrobił tych dwóch miesięcy, kiedy nie dostawał kasy.

Danny zatrzymał się, spojrzał na swojego partnera.

– Nie płacili mu? Walczył w turnieju sponsorowanym przez wydział.

– Naprawdę chcesz wiedzieć?

– Aha.

– Bo wiesz, te parę ostatnich miesięcy... Jak ktoś wspominał przy tobie o Johnnym Greenie, darłeś się na niego jak stare prześcieradło.

– Chcę wiedzieć.

Steve wzruszył ramionami.

– Ten turniej sponsorował Bostoński Klub Społeczny. Więc tak naprawdę Johnny nie był w pracy. Więc... – Znowu wzruszył ramionami. – Nie ma chorobowego.

Danny nie odpowiedział. Usiłował znaleźć w otoczeniu jakiś kojący widok. Mieszkał w North End do siódmego roku życia, w czasach gdy były tu irlandzkie slumsy, a woda z przystani regularnie zalewała niższe piętra mieszkań. Ojciec przeprowadził wówczas całą rodzinę do południowej części Bostonu. Danny wrócił tutaj jako dwudziestolatek. Wtedy nie było już tu Żydów, którzy brukowali te ulice, ani Irlandczyków, którzy przyszli po nich. Zastąpili ich Włosi, tak liczni, że gdyby zrobić zdjęcie Neapolu i Hanover Street, trudno by było je rozróżnić.

Danny i Steve patrolowali ulice w ostrym zapachu dymu z kominów i smażonego smalcu. Stare kobiety dreptały po ulicach. Konie, ciągnące wozy, stukały kopytami po bruku. Z otwartych okien dochodził kaszel. Niemowlęta płakały tak przeraźliwie, że Danny wyobrażał sobie ich czerwone buzie. W większości mieszkań na korytarzach gdakały kury, kozy srały na schodach, a świnie rozwalały się na gazetach, wśród chmar much. Jeśli dodać do tego wrodzoną nieufność do wszystkiego, co nie pochodzi z Włoch, w tym języka angielskiego, otrzymywało się pełny obraz społeczności, której żaden *Americano* nie miał szansy zrozumieć.

Dlatego nikogo specjalnie nie dziwiło, że z North End rekrutowano ochotników do wszelkich anarchistycznych ruchów: bolszewickiego, radykalnego, a także wszelkich wywrotowych organizacji ze wschodniego wybrzeża. I dlatego Danny darzył tę dzielnicę tym większą perwersyjną miłością. Można mówić o tutejszych, co się chce – a na ogół mówiło się głośno i nie przebierając w słowach – ale nie można im było odmówić braku zaangażowania. Na mocy ustawy o działalności szpiegowskiej z 1917 roku większość z nich można byłoby aresztować i deportować za wypowiadanie się przeciwko rządowi. W wielu miastach tak by zrobiono, ale aresztowanie mieszkańca North End za nawoływanie do obalenia rządu Stanów Zjednoczonych było jak aresztowanie woźniców za to, że ich konie srają na ulicach – nietrudno znaleźć winnego, ale lepiej przygotować sobie cholernie wielką więźniarkę.

Danny i Steve weszli do kawiarni na Richmond Street. Ściany były pokryte czarnymi wełnianymi krzyżami, co najmniej trzema tuzinami, przeważnie wielkości męskiej głowy. Danny i Steve zamówili espresso. Właściciel postawił filiżanki na szklanym blacie obok czarki z brązowymi okruchami cukru i zostawił ich samym sobie. Jego żona kursowała między restauracją a zapleczem z tacami chleba, które układała na półkach pod blatem. W końcu blat zaparował od ciepłego pieczywa.

– Wojna szybko robi koniec, tak?

– Na to wygląda.

– Dobre. Uszyłam jeszcze krzyża. Może pomoże. – Rzuciła im spłoszony uśmiech, dygnęła i wróciła na zaplecze.

Wypili espresso i wyszli na ulicę. Słońce świeciło mocniej, raziło Danny'ego w oczy. Sadza z nadbrzeżnych kominów wirowała w powietrzu i spadała płatami na bruk. Wokół panował spokój, tylko czasem słychać było szczęk zwijanej kraty na wystawie sklepu, stukot końskich kopyt i pisk kół wozów dostawczych. Danny chciałby, żeby tak pozostało przez cały dzień, ale ulice wkrótce zapełnią się sprzedawcami, bydłem, niesfornymi dziećmi, przemawiającymi bolszewikami i anarchistami. Jedni pójdą do knajp na późne śniadanie, muzycy staną na rogach ulic, których nie zajęli mówcy, a jeszcze inni zbiją żonę, męża albo bolszewika.

Kiedy rozprawią się z tymi bijącymi żony, mężów i bolszewików, będą musieli się zająć kieszonkowcami, drobnymi wymuszeniami, grą w kości na ulicach, w karty na zapleczach kawiarni i zakładów fryzjerskich, a także członkami Czarnej Ręki, sprzedającymi ubezpieczenia od wszystkiego, od pożaru po zarazę, ale głównie od samej Czarnej Ręki.

– Dziś jest następne zebranie – odezwał się Steve. – Poważna sprawa.

– Zebranie Bostońskiego Klubu Społecznego? – Danny pokręcił głową. – Poważna sprawa. Mówisz serio?

Steve zakręcił pałką na skórzanej rączce.

– Nie przyszło ci do głowy, że gdybyś przychodził na spotkania związku, już byś trafił do wydziału dochodzeń, wszyscy dostalibyśmy podwyżkę, a Johnny Green nadal miałby żonę i dzieci?

Danny spojrzał w jaśniejące niebo, na którym nie było widać słońca.

– To klub społeczny.

– To związek zawodowy.

– To dlaczego nazywa się Bostoński Klub Społeczny? – Danny ziewnął w stronę nieba przypominającego rozpaloną blachę.

– Słuszna uwaga. I aktualna. Właśnie staramy się to zmienić.

– Zmieniajcie, ile chcecie, ale to będzie związek tylko z nazwy. Jesteśmy gliniarzami, nie mamy praw. Ten wasz klub to dziecinna zabawa, jak cholerny domek na drzewie.

– Załatwiamy spotkanie z Gompersem z AFP.

Danny zatrzymał się gwałtownie. Gdyby powiedział o tym ojcu lub Eddiemu McKennie, dostałby złotą odznakę i natychmiastowy awans.

– Amerykańska Federacja Pracy to związek ogólnonarodowy. Zwariowałeś? Nigdy nie dopuszczą do siebie gliniarzy.

– Przez kogo? Burmistrza Petersa? Gubernatora Coolidge'a? O'Mearę?

– O'Mearę. Tylko on się liczy.

Podstawowym przekonaniem komisarza policji Stephena O'Meary była wiara, że praca policjanta jest najwznioślejszą ze wszystkich misji obywatelskich i dlatego wymaga przestrzegania zasad honoru. Kiedy przejął władzę nad Bostońskim Klubem Społecznym, każdy posterunek był oddzielnym światem, prywatnym terenem szefa okręgu lub miejskiego radnego, który zdołał go dopaść przed konkurentami. Ci ludzie wyglądali podle, ubierali się podle i byli podli.

O'Meara położył temu kres. Nie całkiem, oczywiście, ale wypalił sporo chwastów i doprowadził do skazania najbardziej szkodliwych szefów okręgu i radnych. Ustawił przegniły system do pionu i pchnął go w nadziei, że się przewróci. Nic podobnego nie nastąpiło, ale czasem było widać, że się chwieje. Wystarczająco, by O'Meara mógł oddelegować sporą liczbę policjantów jako znak dla społeczeństwa, że ktoś się nim opiekuje. I to właśnie należało robić w policji O'Meary, jeśli było się inteligentnym gliniarzem (bez wielkich znajomości) – służyło się społeczeństwu. Nie szefom okręgów, nie samozwańczym władcom. Wyglądałeś jak policjant, zachowywałeś się jak policjant, nie ustępowałeś nikomu i nigdy nie naginałeś podstawowej zasady: to policjant reprezentuje prawo.

Ale nawet O'Meara nie mógł przekonać podczas ostatniego sporu o podwyżki władz miejskich. Nie mieli ich od sześciu lat, a tamta wywalczona przez O'Mearę pojawiła się po ośmiu latach oczekiwania. Tak więc Danny i inni policjanci otrzymywali pensje z 1905 roku. A podczas ostatniego zebrania z Bostońskim Klubem Społecznym burmistrz Peters oznajmił, że przez jakiś czas to się nie zmieni.

Dwadzieścia dziewięć centów za godzinę, siedemdziesiąt trzy godziny pracy w tygodniu. Bez nadgodzin. A to dotyczyło dziennych patroli, jak te, na które chodzili Danny i Steve Coyle. Biedacy z nocnej zmiany dostawali tylko dwadzieścia centów za godzinę i pracowali osiemdziesiąt trzy godziny w tygodniu. Danny uznałby to za oburzające, gdyby już dawno nie pogodził się z tą prostą prawdą: ten system gnoił ludzi pracy. Człowiek miał przed sobą tylko jedną realistyczną decyzję: albo będzie posłuszny systemowi i umrze z głodu, albo będzie lawirować.

– O'Meara – powiedział Steve. – Jasne. Też kocham tego staruszka. Naprawdę. Kocham go. Ale on nam nie da tego, co nam obiecano.

– Może naprawdę nie mają pieniędzy.

– Tak samo mówili w zeszłym roku. „Poczekajcie do końca wojny, a wynagrodzimy wam lojalność". – Steve wyciągnął ręce. – Patrzę, patrzę i co? Nie widzę żadnej nagrody.

– Wojna się nie skończyła.

Steve Coyle tylko się skrzywił.

– Powiedzmy.

– No to proszę, podejmijcie negocjacje.

– Już podjęliśmy. I w zeszłym tygodniu nam odmówili. A koszty utrzymania od czerwca rosną pod niebo. Przymieramy głodem, Dan. Wiedziałbyś, gdybyś miał dzieci.

– Nie masz dzieci.

– Wdowa po moim bracie, niech spoczywa w pokoju, ma dwoje. Czuję się jak żonaty. Tej babie się wydaje, że sypiam na pieniądzach.

Danny wiedział, że Steve zaczął kręcić z wdową Coyle już jakiś miesiąc czy dwa po pogrzebie brata. Rory Coyle przeciął sobie tętnicę udową w rzeźni w Brighton i wykrwawił się na podłodze wśród ogłupiałych robotników i obojętnych krów. Kiedy rzeźnia nie zgodziła się wypłacić nawet minimalnego odszkodowania dla rodziny, robotnicy wykorzystali śmierć Rory'ego Coyle'a jako sygnał do utworzenia związku, ale ich strajk trwał trzy dni, a potem policja z Brighton, oddział prywatnych detektywów i przyjezdne osiłki opanowali sytuację i Rory Joseph Coyle znowu stał się Rorym Jakimśtam.

Po drugiej stronie pod latarnią stanął mężczyzna w czapce anarchisty i z sumiastym wąsem. Ustawił sobie skrzynkę i zajrzał do notesu, który ściskał pod pachą. Potem wspiął się na skrzynkę. Przez chwilę Danny czuł do niego dziwne współczucie. Zastanawiał się, czy tamten ma żonę, dzieci.

– AFP ma zasięg ogólnokrajowy – odezwał się znowu. – Wydział nigdy, ale to nigdy na to nie pozwoli.

Steve położył mu rękę na ramieniu. Jego oczy przygasły.

– Przyjdź na zebranie, Dan. W Fay Hall. Wtorki i czwartki.

– Ale po co? – Facet po drugiej stronie ulicy zaczął coś wykrzykiwać po włosku.

– Tylko przyjdź – powiedział Steve.

Po skończonej zmianie Danny samotnie zjadł obiad, a potem wypił trochę za dużo drinków w portowej knajpie U Costella, lubianej przez policjantów. Po każdym drinku Johnny Green stawał się mniejszy. Johnny Green, jego trzy walki w jednym dniu, jego usta z cieknącą pianą, jego praca przy biurku i eksmisja. Potem Danny wyszedł z knajpy, wziął flaszkę i ruszył przez North End. Jutro będzie miał pierwszy wolny dzień po dwudziestu przepracowanych i, jak zwykle, z jakiejś perwersyjnej przyczyny, wyczerpanie sprawiło, że był w pełni przytomny i rozdrażniony. Ulice znowu były ciche, zapadał coraz głębszy mrok. Na roku Hanover i Salutation oparł się o uliczną latarnię i spojrzał na zamknięty posterunek. Najniższe okna, te stykające się z chodnikiem, nosiły ślady pożaru, ale poza tym trudno było się domyślić, co tu zaszło.

Portowa policja przeniosła się do innego budynku na Atlantic, o parę przecznic stąd. Dziennikarzom powiedziano, że tę przeprowadzkę planowano od roku, ale nikt nie łyknął tej bajeczki. W budynku na Salutation Street nikt nie czuł się już bezpieczny. Złudzenie bezpieczeństwa stanowiło minimum wymagane od posterunku policji.

Na tydzień przed Bożym Narodzeniem 1916 roku Steve zachorował na anginę. Danny, pracując samotnie, aresztował złodzieja, który uciekał ze statku zakotwiczonego wśród pływającej kry na szarych wodach Bartery Wharf. Problem podlegał policji nadbrzeżnej, Danny musiał tylko odstawić delikwenta.

Aresztowanie było łatwe. Złodziej zszedł po trapie z workiem na plecach, z którego dobiegł jakiś szczęk. Danny zdążył już wynudzić się na tej zmianie; zauważył, że gość nie ma rąk, butów ani ruchów robotnika portowego bądź marynarza. Kazał mu się zatrzymać. Złodziej wzruszył ramionami i położył worek na ziemi. Statek, który okradł, miał odpłynąć z jedzeniem i lekami dla głodujących belgijskich dzieci. Kiedy jakiś przechodzień dostrzegł na pokładzie puszki z jedzeniem, powiedział o tym innym i w chwili, gdy Danny zakuwał złodzieja w kajdanki, w porcie zaczęli się gromadzić ludzie. Głodujące belgijskie dzieci były przebojem tego sezonu, w gazetach roiło się od artykułów o bestialstwach popełnianych przez Niemców na niewinnych bogobojnych Flamandach. Danny musiał wyciągnąć kieszonkową pałkę i unieść ją wysoko, by przeprowadzić złodzieja przez tłum aż na Salutation Street.

Była niedziela; poza przystanią na ulicach panował spokój i chłód. Przez cały ranek prószył śnieg, zimny pył miałki i suchy jak popiół.

Złodziej stanął obok Danny'ego przy kontuarze, pokazał spierzchnięte z zimna ręce, powiedział, że parę nocy w pudle bardzo mu się przyda, żeby krew zaczęła wreszcie krążyć, jak należy – i wtedy w piwnicy wybuchło siedemnaście lasek dynamitu.

W okolicy jeszcze długo dyskutowano nad tym, jak naprawdę przebiegła eksplozja. Czy wybuch poprzedziły dwa czy trzy stłumione stukoty. Czy budynek zatrząsł się, zanim drzwi wyleciały z zawiasów, czy dopiero potem. Wszystkie szyby w oknach domu po drugiej stronie ulicy pękły z głośnym brzękiem, tak że trudno było się zorientować, który łomot spowodował wybuch. Ale dla osób znajdujących się w budynku tych siedemnaście lasek dynamitu wydało bardzo wyraźny dźwięk, całkiem inny od wszystkich następnych, gdy podłogi zaczęły się zawalać, a ściany pękać.

Danny usłyszał huk grzmotu. Nie najgłośniejszy, ale najbardziej basowy. Jak przeciągłe, groźne ziewnięcie wielkiego, opasłego boga. Nigdy by nie pomyślał, że to może być coś innego niż grzmot, gdyby natychmiast się nie zorientował, że dźwięk dochodzi z dołu. Był to głęboki ryk, który zatrząsł ścianami i zakołysał podłogami. Trwało to niespełna sekundę. Tyle że złodziej zdążył spojrzeć na Danny'ego, Danny na sierżanta za biurkiem, a ten na dwóch funkcjonariuszy, którzy kłócili się o wojnę w Belgii. Potem huk i dygotanie budynku nabrały mocy. Ściana za sierżantem bryznęła gipsem. Wyglądał jak mleko w proszku albo detergent. Danny chciał wskazać ją palcem, żeby sierżant się obejrzał, ale sierżant zniknął, zapadł się pod ziemię jak skazaniec spadający przez klapę w podłodze szafotu. Wybuch wybił okna. Danny spojrzał przez nie i zobaczył szary skrawek nieba. Potem podłoga usunęła mu się spod stóp.

Od grzmotu do zapadnięcia się podłogi minęło może dziesięć sekund. Parę sekund później Danny otworzył oczy, słysząc wycie alarmu przeciwpożarowego. W lewym uchu słyszał też inny dźwięk, trochę wyższy i nie aż tak głośny. Jak nieustanny gwizd czajnika. Coś ostrego kłuło go w plecy. Miał zadraśnięcia na dłoniach i ramionach. Z rany na szyi lała mu się krew; wyjął chusteczkę z kieszeni i przycisnął ją tam mocno. Płaszcz i mundur były podarte, gdzieś mu przepadł kask. Wśród gruzów leżeli mężczyźni w bieliźnie, śpiący na pryczach. Jeden otworzył oczy i spojrzał na Danny'ego, jakby domagając się wyjaśnienia, dlaczego został obudzony.

Na zewnątrz wyły syreny. Nadjeżdżały ciężkie wozy strażackie. Słychać było gwizdki.

Facet w bieliźnie miał zakrwawioną twarz. Uniósł rękę obsypaną czymś białym i wytarł krew.

– Cholerni anarchiści – powiedział.

Danny też tak pomyślał. Wilson został ponownie wybrany dzięki obietnicy, że będzie chronił Amerykę przed sprawami Belgii, Francji i Niemiec. Ale gdzieś w kuluarach władzy nastąpiła nagła zmiana frontu. Raptem okazało się, że Stany Zjednoczone koniecznie muszą się włączyć w wojnę. Rockefeller tak powiedział. I J.P. Morgan. Ostatnio mówiła tak nawet prasa. Ofiary w Belgii cierpiały. Głodowały. Hunowie byli znani z upodobania do okrucieństw – bombardowali francuskie szpitale, morzyli głodem belgijskie dzieci. Zawsze te dzieci, zauważył Danny. Wielu Amerykanów czuło w tym jakiś swąd, ale to radykałowie zaczęli podnosić krzyk. Dwa tygodnie temu nieopodal odbyła się demonstracja anarchistów, socjalistów i IWW. Policja – miejska i nadbrzeżna – rozpędziła ich, aresztowała prowodyrów, rozbiła parę głów. Anarchiści wysyłali groźby do gazet, zapowiadali odwet.

– Cholerni anarchiści – powtórzył facet w bieliźnie. – Cholerni włoscy terroryści.

Danny sprawdził lewą nogę. Potem prawą. Zyskawszy pewność, że go utrzymają, podniósł się. Spojrzał na dziury w suficie. Były wielkości beczek; stojąc w piwnicy, widział przez nie niebo.

Ktoś z lewej strony jęknął; Danny zobaczył rude włosy, wystające spod gruzu i odłamków drzwi jakiejś celi. Zdjął z pleców mężczyzny kawał poczerniałego drewna, pozbierał gruz. Ukląkł przy złodzieju, który podziękował mu krzywym uśmiechem.

– Jak się nazywasz? – spytał Danny, bo nagle wydało mu się, że to ważne.

Ale z oczu mężczyzny wyciekało życie. Danny spodziewał się, że tamten wstanie, zacznie uciekać, ale on zapadł się w sobie, aż nic z niego nie zostało. Na jego miejscu leżał nie człowiek, tylko coś stygnącego, obojętnego. Danny przycisnął mocniej chusteczkę do szyi, zamknął złodziejowi powieki i z dziwnym, rosnącym niepokojem pomyślał, że nie poznał jednak jego nazwiska.

W szpitalu lekarz pincetą wyciągnął z karku Danny'ego odpryski metalu. Ten metal pochodził z ramy łóżka, które uderzyło go, zanim wbiło się w ścianę. Doktor powiedział, że kawałek metalu tak bardzo zbliżył się do jego tętnicy, iż mógł ją zupełnie rozciąć. Przyjrzał się drodze, jaką przemierzył inny odłamek i powiadomił Danny'ego, że ominął tętnicę o jakąś jedną tysięczną milimetra. I że coś takiego wydarza się równie często, jak zderzenie z latającą krową. I ostrzegł, żeby Danny przestał bywać w budynkach będących ulubionym celem anarchistów.

Parę miesięcy po wyjściu ze szpitala Danny rozpoczął swój tragiczny romans z Norą O'Shea. Pewnego dnia pocałowała bliznę na jego szyi i powiedziała, że został pobłogosławiony.

– Jeśli ja jestem błogosławiony, to co można powiedzieć o tym złodzieju?

– Że nie był tobą.

Znajdowali się w pokoju w hotelu Tidewater, wychodzącym na molo przy Nantasket Beach. Dostali się tu na pokładzie parowca i spędzili cały dzień w Paragon Park, jeżdżąc na karuzeli i diabelskim młynie. Jedli ciągutki i smażone małże, tak gorące, że trzeba było na nie dmuchać.

Na strzelnicy Nora go prześcignęła. Poszczęściło się jej, to prawda, ale trafiła w dziesiątkę, więc to Danny'emu przypadł pluszowy miś, którego wręczył mu sprzedawca uśmiechający się z ironią. Miś był tandetny, szwy od razu zaczęły się rozłazić, ukazując jasnobrązowe pakuły i trociny. Później, w pokoju, Nora broniła się nim podczas walki na poduszki i miś tego nie przetrzymał. Zgarnęli rękami pakuły i trociny. Danny na czworakach znalazł jedno szklane oczko świętej pamięci misia pod mosiężnym łóżkiem i schował je do kieszeni. Nie zamierzał go zatrzymać na dłużej, ale minął rok, a on rzadko opuszczał mieszkanie bez niewielkiego błyszczącego paciorka.

Ich romans zaczął się w kwietniu 1917 roku, w miesiącu przystąpienia USA do wojny z Niemcami. Było nietypowo ciepło. Kwiaty rozwinęły się nadspodziewanie szybko; pod koniec miesiąca ich zapach sięgał najwyższych okien kamienic. Leżeli razem w kwietnej woni, pod chmurami nieustannie grożącymi deszczem, który nigdy nie padał, statki odpływały do Europy, patrioci demonstrowali na ulicach, a nowy świat zdawał się rozkwitać szybciej niż te kwiaty. Danny wiedział, że ten związek jest skazany na niepowodzenie. Wtedy, gdy ich romans dopiero się rozwijał, nie znał jeszcze jej mrocznych tajemnic. Ale czuł tę bezradność, która nie opuściła go od chwili, gdy ocknął się w piwnicy na Salutation Street. Nie chodziło tylko o sam wybuch (choć do końca życia odgrywał on dużą rolę w jego rozmyślaniach), ale o cały świat. O to, że z każdym dniem zdawał się nabierać prędkości. A im była większa, tym bardziej stawało się jasne, że tym światem nie kieruje żaden ster ani konstelacja. Po prostu płynął przed siebie, nie dbając o niego.

Danny zostawił zabitą deskami ruinę posterunku i ruszył z butelką przez miasto. Tuż przed świtem wszedł na most na Dover Street i stanął, spoglądając na horyzont, na miasto schwytane w chwili między zmierzchem a świtem, pod kożuchem ciężkich chmur. Miasto było z kamienia, cegieł i szkła, zaciemnione ze względu na wojnę. Wszędzie widać było banki, knajpy, restauracje, księgarnie, sklepy jubilerskie, magazyny i czynszowe kamienice, ale Danny miał wrażenie, że kulą się one w tej luce między nocą a dniem, jakby nie miały przekonania do żadnego z nich. O świcie to miasto traciło wdzięk, szyk i polot. Widać było tylko trociny na podłogach, przewrócone butelki, zgubiony bucik z zerwanym paskiem.

– Jestem pijany – powiedział Danny w stronę rzeki; jego niewyraźna twarz spojrzała nań z szarej wody, oświetlona żółtym blaskiem jedynej latarni pod mostem. – Bardzo pijany.

Splunął na swoje odbicie, ale chybił.

Po prawej stronie rozległy się głosy; odwrócił się i zobaczył ich, pierwszych porannych przybyszów: kobiety i dzieci, idące przez most do centrum miasta, do pracy.

Zszedł z mostu i znalazł bramę dawnej hurtowni owoców. Patrzył na nadchodzących robotników; szli najpierw grupami, potem całą ławą. Zawsze pierwsze kobiety i dzieci – kobiety zaczynały zmianę na parę godzin przed mężczyznami, żeby szybciej wrócić do domu i przygotować obiad. Niektóre rozmawiały wesoło i głośno, inne milczały zaspane. Starsze szły, przyciskając dłonie do pleców, bioder lub innych obolałych miejsc. Wiele miało na sobie skromne suknie robotnic, inne nosiły sztywno wykrochmalone, czarno-białe uniformy służących i hotelowych sprzątaczek.

Ukryty w bramie Danny pociągnął łyk z butelki. Miał nadzieję, że ją zobaczy, i że jej nie zobaczy.

Dwie starsze kobiety prowadziły grupę dzieci, karcąc je za płacz, szuranie nogami, zostawanie z tyłu. Danny zastanawiał się, czy te dzieci są najstarsze w rodzinie i wysłano je do pracy, żeby kontynuowały rodzinną tradycję, czy też są najmłodsze i pieniądze na szkołę już przeznaczono na ich starsze rodzeństwo.

Wtedy zobaczył Norę. Włosy miała ukryte pod chustką związaną z tyłu, ale wiedział, że są kędzierzawe i niesforne, dlatego obcinała je na krótko. Po opuchniętych powiekach poznał, że nie spała dobrze. Wiedział, że ma na krzyżu myszkę, szkarłatną na tle bardzo jasnej skóry, w kształcie dzwonka. Wiedział, że Nora wstydzi się swojego akcentu i usiłuje się go pozbyć od pięciu lat; od dnia gdy ojciec przyprowadził ją do domu w Wigilię, znalazłszy ją w przystani na Northern Avenue, zagłodzoną i prawie zamarzniętą.

Nora i jeszcze inna dziewczyna zeszły z chodnika, by ominąć ociągające się dzieci; Danny uśmiechnął się widząc, że ta druga dziewczyna ukradkiem podała Norze papierosa, a ta schowała go w dłoni i szybko się zaciągnęła.

Zastanowił się, czy nie wyjść i nie zawołać do niej. Wyobraził sobie jej reakcję, kiedy go zobaczy, spitego i chwiejącego się na nogach. Tam, gdzie inni zobaczyliby odwagę, ona ujrzałaby tchórzostwo.

I miałaby rację.

Więc się nie pokazał. Stał w bramie i obracał w palcach oczko misia, aż Nora znikła w tłumie idącym przez Dover Street. Wtedy poczuł nienawiść do siebie i do niej za to, że tak się nawzajem zniszczyli.

ROZDZIAŁ DRUGI

Luther stracił pracę w fabryce amunicji we wrześniu. Przyszedł jak zwykle i znalazł skrawek żółtego papieru przyklejony do swojego stanowiska. Była środa, a on, zgodnie z nawykiem, w poprzedni wieczór zostawił swoją torbę z narzędziami pod warsztatem. Każde narzędzie było mocno owinięte w natłuszczoną szmatę i porządnie ułożone na miejscu. To były jego prywatne narzędzia, nie firmowe. Dostał je od wujka Corneliusa, staruszka, który oślepł przedwcześnie. Kiedy Luther był mały, Cornelius siadał na ganku i z kombinezonu, który nosił, czy było trzydzieści stopni w cieniu, czy mróz, wyjmował małą butelkę oleju. Wycierał swoje narzędzia, rozpoznając je dotykiem i wyjaśniał Lutherowi, że nie wolno mówić „szwed", tylko „klucz nastawny" („naucz się poprawnej nazwy, bo jak ktoś nie potrafi odróżnić szweda od żabki samym dotykiem, to nie powinien go w ogóle używać"). Uczył Luthera rozpoznawać swoje narzędzia tak, jak sam je znał. Zawiązywał mu oczy, Luther siedział, chichocząc, na rozpalonym ganku, a potem dostawał do ręki śrubę i musiał ją dopasować do gwintu, raz po raz, aż opaska przestawała śmieszyć, a pot gryzł w oczy. Ale z czasem jego ręce nauczyły się widzieć, czuć i smakować wszystkie elementy do tego stopnia, że wydawało mu się, iż palcami rozpoznaje kolory szybciej niż oczami. Może dlatego nigdy w życiu nie wypuścił z ręki kija baseballowego.

I nigdy się nie zranił podczas pracy. Zrobił pewnie z milion pocisków i milion celowników. Nigdy nie zmiażdżył sobie kciuka w prasie, nigdy nie przeciął skóry ostrzem, chwyciwszy je z niewłaściwej strony. A jego oczy nieustannie były zwrócone gdzie indziej; spoglądały na blaszane ściany, na świat po drugiej stronie, na który pewnego dnia miał wyjść i przekonać się, jaki jest wielki.

Na żółtym karteluszku widniał napis „Idź do Billa". I tyle. Ale Luther poczuł w tych słowach coś takiego, że sięgnął po zniszczoną skórzaną torbę i zabrał ją ze sobą do gabinetu kierownika zmiany. Trzymał ją w ręce, stojąc przed biurkiem Billa Hackmana, a smutny Bill, nie taki zły, jak na białego, nieustannie wzdychając, powiedział:

– Luther, musimy cię zwolnić.

Luther poczuł, że znika, stał się taki malutki, że już nie czuł samego siebie, stał się śladem po ukłuciu igły, kropeczką w powietrzu unoszącą się w głębi jego czaszki. Patrzył na swoje ciało znieruchomiałe przed biurkiem Billa i czekał, aż ta kropeczka każe mu się znowu ruszyć.

Tak trzeba, kiedy biali do ciebie mówią i patrzą ci w oczy. Bo nigdy tego nie robią, jeśli nie udają, że chcą cię poprosić o coś, co już dawno zaplanowali, albo – jak teraz – kiedy przynoszą złe wiadomości.

– W porządku – powiedział Luther.

– To nie moja decyzja – wyjaśnił Bill. – Wszyscy ci chłopcy wkrótce wrócą z wojny i będą potrzebowali pracy.

– Wojna jeszcze trwa – zauważył Luther.

Bill uśmiechnął się ze smutkiem, jak człowiek do psa, którego lubi, lecz który nie chce się nauczyć siadania na rozkaz ani warowania.

– Wojna już się właściwie skończyła. Wierz mi, już to wiemy.

Ci „my" oznaczali firmę. Luther pomyślał, że zarząd wie o takich sprawach lepiej niż ktokolwiek, bo to on od 1915 roku płacił mu za pomoc w produkcji broni, czyli na długo zanim ktokolwiek pomyślał, że Ameryka może mieć coś wspólnego z tą wojną.

– W porządku – powtórzył.

– Tak, pracowałeś bardzo dobrze, a my próbowaliśmy ci znaleźć miejsce, żebyś z nami został, ale chłopcy zaczną wracać, a tak ciężko walczyli... Wuj Sam chce im wyrazić wdzięczność.

– W porządku.

– Słuchaj – podjął Bill, trochę rozdrażniony, jakby Luther się z nim spierał. – Chyba to rozumiesz, prawda? Nie chciałbyś, żebyśmy wyrzucili tych chłopców, patriotów, na ulicę. Jak by to wyglądało, Luther? Niedobrze, powiadam ci. Czy potrafiłbyś iść z podniesioną głową, gdybyś zobaczył na ulicy tych chłopców, jak szukają pracy, podczas gdy ty masz pełne kieszenie pieniędzy?

Luther nie odpowiedział. Nie wspomniał, że wielu tych patriotów, którzy ryzykowali życie dla kraju, to kolorowi i na pewno nie oni odbiorą mu pracę. Mógłby się nawet założyć, że gdyby za rok zajrzał do tej fabryki, jedyni kolorowi byliby sprzątaczami, zatrudnionymi do wynoszenia kubłów ze śmieciami i zmiatania metalowych opiłków z podłóg. I nie spytał na głos, czy ci biali chłopcy, którzy zastąpią tu kolorowych, naprawdę służyli za granicą, czy też dostali odznaczenia za pracę biurową w Georgii bądź gdzieś w okolicach Kansas.

Luther nie otworzył ust. Milczał, dopóki Bill nie zmęczył się dyskusją z samym sobą i nie powiedział mu, gdzie może odebrać swoją płacę.

I tak Luther zaczął się rozpytywać w okolicy i dowiedział się, że być może, nie jest to pewne, znajdzie pracę w Youngstown, a ktoś inny słyszał, że kopalnia pod Ravenswood, tuż za rzeką w zachodniej Wirginii, przyjmuje ludzi. Ale znowu jest kiepsko z robotą, powtarzali wszyscy. Cieniutko.

A potem Lila zaczęła mówić o ciotce w Greenwood.

– Nigdy nie słyszałem o takim mieście – oświadczył Luther.

– Nie jest w Ohio, kochanie. Ani w zachodniej Wirginii, ani w Kentucky.

– Więc gdzie?

– W Tulsie.

– W Oklahomie?

– Aha – powiedziała łagodnie, jakby planowała to od jakiegoś czasu i chciała podejść Luthera tak sprytnie, żeby myślał, że to jego pomysł.

– Do diabła, kobieto. – Pogładził jej ramiona. – Nie jadę do Oklahomy.

– To dokąd chcesz iść? Do sąsiadów?

– A co jest u sąsiadów?

– Brak pracy. Tyle jest u sąsiadów.

Luther zastanowił się; czuł, że Lila go osaczyła, że wyprzedza go o parę kroków.

– Kochanie – powiedziała. – Ohio nas tylko zubożyło.

– Nieprawda.

– Na pewno nas nie wzbogaci.

Siedzieli na huśtającej się ławeczce, którą zmajstrował na resztce ganku, gdy Cornelius nauczył go fachu. Dwie trzecie ganku zmyła powódź w 1916 roku, a Luther ciągle miał zamiar postawić go na nowo, ale ostatnio tak był zajęty baseballem i pracą, że nie miał czasu. I przyszło mu do głowy, że nie jest bez grosza. Nie wystarczy mu tego do końca życia, to wiadomo, ale po raz pierwszy w życiu miał oszczędności. Wystarczy, żeby zaplanować jakiś ruch.

Boże, jak on lubił Lilę. Może nie aż tak, żeby zaraz dawać na zapowiedzi i wyrzekać się kawalerskiego życia; do diabła, miał dopiero dwadzieścia trzy lata. Ale lubił jej zapach, lubił z nią rozmawiać i na pewno lubił, jak się do niego przytulała na tej ławeczce.

– Co jest w tym jakimś Greenwood?

– Praca. Dużo pracy. To wielkie miasto, w którym są sami kolorowi i dobrze im się wiedzie, kochanie. Mają własnych lekarzy i prawników. Bracia mają własne piękne automobile, a siostry w niedziele ubierają się bardzo pięknie i każdy ma własny dom.

Pocałował ją w głowę, bo nie uwierzył, ale bardzo mu się podobało, że kiedy sądziła, iż coś powinno być takie, a nie inne, prawie wierzyła, że tak właśnie jest.

– Ach, tak? – zachichotał. – I mają białych, co robią za nich w polu, nie?

Klepnęła go w czoło, a potem ugryzła w nadgarstek.

– Kobieto, cholera, ja tą ręką rzucam. Uważaj.

Uniosła jego rękę i pocałowała ugryzione miejsce, a potem położyła ją między swoimi piersiami.

– Dotknij mojego brzuszka, kochanie.

– Nie dosięgnę.

Nieco się uniosła i jego dłoń spoczęła na jej brzuchu; usiłował sięgnąć niżej, ale chwyciła go za przegub.

– Dotknij.

– Dotknąłem.

– I jeszcze to nas czeka w Greenwood.

– Twój brzuch?

Pocałowała go w brodę.

– Nie, głuptasie. Twoje dziecko.

Wyjechali pociągiem z Columbus pierwszego października. Przemierzyli tysiąc dwieście kilometrów i znaleźli się w rejonach, gdzie letnie złociste pola zmieniły się w bruzdy, na których nocny szron rozmarzał rano i ściekał jak lukier. Niebo miało kolor metalu prosto z obrabiarki. Na płowych polach stały sterty siana, a obok pociągu biegło stado koni, białych jak para, buchająca im z pysków. Pociąg sunął nieubłaganie, wstrząsając ziemią, gwiżdżąc pod niebo, a Luther chuchał na szybę i rysował na niej piłki baseballowe, kije i dziecko ze zbyt dużą głową.

Lila spojrzała na nie i parsknęła śmiechem.

– Tak będzie wyglądać nasz synek? Z wielką brzydką głową jak u tatusia? Wysoki, chudy dryblas?

– Nie – odpowiedział Luther. – Będzie podobny do ciebie.

I dorysował dziecku piersi wielkie jak balony, a Lila zachichotała, uderzyła go po ręce i starła rysunek.

Podróż trwała dwa dni i pierwszej nocy Luther przegrał trochę pieniędzy w karty, grając z obsługą. Lila się wściekła, ale poza tym musiałby się mocno zastanawiać, żeby przypomnieć sobie piękniejszy okres życia. Owszem, zaliczył dużo meczów baseballowych, a raz, jako siedemnastolatek, pojechał do Memphis z kuzynem Sweet George'em i spędzili na Beale Street niezapomniane chwile, ale kiedy tak jechał pociągiem z Lilą wiedząc, że rozwija się w niej jego dziecko, że jej ciało nie żyje już tylko dla siebie, że jest w nim jakby półtora życia, i że – jak często marzył – wyruszyli w świat, pijani prędkością podróży, poczuł, że rozluźnia się ten zaciśnięty supeł, który pulsował mu w piersi od dzieciństwa. Nigdy nie wiedział, skąd się bierze to pulsowanie, ale zawsze mu towarzyszyło. Przez całe życie usiłował je usunąć rozmyślaniami, zabawą, piciem, seksem i snem. A teraz, kiedy siedział ze stopami na podłodze przyśrubowanej do stalowego podłoża, łączącego się z kołami, które łączyły się z szynami i pokonywały czas i przestrzeń, jakby nie miały one żadnego znaczenia, kochał swoje życie, kochał Lilę, kochał to dziecko i wiedział, jak zawsze, że kocha prędkość, bo to, co jest szybkie, nie da się spętać, a przez to nie można go sprzedać.

Przyjechali do Tulsy o dziewiątej rano. Na dworzec wyszła po nich Marta, ciocia Lili, wraz z mężem Jamesem. James okazał się równie potężny, jak Marta drobna, oboje byli tak czarni, jak tylko można, a ich skóra tak mocno opinała kości, że Luther zaczął się zastanawiać, jak oddychają. James był wielki – niektórzy mężczyźni mogliby mu dorównać tylko, gdyby siedzieli na końskim grzbiecie – ale niewątpliwie to Marta rządziła w rodzinie. Cztery, może pięć sekund po prezentacji rzuciła:

– James, kochanie, weź ich bagaże, dobrze? Chcesz, żeby ta biedna dziewczyna zemdlała?

– Nie, ciociu, dam radę... – zaczęła Lila.

– James! – Ciocia Marta strzeliła palcami i jej mąż rzucił się po bagaże. Potem uśmiechnęła się, malutka i śliczna, i powiedziała: – Dziewczyno, jesteś piękna jak zawsze, chwalić Boga.

Lila oddała torby wujkowi Jamesowi.

– Ciociu, to jest Luther Laurence, młodzieniec, o którym ci pisałam.

Luther powinien się domyślić, a jednak zaskoczyło go, że jego imię zostało zapisane na papierze i wysłane przez cztery stanowe granice prosto w ręce cioci Marty, że tych liter dotykał, choćby nieumyślnie, jej malutki kciuk.

Ciocia Marta uśmiechnęła się do niego z o wiele mniejszym ciepłem niż do siostrzenicy. Wzięła jego rękę i zajrzała mu w oczy.

– Miło cię poznać, Lutherze Laurence. My tu w Greenwood jesteśmy wierzący. A ty jesteś wierzący?

– Tak, proszę pani. Oczywiście.

– Więc dobrze – oznajmiła, uścisnęła jego dłoń wilgotną ręką i powoli nią potrząsnęła. – Dogadamy się, jak sądzę.

– Tak, proszę pani.

Luther był przygotowany na długi marsz ze stacji przez miasto, ale James zaprowadził ich do oldsmobile'a, zielonego i lśniącego jak jabłuszko wyciągnięte z wody. Miał drewniane szprychy w kołach i czarny dach, który James złożył i przypiął z tyłu. Położyli walizki na tylnym siedzeniu obok Marty i Lili, które zaczęły trajkotać jak najęte, a potem wyjechali z parkingu. Luther pomyślał, że w Columbus kolorowy za kierownicą samochodu zostałby zastrzelony, bo uznano by go za złodzieja, ale na stacji kolejowej żaden biały nie zwrócił na nich uwagi.

James wyjaśnił, że samochód ma silnik V8 i sześćdziesiąt koni mechanicznych, wrzucił trzeci bieg i uśmiechnął się szeroko.

– Dla kogo pracujesz? – spytał Luther.

– Mam dwa warsztaty samochodowe – wyjaśnił James. – I czterech pracowników. Chciałbym cię tam umieścić, synu, ale na razie mam dość pomocników. Nie martw się, w Tulsie jednego jest dużo: pracy, mnóstwo pracy. Jesteś na ropodajnych terenach, synu. To miasto zbudowano w jedną noc, bo nagle pojawiła się tu ropa. Dwadzieścia pięć lat temu nie było tu niczego. Tylko faktoria. Uwierzyłbyś?

Luther wyjrzał przez okno na miasto, zobaczył budynki większe niż w Memphis, wielkie jak te, które widywał tylko na zdjęciach z Chicago i Nowego Jorku, i samochody na ulicach, i ludzi, i pomyślał, że takie miasto powinno się budować przez sto lat, ale ten kraj nie ma już czasu czekać, nie jest już zainteresowany cierpliwością i nie ma ku niej powodów.

Spojrzał przed siebie; dojechali do Greenwood. James pomachał ludziom budującym dom, a oni mu odmachali. Potem zatrąbił klaksonem, a Marta wyjaśniła, że właśnie zbliżają się do Greenwood Avenue, znanej jako Czarna Wall Street, o, patrzcie…

Luther zobaczył bank dla czarnych i kawiarnię pełną czarnych nastolatków, i salon fryzjerski, i salon bilardowy, i wielgachny sklep spożywczy, i jeszcze większy magazyn mód, i kancelarię, gabinet lekarski, redakcję gazety, a wszędzie byli kolorowi. Potem przejechali koło teatru, którego wielki biały szyld otaczały rzędy wielkich żarówek i Luther spojrzał, żeby przeczytać nazwę – Kraina Marzeń – i pomyślał: słusznie, właśnie tu przybyliśmy. Bo to musiała być Kraina Marzeń.

Kiedy dotarli na Detroit Avenue, gdzie stał dom Jamesa i Marty, Luther czuł już ściskanie w żołądku. Domy na Detroit Avenue były z czerwonych cegieł albo kamienia w kolorze mlecznej czekolady, wielkie jak siedziby białych. I to nie takich białych, którzy ledwie wiążą koniec z końcem, ale białych żyjących dostatnio. Trawniki były przystrzyżone i jaskrawozielone, a parę domów miało ganki biegnące wokół ścian i kolorowe markizy.

Zatrzymali się przed ciemnobrązowym domem w stylu Tudorów i można było wysiąść. I dobrze, bo Lutherowi kręciło się w głowie tak, że mogło go nawet zemdlić.

– Och! Luther, umrzeć można, nie? – zawołała Lila.

Tak, pomyślał, to jedna z możliwości.

Następnego ranka Luther obudził się i wziął ślub – i to jeszcze przed śniadaniem. Kiedy później pytano go, jak to się stało, że się ożenił, zawsze odpowiadał:

– Niech mnie diabli, jeśli wiem.

Tego ranka obudził się w piwnicy. Martha dobitnie wyjaśniła mu, że mężczyzna i kobieta niepołączeni świętym węzłem małżeńskim w jej domu nie będą spać na tym samym piętrze, o tym samym pokoju nie wspominając. Więc Lila dostała ładne łóżeczko w ładnym pokoiku na pięterku, a Lutherowi dostała się przykryta prześcieradłem rozchwiana kanapa w piwnicy. Kanapa śmierdziała psem (kiedyś go mieli, ale zdechł już dawno temu) oraz cygarami. O te ostatnie można było oskarżyć wujka Jamesa. Co wieczór po kolacji schodził na cygarko do piwnicy, ponieważ ciocia Marta nie tolerowała palenia w domu.

Ciocia Marta nie tolerowała wielu rzeczy – przekleństw, alkoholu, wzywania imienia Bożego nadaremno, gry w karty, ludzi słabego charakteru, kotów – a Luther miał dziwne wrażenie, że to dopiero początek listy.

Wiec zasnął w piwnicy i obudził się z zesztywniałym karkiem, śmierdząc nieżyjącym od dawna psem i zbyt świeżymi cygarami. Zaraz potem usłyszał podniesione głosy. Żeńskie głosy. Luther dorastał z matką i starszą siostrą, które zmarły na gorączkę w 1914 roku, a kiedy pozwalał sobie o nich myśleć, budził się w nim ból tak dotkliwy, że brakło mu tchu, bo obie były dumnymi, silnymi kobietami, które śmiały się głośno i kochały go z całego serca.

Te kobiety kłóciły się także z całego serca. Luther za nic na świecie nie wszedłby do pokoju, w którym dwie kobiety skaczą sobie z pazurami do oczu.

Ale zakradł się po schodach, żeby lepiej słyszeć, a to, co usłyszał, sprawiło, że zapragnął się zamienić miejscami z psem Hallowayów.

– Po prostu źle się czuję, ciociu.

– Nie okłamuj mnie, dziewczyno. Nie waż się! Znam poranne mdłości! Który miesiąc?

– Nie jestem w ciąży.

– Lila, jesteś córką mojej młodszej siostrzyczki. Tak. Moją córką chrzestną. Tak. Ale dziewczyno, obedrę cię z tej czarnej skóry, jeśli mnie znowu okłamiesz. Słyszysz?

Luther usłyszał łkanie Lili i omal nie umarł ze wstydu.

– James! – wrzasnęła Marta. Luther usłyszał kroki jej męża i zaciekawił się, czy James na tę okazję przyniósł strzelbę.

– Dawaj no tu tego chłopaka.

Luther otworzył drzwi, zanim zrobił to James. Marta spiorunowała go wzrokiem.

– No, patrzcie tylko, jaki ważny. Powiedziałam ci, że jesteśmy tu wierzący, nieprawda, panie ważny?

Luther uznał, że rozsądnie będzie nie odpowiadać.

– Jesteśmy chrześcijanami. I nie pozwalamy na grzeszenie pod tym dachem. Czy nie tak, James?

– Amen – odpowiedział jej mąż. Luter zauważył Biblię w jego ręku i przestraszył się bardziej niż na widok strzelby.

– Zrobiłeś brzuch tej biednej, niewinnej dziewczynie i czego się spodziewasz? Mówię do ciebie, chłopcze! Czego?

Luther zerknął ostrożnie na małą kobietkę i dostrzegł w jej oczach taką furię, jakby Marta chciała go rozszarpać.

– No, właściwie…

– Nie chcę słyszeć o żadnym „właściwie"! – Ciocia aż tupnęła małą nóżką. – Nie myśl ani przez chwilę, że jacyś szacowni ludzie wynajmą ci tu dom! I nie pozostaniesz pod moim dachem ani sekundy dłużej. O, nie. Myślisz, że możesz odebrać honor mojej jedynej siostrzenicy, a potem uciec w świat? Powiadam ci, że do tego nie dojdzie.

Lila spojrzała na niego oczami, z których płynęły strumienie łez.

– Co mamy zrobić? – spytała.

A James, który oprócz tego, że był biznesmenem i mechanikiem, okazał się także pastorem i sędzią pokoju, podniósł Biblię i oznajmił:

– Sądzę, że mam rozwiązanie twojego problemu.

ROZDZIAŁ TRZECI

W dniu, gdy Red Soksi grali u siebie pierwszy domowy mecz World Series przeciwko Cubsom, sierżant pierwszego posterunku, George Strivakis, wezwał Danny'ego i Steve'a do swojego gabinetu i spytał, czy dobrze się czują na pokładzie.

– Słucham?

– Na pokładzie, mówię. Możecie dołączyć do glin z wybrzeża i odwiedzić w naszym imieniu statek?

Danny i Steve spojrzeli na siebie. Wzruszyli ramionami.

– Będę szczery – oznajmił Strivakis. – Niektórzy żołnierze tam chorują. Kapitan Meadows jest podwładnym zastępcy dowódcy, który jest podwładnym samego O'Meary i ma załatwić sytuację najciszej jak się da.

– Jak bardzo chorują? – spytał Steve.

Strivakis wzruszył ramionami.

Steve prychnął.

– Jak bardzo, sierżancie?

Znowu wzruszenie ramion. Danny zdenerwował się jak nigdy. Stary George Strivakis nie chciał się przyznać do jakiejkolwiek wiedzy.

– Dlaczego my? – spytał.

– Bo dziesięciu już podziękowało. Wy jesteście numer jedenaście i dwanaście.

– O – mruknął Steve.

– Chcielibyśmy – Strivakis nie odpuszczał – żeby dwóch inteligentnych funkcjonariuszy z godnością reprezentowało posterunek wspaniałego miasta Boston. Macie pójść na ten statek, ocenić sytuację i podjąć na miejscu decyzje leżące w najlepszym interesie waszych kolegów. Jeśli ukończycie tę misję z powodzeniem, zostaniecie wynagrodzeni połową dnia wolnego i wieczną wdzięcznością waszego ukochanego wydziału.

– Wolelibyśmy coś więcej – powiedział Danny. Spojrzał sierżantowi w oczy. – Z całym szacunkiem dla naszego ukochanego wydziału.

W końcu zawarli umowę – sześć dni płatnego urlopu, gdyby zarazili się od żołnierzy, dwie następne soboty wolne i trzy darmowe prania mundurów.

– Łupieżcy – oznajmił Strivakis, po czym uścisnęli sobie ręce, żeby przypieczętować umowę.

Statek USS „McKinley" właśnie wrócił z Francji. Na pokładzie znajdowali się żołnierze powracający z bitew w miejscach takich jak St. Miheil, Pont-a-Mousson i Verdun. Gdzieś pomiędzy Marsylią i Bostonem kilku żołnierzy zachorowało. Stan trzech wydawał się tak poważny, że pokładowi doktorzy skontaktowali się z Camp Devens, by powiadomić odpowiedzialnego za misję pułkownika, że jeśli ci ludzie nie zostaną przeniesieni do wojskowego szpitala, umrą przed zachodem słońca. Dlatego pięknego wrześniowego popołudnia, zamiast zajmować się problemem World Series, Danny i Steve dołączyli do dwóch policjantów z posterunku portowego. Mewy frunęły w ślad za uciekającą na morze mgłą, a ciemne cegły nadbrzeża buchały parą.

Jeden z portowych gliniarzy, Anglik Ethan Gray, wręczył Danny'emu i Steve'owi maski chirurgiczne i białe bawełniane rękawiczki.

– Mówią, że to pomaga. – Uśmiechnął się w ostrym słonecznym świetle.

– Kto mówi? – spytał Danny, wkładając tasiemki od maski za uszy i ściągając ją na szyję.

Ethan Gray wzruszył ramionami.

– Bliżej nieznani, symboliczni, wszechobecni „oni".

– Aaaa, to ci – odezwał się Steve. – Nigdy ich nie lubiłem.

Danny włożył rękawiczki do tylnej kieszeni. Steve zrobił to samo.

Drugi portowy gliniarz nie odezwał się ani słowem od chwili, kiedy spotkali się na nabrzeżu. Był niski, chudy i blady, mokra grzywka spadała mu na pryszczate czoło. Z rękawów wyłaniały się blizny po oparzeniach. Po bliższych oględzinach Danny zauważył, że brakuje mu połowy lewego ucha.

Czyli Salutation Street.

Człowiek, którzy przeżył białą eksplozję, żółte płomienie, zapadające się podłogi i lawinę gruzu. Danny nie pamiętał go z tamtych czasów, ale i tak niewiele pamiętał.

Gość siedział pod czarnym stalowym słupem i starannie unikał kontaktu wzrokowego z Dannym. To jedna z cech łączących tych, którzy przeżyli wybuch na Salutation Street – nie przyznawali się do siebie.

Ethen Gray podał Danny'emu papierosa. Ten przyjął go ze skinieniem głowy. Gray wyciągnął paczkę do Steve'a, który pokręcił głową.

– Jakie instrukcje dał wam sierżant?

– Dość proste. – Danny pochylił się ku zapalniczce Graya. – Dopilnować, żeby wszyscy żołnierze zostali na tym statku, dopóki nie zostanie podjęta inna decyzja.

Gray pokiwał głową i wydmuchnął strumień dymu.

– Mamy dokładnie takie same rozkazy.

– Powiedziano nam także, że jeśli ktoś spróbuje nas zastraszyć jakimiś bzdurami o prawie wojennym i tak dalej, mamy bardzo wyraźnie powiedzieć, że może chodzi o ich kraj, ale to nasz port i nasze miasto.

Gray zdjął z języka płatek tytoniu i rzucił na wiatr.

– Pan jest synem kapitana Tommy'ego Coughlina, tak?

Danny skinął głową.

– Co mnie zdradziło?

– No, choćby to, że rzadko zdarza mi się spotkać funkcjonariusza w pańskim wieku, tak pewnego siebie. – Anglik wycelował palec w pierś Danny'ego. – A plakietka z nazwiskiem też mówi swoje.

Danny strzepnął papierosa. Silnik motorówki zgasł. Obrócili się wokół własnej osi, aż bokiem dotknęli ściany kadłuba. Po drugiej stronie pojawił się porucznik i rzucił linę partnerowi Graya. Ten przywiązał ją, a Danny i Gray dopalili papierosy i weszli na pokład.

– Proszę nałożyć maskę – powiedział Steve Coyle do porucznika.

Tamten dwa razy kiwnął głową i wyjął z kieszeni maskę chirurgiczną. Zasalutował też dwa razy. Ethan Gray, Steve Coyle i Danny odpowiedzieli pojedynczym salutem.

– Ilu ludzi weszło na pokład? – spytał Gray.
Porucznik zatrzymał rękę w połowie salutu.
– Tylko ja, doktor i pilot.
Danny zakrył usta maską. Żałował, że wypalił papierosa. Jego zapach odbił się od maski i wypełnił mu nozdrza, podrażnił wargi.
Spotkali się z lekarzem w głównej kabinie. Doktor był stary, głowę miał do połowy łysą, a dalej gęstwinę siwych włosów, które jeżyły się jak żywopłot. Nie nosił maski.
– Możecie je zdjąć – powiedział. – Nikt z nas ich nie używa.
– Skąd macie pewność? – spytał Danny.
Starszy pan wzruszył ramionami.
– Wiara?
Głupio im było stać w mundurach i maskach, walcząc z kołysaniem pokładu. Nawet bardzo głupio. Danny i Steve zdjęli maski. Gray poszedł za ich przykładem. Ale partner Graya zachował swoją i patrzył na nich, jakby oszaleli.
– Peter – odezwał się Gray. – No, naprawdę.
Peter pokręcił głową i nie zdjął maski. Danny, Steve i Gray usiedli naprzeciwko lekarza przy małym stoliku.
– Jakie macie rozkazy? – spytał doktor.
Danny mu wyjaśnił.
Doktor ścisnął nos w miejscu, gdzie powinny się znajdować okulary.
– Tak myślałem. Czy wasi zwierzchnicy mieliby coś przeciwko temu, gdybyśmy przewieźli chorych pojazdami wojskowymi?
– Dokąd? – spytał Danny.
– Do Camp Devens.
Danny spojrzał na Graya.
Ten się uśmiechnął.
– Kiedy opuszczą port, przestaję być za nich odpowiedzialny.
– Nasi przełożeni – oznajmił Steve Coyle – chcieliby wiedzieć, z czym mamy do czynienia.
– Nie mamy całkowitej pewności. Może to mutacja grypy, która szalała w Europie. A może coś innego.
– Jeśli to influenza, to czy w Europie było źle?
– Bardzo źle – powiedział cicho doktor. – Sądzimy, że ta choroba może być podobna do tej, która pojawiła się w Fort Riley w Kansas jakieś osiem miesięcy temu.

– Jeśli mogę spytać – odezwał się Gray – jak poważna była ta choroba?

– W ciągu dwóch tygodni zabiła osiemdziesiąt procent żołnierzy, którzy się nią zarazili.

Steve gwizdnął.

– Czyli naprawdę była poważna.

– A potem? – spytał Danny.

– Nie jestem pewien, czy rozumiem.

– Zabiła żołnierzy. A potem?

Doktor uśmiechnął się krzywo i cicho strzelił palcami.

– Potem znikła.

– Ale wróciła – powiedział Steve Coyle.

– Być może. – Doktor znowu ścisnął nos. – Ludzie na tym statku chorują. Są ściśnięci jak śledzie. To najgorsze warunki, by zapobiegać zarażeniu. Pięciu umrze tej nocy, jeśli ich nie przeniesiemy.

– Pięciu? – podchwycił Ethan Gray. – Mówiono nam o trzech.

Doktor tylko pokręcił głową i pokazał im pięć palców.

Grupa lekarzy i dowódców z „McKinleya" spotkała się na rufie. Zachmurzyło się. Chmury były masywne i szare jak kamień, jak rzeźby. Powoli sunęły nad wodą ku miastu z czerwonej cegły i szkła.

– Dlaczego przysłali krawężników? – Major Gideon wskazał Danny'ego i Steve'a. – Nie macie odpowiednich kompetencji, żeby podejmować decyzje w sprawie zdrowia publicznego.

Danny i Steve nie odpowiedzieli.

– Dlaczego przysłali krawężników? – powtórzył Gideon.

– Żaden kapitan się nie zgłosił – odpowiedział Danny.

– To pana bawi? – rzucił Gideon. – Moi ludzie chorują. Walczyli na wojnie, na którą panu nie chciało się iść, a teraz umierają.

– Nie żartowałem. – Danny wskazał Steve'a Coyle'a, Ethana Graya i poparzonego Petera. – To dobrowolna misja. Nie zgodził się nikt oprócz nas. A skoro o tym mowa, mamy kompetencje. Dostaliśmy wyraźne wytyczne, co w tej sytuacji jest akceptowalne, a co nie.

– I co jest akceptowalne? – spytał któryś lekarz.

– Jeśli chodzi o teren portu – odezwał się Ethan Gray – możecie przetransportować swoich ludzi na motorówce – i tylko na niej –

do przystani. Potem znajdziecie się pod jurysdykcją policji bostońskiej.

Lekarze przenieśli wzrok na Danny'ego i Steve'a.

– W interesie gubernatora, burmistrza i wszystkich posterunków policji w tym stanie leży zapobieżenie powszechnej panice. Dlatego pod osłoną nocy do portu zostaną podstawione pojazdy wojskowe. Możecie przenieść na nie chorych i przewieźć ich prosto do Devens. Nie wolno się zatrzymywać po drodze. Będą was eskortować wozy policyjne z wyłączonymi syrenami. – Danny spojrzał na nasrożonego majora Gideona. – Czy to uczciwy układ?

Gideon niechętnie skinął głową.

– Powiadomiono straż stanową – oznajmił Steve Coyle. – Ulokują się w Camp Devens i będą współpracować z waszą żandarmerią, by do odwołania nikt nie opuścił bazy. To rozkaz gubernatora.

– Jak długo będzie trwała kwarantanna? – spytał Ethan Gray, zwracając się do lekarzy.

Jeden z nich, wysoki mężczyzna o włosach jak len, odpowiedział:

– Nie mamy pojęcia. Choroba zabije, kogo ma zabić, a potem wygasa. Może to potrwa tydzień, a może dziewięć miesięcy.

– O ile nie przeniesie się na cywilów, nasi zwierzchnicy mogą się zgodzić na taką sytuację.

Lnianowłosy roześmiał się cicho.

– Wojna się kończy. Przez kilka najbliższych tygodni będzie trwać wielka rotacja żołnierzy. Mówimy o chorobie zakaźnej, bardzo agresywnej. Nie rozważyliście możliwości, że jej nosiciel już jest w waszym mieście? – Zmierzył ich ciężkim spojrzeniem. – Że już za późno, panowie? O wiele za późno?

Danny spojrzał na ciężkie chmury sunące powoli w głąb lądu. Reszta nieba się rozpogodziła. Wróciło słońce, jasne i rażące. Piękny dzień, dokładnie taki, o jakim się marzy podczas długiej zimy.

Ciężko chorzy żołnierze wrócili z nimi motorówką, choć do zmierzchu było jeszcze daleko. Danny, Steve, Ethan Gray, Peter i dwaj lekarze zostali w kabinie, chorych położono na rufie pod opieką dwóch innych lekarzy. Danny obserwował, jak spuszczano ich na linach na pokład. Z zapadniętymi policzkami, przepoconymi włosami i wymiocinami zaschniętymi na wargach wyglądali już na martwych. Trzech z pięciu miało sinawą skórę, popękane usta, szeroko otwarte, niewidzące oczy. Oddychali z trudem.

Czterej policjanci zostali w kabinie. Doświadczenie nauczyło ich, że postępując rozsądnie, wielu niebezpieczeństw da się uniknąć: jeśli nie chcesz zarobić kulki ani ciosu nożem, nie przyjaźnij się z ludźmi posługującymi się bronią, jeśli nie chcesz być okradziony, nie wychodź z knajpy napruty jak bombowiec, jeśli nie chcesz przegrać, nie przystępuj do gry.

Ale to było coś zupełnie innego. To mogło spotkać każdego. To mogło spotkać także ich.

Po powrocie na posterunek Danny i Steve zdali raport sierżantowi Strivakisowi i rozeszli się do swoich spraw. Steve poszedł do wdowy po bracie, Danny poszedł się napić. Za rok Steve mógł dalej chodzić do wdowy Coyle, ale Danny miał mieć o wiele większe problemy ze znalezieniem drinka. Podczas gdy na wschodnim i zachodnim wybrzeżu zajmowano się recesją, wojną, telefonami, baseballem, anarchistami i ich bombami, na południu i środkowym zachodzie zaczął się ruch partii postępowej i jej starych, dobrych sprzymierzeńców z organizacji religijnych. Danny nie znał ani jednej osoby, która brałaby poważnie wnioski dotyczące prohibicji, nawet kiedy dotarły do Izby Reprezentantów. Wydawało się niemożliwe, by przy wszystkich zmianach zachodzących w kraju ci świętoszkowaci, zarozumiali asceci mieli jakąś szansę. A jednak pewnego ranka kraj obudził się i przekonał, że ci idioci nie tylko mieli szansę, ale ją wykorzystali. Wygrali, podczas gdy wszyscy inni zajmowali się czymś, co wydawało się ważniejsze. Teraz przysługujące każdemu dorosłemu człowiekowi prawo do spożycia zależało od jednego stanu: Nebraski. Wyniki głosowania jego mieszkańców w referendum Volsteada, które będzie przeprowadzone za dwa miesiące, miały zdecydować o losie całego tego miłującego procenty narodu.

Nebraska. Kiedy Danny słyszał tę nazwę, przychodziły mu na myśl tylko kukurydza, silosy, ciemnoniebieskie niebo. I pszenica, całe łany. Czy oni tam piją? Czy mają salony? Czy tylko silosy?

Mieli kościoły, tego był pewien. Kaznodzieje wygrażali pięściami i wygłaszali kazania przeciwko bezbożnemu Północnemu

Wschodowi, pełnemu białej hołoty, czarnych emigrantów i pogańskiej rozpusty.

Nebraska. O, rety.

Danny zamówił dwie kolejki irlandzkiej whisky i kufel zimnego piwa. Zdjął koszulę, pod którą miał biały podkoszulek. Barman przyniósł drinki. Nazywał się Alfonse i plotka głosiła, że zadaje się z gangsterami ze wschodniej strony miasta, choć Danny nie spotkał jeszcze gliniarza, który znalazłby na niego coś konkretnego. Oczywiście. Kiedy podejrzanym jest znany z hojności barman, kto by się przykładał do śledztwa?

– Naprawdę rzuciłeś boks?

– Nie jestem pewien – powiedział Danny.

– Na tej ostatniej walce straciłem pieniądze. Obaj mieliście wytrwać do trzeciej rundy.

Danny rozłożył ręce.

– Facet miał wylew.

– Twoja wina? Widziałem, że też ci przyłożył.

– Tak? – Danny wypił jedną whisky. – Więc wszystko gra.

– Brakuje ci tego?

– Na razie nie.

– Zły znak. – Alfonse zabrał pusty kieliszek. – Człowiek nie tęskni, jeśli zapomniał, jak się kocha.

– O Jezusie – mruknął Danny. – Ile bierzesz za te mądrości?

Alfonse splunął do dużego kieliszka i puścił go po barze. Możliwe, że w jego teorii był jakiś sens. Na razie Danny nie przepadał za młóceniem pięściami. Kochał spokój i zapach portu. Kochał pić. Jak sobie walnie parę drinków, spodobają mu się i inne rzeczy: robotnice i wieprzowe nóżki, które Alfonse trzymał po drugiej stronie baru. I późnoletni wiatr, i smętne melodie, które Włosi grali w zaułkach co wieczór, mieszające się ze sobą dźwięki, gdy flet z sąsiedniej ulicy ustępował miejsca skrzypcom z następnej, a potem klarnetowi i mandolinie. Kiedy Danny wprowadził do organizmu odpowiednią ilość alkoholu, kochał wszystko, cały ten świat.

Jakaś mięsista ręka klepnęła go w plecy. Odwrócił się i zobaczył przypatrującego mu się Steve'a z uniesioną brwią.

– Mam nadzieję, że jeszcze nie odmawiasz towarzystwa.

– Jeszcze nie.

– Pierwsza kolejka?

– Pierwsza. – Danny poczuł na sobie spojrzenie czarnych oczu Alfonse'a i wskazał blat baru. – Gdzie wdowa Coyle?

Steve zdjął płaszcz i usiadł.

– Modli się. Zapala świeczki.

– Dlaczego?

– Bez powodu. Może z miłości?

– Powiedziałeś jej.

– Powiedziałem.

Alfonse przyniósł Steve'owi kieliszek żytniówki i wielki kufel piwa. Kiedy odszedł, Danny spytał:

– A co dokładnie jej powiedziałeś? Coś o grypie na statku?

– Może troszkę.

– Może troszkę. – Danny wypił kolejny kieliszek. – Przysięgliśmy władzom państwowym, federalnym i morskim, że będziemy milczeć. A ty poleciałeś z jęzorem do wdowy?

– Nie było tak.

– A jak?

– No dobrze, może i tak. – Steve też się napił. – A ona chwyciła dzieciaki i uciekła do kościoła. Powie tylko Jezusowi.

– I pastorowi. I dwóm księżom. I paru zakonnicom. I swoim dzieciom.

– I tak tajemnica długo się nie uchowa.

Danny podniósł kufel.

– Co tam, i tak nie chciałeś zostać detektywem.

– Zdrówko. – Steve stuknął wielgachnym kuflem w kufel Danny'ego i obaj wypili, a Alfonse napełnił im kieliszki i znowu zostawił ich samych.

Danny spojrzał na swoje dłonie. Doktor powiedział na motorówce, że pierwsze objawy grypy czasami pojawiają się właśnie tutaj, choć gardło i głowa wydają się zdrowe. Skóra między kostkami żółknie, powiedział doktor, czubki palców grubieją, czuje się pulsowanie w stawach.

– Jak gardło? – spytał Steve.

Danny zdjął dłonie z baru.

– Świetnie. A twoje?

– Ekstra. Długo chcesz to robić?

– Co? Pić?

– Narażać życie za mniej kasy, niż dostaje motorniczy.

– Motorniczy to ważny zawód. – Danny uniósł kieliszek. – Kluczowy dla interesów miasta.

– Robotnik portowy?

– Też.

– Coughlin – powiedział Steve miłym tonem, ale Danny wiedział, że Steve zwraca się do niego po nazwisku tylko w chwili rozdrażnienia. – Coughlin, potrzebujemy cię. Twojego głosu. Twojego, cholera, uroku.

– Uroku?

– Odwal się, co? Wiesz, o co mi chodzi. Fałszywa skromność ni cholery nam nie pomoże i tak wygląda prawda.

– Komu nie pomoże?

Steve westchnął.

– To jest walka. Oni nas zabiją, jeśli będą mogli.

Danny wzniósł oczy do sufitu.

– Ty się tu marnujesz. Powinieneś występować na scenie.

– Wysłali nas na ten statek i nic nie dali w zamian!

– Mamy wolne dwie następne niedziele. I...

– Ludzie na to umierają. A my poszliśmy tam, bo co?

– Bo byliśmy na służbie.

– Służba. – Steve odwrócił głowę.

Danny zaśmiał się cicho, żeby choć trochę rozładować ten ponury nastrój.

– Kto by ryzykował nasze życie? Steve. No, kto? Przy twoim odsetku aresztowań? Przy moim ojcu? Wujku? Kto by zaryzykował?

– Zaryzykowali.

– Dlaczego?

– Bo nie przyszło im do głowy, że nie powinni.

Danny znowu prychnął śmiechem, choć nagle poczuł się trochę zbyt powolny, jak człowiek usiłujący wyzbierać monety z dna rwącego strumienia.

– Zauważyłeś, że chcą coś od nas, mówią o obowiązku, ale kiedy my chcemy coś od nich, mówią o budżecie? – spytał Steve, trącając cicho kieliszkiem kieliszek Danny'ego. – Gdybyśmy po tym dzisiejszym umarli, co by było z rodziną? Nie dostałaby złamanego centa.

Danny roześmiał się ze znużeniem.

– A co możemy na to poradzić?

– Walczyć.

Danny pokręcił głową.

– Cały świat walczy. Francja, cholerna Belgia, ile trupów? Nikt nawet nie policzył. Widzisz jakiś postęp?

Steve wzruszył ramionami.

– Więc? – Danny miał ochotę coś rozwalić. Coś dużego, co by pękło z trzaskiem. – Świat już taki jest. Cholerny świat.

Steve Coyle nie dał się przekonać.

– Tylko jeden świat.

– A, do diabła z tym. – Danny usiłował otrząsnąć się z wrażenia, że ostatnio stał się uczestnikiem jakiejś rozleglejszej sytuacji, jakiejś niedającej się ogarnąć rozumem zbrodni. – Postawię ci następnego.

– Ich świat – powiedział Steve.

ROZDZIAŁ CZWARTY

Pewnego niedzielnego popołudnia Danny poszedł do domu ojca w południowym Bostonie na spotkanie ze Starymi. Niedzielny obiad u Coughlinów był wydarzeniem politycznym, a tym zaproszeniem Starzy w pewien sposób wyświęcili Danny'ego. Miał nadzieję, że odznaka detektywa – o której ojciec i wujek Eddie od paru miesięcy napomykali – stanowi część tego obrzędu. Jako dwudziestosiedmiolatek byłby najmłodszym detektywem w historii bostońskiej policji.

Ojciec zadzwonił do niego wczoraj wieczorem.

– Podobny stary Georgie Strivakis traci rozum?

– Nic mi o tym nie wiadomo.

– Zlecił ci pewną misję. Prawda?

– Zaproponował mi coś, a ja się zgodziłem.

– Wysłał cię na statek, na którym szaleje zaraza.

– Nie nazwałbym tego zarazą.

– A jak byś to nazwał, chłopcze?

– Może ostrym przypadkiem zapalenia płuc. „Zaraza" to zbyt dramatyczne.

Ojciec westchnął.

– Nie wiem, co ci strzeliło do głowy.

– Czy Steve miał iść sam?

– Jeśli trzeba.

– Więc jego życie jest warte mniej niż moje?

– To Coyle, nie Coughlin. Nie potrzebuję się usprawiedliwiać, że chcę chronić swoją rodzinę.

– Ktoś musiał to zrobić.

– Ale nie Coughlin. Nie ty. Nie wychowano cię po to, żebyś się zgłaszał na samobójcze misje.

– Chronić i służyć – przypomniał Danny.

Ciche, ledwie słyszalne westchnienie.

– Jutro obiad. Dokładnie o czwartej. Przyjdziesz czy to zbyt dobre dla zdrowia jak na twój gust?

Danny uśmiechnął się pod nosem.

– Przyjdę – powiedział, ale ojciec już odłożył słuchawkę.

Więc następnego popołudnia ruszył przez K Street; słońce łagodnie oświetlało brązowoczerwone cegły, a z otwartych okien sączył się zapach gotowanej kapusty, ziemniaków i szynki z kością. Jego brat Joe, bawiący się na ulicy z innymi dziećmi, podbiegł ku niemu z rozjaśnioną twarzą.

Miał na sobie najlepsze niedzielne ubranie – czekoladowy garniturek ze spodenkami do kolan. Do tego białą koszulę i niebieski krawat oraz czapeczkę pod kolor, włożoną na bakier. Danny był w domu, kiedy matka kupiła to ubranie. Joe był strasznie nieszczęśliwy, a matka i Nora mówiły mu, że wygląda jak mały mężczyzna, że bardzo mu do twarzy w takim garniturze z prawdziwego oregońskiego kaszmiru, że ojciec w jego wieku nawet nie mógł marzyć o posiadaniu takiego stroju, a mały spoglądał na Danny'ego, jakby prosząc o pomoc w ucieczce.

Danny porwał Joego w ramiona i przygarnął go, przytulił policzek do jego gładkiej buzi. Zaskoczyło go, jak często zapominał, że młodszy braciszek bardzo go kocha.

Joe miał jedenaście lat i był drobny jak na swój wiek, choć Danny wiedział, że nadrabia to sobie, starając się być najtwardszym dzieckiem w dzielnicy twardych dzieciaków. Oplótł Danny'ego nogami w pasie, odchylił się i uśmiechnął.

– Słyszałem, że przestałeś boksować.

– Tak głosi plotka.

Joe dotknął kołnierza jego munduru.

– Dlaczego?

– Myślałem, że zacznę trenować ciebie. Najpierw nauczę cię tańczyć.

– Nikt nie tańczy.

– Wszyscy tańczą. A już wielcy bokserzy zawsze biorą lekcje tańca.

Zrobił parę kroków z bratem w ramionach, potem zawirował wokół własnej osi, a Joe uderzył go w ramię.

– Przestań, przestań!

Danny nie przestał.

– Co, zawstydzam cię?

– Przestań! – Joe znowu go uderzył ze śmiechem.

– Na oczach twoich kumpli?

Joe szarpnął go za uszy.

– Przestań w tej chwili!

Dzieciaki gapiły się na Danny'ego, jakby nie wiedziały, czy należy się go bać.

– Ktoś jeszcze ma ochotę? – rzucił.

Podniósł Joego, połaskotał go i postawił na chodniku. Drzwi domu otworzyły się, w progu stanęła Nora, a on omal nie rzucił się do ucieczki.

– Joey – powiedziała – mama cię woła. Powiedziała, że musisz się umyć.

– Jestem czysty.

Nora uniosła brew.

– To nie była prośba, dziecko.

Zrezygnowany Joe pożegnał się z przyjaciółmi i poczłapał po schodach. Nora zmierzwiła mu włosy, a on odtrącił jej rękę i zniknął w domu. Nora oparła się o framugę drzwi i przyjrzała się Danny'emu. Wraz z Averym Wallace'em, starym kolorowym służącym, pracowała u Coughlinów, choć jej obecna pozycja była bardzo niejednoznaczna. Pięć lat temu Nora zjawiła się w ich domu za sprawą przypadku lub przeznaczenia – szczękająca zębami, drżąca, sina z zimna uciekinierka z północnego wybrzeża Irlandii. Można się było tylko domyślać, przed czym uciekała, ale odkąd ojciec Danny'ego przyprowadził ją do nich, owiniętą w jego wielki płaszcz, zmarzniętą i brudną, stała się ważną domowniczką. Może nie jak ktoś z rodziny, nie całkiem, przynajmniej dla Danny'ego, ale była związana z nimi na dobre.

– Co cię sprowadza? – spytała.

– Starzy – odpowiedział.

– Znowu intrygują, Aidenie? I jaką rolę przeznaczyli tobie?

Pochylił się ku niej.

– Tylko matka nazywa mnie Aidenem.

Odsunęła się.

– Więc uważasz mnie za swoją matkę?
– Nie, choć byłaby z ciebie świetna matka.
– Panuj nad tym długim jęzorem.
– Lubiłaś ten długi jęzor.
Oczy jej błysnęły. Miała jasne oczy koloru bazylii.
– Będziesz się musiał z tego wyspowiadać.
– Nie muszę już się nikomu spowiadać. Ty to zrób.
– A dlaczego?
Wzruszył ramionami.
Oparła się o drzwi, odetchnęła popołudniowym wietrzykiem. Jej oczy wydawały się nieprzeniknione jak zawsze. Miał ochotę ściskać ją, ile sił.
– Co powiedziałaś Joemu?
Wyprostowała się, założyła ręce.
– O czym?
– O moim boksowaniu.
Uśmiechnęła się lekko, ze smutkiem.
– Że nigdy więcej nie wejdziesz na ring. To proste.
– Proste, tak?
– Widzę to w twoich oczach. Już nie kochasz boksu.
Powstrzymał się przed skinieniem głową, bo Nora miała rację, a on nie mógł znieść, że potrafiła go tak przejrzeć na wylot. Zawsze to umiała. I nie straci tej umiejętności, był tego pewien. To straszne. Czasami zastanawiał się, ile z siebie roztrwonił w życiu. Ci inni Danny zniknęli – mały Danny, Danny, który chciał zostać prezydentem, Danny, który chciał iść na studia i Danny, który zbyt późno zrozumiał, że kocha Norę. Ważne części samego siebie, porozrzucane po świecie. A ona znalazła jego najważniejszą część i trzymała ją od niechcenia jakby w torebce wraz z pudrem i drobnymi monetami.
– Więc chcesz wejść.
– Tak.
Odstąpiła od drzwi.
– To lepiej się ruszaj.
Starzy wyszli z gabinetu – wyrażający się kwieciście mężczyźni, mający skłonność do znaczących mrugnięć, którzy traktowali jego matkę i Norę z kurtuazją rodem ze Starego Świata, co drażniło Danny'ego.

Pierwsi zajęli miejsca Claude Mesplede i Patrick Donnegan; jeden był radnym miejskim, drugi – szefem szóstego okręgu miasta. Wydawali się zgrani i zżyci jak stare małżeństwo.

Naprzeciwko nich siedział Silas Prendergast, prokurator okręgowy hrabstwa Suffolk i szef brata Danny'ego, Connora. Silas umiał wyglądać godnie i surowo, ale przez całe życie płaszczył się przed szefami, którzy zapłacili za jego studia prawnicze, a po ich zakończeniu dawali mu środki, aby mógł pozostawać w wiecznym stanie lekkiego upojenia.

Koło ojca Danny'ego siedział Bill Madigan, zastępca szefa policji i, jak twierdzili niektórzy, najbliższy współpracownik komisarza O'Meary.

Obok Madigana siedział człowiek, którego Danny dotąd nie znał. Charles Steedman, wysoki i cichy, jako jedyny miał fryzurę za trzy dolary, podczas gdy inni zapłacili za swoje po pięćdziesiąt centów. Steedman wystąpił w białym garniturze, białym krawacie i butach z getrami. Kiedy matka Danny'ego o to spytała, wyjaśnił, że jest, między innymi, wiceprezesem Stowarzyszenia Hotelarzy i Restauratorów Nowej Anglii oraz przewodniczącym Powierniczego Związku Asekuracyjnego okręgu Suffolk.

Na widok okrągłych oczu i niepewnego uśmiechu matki Danny zorientował się, że nic jej to nie powiedziało, ale skinęła głową.

– Czy to taki związek, jak IWW? – spytał Danny.

– IWW to przestępcy – oznajmił jego ojciec. – Wywrotowcy.

Charles Steedman uniósł rękę i uśmiechnął się do Danny'ego. Oczy miał przejrzyste jak szkło.

– Nieco inne, Danny. Jestem bankierem.

– Aaa, bankierem! – odezwała się matka. – Cudownie.

Ostatnim mężczyzną, jaki zasiadł za stołem między braćmi Danny'ego, Connorem i Joem, był wujek Eddie McKenna, wcale nie wujek, ale i tak bliski, najlepszy przyjaciel ojca od czasu, kiedy jako nastoletni chłopcy biegali po ulicach nowego państwa. Ci dwaj tworzyli wspaniały tandem w wydziale policji. Thomas Coughlin był wcieleniem umiarkowania – umiarkowana fryzura, umiarkowana waga, umiarkowanie w mowie – natomiast Eddie McKenna miał wszystko wielkie: apetyt, ciało i upodobanie do fantastycznych opowieści. Był zwierzchnikiem specjalnego oddziału, formacji odpowiedzialnej za wszystkie parady, wizyty dygnitarzy, strajki, bunty i zamieszki uliczne wszelkiego rodzaju. Pod opieką Eddiego oddział stał się jednocześnie mniej określony i bardziej potężny, wydział – cień, który opanowywał zbrodnię, jak mawiano, „idąc do źródła, zanim źródło zdąży wylać". Nieustannie zmieniający się kowboje Eddiego – dokładnie tacy, jakich komisarz O'Meara poprzysiągł wykluczyć z policji – wyłapywali złoczyńców, śpiesząc do napadów, czepiali się wypuszczonych z więzienia przestępców tuż za bramą zakładu w Charleston i mieli tak rozległą sieć kabli, donosicieli i kapusiów, że każdy policjant w mieście byłby zachwycony, mogąc z niej skorzystać – gdyby McKenna nie przechowywał wszystkich nazwisk i stojących za nimi historii wyłącznie w swojej głowie.

McKenna spojrzał na Danny'ego i wycelował widelec w jego pierś.

– Słyszałeś, co się wydarzyło wczoraj, kiedy byłeś w porcie, pracując jak Bóg przykazał?

Danny nieufnie pokręcił głową. Prze cały ten ranek odsypiał pijacką noc ze Steve'em Coyle'em. Nora przyniosła ostatnie dania, parującą zieloną fasolkę z czosnkiem.

– Zastrajkowali – oznajmił Eddie McKenna.

Danny nie rozumiał.

– Kto?

– Red Soksi i Cubsi – wyjaśnił Connor. – Byliśmy tam, ja i Joe.

– Trzeba ich wszystkich wysłać na wojnę z kajzerem – powiedział McKenna. – Banda obiboków i bolszewików!

– Uwierzysz, Dan? – zachichotał Connor. – Ludzie oszaleli.

Danny uśmiechnął się, usiłując to sobie wyobrazić.

– Nie nabieracie mnie?

– O nie, to prawda – powiedział Joe, strasznie przejęty. – Wściekli się na właścicieli i nie wyszli na mecz. Ludzie rzucali różnymi rzeczami i wrzeszczeli.

– Więc trzeba było wysłać Honeya Fitza, żeby uspokoił tłum. To był ruch burmistrza nie? I gubernatora.

– Calvin Coolidge. – Ojciec Danny'ego potrząsnął głową, jak zawsze, kiedy ktoś wymieniał przy nim nazwisko gubernatora. – Republikanin z Vermontu, kierujący demokratyczną wspólnotą Massachusetts. – Westchnął. – Boże, dopomóż.

– Więc jest ten mecz – ciągnął Connor – i może Peters jest burmistrzem, ale nikogo to nie obchodzi. Mają na stadionie Curleya i Honeya Fitza, dwóch byłych burmistrzów, o wiele bardziej popularnych, więc wysyłają Honeya z megafonem, a on tłumi zamieszki w zarodku. A jednak ludzie dalej rzucają czym popadnie, rozwalają trybuny, co tylko chcecie. Potem wychodzą gracze, ale o rany, nikt ich ładnie nie przywitał.

Eddie McKenna poklepał się po dużym brzuchu i prychnął.

– A ja mam nadzieję że te bolszewiki nie dostaną medalu. Sam fakt, że daje się im medale za grę, jest wystarczająco obrzydliwy. I, jak powiedziałem, baseball jest już martwy. To banda obiboków, co nie mają odwagi walczyć za kraj. A najgorszy ten Ruth. Dan, słyszałeś, że chce być pałkarzem? Dziś rano przeczytałem w gazecie – już nie chce rzucać, powiedział, że będzie siedzieć na ławce rezerwowych, jeśli nie zapłacą mu więcej i nie będą mu pozwalać odbijać. Uwierzycie?

– Co za świat. – Ojciec Danny'ego pociągnął łyk Bordeaux.

– No, a o co im chodzi?

– Hmmm?

– Na co się skarżą? Nie zorganizowali strajku bez powodu.

– Twierdzą, że właściciele zmienili warunki umowy. – Joe wzniósł oczy w górę, usiłując przypomnieć sobie szczegóły. Był fanatykiem baseballu i najbardziej wiarygodnym źródłem wiadomości. – I nie wypłacili im obiecanych pieniędzy, a wszyscy inni uczestnicy World Series je dostali. Więc zastrajkowali. – Wzruszył ramionami, jakby uznając, że wszystko to ma sens, i zabrał się do indyka.

– Zgadzam się z Eddiem – oznajmił ojciec Danny'ego. – Baseball umarł. Nigdy nie wróci.

– Właśnie, że wróci – powiedział Joe rozpaczliwie. – Właśnie, że wróci.

– Co za kraj – powiedział ojciec z jednym z uśmiechów ze swojej obszernej kolekcji, tym razem krzywym. – Wszyscy myślą, że można się nająć do pracy i wycofać, kiedy okaże się zbyt ciężka.

Danny i Connor wyszli z kawą i papierosami na ganek. Joe poszedł za nimi. Wspiął się na drzewo na podwórku, bo wiedział, że mu tego nie wolno, a bracia się tym nie przejmą.

Tamci dwaj byli tak niepodobni do siebie, że ludzie nie chcieli wierzyć, iż są braćmi. Danny był wysoki, ciemnowłosy i barczysty, Connor – jasnowłosy, smukły i giętki jak ojciec. Danny miał niebieskie oczy starego i jego złośliwe poczucie humoru, Connor zaś odziedziczone po matce brązowe oczy i miły sposób bycia, który zdradzał upór.

– Tata powiedział, że wczoraj poszedłeś na okręt wojenny.

Danny skinął głową.

– Tak było.

– Słyszałem, że jacyś żołnierze chorują.

Danny westchnął.

– W tym mieście wszyscy mają długie jęzory.

– No wiesz, pracuję w biurze prokuratora.

Danny zachichotał.

– Wiadomości z pierwszej ręki, co?

Connor spochmurniał.

– Bardzo z nimi źle? Z tymi żołnierzami.

Danny spojrzał na papierosa i obrócił go między kciukiem a palcem wskazującym.

– Dość kiepsko.

– Co to?

– Szczerze? Nie wiem. Może influenca, zapalenie płuc albo jakieś choróbsko, o którym nikt nigdy nie słyszał. – Wzruszył ramionami. – Miejmy nadzieję, że ograniczy się do żołnierzy.

Connor oparł się o balustradę.

– Podobno wkrótce się to skończy.

– Wojna? Tak.

Przez chwilę Connor wyglądał na skrępowanego. Jako wschodząca gwiazda w biurze prokuratora generalnego był wielkim zwolennikiem przystąpienia Ameryki do walki. A jednak jakoś zdołał się wykręcić przed poborem, a obaj bracia wiedzieli, kto w tej rodzinie zwykle jest odpowiedzialny za wszystkie „jakoś".

– E, wy! – zawołał Joe. Obaj podnieśli głowy. Ich brat zdołał się wspiąć na prawie najwyższą gałąź.

– Rozbijesz sobie głowę – powiedział Connor. – Mama cię zastrzeli.

– Nie rozbiję! – odkrzyknął Joe. – A mama nie ma broni.

– Weźmie od taty.

Joe został na miejscu, jakby się opamiętał.

– Jak tam Nora? – spytał Danny, siląc się na niedbały ton.

Connor machnął papierosem w nocnym mroku.

– Sam ją spytaj. Jest dziwna. W obecności rodziców zachowuje się porządnie, wiesz. Ale wstawiała ci kiedyś tę bolszewicką gadkę?

– Bolszewicką? Nie – mruknął Danny z uśmiechem.

– Powinieneś jej posłuchać, jak mówi o prawach robotników i ruchu wyzwolenia kobiet, i biednych dzieciach emigrantów, które pracują w fabrykach, i tak dalej, ple, ple, ple. Stary by padł, gdyby ją usłyszał. Mówię ci, coś tu się zmieni.

– Tak? – Danny uśmiechnął się na myśl o tym, że Nora mogłaby się zmienić. Była tak uparta, że gdyby ktoś kazał jej pić, wolałaby umrzeć z pragnienia. – A niby jak?

Connor odwrócił się; w jego oczach błysnął uśmiech.

– Nie słyszałeś?

– Pracuję osiemdziesiąt godzin w tygodniu. Niektóre plotki do mnie nie docierają.

– Ożenię się z nią.

Danny'emu zaschło w ustach. Odkaszlnął.

– Oświadczyłeś się?

– Jeszcze nie. Ale już rozmawiałem o tym z tatą.

– Z tatą rozmawiałeś, a z nią nie?

Connor wzruszył ramionami i uśmiechnął się szeroko.

– I o co ten krzyk? Jest piękna, chodziliśmy razem na przedstawienia i do kinematografu, nauczyła się gotować od mamy... świetnie się bawimy. Będzie dobrą żoną.

– Con... – zaczął Danny, ale jego młodszy brat uniósł rękę.

– Dan, Dan, wiem, że między wami coś było. Nie jestem ślepy. Cała rodzina o tym wie.

Tego Danny się nie spodziewał. Joe śmigał po gałęziach drzewa jak wiewiórka. Ochłodziło się, a spokojny zmierzch otulał już dachy sąsiednich domów.

– Dlatego ci o tym mówię. Chcę wiedzieć, czy się zgadzasz.

Danny oparł się o balustradę.

– Co, twoim zdaniem, było między mną i Norą?

– No... nie wiem.

Danny zastanowił się. Ona nigdy za niego nie wyjdzie, pomyślał.

– A jeśli odmówi?

– Dlaczego miałaby odmówić? – Connor wzruszył ramionami. Pytanie wydało mu się absurdalne.

– Z tymi bolszewikami nigdy nie wiadomo.

Connor parsknął śmiechem.

– Jak powiedziałem, to się szybko zmieni. Dlaczego miałaby się nie zgodzić? Razem spędzamy wolny czas. Razem...

– Chodzicie do kina, wiem. To ktoś, z kim oglądasz filmy. To nie to samo.

– Nie to samo co...

– Miłość.

Connor zmrużył oczy.

– To jest miłość. – Pokręcił głową. – Dlaczego zawsze wszystko komplikujesz? Mężczyzna spotyka kobietę, rozumieją się, mają wspólne sprawy. Biorą ślub, zakładają rodzinę. To jest cywilizacja. To miłość.

Danny wzruszył ramionami. Gniew Connora mieszał się z niepewnością, co zawsze stanowiło niebezpieczną kombinację, zwłaszcza gdy brat znalazł się w barze. Może to i Danny zajmował się boksem, ale to Connor wszczynał bójki.

Connor był o dziesięć miesięcy młodszy od Danny'ego. Byli „irlandzkimi bliźniakami", ale oprócz pokrewieństwa nic ich nie łączyło. Ukończyli liceum w tym samym dniu, Danny ledwie, ledwie, Connor o rok wcześniej i z nagrodami za postępy w nauce. Danny natychmiast wstąpił o policji, Connor dostał pełne stypendium Bostońskiego Katolickiego College'u w South End. Po dwóch latach ukończył studia *summa cum laude* i wstąpił do Bostońskiego Kolegium Prawa. Nikt nie wątpił, gdzie będzie pracować po uzyskaniu dyplomu. W biurze prokuratora okręgowego czekało na niego miejsce od chwili, gdy zaczynał tam jako goniec. Teraz, po czterech latach pracy, zaczął dostawać większe sprawy.

– Jak tam w biurze? – spytał Danny.

Connor zapalił nowego papierosa.

– Mam do czynienia z prawdziwymi draniami.

– Opowiedz.

– Nie chodzi mi o Gusties ani innych drobnych złodziejaszków. Mówię o radykałach, tych, którzy odpalają bomby.

Danny przechylił głowę i wskazał bliznę na szyi. Connor zachichotał.

– Racja, racja. Kogo ja pouczam. Ale nigdy nie sądziłem, jak… jak… jak cholernie źli są ci ludzie. Mamy teraz jednego, deportujemy go, kiedy wygramy. Zagroził, że wysadzi senat w powietrze.

– Tylko gadał? – spytał Danny.

Connor potrząsnął głową z irytacją.

– Nic podobnego. W zeszłym tygodniu poszedłem na egzekucję.

– Poszedłeś na…

Brat pokiwał głową.

– Czasami muszę. Silas chce, żeby ludzie ze wspólnoty wiedzieli, że reprezentujemy ich aż do końca.

– To nie pasuje do twojego ładnego garnituru. Jaki to kolor, żółty?

Connor przesunął dłonią po włosach.

– Kremowy.

– Aha, kremowy.

– Nie było miło. – Connor zapatrzył się przed siebie. – Wieszali go. – Uśmiechnął się nerwowo. – Ale w biurze mówią, że człowiek przywyka.

Przez jakiś czas nie odzywali się do siebie. Danny czuł, że świat blednie – znikają egzekucje, choroby, bomby, bieda.

– Więc chcesz się ożenić z Norą – powiedział w końcu.

– Taki jest plan. – Connor poruszył brwiami.

Danny położył mu rękę na ramieniu.

– Więc życzę ci szczęścia, Con.

– Dzięki. Słyszałem, że wprowadziłeś się do nowego mieszkania.

– Nie jest nowe, przeniosłem się tylko na inne piętro. Lepszy widok.

– Niedawno?

– Miesiąc temu. Niektóre wieści rozchodzą się powoli.

– Tak to bywa, kiedy nie odwiedzasz matki.

Danny położył rękę na sercu.

– Aj, jaki ze mnie nikczemny syn, nie odwiedzam kochanej starej matki każdego dnia w tygodniu.

Connor zachichotał.

– Ale nadal mieszkasz w North End?

– To mój dom.

– To dziura.

– Dorastałeś tam – odezwał się Joe niespodziewanie, kołysząc się na dolnej gałęzi.
– Właśnie – odpowiedział Connor. – A tata przeprowadził nas, kiedy tylko się dało.
– Zamienił jedne slumsy na drugie – powiedział Danny.
– Na irlandzkie slumsy. Wolę to niż te włoskie zakamarki.
Joe zeskoczył na ziemię.
– To nie są slumsy.
– Może nie na tej ulicy – przyznał Danny.
– Ani na tej, ani na żadnej. – Joe wszedł na ganek. – Znam slumsy – oznajmił z wielką pewnością siebie, otworzył drzwi i wszedł do środka.

Panowie zapalili cygara w gabinecie ojca i poczęstowali Danny'ego. Podziękował, ale zwinął sobie papierosa i usiadł za biurkiem koło zastępcy Madigana. Mesplede i Donnegan stali przy karafkach, nalewając sobie spore porcje alkoholu, a Charles Steedman podszedł do wysokiego okna za biurkiem i zapalił cygaro. Ojciec Danny'ego i Eddie McKenna rozmawiali w kącie pokoju z Silasem Prendergastem, odwróceni plecami do drzwi. Prokurator często kiwał głową i rzadko się odzywał, a kapitan Thomas Coughlin i porucznik Eddie McKenna rozmawiali z nim pochyleni, podpierając brody dłońmi. Silas Prendergast kiwnął głową po raz ostatni, zdjął kapelusz z wieszaka i pożegnał się ze wszystkimi.
– To dobry człowiek – oznajmił ojciec Danny'ego, obchodząc biurko. – Rozumie się na wspólnym interesie. – Wyjął cygaro z humidora, obciął koniec i uśmiechnął się, unosząc brwi. Wszyscy odpowiedzieli uśmiechami, bo dobry humor ojca był zaraźliwy, nawet jeśli nie rozumiało się jego przyczyn.
– Thomasie – odezwał się zastępca z szacunkiem kogoś, kto zwraca się do człowieka stojącego o parę szczebli wyżej. – Zakładam, że wyjaśniłeś mu hierarchię ważności.
Ojciec Danny'ego zapalił ściskane w zębach cygaro.
– Powiedziałem mu, że woźnica nigdy nie widzi końskiego pyska. Ufam, że zrozumiał.
Claude Mesplede stanął za krzesłem Danny'ego i poklepał go po ramieniu.

– Świetnie się dogaduje z ludźmi ten twój ojciec.

Ojciec zerknął na Claude'a; Charles Steedman usiadł na parapecie za jego plecami, a Eddie McKenna zajął krzesło na lewo od Danny'ego. Dwóch polityków, jeden bankier, trzech policjantów. Ciekawe.

– Wiecie, dlaczego w Chicago mają taki problem z porządkiem publicznym? Dlaczego po zwycięstwie Volsteada odsetek przestępstw poszybuje pod niebo?

Wszyscy czekali w milczeniu, a tymczasem ojciec Danny'ego zaciągnął się cygarem i spojrzał na stojący na biurku kieliszek brandy, choć go nie podniósł.

– Bo Chicago jest nowym miastem, panowie. Pożar strawił jego historię i wartości. A Nowy Jork jest zbyt gęsto zamieszkany, zbyt rozległy, zbyt zaludniony przez przyjezdnych. Nie mogą utrzymać porządku, zwłaszcza przy tym, na co się zanosi. Ale Boston – i tu ojciec Danny'ego wziął kieliszek i pociągnął łyk, a światło zalśniło na szkle – Boston jest mały i nieskażony nowymi porządkami. Boston rozumie, co to wspólne dobro i stosowne zachowanie. – Uniósł kieliszek w toaście. – Za nasze piękne miasto, panowie. Za tę wspaniałą starą dziwkę.

Stuknęli się kieliszkami, a Danny zauważył, że ojciec się do niego uśmiecha – oczami, nie wargami. Thomas Coughlin umiał błyskawicznie przechodzić od jednego nastroju do drugiego i robił to tak płynnie, że łatwo było zapomnieć, iż to różne strony osobowości człowieka przekonanego, że postępuje dobrze. Thomas Coughlin był entuzjastą dobra. Szerzył je, maszerował na czele parad na jego cześć, odpędzał ujadające na nie psy, niósł trumny jego pokonanych przyjaciół, uwodził niezdecydowanych sprzymierzeńców.

Pozostało pytanie, które dręczyło Danny'ego przez całe życie: czym dokładnie było to dobro. Miało coś wspólnego z lojalnością i nadrzędnym znaczeniem honoru. Było związane z obowiązkiem i rozumiało bez słów wszystkie te rzeczy, o których nie należy głośno mówić. Było – wyłącznie z konieczności – z pozoru ugodowo nastawione do bostońskiej śmietanki towarzyskiej, ale de facto niezłomnie antyprotestanckie. Było przeciwne kolorowym, ponieważ rozumiało się samo przez się, że Irlandczycy, którzy stoczyli tyle walk i mieli ich stoczyć jeszcze więcej, są Europejczykami i ludźmi białymi, białymi jak księżyc, a nikt nie zamierzał zaprosić do stołu przedstawicieli wszystkich ras tylko po to, żeby ostatnie krzesło dostało się Irlandczykowi. O ile Danny rozumiał, dobro przede wszystkim było oddane idei, że ci, którzy szerzą je publicznie, mają prawo do pewnych swobód w życiu prywatnym.

– Słyszałeś o Stowarzyszeniu Robotników Litewskich z Roxbury? – spytał ojciec.

– Lettsi? – Danny zdał sobie sprawę, że Charles Steedman przygląda mu się ze swojego miejsca na parapecie. – Grupa robotników socjalistów, złożona głównie z emigrantów z Rosji i Litwy.

– A Partia Ludu Pracy? – spytał Eddie McKenna.

Danny skinął głową.

– Z Mattapan. Komuniści.

– Związek Sprawiedliwości Społecznej?

– Co to jest, egzamin?

Nikt nie odpowiedział. Patrzyli na niego z powagą i skupieniem. Westchnął.

– Związek Sprawiedliwości Społecznej składa się, jak sądzę, głównie z kawiarnianych intelektualistów z Europy Wschodniej. Bardzo przeciwnych wojnie.

– Przeciwnych wszystkiemu – powiedział Eddie McKenna. – A najbardziej Ameryce. To wszystko front bolszewicki sponsorowany przez samego Lenina, by siać niepokój w naszym mieście.

– Nie lubimy niepokoju – dodał ojciec Danny'ego.

– A galleaniści? – odezwał się zastępca Madigan. – Słyszałeś o nich?

I znowu Danny poczuł, że wszyscy zebrani go obserwują.

– Galleaniści – zaczął, usiłując pozbyć się rozdrażnienia – to zwolennicy Luigiego Galleaniego. To anarchiści, który zamierzają usunąć rząd, klasę posiadaczy, wszelką własność prywatną.

– Co o nich sądzisz? – spytał Claude Mesplede.

– O czynnych galleanistach? To terroryści.

– Nie tylko oni – powiedział Eddie McKenna. – Wszyscy radykałowie.

Danny wzruszył ramionami.

– Czerwoni mnie nie niepokoją. Wydają się nieszkodliwi. Drukują ulotki propagandowe i za dużo piją, a potem budzą sąsiadów śpiewami o Trockim i Matuszce Rosji.

– Ostatnio to się zmieniło – oznajmił Eddie McKenna. – Dochodzą do nas plotki.

– O...?

– O zakrojonej na wielką skalę akcji wywrotowej.

– Kiedy? Jakiego rodzaju?

Ojciec pokręcił głową.

– To informacja zarezerwowana tylko dla bezpośrednio zainteresowanych, a ty na razie do nich nie należysz.

– W swoim czasie, Dan – zapewnił Eddie McKenna z szerokim uśmiechem. – W swoim czasie.

– Celem terroryzmu – ciągnął ojciec – jest szerzenie terroru. Kto to powiedział?

Danny kiwnął głową.

– Lenin.

– Czytuje gazety – powiedział ojciec i puścił oko.

McKenna pochylił się ku Danny'emu.

– Planujemy akcję przeciwko radykałom. I musimy dokładnie wiedzieć, z kim sympatyzujesz.

– Aha – mruknął Danny, na razie jeszcze nie wszystko rozumiejąc.

Thomas Coughlin pochylił się ku niemu z wygasłym cygarem w dłoni.

– Chcemy, żebyś nam powiedział, co się dzieje w klubie społecznym.

– Jakim klubie społecznym?

Thomas Coughlin zmarszczył brwi.

– Bostońskim Klubie Społecznym? – Danny spojrzał na Eddiego. – Naszym związku?

– To nie związek – odpowiedział ten. – Chciałby nim być.

– A my nie możemy do tego dopuścić – dodał ojciec. – Jesteśmy policjantami, Aidenie, nie robotnikami. Trzeba zachować pewne zasady.

– A jakież to zasady? – spytał Danny. – Pieprzyć robotników?

Rozejrzał się po pokoju, popatrzył na mężczyzn zgromadzonych w to niewinne niedzielne popołudnie. Jego wzrok zatrzymał się na Steedmanie.

– Co pan na tym zyskuje?

Zagadnięty uśmiechnął się łagodnie.

– Co zyskuję?
Danny skinął głową.
– Chcę zrozumieć, co pan tu robi.
Steedman poczerwieniał; spojrzał na cygaro i poruszył szczękami.
– Aidenie, nie wolno tak się zwracać do starszych – powiedział Thomas Coughlin. – Nie możesz...
– Jestem tutaj – przerwał Steedman, odrywając wzrok od cygara – ponieważ robotnicy tego kraju zapomnieli, gdzie ich miejsce. Zapomnieli, młodzieńcze, że służą tym, którzy płacą im pensje i karmią ich rodziny. Wie pan, co może sprawić dziesięciodniowy strajk? Tylko dziesięciodniowy.
Danny wzruszył ramionami.
– Może doprowadzić średnią firmę do niewypłacalności. A to oznacza spadek wartości akcji. Inwestorzy tracą pieniądze. Mnóstwo pieniędzy. A to zuboży ich przedsiębiorstwa. Potem wkracza bank. Czasami jedynym wyjściem jest zamknięcie firmy. Bank traci pieniądze, inwestor traci pieniądze, firma traci pieniądze, a potem idzie na dno, a robotnicy i tak tracą pracę. Więc choć idea związku jest z pozoru dość zachęcająca, człowiek rozsądny nie może o niej nawet dyskutować z czystym sumieniem. – Pociągnął łyk brandy. – Czy odpowiedziałem na twoje pytanie, synu?
– Nie jestem pewien, jak pańskie rozumowanie odnosi się do sektora publicznego.
– Trzykrotnie bardziej – odpowiedział Steedman.
Danny rzucił mu przelotny uśmiech i odwrócił się do McKenny.
– Czy oddział specjalny będzie prześladował związki?
– Prześladujemy wywrotowców. Ludzi grożących temu narodowi. – McKenna wzruszył potężnymi barami. – Musisz gdzieś zyskać wprawę. Równie dobrze możemy zacząć od własnego podwórka.
– Naszego związku.
– Jeśli tak go nazywasz.
– Co on może mieć wspólnego z tą „akcją wywrotową"?
– Bawią się z nami w ciuciubabkę – powiedział McKenna. – Pomóż nam zrozumieć, kto tam jest prawdziwym przywódcą, kim są członkowie zarządu i tak dalej, a z większym przekonaniem poślemy cię do akcji przeciwko grubszym rybom.
Eddie skinął głową.

– A co na tym zyskam?

Ojciec przechylił głowę, a oczy zwęziły się mu jak szparki.

– No, nie wiem, czy... – zaczął zastępca Madigan.

– Co zyskasz? – przerwał ojciec. – Jeśli uda ci się w Bostońskim Klubie Społecznym, a potem z bolszewikami.?

– Tak.

– Złotą odznakę – uśmiechnął się Thomas Coughlin. – To chciałeś usłyszeć, prawda? Na to liczysz?

Danny miał ochotę zgrzytnąć zębami.

– Mów, jak jest naprawdę.

– Jeśli powiesz nam to, co chcemy wiedzieć o infrastrukturze tego rzekomego związku policyjnego, i jeśli przenikniesz do dowolnej radykalnej grupy i uzyskasz informacje potrzebne, by zapobiec aktom przemocy... – Thomas Coughlin spojrzał na zastępcę Madigana, a potem na syna. – Będziesz pierwszy w kolejce.

– Nie chcę być w kolejce. Chcę dostać złotą odznakę. Już dość mnie nią kusiłeś.

Mężczyźni wymienili spojrzenia, jakby się tego nie spodziewali.

Po jakimś czasie ojciec powiedział:

– Ach... chłopak wie, czego chce, prawda?

– O, tak – przyznał Claude Mesplede.

– Jasne jak słońce – dodał Patrick Donnegan.

Z kuchni dobiegał głos matki. Danny nie słyszał słów, ale to, co powiedziała, rozbawiło Norę. Jej śmiech przywiódł mu na myśl widok jej szyi, gładkiej skóry.

Thomas Coughlin zapalił cygaro.

– Złota odznaka dla człowieka, który aresztuje radykałów i powie nam, co planuje Bostoński Klub Społeczny.

Danny nie spuszczał spojrzenia z ojca. Wyjął papierosa i stuknął nim o ciężki bucior, po czym zapalił.

– Na piśmie.

Eddie McKenna zaśmiał się cicho. Claude Mesplede, Patrick Donnegan i zastępca Madigan spuścili wzrok. Charles Steedman ziewnął.

Ojciec podniósł brew, powoli, gestem oznaczającym podziw. Ale Danny wiedział, że choć Thomas Coughlin ma zadziwiająco wiele zalet, zdolność do odczuwania podziwu do nich nie należy.

– Czy to próba, za pomocą której chcesz określić swoje życie? – Ociec pochylił się ku niemu, a jego twarz rozświetlił wyraz, który wiele osób błędnie uznałoby za zadowolenie. – A może wolisz to odłożyć?
Danny nie odpowiedział. Ojciec znowu rozejrzał się po pokoju. W końcu wzruszył ramionami i spojrzał synowi w oczy.
– Umowa stoi.

Kiedy Danny wyszedł z gabinetu, matka i Joe położyli się już spać i wszędzie było ciemno. Wyszedł drzwiami frontowymi, bo czuł, że ten dom kładzie mu się brzemieniem na ramionach i uciska głowę. Usiadł na ganku i usiłował zdecydować, co dalej. Budynki przy K Street były pogrążone w mroku, a wszędzie panowała taka cisza, że słychać było odległy chlupot wody w oddalonej o parę przecznic zatoce.
– I jaką to brudną robotę kazali ci wykonać tym razem? – Nora stała plecami do drzwi.
Odwrócił się, żeby na nią spojrzeć. To bolało, a jednak ciągle to robił.
– Niezbyt brudną.
– Aha, ale i niezbyt czystą.
– O co ci chodzi?
– O co? – Westchnęła. – Od dawna nie wyglądasz na szczęśliwego.
– Co to jest szczęście?
Mocniej oplotła się ramionami w chłodzie nocy.
– Przeciwieństwo ciebie.
Od tej Wigilii, gdy ojciec Danny'ego wniósł Norę O'Shea przez frontowe drzwi, taszcząc ją na ramieniu jak wiązkę polan, minęło ponad pięć lat. Dziewczyna miała twarz zaróżowioną z zimna, ale jej ciało było sine, a szczękające zęby ledwie się trzymały w dziąsłach z niedożywienia. Thomas Coughlin powiedział, że znalazł ją w porcie przy Northern Avenue, otoczoną przez rzezimieszków, których on i wujek Eddie rozpędzili, jakby znowu byli nowicjuszami na patrolu. Patrzcie tylko na to zabiedzone, nieszczęsne porzucone dziecko. Wszystkie kości jej sterczą! A kiedy wujek Eddie przypomniał mu, że jest Wigilia, a biedna dziewczynina zdołała wykrztusić słabym głosikiem: „Dziękuję panu, dziękuję" – a ten głosik przypominał,

wypisz wymaluj, głos jego kochanej, zmarłej mamusi, świeć Panie nad jej duszą, no, czy nie można było tego uznać za znak od samego Chrystusa Pana w dniu Jego przyjścia na ten świat?

Nawet Joe, który miał wtedy sześć lat i nadal pozostawał pod wrażeniem zdolności krasomówczych ojca, nie kupił tej bajeczki, ale rodzina wpadła w prawdziwie chrześcijański nastrój i Connor poszedł nalać wody do wanny, a matka Danny'ego dała sinej z zimna dziewczynie o wielkich, zapadniętych oczach kubek herbaty. Nora obserwowała Coughlinów znad kubka, a jej brudne, chude barki wyglądały spod płaszcza jak mokre kamienie.

Potem spojrzała na Danny'ego i zanim odwróciła od niego wzrok, w jej oczach błysnęło światełko, które wydało mu się niepokojąco znajome. W tej chwili, którą przez następne lata przypominał sobie dziesiątki razy, był pewien, że w oczach tej zagłodzonej dziewczyny zobaczył własne serce.

Bzdura, powiedział sobie. Bzdura.

Miał się bardzo szybko przekonać, jak potrafią się zmieniać te oczy – jak światełko, które wydawało się odbiciem jego własnych myśli, w ułamku chwili stawało się obce, przygaszone lub fałszywie wesołe. Ale świadomość, że to światełko tam jest, że zaraz się pojawi, zaszczepiła w nim obsesyjną nadzieję na to, że będzie mógł je zapalać, kiedy zechce.

Nora patrzyła na niego uważnie bez słowa.

– Gdzie Connor? – spytał.

– Poszedł do baru. Powiedział, że gdybyś go szukał, jest u Henry'ego.

Jej płowe włosy okalały twarz i kończyły się tuż poniżej uszu. Nie była wysoka ani niska; wydawało się, że pod jej skórą coś się porusza, jakby ta skóra była cieńsza niż u normalnych ludzi, i wytężywszy wzrok, można było dostrzec przez nią płynącą krew.

– Podobno macie się ku sobie.

– Przestań.

– Tak słyszałem.

– Connor jest chłopcem.

– Ma dwadzieścia sześć lat. Jest starszy od ciebie.

Wzruszyła ramionami.

– Ale jest chłopcem.

– Macie się ku sobie? – Danny wyrzucił niedopałek i spojrzał na nią.

– Nie wiem. – W jej głosie zabrzmiało zmęczenie. Nie dniem, lecz nim. Poczuł się jak dziecko, wrażliwe i delikatne. – Chcesz, żebym powiedziała, że nie czuję się zobowiązana twojej rodzinie, nie czuję ciężaru długu, którego nie zdołam spłacić twojemu ojcu? Że na pewno nie wyjdę za twojego brata?

– Tak. To właśnie chciałbym usłyszeć.

– Nie mogę tego powiedzieć.

– Wyjdziesz za niego z wdzięczności?

Westchnęła i zamknęła oczy.

– Nie wiem, co zrobię.

Gardło Danny'ego zacisnęło się tak mocno, jakby mięśnie miały mu zmiażdżyć krtań.

– A kiedy Connor się dowie, że zostawiłaś męża w…

– On nie żyje – syknęła.

– Dla ciebie. To nie całkiem to samo, co prawdziwa śmierć, co?

W jej oczach błysnął ogień.

– O co ci chodzi, chłopcze?

– Jak myślisz, w jaki sposób zareaguje na te wieści?

– Mogę mieć tylko nadzieję – odrzekła, znowu ze zmęczeniem w głosie – że potraktuje mnie sprawiedliwiej niż ty.

Danny nie odpowiedział. Oboje wpatrywali się w siebie. Miał nadzieję, że jego oczy wydają się równie bezlitosne, jak jej.

– Nie – oświadczył w końcu i zszedł po schodach w cichą noc.

ROZDZIAŁ PIĄTY

Jakiś tydzień po ślubie Luther i Lila znaleźli lokum koło Archer Street, na Elwood, mały pokoik z wewnętrzną łazienką, a Luther pogadał z chłopakami z salonu bilardowego Złota Gęś na Greenwood Avenue i dowiedział się, że może znaleźć pracę w hotelu Tulsa za torami do Santa Fe, w białej części miasta. „Przekonasz, się, Wieśniaku, że tam pieniądze leżą na ulicach". Lutherowi nie przeszkadzało, że przez jakiś czas będą nazywać go Wieśniakiem, o ile się do tego nie przyzwyczają. Poszedł do hotelu i pogadał z facetem, którego mu wskazali, gościem nazwiskiem Stary Byron Jackson. Stary Byron (wszyscy mówili do niego „Stary Byron", nawet ci, którzy byli od niego starsi) był przewodniczącym związku pracowników hotelowych. Powiedział, że Luther może zacząć jako windziarz, a potem się zobaczy.

Zaczął więc pracować w windzie i nawet to było kopalnią złota. Ludzie dawali mu napiwki praktycznie za każdy razem, gdy naciskał dźwignię czy otwierał kratę. O, Tulsa kipiała pieniędzmi zarobionymi na ropie naftowej! Ludzie jeździli tu wielgachnymi samochodami, nosili wielgachne kapelusze i wspaniałe ubrania, palili cygara grube jak polana, a kobiety pachniały perfumami i pudrem. W Tulsie chodziło się szybko. Jadło się szybko z wielkich talerzy i piło szybko z wysokich szklanek. Mężczyźni często klepali się po plecach i szeptali sobie coś do uszu, wybuchając gromkim śmiechem.

Po pracy portierzy, chłopcy hotelowi i windziarze wracali do Greenwood, adrenalina nadal buzowała im w żyłach, więc szli do salonów bilardowych i knajpy nieopodal First i Admiral, a tam odchodziło picie, tańce i bójki. Jedni upijali się piwem i żytniówką, inni zaliczali daleki odjazd na opium czy ostatnim krzyku mody, heroinie.

Luther pracował z chłopakami od dwóch tygodni, kiedy któryś spytał, czy nie zechciałby sobie dorobić na boku, skoro jest taki szybki. I nawet się nie obejrzał, a zaczął pracować jako kurier Diakona Skinnera Brosciousa, nazywanego tak, bo bacznie czuwał nad swoim stadkiem i groził pomstą Wszechmogącego, jeśli któraś z jego owieczek zeszła na manowce. Diakon Broscious był niegdyś hazardzistą w Luizjanie. Pewnej nocy wygrał wielką sumę i zabił człowieka – te dwa wydarzenia podobno miały ze sobą związek. Przyjechał do Greenwood z wypchanym portfelem i paroma dziewczynami, które natychmiast zaprzągł do pracy. Kiedy te dziewczyny zapragnęły stać się jego partnerkami, dał im pewną sumkę i odesłał, a na ich miejsce zaangażował nowe, młodsze, świeższe i bez ambicji biznesowych. Potem rozszerzył działalność na knajpy, totalizator, piwo, heroinę i opium. Każdy mężczyzna w Greenwood zainteresowany seksem, narkotykami, alkoholem albo zakładami musiał poznać Diakona lub jakiegoś jego pracownika. Diakon Broscious ważył ze dwieście kilo albo i więcej. Często zażywał nocnych przejażdżek po Admiral i First w starym drewnianym fotelu na kołach. Diakon miał dwóch kościstych, żylastych, chudych jak kościotrupy drani, Dandyssa i Dyma, którzy pchali jego wózek dniem i nocą. A on śpiewał. Miał piękny głos, miły, wysoki i donośny i wyśpiewywał gospele, piosenki gangsterskie, a nawet „I'm a Twelve O'Clock Fella in a Nine O'Clock Town", o wiele lepiej od tej białej wersji Byrona Harlana. Więc jechał na swoim fotelu po First Street, śpiewając głosem tak pięknym, że niektórzy twierdzili, iż Bóg nie pozwala go słuchać aniołom, żeby nie budzić w nich zazdrości. Klaskał w dłonie, jego twarz spływała potem, uśmiech lśnił jak złoto, a ludzie zapominali na chwilę, kogo mają przed sobą, dopóki któryś nie przypomniał sobie, że zaciągnął dług u Diakona, a wtedy to, co dostrzegał za tym potem, uśmiechem i śpiewaniem, odciskało się piętnem na jego jeszcze niespłodzonych dzieciach.

Jessie Tell powiedział Lutherowi, że kiedy ktoś ostatnio naraził się Diakonowi Brosciousowi – „ale tak zupełnie bez szacunku, rozumiesz? " – ten podniósł się z fotela i usiadł na tym skubańcu. Umościł się, aż krzyki ucichły, spojrzał w dół i przekonał się, że ten głupi czarnuch wyzionął ducha; leżał na ziemi, gapiąc się martwymi oczami, z rozdziawionymi ustami i wyprężoną ręką.

– Mogłeś mi powiedzieć, zanim zacząłem dla niego pracować – wytknął mu Luther.

– Zbierasz forsę z zakładów, Wieśniak. Myślisz, że totalizator prowadzą mili ludzie?

– Mówiłem ci, żebyś mnie nie nazywał Wieśniakiem.

Siedzieli w Złotej Gęsi, odpoczywając po długim dniu uśmiechania się do białych ludzi zza torów. Alkohol zaszumiał Lutherowi we krwi, wzrok mu się wyostrzył, świat zwolnił i nic już nie było niemożliwe.

Luther wkrótce miał zyskać sporo czasu na rozważanie, jak to się stało, że stał się kurierem Diakona. Dopiero po jakimś czasie doszedł do wniosku, że nie miało to nic wspólnego z pieniędzmi, bo dzięki napiwkom z hotelu zarabiał niemal dwa razy tyle co w fabryce amunicji. I nie chciał związać swojego losu z gangsterami. Widywał w Columbus dość facetów, którym się wydawało, że zdołają wysoko zajść. Spadali z wrzaskiem na samo dno. Więc dlaczego? Przez ten dom na Elwood, pomyślał, który go dusił i przygniatał. I przez Lilę, choć ją kochał – czasami intensywność tej miłości go zaskakiwała, sam widok Lili budzącej się z policzkiem na poduszce był jak płonąca strzała wbita prosto w jego serce. Ale zanim zdołał się pogodzić z tą miłością, może przez chwilę się nią porozkoszować, ona już zaszła w ciążę, a miała dopiero dwadzieścia lat, on zaś dwadzieścia trzy. Dziecko! Odpowiedzialność na resztę życia. Istota, która dorasta, kiedy ty się starzejesz. Nie obchodzi jej, czy jesteś zmęczony, czy chcesz się skupić na czymś innym, czy chcesz się kochać. Dziecko jest i już, rzucone w sam środek twojego życia, wyjące pod niebiosa. Luther, który nie znał swojego ojca, był cholernie pewien, że sprosta tej odpowiedzialności, czy mu się ona podoba, czy nie, ale na razie chciał trochę używać życia, przyprawiwszy to życie odrobiną niebezpieczeństwa, żeby mieć co wspominać, kiedy będzie siedział na fotelu i bawił się z wnukami. Szczeniaki będą patrzeć na staruszka, który śmieje się jak głupi, a on będzie wspominać tego młodego osiłka, który przemierzał nocą Tulsę wraz z Jessiem, lawirując na granicy prawa, żeby poczuć, że ma charakter.

Jessie był pierwszym i najlepszym przyjacielem Luthera w Greenwood, co wkrótce okazało się problemem. Na pierwsze imię miał Clarence, ale na drugie Jessup, więc wszyscy nazywali go Jessie, albo Jessie Tell. Miał w sobie coś takiego, co przyciągało do niego i mężczyzn, i kobiety. Był bagażowym, a czasami windziarzem w hotelu Tulsa i miał dar rozweselania wszystkich, co bardzo ułatwiało przeżycie dnia. Jessie został ochrzczony paroma przydomkami, ale i sam je nadawał każdemu (to on nazwał Luthera Wieśniakiem), a te przezwiska padały z jego ust z taką prędkością i pewnością siebie, że przyklejały się do ludzi na resztę życia, choćby nosili nie wiadomo jakie imiona. Jessie przechodził przez hol hotelu, ciągnąc mosiężny wózek lub targając walizy, i po drodze rzucał: „Jak tam, Chudy? ", albo „Wiesz, że tak jest, Tajfun", kończąc każde zdanie cichym „he, he, he, no" i przed końcem tego dnia ludzie zaczynali mówić na Bobby'ego Chudy, a na Geralda Tajfun i na ogół te przydomki podobały im się bardziej niż prawdziwe imiona.

W nudne dni Luther i Jessie Tell bawili się w wyścigi wind i codziennie zakładali się o ilość bagaży, jakie przyjmą tego dnia. Uśmiechali się szeroko do białych, którzy zwracali się do nich tak samo „George", choć obaj na piersiach mieli mosiężne plakietki z imionami wypisanymi wielkimi literami jak znaki drogowe. Kiedy wracali na swoją stronę torów i wchodzili do salonów gier na Admiral, gęby im się nie zamykały, gdyż obaj byli prędcy w języku i nogach. Luther czuł, że nawiązuje się między nimi więź, jakiej mu brakowało, bo zostawił ją w Columbus z Lepkim Joe Beamem, Aeneusem Jamesem i kolegami z drużyny i od kieliszka, z którymi w czasach przed Lilą uganiał się za kobietami. Tu, w Greenwood, tętniło życie, prawdziwe życie, rozkwitające nocą w stukocie kul bilardowych i dźwiękach gitar i saksofonów, w oparach alkoholu, wśród mężczyzn, którzy odpoczywali po tych godzinach, kiedy mówiono do nich „George", „synu", „chłopcze" i jak tam jeszcze biali zwracają się do czarnych. A po takich dniach, pełnych grzecznego „tak, proszę pana" i „uszanowanie", i „oczywiście", było nie tylko całkiem zrozumiałe, ale i konieczne, żeby się odprężyć wśród ludzi takich samych jak oni.

Jessie Tell był szybki – a pracował jako kurier tak samo, jak Luther i biegał równie szybko – lecz również duży. Może nie tak olbrzymi jak Diakon Broscious, ale miał krzepę i uwielbiał heroinę. Uwielbiał też żytniówkę i kobiety z wielkimi tyłkami, uwielbiał gadać, pić piwo i śpiewać, ale trzeba powiedzieć, że heroinę to kochał najbardziej ze wszystkiego.

– Cholera – powiedział – taki czarnuch jak ja musi jakoś zwolnić, inaczej białasy go wykończą, zanim podbije ten świat. No nie mam racji, Wieśniak? Powiedz. No mam i dobrze o tym wiesz.

Problem polegał na tym, że taki nałóg – a był to nałóg, jak na Jessiego przystało, czyli wielki – kosztuje i choć Jessie zgarniał większe napiwki niż ktokolwiek w hotelu, nie miało to większego znaczenia, bo wszystkie napiwki oddawali do puli, a pod koniec zmiany dzielili się po równo. I choć był posłańcem Diakona i na pewno dobrze u niego zarabiał, bo posłańcy dostawali dwa centy od każdego dolara, który przegrywali klienci, a klienci z Greenwood przegrywali niemal równie potężnie, jak grali, grali natomiast na przerażającą skalę, Jessie nie mógł się utrzymać na powierzchni, nie szachrując.

Więc zaczął szachrować.

Reguły zakładów w mieście rządzonym przez Diakona Brosciousa były proste: nie ma gry na kredyt. Chcesz postawić dziesiątaka, płacisz posłańcowi jedenaście centów, no i jeszcze prowizję dla Diakona. Stawiasz dwie dychy, płacisz pięćdziesiąt pięć centów. I tak dalej.

Diakon Broscious nie wierzył w sens odbierania czarnuchom pieniędzy po przegranej. W sprawach prawdziwych długów miał prawdziwych windykatorów, ale nie mógł ich fatygować z powodu paru groszy. Jednak grosz zbiera się do grosza i w końcu są tego całe worki, które w te dni, gdy ludzie czują, że dziś im się poszczęści, nie pomieściłyby się w stodole.

Ponieważ posłańcy nosili przy sobie gotówkę, rozsądek podpowiadał, że Diakon Broscious powinien wybierać zaufanych pracowników. Ale Diakon nie byłby Diakonem, gdyby komukolwiek ufał, więc Luther zawsze zakładał, że jest obserwowany. Nie za każdym kursem, lecz przy co trzecim lub coś w tym rodzaju. Nigdy nikogo nie dostrzegł, ale uznał, że nie zaszkodzi, jeśli będzie się trzymać tego przekonania.

– Za dobrze myślisz o Diakonie – powiedział Jessie. – Przecież nie ma oczu dookoła głowy. A nawet jeśli ma, to są to tylko ludzkie oczy. Nie wiadomo, czy w domu, do którego wszedłeś, zakład zrobił tylko tata, czy też mama, dziadek i wujek Jim. I na pewno nie wolno zgarnąć wszystkich czterech dolarów. Ale jednego? Kto się dowie? Bóg? Może, jeśli patrzy. Ale Diakon nie jest Bogiem.

Nie, Bogiem nie był. Był kimś zupełnie innym.

Jessie zaatakował szóstą bilę i nie trafił. Leniwie wzruszył ramionami. Jego maślane spojrzenie zdradzało, że znowu się nagrzał, pewnie w zaułku, kiedy Luther poszedł do toalety.

Luther trafił w dwunastkę.

Jessie podparł się na kiju bilardowym i sięgnął za siebie, szukając krzesła. Namacał je, przysunął pod siebie i opadł na nie. Mlasnął, usiłując zwilżyć wielki język.

Luther nie wytrzymał.

– To gówno cię zabije.

Jessie uśmiechnął się i pogroził mu palcem.

– Na razie robi mi dobrze, więc przymknij się i graj.

Na tym polegał problem z Jessiem – nie przestawał przemawiać, ale jemu nikt nie potrafił przemówić do rozsądku. Było w nim coś – może natura – co nie znosiło zdrowego rozsądku. Zdrowy rozsądek był dla niego obelgą. „To, że ludzie tak robią – oświadczył kiedyś – jeszcze nie znaczy, że to dobry pomysł, mam rację?".

– Przestań komplikować.

Jessie uśmiechnął się w sposób, który na ogół zapewniał mu kobiety i darmowe drinki.

– A właśnie, że mam rację. Właśnie, że mam.

O, kobiety go uwielbiały. Psy na jego widok padały na grzbiety i sikały ze szczęścia, a dzieci biegły za nim, jakby z mankietów jego spodni sypały się złote zabawki.

Bo ten człowiek miał w sobie coś nieskalanego. Może ludzie za nim szli, żeby zobaczyć jego skalanie.

Luther posłał do łuzy szóstkę, potem piątkę, a kiedy podniósł głowę, zobaczył, że Jessie przysnął z nitką śliny zwisającą mu z kącika ust. Rękami i nogami obejmował kij bilardowy, jakby go pokochał nad życie.

Zaopiekują się nim. Może położą go w pokoiku na zapleczu. Albo zostawią tam, gdzie siedzi. Więc Luther odłożył kij na miejsce, zdjął kapelusz z wieszaka i wyszedł w mrok. Zastanowił się, czy nie zagrać gdzieś w karty. Na pięterku na tyłach stacji benzynowej właśnie toczyła się gra i wystarczyło, że o tym pomyślał, a już go zaswędziały ręce. Ale przez swój krótki pobyt w Greenwood zbyt często grywał w karty i musiał się zdrowo napocić w hotelu i biegając z zakładami dla Diakona, żeby Lilia się nie domyśliła, ile przegrał.

Lila. Obiecał jej, że wróci przed zachodem słońca, a było już ciemno, niebo zrobiło się granatowe, Arkansas River lśniła srebrem i choć była to ostatnia rzecz, na jaką miał ochotę, gdy zewsząd dochodziły dźwięki muzyki i głośne, wesołe okrzyki, wziął głęboki oddech i poszedł do domu, żeby odgrywać męża.

Jessie nie podobał się Lili – co nie było zaskoczeniem – podobnie jak żaden inny przyjaciel Luthera, a także to, że mąż spędzał całe noce w mieście. Nie podobało jej się też, że pracuje dla Diakona Brosciousa, więc mały domek na Elwood Avenue z każdym dniem stawał się coraz ciaśniejszy.

Kiedy przed tygodniem Luther spytał:

– To skąd weźmiemy pieniądze? – Lila odparła, że też pójdzie do pracy.

Luther roześmiał się, bo żaden biały nie chciałby, żeby ciężarna kolorowa kobieta szorowała mu garnki i podłogi. Białe kobiety nie chciały, żeby ich mężowie wyobrażali sobie, jak to dziecko się tam znalazło, a biali mężczyźni też nie mieli na to ochoty. Może musieliby wyjaśnić dzieciom, jak to możliwe, że nigdy nie widziały czarnego bociana.

Po wspólnej kolacji Lila powiedziała:

– Jesteś już mężczyzną. Mężem. Masz obowiązki.

– I wypełniam je, nie? Nie?

– Tak, przyznaję.

– To świetnie.

– Ale, kochanie, mógłbyś częściej bywać w domu. Powinieneś naprawić to, co obiecałeś.

– Co?

Lila sprzątnęła za stołu, a Luther wstał i podszedł do wiszącego na wieszaku płaszcza i wyjął z kieszeni papierosy.

– No, wiesz – powiedziała. – Obiecywałeś, że zrobisz kołyskę dla dziecka i naprawisz schodek i…

– I, i, i… – przerwał jej Luther. – Cholera, kobieto, pracuję ciężko przez cały dzień.

– Wiem.

– Wiesz? – Zabrzmiało to o wiele ostrzej, niż chciał.

– Dlaczego ciągle jesteś taki zły?

Luther nie znosił tych rozmów. Wydawało się, że inaczej już nie rozmawiają. Zapalił papierosa.

– Nie jestem zły – mruknął, choć był.

– Jesteś zły przez cały czas. – Pogładziła brzuch, który już zaczął się zaokrąglać.

– A dlaczego, kurwa, nie? – burknął. Nie chciał kląć w jej obecności, ale alkohol szumiał mu we krwi, alkohol, który wypił prawie mimochodem, bo kiedy człowiek był w towarzystwie grzejącego heroinę Jessiego, whisky wydawała się tak samo niebezpieczna jak lemoniada. – Jeszcze dwa miesiące temu nie byłem ojcem.

– I?

– I co?

– I co to ma znaczyć? – Lila wstawiła talerze do zlewu i wróciła do salonu.

– To, co powiedziałem. Jeszcze miesiąc temu...

– Co? – Patrzyła na niego uważnie, wyczekująco.

– Miesiąc temu nie mieszkałem w Tulsie, nie wziąłem ślubu pod przymusem i nie zamieszkałem w jakimś gównianym domku na gównianej ulicy w gównianym miasteczku. Tak?

– To nie jest gówniane miasteczko. – Lila podniosła głos i wyprostowała się. – I nie wziąłeś ślubu pod przymusem.

– Prawie.

Podeszła bliżej, wpatrując się w niego płonącymi oczami. Zacisnęła pięści.

– Nie chcesz mnie? Nie chcesz naszego dziecka?

– Nie miałem, kurwa, wyboru.

– Masz wybór. Co wieczór podejmujesz go na ulicy. Nie wracasz do domu jak mężczyzna, a jak wracasz, jesteś pijany, naćpany albo jedno i drugie.

– Bo muszę.

Wargi jej zadrżały.

– A to dlaczego?

– Bo tylko tak mogę wytrzymać z... – Ugryzł się w język, ale było za późno.

– Ze mną?

– Wychodzę.

Chwyciła go za ramię.

– Ze mną, Lutherze? O to ci chodzi?

– Idź do ciotki. Nagadacie się do woli o tym, jaki ze mnie grzeszny łajdak. I jak mnie nawrócicie.

– Ze mną? – spytała po raz trzeci, cichym i znękanym głosem.

Luther wyszedł, żeby niczego nie rozwalić.

W niedziele bywali w wielkim domu cioci Marty i wujka Jamesa na Detroit Avenue. Luther nazywał te okolice Drugim Greenwood.

Nikt poza nim nie chciał tak myśleć, ale Luther wiedział, że są dwa Greenwood, tak jak są dwie Tulsy, po północnej i południowej stronie torów. Był pewien, że gdyby się przyjrzeć uważniej, w białej Tulsie znalazłoby się kilka różnych Tuls, ale nie znał żadnej, bo jego kontakt z ich mieszkańcami ograniczał się do „Które piętro, proszę pani?".

Ale w Greenwood linia graniczna rysowała się o wiele wyraźniej. Istniało „złe" Greenwood, czyli zaułki przy Greenwood Avenue, daleko na północ od skrzyżowania z Archer, a także kilka dzielnic koło First i Admiral, gdzie w piątkowe noce słychać było strzały, a w niedzielne ranki trzaskały opony ciężarówek.

Ludzie woleli myśleć, że „dobre" Greenwood stanowi dziewięćdziesiąt dziewięć procent społeczności. Obejmowało Standpipe Hill, Detroit Avenue i centralną dzielnicę biznesową przy Greenwood Avenue. Był tam Pierwszy Kościół Baptystów, restauracja Bell i Little oraz kino Kraina Marzeń, gdzie za piętnaście centów można było obejrzeć Charliego albo Mary Pickford. Dobre Greenwood to była Gwiazda Tulsy i czarny zastępca szeryfa, przemierzający ulice z wypolerowaną odznaką. Był to doktor Lewis T. Weldon i mecenas Lionel A. Garrity, a także John i Louala Williamsowie, do których należała cukiernia Williamsów oraz warsztat Williamsów i samo kino Kraina Marzeń. Był to O.W. Gurley, właściciel sklepu spożywczego, galanteryjnego i jeszcze w dodatku hotelu Gurley. Były to niedzielne poranne kazania i niedzielne popołudniowe przyjęcia, kiedy na stole stała delikatna porcelana, leżały najbielsze obrusy, a z gramofonu sączyła się muzyka klasyczna, subtelna jak odgłosy nieokreślonej przeszłości.

Właśnie to najbardziej drażniło Luthera w tym drugim Greenwood – ta muzyka. Wystarczyło usłyszeć parę taktów, a wiedziało się, że to muzyka białych. Chopin, Beethoven, Brahms. Luther wyobrażał sobie, jak tamci siedzą przy fortepianach i grają w jakimś wielkim pokoju z błyszczącymi posadzkami i wysokimi oknami, a wokół nich na paluszkach krążą służący. To była muzyka pisana przez i dla ludzi, którzy chłostali swoich chłopców stajennych, rżnęli pokojówki, a w weekendy wybierali się na polowania, żeby zabijać zwierzęta, których nie jedli. Ludzi, którzy uwielbiali szczekanie psów i pościgi. Wracali do domu zmęczeni próżniactwem i komponowali albo słuchali takiej właśnie muzyki, gapili się na portrety przodków równie beznadziejnych i próżnych jak oni i pouczali dzieci, co jest dobre, a co złe.

Wujek Cornelius przez całe życie pracował dla takich ludzi, zanim oślepł. Luther poznał osobiście paru z nich i z radością schodził im z drogi. Ale nie mógł znieść myśli, że tu, w salonie Jamesa i Marty Hallowayów na Detroit Avenue ci czarni ludzie postanowili za pomocą napojów, jedzenia i pieniędzy stać się białymi.

Wolałby siedzieć koło First i Admiral, wśrod chłopców hotelowych i służących, wśród pucybutów i robotników. Mężczyzn, którzy pracowali i bawili się z takim samym zapałem. Mężczyzn, którzy niczego nie pragnęli bardziej, jak mówi przysłowie, niż whisky, grania i ciupciania.

Choć na Detroit Avenue nikt nie znał takich przysłów. A gdzie tam. Tutaj przysłowia brzmiały inaczej: „Pan nienawidzi…” i „Pan nie pozwala…” i „Pan rozkazuje…” i „Pan nie dopuści…”. Bóg był według nich wiecznie wściekłym właścicielem, skorym do bata.

Luther i Lila siedzieli przy wielkim stole, a wszyscy rozmawiali o białym człowieku takim tonem, jakby znajdował się na niedzielnym obiedzie wraz z nimi.

– Przedwczoraj – opowiadał James – do mojego warsztatu przybył sam pan Paul Stewart w swoim daimlerze i powiedział: „James, nie ufam nikomu z tamtej strony torów tak, jak tobie”.

Mecenas Lionel Garrity włączył się do rozmowy.

– To tylko kwestia czasu i ludzie zrozumieją, co nasi chłopcy dokonali na wojnie i powiedzą: „Już pora. Czas zapomnieć o tych niemądrych obyczajach. Wszyscy jesteśmy ludźmi. Tak samo krwawimy, tak samo myślimy”.

Lila uśmiechnęła się i pokiwała głową, a Luther zapragnął zerwać płytę z gramofonu i połamać ją na kolanie.

Bo najbardziej ze wszystkiego nie mógł znieść, że to wszystko – ta finezja, ta nowa godność, te sztywne kołnierzyki, przemądrzały ton, piękne meble, strzyżone trawniki i eleganckie automobile – jest podszyte strachem. Przerażeniem.

Pytali: „czy pozwolicie nam grać w piłkę?”.

Luther pomyślał o Babie Ruthu i tych chłopcach z Bostonu i Chicago, i chciał powiedzieć: Nie. Nie pozwolą wam. Kiedy czegoś chcą, wezmą to sobie bez pytania, żeby wam pokazać.

Wyobraził sobie, jak Marta, James, doktor Weldon i mecenas Lionel A. Garrity gapią się na niego z otwartymi ustami i pytaniem w oczach:

Żeby co nam pokazać?

Gdzie wasze miejsce.

ROZDZIAŁ SZÓSTY

Danny poznał Tessę Abruzze w tym samym tygodniu, gdy ludzie zaczęli chorować. Na razie gazety twierdziły, że chorują tylko żołnierze w Camp Devens, ale potem dwóch cywilów padło trupem na ulicach Quincy tego samego dnia i mieszkańcy miasta przestali wychodzić.

Danny stanął na swoim piętrze z naręczem paczek, które wniósł po stromych schodach. Były w nich jego rzeczy, prosto z pralni, owinięte w szary papier i związane wstążeczką przez praczkę z Prince Street, wdowę, która w wannie stojącej w kuchni prała tuzin ubrań dziennie. Usiłował włożyć klucz do zamka, nie upuszczając niczego, ale po paru nieudanych próbach położył paczki na podłodze, a wtedy z pokoju na końcu korytarza wyłoniła się młoda kobieta. Jęknęła.

– *Signore, signore*... – zawołała niepewnie, jakby nie była przekonana, czy on zechce jej pomóc. Oparła się o ścianę; po nogach pociekł jej różowy wodnisty płyn.

Danny zastanowił się, dlaczego nigdy dotąd jej nie widział. Potem przestraszył się, że ta kobieta może mieć grypę. Potem zauważył, że jest ciężarna. Klucz obrócił się w zamku i drzwi stanęły otworem; kopniakiem wrzucił paczki do środka, ponieważ żaden przedmiot zostawiony bez dozoru na korytarzu w North End nie pozostałby tam długo. Zamknął drzwi i podbiegł ku kobiecie. Dolna część jej sukienki była przemoczona.

Kobieta opierała się ręką o ścianę; opuściła głowę, ciemne włosy opadły jej na usta, a zęby zacisnęły się tak mocno, jak Danny widywał to czasem u zmarłych.

– *Dio Dell'Oh, Dio Dell'Oh* – powtarzała.

– Gdzie pani mąż? Gdzie położna? – spytał Danny.

Wziął jej wolną dłoń, a ona ścisnęła ją tak mocno, że ból przeszył mu rękę aż po łokieć. Błyskając oczami, zatrajkotała coś po włosku tak szybko, że nic nie zrozumiał. Zrozumiał, że kobieta nie zna ani jednego angielskiego słowa.

– Pani DiMassi! – wrzasnął w stronę schodów. – Pani DiMassi!

Kobieta ścisnęła mu rękę jeszcze mocniej i krzyknęła przez zaciśnięte zęby.

– *Dove e il vostro marito*? – spytał Danny.

Pokręciła głową parę razy, choć Danny nie rozumiał, czy to znaczy, że nie ma męża, czy że go tu nie ma.

– Gdzie... *il*... – Danny zaczął się zastanawiać, jak jest po włosku „położna". Pogłaskał kobietę po dłoni. – Ćśśś. Będzie dobrze. – Zajrzał w jej szeroko otwarte, dzikie oczy. – Gdzie... Gdzie... *il ostètrica*! – Zadowolony, że wreszcie przypomniał sobie to słowo, natychmiast zaczął mówić po angielsku. – Tak? Gdzie jest... *Dove e? Dove e il ostètrica*?

Kobieta uderzyła pięścią w ścianę, wbiła paznokcie w dłoń Danny'ego i wrzasnęła tak głośno, że krzyknął:

– Pani DiMassi! – przejęty paniką, jakiej nie czuł od pierwszych dni w pracy, kiedy dotarło do niego, że stanowi jedyne lekarstwo na cudze problemy.

Kobieta spojrzała mu z bliska w oczy i powiedziała:

– *Faccia qualcosa, uomo insensato! Aiutilo!*

Danny nie zrozumiał wszystkiego, ale wiedział, że powiedziała „głupi człowieku" i „ratunku", więc pociągnął ją na schody.

Opierała się na nim całym ciałem, ściskając mu dłoń, a drugą ręką obejmując brzuch. Zeszli na dół. Szpital Mass General znajdował się za daleko, żeby mogli do niego dotrzeć pieszo, a nigdzie nie widział taksówki ani ciężarówki. Wszędzie krążyli piesi, jak to w dniu targowym. Danny pomyślał, że skoro to dzień targowy, to gdzie są te cholerne ciężarówki, powinny tu być, ale nie, tylko tłumy pieszych, owoce, warzywa i świnie, niezmordowanie ryjące w słomie rzuconej na bruk.

– Pogotowie na Haymarket – powiedział. – Jest najbliżej. Rozumiesz?

Skinęła szybko głową. Zrozumiał, że zareagowała na ton jego głosu. Zaczęli się przedzierać przez ciżbę. Danny kilka razy zawołał:

„Ostètrica! Ostètrica? Conoscete un'ostètrica?", ale w odpowiedzi parę osób pokręciło jedynie głową ze współczuciem.

Kiedy przedarli się przez tłum, kobieta wygięła plecy i gwałtownie jęknęła. Danny przestraszył się, że urodzi na ulicy, dwie przecznice od pogotowia na Haymarket, ale tylko osunęła się w jego ramiona. Chwycił ją na ręce i zaczął iść, zataczając się, bo chociaż nie była bardzo ciężka, ale wiła się, prężyła ręce i uderzała go w pierś.

Przeszli tak kilka przecznic. Danny zdążył zauważyć, że kobieta była w tym cierpieniu piękna. Pomimo czy właśnie z tego powodu, nie był pewien, ale wydawała mu się niezaprzeczalnie piękna. Ostatni odcinek drogi przebyła, zarzuciwszy mu ramiona na szyję i szepcząc mu do ucha raz po raz: „*Dio, perdonilo. Dio, perdonilo*".

Na pogotowiu Danny wpadł w pierwsze napotkane drzwi i znalazł się w brązowym korytarzu z podłogami z ciemnego dębu i przyćmionym żółtym światłem. Stała tu jedna jedyna ławka, siedział na niej doktor, paląc papierosa. Podniósł na nich oczy.

– Co wy tu robicie?

Danny, nadal niosąc kobietę, spytał:

– Żartuje pan czy co?

– Weszliście niewłaściwymi drzwiami. – Doktor zgniótł papierosa w popielniczce i wstał. Przyjrzał się kobiecie. – Kiedy zaczął się poród?

– Wody odeszły jej dziesięć minut temu. Tyle wiem.

Doktor położył jedną rękę na podbrzuszu kobiety, a drugą na jej czole. Spojrzał na Danny'ego spokojnym, nieprzeniknionym wzrokiem.

– Ta kobieta urodzi.

– Wiem.

– W pańskich ramionach – dodał doktor i Danny omal jej nie upuścił.

– Proszę tu zaczekać – rzucił lekarz i wyszedł przez podwójne drzwi, dzielące korytarz na pół. Rozległ się trzask i doktor wrócił, ciągnąć żelazne łóżko z zardzewiałymi, skrzypiącymi kółkami.

Danny położył na nim kobietę. Zamknęła oczy, nadal oddychając szybko i gwałtownie. Danny spojrzał na wilgoć, którą czuł na dłoniach i brzuchu, wilgoć, jak sądził, wodnistego płynu, ale przekonał się, że to krew i pokazał dłonie doktorowi. Ten pokiwał głową.

– Jak ona się nazywa?
– Nie wiem.
Doktor zmarszczył brwi, przejechał obok niego wózkiem i zniknął za podwójnymi drzwiami. Zawołał pielęgniarkę. Danny znalazł łazienkę na końcu korytarza, umył ręce i przedramiona szarym mydłem i przyjrzał się różowym mydlinom. Twarz kobiety nadal stała mu przed oczami. Nos miała lekko skrzywiony, z garbkiem, a górną wargę wydatniejszą od dolnej. Na podbródku miała małą myszkę, niemal niezauważalną, ponieważ była bardzo śniada, skórę miała niemal w kolorze włosów. Słyszał jeszcze jej głos, czuł na dłoniach kształt jej ud i pośladków, widział łuk jej karku, kiedy wyprężyła się na wózku.
Znalazł poczekalnię na końcu korytarza. Wszedł do niej od strony recepcji, którą okrążył, by usiąść między obandażowanymi i pociągającymi nosem. Jakiś mężczyzna zdjął z głowy czarny melonik i zwymiotował do niego. Wytarł usta chusteczką, zajrzał do melonika, a potem zerknął na innych z zażenowaniem. Ostrożnie ustawił melonik pod drewnianą ławką i znowu wytarł usta. Wyprostował się i zamknął oczy. Parę osób miało na twarzach maski chirurgiczne; zanosiły się mokrym kaszlem. Pielęgniarka w recepcji także miała maskę na twarzy. Nikt tu nie mówił po angielsku z wyjątkiem jednego woźnicy, któremu wóz przejechał po stopie. Furman wyjaśnił Danny'emu, że wypadek wydarzył się tuż przed wejściem, inaczej poszedłby do prawdziwego szpitala, dla Amerykanów. Parę razy zerknął na krew, zasychającą na pasku i spodniach Danny'ego, ale nie spytał, co się stało.
Pojawiła się kobieta z nastoletnią córką. Kobieta była tęga i śniada, jej córka – chuda i prawie żółta. Kaszlała nieustannie, a brzmiało to, jakby metalowe tryby zgrzytały pod wodą. Furman pierwszy poprosił pielęgniarkę o maskę chirurgiczną, ale kiedy pani DiMassi odnalazła Danny'ego w poczekalni, i on miał już na twarzy osłonę. Wstydził się, ale kaszel dziewczyny słychać było z drugiego końca korytarza, zza podwójnych drzwi, niczym nieustanny zgrzyt trybów.
– Dlaczego ma pan to na twarzy, panie władzo Danny? – spytała pani DiMassi, siadając przy nim.
Danny zdjął maskę.
– Była tu bardzo chora kobieta.
– Dziś dużo ludzi choruje. Ja mówię: świeże powietrze. Mówię: siadajcie na dachach. Wszyscy mówią: ja szalona. Siedzą w domu.

– Słyszała pani o...
– Tessie, tak.
– Tessie?
Pani DiMassi skinęła głową.
– Tessa Abruzze. Ty ją przyniósł?
Danny przytaknął.
Pani DiMassi zachichotała.
– Wszystkie sąsiedzi gadają. Że nie jesteś taki silny, jak wyglądasz.
Danny uśmiechnął się.
– Czyżby?
– Tak. Mówią, że nogi ci się uginały, a Tessa nie taka ciężka.
– Powiadomi pani jej męża?
– Ba! – Pani DiMassi machnęła ręką – Ona nie ma męża. Tylko ojciec. Ojciec dobry człowiek. Córka? – Znowu machnęła ręką.
– Więc nie jest pani o niej dobrego zdania.
– Splunęłabym, ale to czysta podłoga.
– To dlaczego pani przyszła?
– To moja lokatorka – powiedziała pani DiMassi z prostotą. Danny położył rękę na ramieniu małej staruszki, a ta zakołysała się, nie sięgając stopami podłogi.

Kiedy w poczekalni zjawił się doktor, Danny znowu miał maskę na twarzy. Pani DiMassi poszła w jego ślady. Tym razem był to dwudziestoparoletni mężczyzna, sądząc po ubiorze – tragarz. Upadł na kolana przed recepcją. Wyciągnął rękę, jakby na znak, że nic mu nie jest. Nie kaszlał, ale wargi i szyję miał fioletowe. Pozostał w tej pozycji, rzężąc, aż pielęgniarka podeszła, żeby go podnieść. Pomogła mu wstać. Zatoczył się w jej objęciach. Oczy miał czerwone, wilgotne, niewidzące.

Więc Danny znowu włożył maskę i poprosił pielęgniarkę o drugą dla pani DiMassi i jeszcze dla paru osób. Rozdał je i usiadł. Przez gazę oblepiającą mu wargi i nos czuł każdy oddech.
– W gazetach piszą, że tylko żołnierze chorują – odezwała się pani DiMassi.
– Żołnierze oddychają tym samym powietrzem.

– Ty?

Danny poklepał jej dłoń.

– Na razie nie.

Chciał cofnąć dłoń, ale ją przytrzymała.

– Nic cię nie zmoże.

– Może.

– Więc będę blisko. – I przysunęła się tak, że ich nogi się zetknęły.

Doktor wyszedł do poczekalni, i choć sam miał maskę, na ich widok wyraźnie się zdziwił.

– To chłopiec – powiedział, przykucając przed nimi. – Zdrowy.

– A Tessa? – spytała pani DiMassi.

– Tak ma na imię?

Pani DiMassi skinęła głową.

– Były komplikacje. Krwotok. Niepokoję się. Pani jest jej matką?

Pani DiMassi pokręciła głową.

– Gospodynią – wyjaśnił Dany.

– Ach... ma rodzinę?

– Ojca. Jeszcze go szukają.

– Nie mogę wpuścić do niej nikogo z wyjątkiem najbliższej rodziny. Mam nadzieję, że to rozumiecie.

– Poważnie, panie doktorze? – rzucił lekko Danny.

Doktor miał zmęczone oczy.

– Robimy, co możemy.

Danny skinął głową.

– Gdyby pan jej tu nie przyniósł – dodał doktor – świat byłby niewątpliwie lżejszy o pięćdziesiąt pięć kilo. Niech pan myśli o tym w ten sposób.

– Jasne.

Doktor skłonił się z rewerencją pani DiMassi i wstał.

– Doktorze... – odezwał się Danny.

– Rosen – dokończył doktor.

– Doktorze Rosen, jak długo będziemy nosić te maski?

Doktor Rosen rozejrzał się po poczekalni.

– Aż się skończy.

– A jeszcze się nie kończy?

– Dopiero się zaczęło – odpowiedział lekarz i zostawił ich z tą świadomością.

Tej nocy ojciec Tessy, Federico Abruzze, odnalazł Danny'ego na dachu budynku. Po wyjściu ze szpitala pani DiMassi tak długo namawiała swoich lokatorów, aż tuż po zachodzie słońca wynieśli materace na dach. Zebrali się trzy piętra nad North End, pod gwiaździstym niebem, w dymie z zakładów mięsnych i lepkich wyziewach ze zbiornika melasy.

Pani DiMassi przyprowadziła swoją najlepszą przyjaciółkę, Denise Ruddy-Cugini z Prince Street, a także swoją siostrzenicę Arabelle i jej męża Adama, murarza, który niedawno nielegalnie przybył z Palermo. Przyłączyli się do nich Claudio i Sophia Mosca z trójką dzieci, z których najstarsze miało pięć lat, a Sophia znowu była przy nadziei. Tuż po ich przybyciu przez drzwi przeciwpożarowe wywlekli materace Lou i Patricia Imbriano, a po nich nowożeńcy Joseph i Concetta Limone i na końcu Steve Coyle.

Danny, Claudio, Adam i Steve Coyle zaczęli grać w kości, a przy każdej kolejce domowe wino Claudia wchodziło im łatwiej. Danny słyszał kaszel i krzyki w gorączce, dochodzące z ulic i budynków, ale słyszał także matki, nawołujące dzieci do domu i pisk sznurów z praniem, wciąganych do budynków, oraz ostry, gwałtowny śmiech i katarynkę, trochę zachrypniętą i rozstrojoną.

Nikt z obecnych na dachu nie był jeszcze chory. Nikt nie kaszlał, nie miał gorączki ani mdłości. Nikt nie miał pierwszych objawów infekcji: bólu głowy i nóg, choć większość mężczyzn czuła się wykończona po dwunastogodzinnej pracy i nie wiadomo, czy by się zorientowali, gdyby byli chorzy. Joe Limone, pomocnik w piekarni, pracował piętnaście godzin dziennie i wyśmiewał się z leniuchów, którzy wyrabiają tylko dwanaście. Concetta Limone, wyraźnie pragnąc dorównać mężowi, zgłosiła się do pracy w przędzalni i przychodziła tam o piątej rano, a wychodziła o wpół do siódmej wieczorem. Ta pierwsza noc na dachu przypominała święto, bo Hanover Street była ustrojona światełkami i kwiatami, księża prowadzili procesję ulicami, a w powietrzu rozchodził się zapach kadzidła i sosu pomidorowego. Claudio zrobił latawiec swojemu synowi, Bernardo Thomasowi i chłopiec stanął wraz z innymi dziećmi na środku dachu. Żółty latawiec wyglądał jak płetwa na tle ciemnoniebieskiego nieba.

Danny rozpoznał Federica w chwili, gdy ten zjawił się na dachu. Minął go kiedyś na schodach, idąc z naręczem paczek; elegancki starszy pan w brązowym płóciennym ubraniu, miał siwe, przystrzyżone tuż przy skórze włosy i cienki wąsik, i chodził z laską jak dżentelmen – nie by się na niej wspierać, lecz dla szyku. Zdjął fedorę i zwrócił się do pani DiMassi, a potem spojrzał na Danny'ego, siedzącego z innymi mężczyznami. Danny wstał.

– Pan Coughlin? – spytał Federico Abruzze niemal doskonałą angielszczyzną i ukłonił się lekko.

– Witam pana – odpowiedział Danny, wyciągając rękę. – Jak zdrowie córki?

Federico uścisnął jego rękę obiema dłońmi i skinął głową.

– Dobrze. Dziękuję za troskę.

– A pański wnuk?

– Jest silny. Czy możemy porozmawiać?

Danny przeszedł nad kostkami i drobnymi i wraz z Federikiem podszedł do wschodniego skraju dachu. Starszy pan wyjął z kieszeni białą chusteczkę i ułożył ją na murku, biegnącym wokół krawędzi.

– Proszę usiąść.

Danny usiadł na chusteczce. Czuł na plecach wiatr od morza i szum wina we krwi.

– Ładna noc – odezwał się Federico. – Choć tyle osób kaszle.

– Tak.

– Dużo gwiazd.

Danny spojrzał na jasne punkty na niebie. Spojrzał znowu na Federica Abruzze, od którego biła aura przywódcy plemienia. Był jak burmistrz małego miasteczka, wygłaszający mądre przemowy na placu w letnie noce.

– Jest pan znany w okolicy – oznajmił Federico.

– Naprawdę?

Starszy pan przytaknął.

– Podobno jest pan Irlandczykiem, który nie ma uprzedzeń wobec Włochów. Podobno wychował się pan tutaj, a choć w pańskim posterunku wybuchła bomba, choć pracował pan na tych ulicach i widział najgorsze rzeczy, traktuje pan wszystkich jak braci. A teraz ocalił pan życie mojej córki i mojego wnuka. Dziękuję panu.

– Bardzo proszę – powiedział Danny.

Federico włożył do ust papierosa i potarł zapałkę o paznokieć kciuka, by ją zapalić. Spojrzał na Danny'ego przez płomień. W świetle nagle odmłodniał, jego twarz wydała się gładka. Danny ocenił go na pięćdziesiąt parę lat, o dziesięć mniej niż mu się wydało, kiedy patrzył z daleka.

Federico machnął papierosem.

– Zawsze spłacam swoje długi.

– Nie ma pan wobec mnie żadnego – odparł Danny.

– Ależ mam. Mam. – Głos starszego pana brzmiał melodyjnie. – Ale koszt przyjazdu do tego kraju pozbawił mnie mego skromnego majątku. Czy zechce pan chociaż pozwolić, byśmy podjęli pana kolacją? – Położył rękę na ramieniu Danny'ego. – Oczywiście kiedy moja córka wydobrzeje.

Danny spojrzał na jego uśmiechniętą twarz i pomyślał o nieobecnym mężu Tessy. Umarł? Nigdy go nie było? Wiedział co nieco o włoskich zwyczajach i nie potrafił sobie wyobrazić, by człowiek o pozycji Federica utrzymywał kontakt z niezamężną, ciężarną córką, nie mówiąc już o dalszym wspólnym mieszkaniu. A teraz wydawało się, że starszy pan usiłuje wyswatać ją z Dannym.

Dziwne.

– Z największą ochotą.

– Zatem umowa stoi. – Federico wyprostował się. – Jestem zaszczycony. Wyślę wiadomość, gdy Tessa wyzdrowieje.

– Będę czekać.

Federico i Danny ruszyli w stronę wyjścia przeciwpożarowego.

– Ta choroba… – Federico wskazał ruchem ręki dachy wokół ich. – Przeminie?

– Mam nadzieję.

– Ja również. Tyle nadziei w tym kraju, tyle możliwości. Byłoby tragedią, gdyby musiał cierpieć tak, jak Europa. – Odwrócił się i ścisnął Danny'ego za ramiona. – Jeszcze raz panu dziękuję. Dobranoc.

– Dobranoc – powiedział Danny.

Federico schodził po metalowych schodach, z laską pod pachą. Ruchy miał płynne i pewne, jakby wychował się w górach i przywykł do stromych zboczy. Kiedy zniknął, Danny stał jeszcze przez jakiś czas, patrząc za nim i usiłując nazwać to dziwne wrażenie, że między nimi wydarzyło się coś jeszcze, coś, czego nie pojmował z powodu szumu krwi. Może to ton, jakim Federico powiedział „dług" lub „cierpieć", jakby po włosku te słowa miały inne znaczenie. Danny usiłował to zrozumieć, ale wino było zbyt mocne; myśl wymknęła mu się, a on skapitulował i wrócił do kości.

Nieco później Bernardo Thomas uparł się, żeby znowu puścić latawiec, ale sznurek wyśliznął mu się z palców. Zanim chłopiec się rozpłakał, Claudio krzyknął tryumfalnie, jakby celem każdego latawca było wyrwanie się na wolność. Chłopiec nie od razu dał się przekonać i z drżącą brodą patrzył za latawcem, więc inni dorośli także stanęli na skraju dachu, unieśli ręce i zaczęli wiwatować. Bernardo Thomas roześmiał się i zaklaskał, inne dzieci dołączyły do niego i wszyscy zaczęli się cieszyć, patrząc jak żółty latawiec wzbija się coraz wyżej na tle czarnego nieba.

Pod koniec tygodnia przedsiębiorcy pogrzebowi zaczęli wynajmować ludzi do pilnowania trumien. Strażnicy byli różni – niektórzy przyszli z prywatnych firm ochroniarskich i chcieli się myć i golić, inni robili wrażenie podupadłych piłkarzy lub bokserów, paru było podrzędnymi członkami Czarnej Ręki, ale wszyscy mieli strzelby lub pistolety. Wśród chorych znalazło się wielu stolarzy, jednak nawet gdyby żaden nie zachorował, wątpliwe, czy nadążyliby za popytem. Grypa zabiła w Camp Devens sześćdziesięciu trzech żołnierzy w jeden dzień. Zawędrowała do North End i południowego Bostonu, a także do pensjonatów na Scollay Square. Buszowała w stoczniach na Quincy i Wymouth. Potem rozprzestrzeniła się w głąb stanu, sięgnęła do pociągów, a gazety zaczęły opisywać nowe ogniska zarazy w Harford i Nowym Jorku.

Grypa dotarła do Filadelfii w pewien piękny pogodny weekend. Ludzie wylegli na ulice, by podziwiać parady na cześć żołnierzy, nowo utworzonego Legionu Amerykańskiego oraz wzmocnienia czystości moralnej i siły duchowej, najlepiej reprezentowanej przez skautów. Tydzień później po tych samych ulicach zaczęły turkotać wózki z kostnicy, jadące po ciała wynoszone na ganki. We wschodniej Pensylwanii i zachodnim New Jersey stanęły namioty – kostnice. W Chicago choroba najpierw wybuchła na południu, potem na wschodzie, a następnie pociągami rozpełzła się po okolicznych terenach.

Zaczęły krążyć najróżniejsze plotki. O szczepionce. O niemieckiej łodzi podwodnej, którą w sierpniu widziano niedaleko przystani bostońskiej. Niektórzy twierdzili, że widzieli, jak wyłania się z morza i bucha strumieniem pomarańczowego dymu, który wiatr zaniósł ku brzegowi. Kaznodzieje cytowali ustępy z Księgi Objawień i Ezechiela o trującym tchnieniu, które miało być karą za nowoczesną rozwiązłość i cudzoziemskie obyczaje. Nadeszły Ostatnie Dni, powiadali.

Pośród klasy robotniczej rozeszła się plotka, że jedynym lekarstwem na chorobę jest czosnek. Albo terpentyna, podawana na kostkach cukru. Albo benzyna, jeśli nie ma pod ręką terpentyny. A więc kamienice śmierdziały. Śmierdziały potem, wydzielinami, śmiercią i umieraniem, ale czosnek i terpentyna były najgorsze. Smród zaciskał krtań Danny'ego, palił mu nozdrza, a czasami, otumaniony wyziewami benzyny i czosnku, czuł drapanie w gardle i myślał, że w końcu się zaraził. Ale nie. Widział chorujących lekarzy, pielęgniarki, koronerów, kierowców karetek i dwóch policjantów z pierwszego posterunku, a także sześciu z innych. I choć zaraza pustoszyła okolicę, którą pokochał z pasją niewytłumaczalną nawet dla samego siebie, jego nie chciała powalić.

Śmierć ominęła go na Salutation Street, a teraz krążyła wokół niego, robiła do niego oko, ale zajmowała się innymi. Dlatego Danny wchodził do mieszkań, do których nie chcieli zaglądać inni policjanci, wchodził do pensjonatów i czynszowych kamienic i starał się jakoś pocieszać tych pożółkłych i sinych ludzi, których materace przesiąkły potem.

Na posterunku zlikwidowano wolne dni. Przez następne trzy tygodnie Danny pracował jako nosiciel zwłok, a nie policjant. Słyszał rzężenie umierających, jak brzęk ptasich klatek na wietrze, widział ciemnozielone wymiociny; w slumsach North Endu zaczęto oznaczać drzwi chorych i coraz więcej ludzi spało na dachach. Rankami Danny i inni policjanci z pierwszego posterunku układali ciała na chodniku i czekali, aż przybędą po nie wozy. Danny nadal nosił maskę, ale tylko dlatego, że tak nakazywały przepisy. Maski niczemu nie zapobiegały. Wiele osób, które w ogóle ich nie zdejmowały, zarażało się grypą i umierało, płonąc z gorączki.

Danny, Steve Coyle i paru innych gliniarzy przyjechało na wezwanie na Portland Street, rzekomo od świadka morderstwa. Steve zapukał do drzwi; Danny zauważył błysk podniecenia w oczach policjantów. Człowiek, który im w końcu otworzył, nosił na twarzy maskę, ale oczy miał czerwone, a oddech rzężący. Steve i Danny jakieś dwadzieścia sekund gapili się na nóż, wystający mu z piersi, zanim pojęli, co widzą.

– Po cholerę mi się naprzykrzacie? – spytał facet.

Steve trzymał rękę na rewolwerze, ale nie wyjmował go z kabury. Uniósł rękę, dając facetowi znak, żeby się cofnął.

– Kto pana zranił?

Pozostali gliniarze stanęli za Dannym i Steve'em.

– Ja – oznajmił facet.

– Sam się pan dźgnął?

Tamten skinął głową. Danny zauważył kobietę w masce, siedzącą na kanapie za plecami faceta. Kobieta miała siną twarz i poderżnięte gardło.

Ranny oparł się o drzwi i ten ruch sprawił, że na jego koszuli wykwitła ciemna plama.

– Proszę mi pokazać ręce – rozkazał Steve.

Mężczyzna podniósł dłonie, rzężąc z wysiłku.

– Może któryś mi to wyciągnąć z piersi?

– Proszę odsunąć się od drzwi – zarządził Steve.

Facet cofnął się, upadł na tyłek i usiadł ze spuszczoną głową. Policjanci weszli do pokoju. Nikt nie chciał dotknąć rannego, więc Steve wycelował w niego rewolwer.

Tamten chwycił oburącz nóż i pociągnął, ale nie zdołał go wyszarpnąć.

– Proszę opuścić ręce – powiedział Steve.

Facet rzucił mu niewyraźny uśmiech. Opuścił ręce i westchnął.

Danny spojrzał na martwą kobietę.

– Zabił pan swoją żonę?

Słaby, przeczący ruch głowy.

– Wyleczyłem ją. Nie mogłem inaczej. W tej sytuacji...

Leo West zajrzał w głąb mieszkania.

– Tu są dzieci.

– Żyją? – zawołał Steve.

Facet na podłodze znowu pokręcił głową.

– Też je wyleczyłem.

– Troje! – zawołał West. – Jezusie. – Wrócił do pokoju blady, rozpinając kołnierzyk. – Jezusie – powtórzył. – Cholera.

– Musimy tu wezwać karetkę – powiedział Danny.

Rusty Aborn roześmiał się gorzko.

– Jasne. Ile im teraz zajmuje dojazd? Pięć, sześć godzin?

Steve odchrząknął.

– Ten gość już nie potrzebuje karetki. – Postawił stopę na ramieniu mężczyzny i łagodnie przewrócił zwłoki na podłogę.

Dwa dni później Danny wyniósł dziecko Tessy, zawinięte w ręcznik. Federico gdzieś zniknął, a pani DiMassi siedziała przy Tessie, która leżała na łóżku z kompresem na czole, zapatrzona w sufit. Pożółkła od choroby, ale była przytomna i wiedziała, co się z nią dzieje. Danny pokazał jej niemowlę; zerknęła najpierw na niego, potem na zawiniątko w jego ramionach; skóra dziecka miała kolor kamienia. Tessa znowu przeniosła wzrok na sufit i Danny zniósł dziecko po schodach na zewnątrz, tak jak wczoraj znieśli wraz ze Steve'em Coyle'em ciało Claudia.

Codziennie wieczorem dzwonił do rodziców. Podczas epidemii udało mu się zajrzeć do domu tylko raz. Usiadł z rodziną i Norą w salonie na K Street, pili herbatę, odchylając maski, których noszenie Elle Coughlin wymogła na rodzinie nawet w sypialniach. Herbatę podawała Nora. Zwykle ten obowiązek należał do Avery'ego Wallace'a, ale Avery nie pojawił się w pracy od trzech dni. Powiedział ojcu Danny'ego, że to złapał, i to tak, że ho, ho! Danny znał Avery'ego od dzieciństwa; teraz uświadomił sobie, że nigdy go nie odwiedził ani nie poznał jego żony. Bo Avery był czarny?

Otóż to.

Bo był czarny.

Danny podniósł głowę znad filiżanki, patrząc na resztę rodziny. Ten ich widok – byli tacy dziwnie cisi, niezręczni, gdy odsuwali maski, by pić herbatę – wydał się absurdalny jemu i jednocześnie także Connorowi. Tak, jak kiedy obaj służyli do mszy – wystarczyło im zerknąć na siebie, by zacząć się śmiać w najmniej odpowiednim momencie. I choćby stary nie wiadomo jak ich lał, nie mogli się powstrzymać. Zachowywali się tak nieznośnie, że trzeba było ich rozdzielić i od szóstej klasy już nigdy nie służyli do mszy jednocześnie.

To samo uczucie ogarnęło ich teraz; najpierw parsknął Danny, a Connor w chwilę później. Obaj nie mogli się pohamować, odstawili filiżanki na podłogę i zaczęli się zaśmiewać.

– Co? – spytał ojciec. – Co was tak bawi?

– Nic – wykrztusił niewyraźnie Connor z powodu maski, co jeszcze bardziej rozbawiło Danny'ego.

– Co? Co? – spytała matka, zła i zdezorientowana.

– O Jezu, Dan – powiedział Connor. – Weź się opanuj.

Danny wiedział, że chodzi mu o Joego. Usiłował na niego nie patrzeć, ale zerknął i zobaczył małego chłopca, który nie dotykał bucikami podłogi. Joe patrzył na nich wielkimi oczami, siedząc w tej idiotycznej masce i z filiżanką na kraciastych spodenkach. Spoglądał na braci takim wzrokiem, jakby mieli mu wszystko wyjaśnić. Ale nie doczekał się odpowiedzi. Sytuacja była głupia i absurdalna. Danny spojrzał na skarpetki w romby na nogach braciszka, łzy napłynęły mu do oczu i ryknął jeszcze głośniejszym śmiechem.

Joe im zawtórował, a za nim Nora, oboje początkowo niepewni, ale potem coraz głośniej, bo śmiech Danny'ego zawsze był zaraźliwy, a żadne nie pamiętało, kiedy ostatnio Connor śmiał się tak swobodnie i wesoło. Potem Connor kichnął i wszyscy umilkli.

Delikatne czerwone kropeczki przesiąkły przez maskę na zewnątrz.

– O święta Mario, Matko Boska – powiedziała matka i przeżegnała się.

– Co? – Connor nie zrozumiał. – Tylko kichnąłem.

– Connor – szepnęła Nora. – O Boże, Connor, mój drogi.

– Co?

– Con – rzucił Danny, wstając. – Zdejmij maskę.

– O, nie, nie, o, nie – wyszeptała matka.

Connor zdjął maskę, spojrzał na nią, lekko skinął głową i nabrał tchu.

– Chodź do łazienki – powiedział Danny.

Początkowo nikt się nie poruszył. Danny zaprowadził Connora do łazienki i zamknął drzwi na klucz. Dopiero wtedy usłyszeli, że cała rodzina ocknęła się z odrętwienia i stanęła w korytarzu.

– Przechyl głowę – rozkazał Danny.

Connor posłuchał.

– Dan…

– Cicho. Daj spojrzeć.

Ktoś poruszył klamką.

– Otwórzcie – rozległ się głos ojca.

– Daj nam chwilę, dobrze?

– Dan – powtórzył Connor. W jego głosie nadal drżał śmiech.

– Odchyl głowę, dobrze? To nie jest śmieszne.

– No wiesz, zaglądasz mi do nosa.

– Wiem. Zamknij się.

– Widzisz gluty?

– Parę. – Danny poczuł, jak mimowolny uśmiech napina mięśnie jego twarzy. Cały Connor – śmiertelnie poważny w normalne dni i żartujący teraz, kiedy być może stoi nad grobem.

Ktoś zapukał do drzwi.

– Dłubałem w nosie – powiedział Connor.

– Co?

– Zanim mama przyniosła herbatę. Byłem tutaj. Wsadziłem rękę prawie po łokieć. Miałem tam te takie twarde grudki, wiesz, jakie?

Danny oderwał wzrok od nosa brata.

– Co?

– Dłubałem w nosie – powtórzył Connor. – Chyba muszę obciąć paznokcie.

Danny wytrzeszczył oczy. Connor parsknął śmiechem. Danny palnął go w głowę, Connor go pchnął. Kiedy otworzyli drzwi, pod którymi stała reszta rodziny, blada i zła, zaśmiewali się znowu jak niegrzeczni ministranci.

– Nic mu nie jest.

– Nic mi nie jest. Miałem krwotok z nosa. Patrz, mamo, już ustał.

– Idź po nową maskę do kuchni – rozkazał ojciec i z niesmakiem odszedł do salonu.

Joe patrzył na nich jakby z podziwem.

– Krew z nosa – powiedział Danny do niego, przeciągając każdą sylabę.

– To nie jest śmieszne – wyszeptała matka załamującym się głosem.

– Wiem, mamo – przyznał Connor. – Wiem.

– Ja też – dodał Danny, podchwytując spojrzenie Nory, bardzo podobne do tego, którym obrzuciła ich matka. Potem przypomniał sobie, że powiedziała do Connora „mój drogi".

Kiedy to się zaczęło?

– Nieprawda – odparła matka. – Wcale tego nie wiecie. Nigdy nie wiedzieliście.

Poszła do swojego pokoju i zamknęła drzwi.

Danny dowiedział się o chorobie Steve'a Coyle'a po pięciu godzinach. Tego ranka Steve obudził się, czując dziwną słabość w mięśniach. Spuchły mu kostki, drżały łydki, a w głowie pulsowało. Nie tracił czasu na udawanie, że to coś innego. Wymknął się z sypialni, którą dzielił tej nocy z wdową Coyle, złapał ubranie i wyszedł. Nie zatrzymał się, nawet gdy nogi zaczęły mu dokuczać, kiedy wlokły się, jakby chciały zostać w tyle. Po paru przecznicach zaczęły go tak boleć, jakby należały do kogoś innego. Prawie wył z bólu. Usiłował dojść do tramwaju, ale uświadomił sobie, że zarazi wszystkich pasażerów. Potem przypomniał sobie, że tramwaje i tak przestały kursować. Więc ruszył piechotą jedenaście przecznic od mieszkanka wdowy Coyle, na szczyt Mission Hill, do szpitala Petera Benta. Dotarł do niego, prawie pełznąc, zgięty wpół jak złamana zapałka. Skurcze zaciskały mu żołądek, płuca, gardło. A głowa, o Jezu! Zanim dotarł do recepcji, miał wrażenie, że ktoś wbił mu dwie rury w oczy.

Opowiedział to wszystko Danny'emu przez muślinową firankę na oddziale chorób zakaźnych. Na oddziale nie było żadnego innego pacjenta, tylko jeden skulony kształt pod kołdrą w rzędzie naprzeciwko. Reszta łóżek stała pusta, z zaciągniętymi firankami. Nie wiadomo dlaczego tak było jeszcze gorzej.

Danny dostał maskę i rękawiczki; rękawiczki schował do kieszeni, maskę powiesił tak, że wisiała mu na szyi. A jednak nie rozchylił muślinowych firanek. Nie bał się zarazić. Tych parę minionych tygodni? Jeśli nie zawarłeś pokoju ze Stwórcą, to tylko dlatego, że w niego nie wierzyłeś. Ale przyglądanie się, jak Steve marnieje – to było coś innego. Z tego Danny wolał zrezygnować, o ile Steve mu pozwoli. Nie chodziło o agonię, tylko o jej oglądanie.

Steve mówił takim głosem, jakby się ciągle krztusił. Słowa przedzierały się przez flegmę, a koniec zdania często w niej tonął.

– Wdowa nie przyszła. Uwierzysz?

Danny nie odpowiedział. Spotkał wdowę Coyle tylko raz i odniósł wrażenie, że jest męcząca i histerycznie zarozumiała.

– Nie widzę cię. – Steve odchrząknął.

– Ja ciebie widzę – odpowiedział Danny.

– Odsłoń, dobra?

Danny się nie poruszył.

– Boisz się? Nic dziwnego. Zapomnij.

Danny parę razy sięgał ku zasłonie. Podciągnął spodnie. Znowu uniósł rękę. I odsłonił firankę.

Przyjaciel siedział podparty poduszką ciemną od potu. Twarz miał jednocześnie spuchniętą i wychudzoną, jak dziesiątki innych zarażonych, żyjących i zmarłych, których wraz z Dannym oglądał w tym miesiącu. Oczy wychodziły mu z orbit, jakby chciały uciec od tej mlecznej wydzieliny, która gromadziła się w kącikach. Ale nie był siny ani czarny. Nie wykaszliwał płuc, nie brudził pod siebie. Więc jednak nie był aż tak chory. Na razie.

Uniósł brwi i uśmiechnął się ze zmęczeniem do Danny'ego.

– Pamiętasz te dziewczyny, do których się zalecałem w lecie?

Danny skinął głową.

– Do paru nie tylko się zalecałeś.

Steve zakaszlał. Cicho, w rękę.

– Ułożyłem piosenkę. W głowie. „Letnie dziewczyny".

Danny nagle poczuł żar bijący od przyjaciela. Jeśli się ku niemu pochylał, ten żar uderzał go w twarz.

– „Letnie dziewczyny"?

– „Letnie dziewczyny". – Steve zamknął oczy. – Kiedyś ci ją zaśpiewam.

Na stoliku przy łóżku stało wiadro z wodą. Danny zmoczył w nim szmatkę i wycisnął. Położył ją na czole Steve'a. Ten otworzył gwałtownie oczy, błędne i wdzięczne. Danny dotknął czoła Steve'a i wytarł mu policzki. Znowu zanurzył gorącą szmatę w chłodniejszej wodzie i wycisnął. Wytarł mu uszy, szyję, gardło i brodę.

– Dan.

– No?

– Jakby mi koń usiadł na piersi – powiedział Steve z grymasem.

Danny spoglądał na niego pogodnie. Nie odwracał spojrzenia od twarzy przyjaciela, kiedy zanurzył szmatę w wiadrze.

– Ostry ból?

– Aha. Ostry.

– Możesz oddychać?

– Nie za bardzo.

– Więc pewnie powinienem sprowadzić doktora.

Przyjaciel mruknął coś lekceważąco. Danny poklepał go po ręce i wezwał lekarza.

– Zostań – poprosił Steve. Wargi miał białe. Danny skinął głową z uśmiechem. Obrócił się na małym stołeczku, który mu przyniesiono, gdy przyszedł. Znowu zawołał lekarza.

Avery Wallace, od siedemnastu lat służący w rodzinie Coughlinów, zmarł na grypę i został pochowany na cmentarzu na Copp's Hill w miejscu, które Thomas Coughlin kupił mu dziesięć lat temu. Na krótkim pogrzebie pojawili się tylko Thomas, Danny i Nora. Nikt więcej.

– Jego żona zmarła dwadzieścia lat temu – powiedział Thomas. – Dzieci się rozjechały, większość jest w Chicago, jedno w Kanadzie. Nie pisały do niego. Stracił z nimi kontakt. Był dobrym człowiekiem. Małomównym, ale dobrym.

Danny z zaskoczeniem usłyszał cichą, stłumioną nutkę żalu w jego głosie.

Ojciec wziął garść ziemi i rzucił ją na trumnę.

– Niech Pan zmiłuje się nad jego duszą.

Nora stała ze spuszczoną głową. Łzy skapywały jej z brody. Danny stał oszołomiony. Jak to możliwe, że znał tego człowieka prawie przez całe życie, a jednak tak naprawdę nigdy nie przyjrzał mu się jak należy?

Także rzucił garść ziemi na trumnę.

Bo Avery był czarny. Oto odpowiedź.

Steve wyszedł ze szpitala po dziesięciu dniach. Jak tysiące innych zarażonych, przeżył. Grypa sunęła nieubłaganie przez kraj i w ten sam weekend, kiedy Danny prowadził Steve'a do taksówki, dotarła do Kalifornii i Nowego Meksyku.

Steve podpierał się laską. Zawsze tak będzie, zapowiedzieli lekarze. Influenza osłabiła mu serce i poczyniła szkody w mózgu. Bóle głowy będą już zawsze dokuczać. Czasami składanie prostych zdań będzie mu sprawiać kłopoty. Jakikolwiek wysiłek może go zabić. Jeszcze tydzień temu Steve z tego żartował, ale dziś milczał.

Do taksówki było blisko, ale szli do niej przez wieczność.

– Nawet nie dadzą mi pracować przy biurku – odezwał się Steve, kiedy wreszcie dotarli na miejsce.

– Wiem – odpowiedział Danny. – Przykro mi.

– Zbytni wysiłek, powiedzieli.

Steve wgramolił się do samochodu, Danny podał mu laskę. Obszedł taksówkę i wsiadł z drugiej strony.

– Dokąd? – spytał taksówkarz.

Steve spojrzał na Danny'ego. Ten czekał.

– Ogłuchliście? Dokąd?

– I po co tak wrzeszczeć. – Steve podał mu adres wynajętego mieszkania na Salem Street. Kiedy kierowca ruszył, Steve zerknął na Danny'ego.

– Pomożesz mi się spakować?

– Nie musisz się wyprowadzać.

– Nie stać mnie. Nie mam pracy.

– A wdowa Coyle?

Steve wzruszył ramionami.

– Nie widziałem jej, odkąd zachorowałem.

– Gdzie się podziejesz?

Kolejne wzruszenie ramionami.

– Ktoś na pewno zechce wynająć kalekę.

Danny nie odzywał się przez minutę. Sunęli wyboistą ulicą.

– Musi być jakiś sposób, żeby…

Steve położył mu rękę na ramieniu.

– Coughlin, uwielbiam cię, ale nie zawsze jest „jakiś sposób". Kiedy ludzie spadają, to przeważnie co? Nie ma zabezpieczenia. Nie ma nic. Odchodzą.

– Dokąd?

Steve milczał przez chwilę. Wyglądał przez okno. Wydął usta.

– Tam, gdzie kończą ludzie bez zabezpieczenia. Właśnie tam.

ROZDZIAŁ SIÓDMY

Luther grał w bilard w Złotej Gęsi, kiedy przyszedł Jessie z wiadomością, że Diakon go wzywa. W barze było pusto, bo całe Greenwood opustoszało, cała Tulsa. Grypa przeszła przez miasto jak burza piaskowa. Przynajmniej jedna osoba z każdej rodziny zachorowała, a połowa z nich umarła. Wychodzenie bez maski było zabronione, a większość interesów w zakazanych rejonach Greenwood musiała się zwinąć, choć stary Calvin, który prowadził Gęś, oznajmił, że jej nie zamknie, choćby nie wiadomo co. Jeśli Pan chce zawlec jego starą zmęczoną dupę na tamten świat, to niech ją wywlecze stąd. Dlatego Luther przychodził tutaj i ćwiczył grę w bilard. Podobał mu się suchy stuk bil rozchodzący się w cichym wnętrzu.

Hotel Tulsa zamknięto do czasu, gdy ludzie przestaną sinieć. Nikt nie robił zakładów, więc nie było na czym zarabiać. Luther zakazał Lili wychodzić. Powiedział, że nie mogą ryzykować zdrowia jej i dziecka, ale to znaczyło, że powinien siedzieć z nią w domu. I siedział, i na ogół było lepiej, niż sądził. Zrobili mały remont, pomalowali wszystkie pokoje i zawiesili zasłony, które ciocia Marta dała im w prezencie ślubnym. Znajdowali czas, żeby kochać się w każde popołudnie, wolniej niż dotąd, czułe uśmiechy i chichoty zastąpiły łapczywe stęknięcia i jęki. W tych tygodniach przypomniał sobie, jak bardzo kocha tę kobietę, a jej odwzajemniona miłość dała mu poczucie, że jest coś wart. Wspólnie snuli marzenia o swojej przyszłości i przyszłości ich dziecka, a Luther po raz pierwszy zaczął sobie wyobrażać życie w Greenwood. Obmyślił dość schematyczny plan dziesięcioletni, zakładający, że będzie pracował ile sił i odkładał pieniądze, aż zaoszczędzi dosyć, aby założyć własną firmę: może zakład stolarski, może jednoosobowy warsztat, w którym będzie naprawiał wszystkie te rozmaite nowości, które niemal codziennie pojawiały się w kraju. Wiedział, że każdy mechanizm prędzej czy później się psuje, a wówczas większość ludzi nie potrafi go zreperować, ale ktoś z jego talentem mógłby go poskładać w jeden dzień.

Tak, przez parę tygodni naprawdę w to wierzył, ale potem dom znowu zaczął się robić coraz ciaśniejszy i te wyobrażenia stały się mroczne. Wyobrażał sobie, jak się starzeje w jakimś domu na Detroit Avenue, otoczony ludźmi takimi jak ciocia Marta i do niej podobni, jak chodzi do kościoła, stroni od alkoholu i wszelkiej uciechy, aż pewnego dnia budzi się siwy, niedołężny i ze świadomością, że nie osiągnął w życiu niczego, starał się tylko naśladować innych.

Więc poszedł do Gęsi, żeby pozbyć się tego pragnienia, które już mu wyzierało z oczu, i wtedy przyszedł Jessie, a to pragnienie zmieniło się w ciepły uśmiech, ponieważ rany, jak tęsknił za czasem, który kiedyś spędzali wspólnie – kiedyś, czyli dwa tygodnie temu, ale wydawało mu się, że minęły całe lata, odkąd wracali z Białego Miasta i bawili się, korzystając z życia.

– Zaszedłem do twojego domu – zaczął Jessie, zdejmując maskę.

– Po cholerę to zdejmujesz? – spytał Luther.

Jessie spojrzał na Calvina, a potem na niego.

– Obaj nosicie swoje, więc czego mam się bać?

Luther wytrzeszczył oczy, bo Jessie pierwszy raz w życiu powiedział coś z sensem – i zdenerwował się, że to nie on pierwszy na to wpadł.

– Lila powiedziała, że tu będziesz. Ta kobieta mnie nie lubi.

– Byłeś w masce?

– Co?

– Przy mojej żonie. Rozmawiałeś z nią w masce?

– O Jezu, no pewnie.

– To dobrze.

Jessie pociągnął łyk z piersiówki.

– Diakon nas wzywa.

– Nas?

Jessie przytaknął.

– Po co?

Jessie wzruszył ramionami.

– Kiedy?

– Jakieś pół godziny temu.

– Cholera. Czemu nie przyszedłeś szybciej?

– Bo najpierw poszedłem do twojego domu.

Luther odłożył kij na wieszak.

– Mamy kłopoty?

– Nieee. Nic w tym stylu. Tylko chce się z nami zobaczyć.

– Po co?

– Mówiłem już, nie wiem.

– To skąd wiesz, że nie mamy kłopotów? – rzucił Luther, kiedy wychodzili.

Jessie spojrzał na niego, zawiązując maskę.

– Weź się w garść, dziewczyno, pokaż charakter.

– Wsadzę ci ten charakter w dupę.

– Obiecanki cacanki – rzucił Jessie i zakołysał wielkim tyłkiem, po czym ruszył biegiem przez pustą ulicę.

Usiądźcie, proszę – powiedział Diakon Broscious, kiedy weszli do klubu Wszechmogący. – Tutaj, tutaj. Proszę.

Uśmiechał się szeroko. Miał na sobie biały garnitur z białą koszulą oraz czerwony krawat w tym samym odcieniu co aksamitny kapelusz. Siedział przy okrągłym stole na zapleczu klubu, tuż przy scenie i przyzwał ich ruchem ręki. Dym ze zgrzytem zaciągnął zasuwkę drzwi. Luther poczuł ten zgrzyt w jabłku Adama. Jeszcze nigdy nie był w klubie poza godzinami otwarcia. W biały dzień nisze z beżowej skóry, czerwone ściany i stoły z czereśniowego drewna wydały mu się mniej grzeszne, lecz jakoś budziły większą grozę.

Diakon machał ręką, dopóki Luther nie usiadł po jego lewej, a Jessie po prawej stronie. Wtedy nalał im po wysokiej szklance markowej, przedwojennej kanadyjskiej whisky, przysunął je do nich i powiedział:

– Moi chłopcy. O, tak. Jak sobie radzicie?

– Po prostu świetnie, proszę pana – powiedział Jessie.

– Bardzo dobrze, dziękujemy za zainteresowanie – wykrztusił Luther. Diakon nie miał maski, choć Dym i Dandyss je nosili. Jego uśmiech był szeroki i biały.

– Oooo, to pieszczota dla mych uszu, jako żywo. – Chwycił ich obu za ramiona. – Zarabiacie, co? He, he, he. Tak. I lubicie zarabiać, tak? Zbierać dolce?

– Staramy się, proszę pana – odpowiedział Jessie.

– Staracie się, akurat. Całkiem dobrze wam to wychodzi. Jesteście moimi najlepszymi kurierami.

– Dziękujemy panu. Ostatnio interes zwolnił przez tę grypę. Tylu ludzi choruje, że nie mają serca do gry.

Diakon machnął lekceważąco ręką.

– Ludzie chorują. Co można na to poradzić? Prawda? Chorują, a ich ukochani umierają. Błogosław nas, Ojcze w niebiesiech, serce się łamie na widok takiego cierpienia. Wszyscy chodzą po ulicach w maskach na twarzy, a przedsiębiorcom pogrzebowym kończą się trumny. Panie! W takich czasach odkłada się hazard na bok. Odkłada się go na półkę i modli o zakończenie tego nieszczęścia. A kiedy się zakończy? Kiedy się zakończy, wracasz do hazardu. O, tak. Ale – wycelował w nich palec – nie wcześniej. Czy mogę usłyszeć „amen", bracia?

– Amen – powiedział Jessie, uniósł maskę i wsunął pod nią szklankę. Wychylił ją do dna.

– Amen – dodał Luther i pociągnął mały łyk.

– Cholera, chłopcze – odezwał się Diakon. – Pij, nie pieść się z tą szklanką.

Jessie roześmiał się i skrzyżował nogi, rozluźniony.

– Tak jest – powiedział Luther i wypił wszystko do dna. Diakon napełnił szklanki, a Luther zorientował się, że Dandyss i Dym nie wiadomo kiedy stanęli tuż za ich plecami, nie dalej niż o krok.

Diakon pociągnął długi łyk.

– Aaaa... – westchnął i oblizał się. Założył ręce i pochylił się nad stołem. – Jessie.

– Słucham?

– Clarence Jessup Tell. – Diakon Broscious wymówił te słowa melodyjnie, prawie śpiewnie.

– We własnej osobie, proszę pana.

Diakon znowu się uśmiechnął, jeszcze promienniej.

– Jessie, chcę cię o coś spytać. Jak wyglądał najbardziej pamiętny moment twojego życia?

– Słucham?

Diakon uniósł brwi.

– Nie miałeś takiego?

– Nie jestem pewien, czy rozumiem.

– Najbardziej pamiętny moment twojego życia – powtórzył Diakon.

Luther poczuł, że pocą mu się uda.

– Każdy ma taki – wyjaśnił Diakon. – Może być przyjemny, może być smutny. Może to być noc z dziewczyną. Czy mam rację? Mam? – Roześmiał się, aż oczy mu znikły w fałdach skóry. – Albo noc z chłopcem. Lubisz chłopców, Jessie? W moim fachu nie mamy uprzedzeń do, jak to nazywam, specyficznego gustu.

– Nie, proszę pana.

– Co „nie, proszę pana"?

– Nie, nie lubię chłopców – powiedział Jessie. – Proszę pana.

Diakon uniósł ręce w przepraszającym geście.

– Więc dziewczyna, tak? Ale młoda, prawda? Tego się nigdy nie zapomina, jeśli było się młodym. Ładna czekoladka z dupką, która nie straci fasonu nawet po całej nocy walenia?

– Nie, proszę pana.

– Nie lubisz ładnych dupek?

– Nie, proszę pana, to nie był mój najbardziej pamiętny moment. – Jessie odkaszlnął i pociągnął łyk whisky.

– Więc co to było, chłopcze? Cholera.

Jessie odwrócił wzrok; Luther czuł, że przyjaciel zbiera myśli.

– Mój najbardziej pamiętny moment?

Diakon uderzył dłonią w stół.

– Najbardziej pamiętny – zagrzmiał i mrugnął do Luthera, jakby on także brał udział w tym żarcie, jeśli to był żart.

Jessie uniósł maskę i pociągnął łyk.

– Noc, kiedy umarł mój papcio.

Diakon spoważniał i przybrał wyraz współczucia. Otarł twarz serwetką. Odetchnął, wydymając usta. Jego oczy otworzyły się szeroko.

– Bardzo mi przykro. Jak zmarł ten zacny człowiek?

Jessie spuścił wzrok. Po chwili spojrzał na Diakona.

– Biali chłopcy w Missouri, gdzie dorastałem…

– Tak, synu.

– Przyszli i powiedzieli, że ojciec zakradł się na ich farmę i zabił muła. Powiedzieli, że chciał go poćwiartować na mięso, ale przyłapali go i przepędzili. Ci chłopcy… następnego dnia przyszli do naszego domu, wyciągnęli mojego papcia na dwór i pobili go jak nie wiem, na oczach mojej mamci, mnie i moich dwóch sióstr. – Jessie opróżnił szklankę i westchnął przeciągle. – Cholera.

– Zlinczowali twojego papcia?

– Nie. Zostawili go, a on zmarł w domu, dwa dni potem, z rozbitą czaszką. Miałem dziesięć lat.

Jessie opuścił głowę.

Diakon Broscious poklepał go po dłoni.

– Słodki Jezu – szepnął. – Słodki, przesłodki Jezu. – Nalał Jessiemu whisky, a Lutherowi posłał smutny uśmiech.

– Z doświadczenia wiem – podjął – że najbardziej pamiętne chwile w życiu człowieka rzadko bywają przyjemne. Przyjemność nie uczy nas niczego prócz faktu, że jest przyjemna. A co to za wielka nauka? Tyle wie nawet małpa bawiąca się penisem. Nie, nie, istotą nauki, bracia, jest ból. Pomyślcie – kiedy jesteśmy dziećmi, na ogół nie wiemy, że jesteśmy szczęśliwi, dopóki ktoś nam nie odbierze dzieciństwa. Zwykle nie rozpoznajemy prawdziwej miłości, dopóki od nas nie odejdzie. A wtedy, o, wtedy powiadamy: „Ooo, to było coś". Taka jest prawda. Lecz na razie... – Wzruszył wielkimi barami i otarł czoło chusteczką. – To, co nas rani, kształtuje nas. To wysoka cena, zgadzam się. Ale... – rozłożył ramiona i obdarzył ich najwspanialszym uśmiechem – nauka, jaka płynie z tego doświadczenia, jest bezcenna.

Luther nie zauważył, kiedy Dandys i Dym się poruszyli, ale gdy usłyszał stęknięcie kolegi i spojrzał, już przyciskali mu ręce do stołu, a Dym trzymał mocno głowę Jessiego.

– Hej, zaraz... – zaczął Luther.

Diakon zdzielił go w twarz; ból przebił mu zęby, nos i oczy jak żelazny pręt. Diakon nie puścił go, tylko chwycił za włosy i przytrzymał mu głowę. Dandyss wyjął nóż i przeciągnął ostrzem od brody po ucho Jessiego.

Jessie krzyczał jeszcze długo po tym, jak nóż przestał ciąć. Krew bluznęła z rany, jakby czekała na to przez całe życie. Jessie wył w maskę, Dandyss i Dym trzymali mu głowę, a krew bluzgała na stół. Diakon Broscious szarpnął Luthera za włosy i powiedział:

– Zamknij oczy, Wieśniaku, zabieram je do domu.

Luther mrugał powiekami, bo spływający pot szczypał go w oczy, ale ich nie zamknął. Widział krew, wypływającą z rany Jessiego i rozlewającą się po stole, zauważył w oczach przyjaciela błyśnięcie oznaczające, że przestał się martwić raną, i uświadomił sobie, że to może być pierwsza chwila jego ostatniego dnia na ziemi.

– Daj szmatę tej łajzie – rzucił Diakon i puścił głowę Luthera.

Dandyss rzucił ścierkę na stół przed Jessiem i stanął obok Dyma. Jessie chwycił ją i przycisnął do rany. Syknął i zaczął cicho płakać, kołysząc się na krześle. Jego maska poczerwieniała z lewej strony i przez jakiś czas nikt się nie odzywał. Diakon siedział, znudzony, a kiedy materiał stał się czerwieńszy od jego kapelusza, Dym wcisnął Jessiemu nową ścierkę, a zakrwawioną rzucił na podłogę.

– Twój stary, ten złodziej, umarł? – rzucił Diakon. – Czarnuchu, teraz to jest twój najbardziej pamiętny moment w życiu.

Jessie zamknął oczy i przycisnął ścierkę do twarzy tak mocno, że palce mu pobielały.

– Czy mogę usłyszeć „amen", bracie?

Jessie otworzył oczy.

Diakon powtórzył pytanie.

– Amen – szepnął Jessie.

– Amen – przyświadczył Diakon i klasnął w dłonie. – O ile wiem, kradłeś mi dziesięć dolarów na tydzień przez dwa lata. Dymi, ile to będzie razem?

– Tysiąc czterdzieści dolarów, panie Diakon.

– Tysiąc i czterdzieści. – Diakon zwrócił spojrzenie na Luthera. – A ty, Wieśniaku, albo mu pomagałeś, albo wiedziałeś i nie uprzedziłeś mnie, a to znaczy, że także masz wobec mnie dług.

Luther nie wiedział, co powinien zrobić, więc skinął głową.

– Nie musisz kiwać głową, jakbyś coś potwierdzał. Nie potwierdzaj mi tu niczego. Mówię, że tak jest i tak, kurwa, jest. – Diakon pociągnął łyk whisky. – No, Jessie Tell, spłacisz mi te pieniądze, czy się za nie szprycowałeś?

– Spłacę, proszę pana – szepnął Jessie.

– Co spłacisz?

– Tysiąc czterdzieści pańskich dolarów.

Diakon zrobił wielkie oczy do Dyma i Dandyssa i wszyscy trzej jednocześnie zachichotali. I jak na komendę przestali chichotać.

– Nie rozumiesz, co? Żyjesz tylko dlatego, że w mojej łaskawości nazwałem twoją kradzież pożyczką. Pożyczyłem ci tysiąc czterdzieści.

Nie ukradłeś mi ich. Gdybym uznał, że je ukradłeś, miałbyś już poderżnięte gardło i fiuta w ustach. Więc powiedz.

– Co mam powiedzieć?

– Że to pożyczka.

– To była pożyczka.

– Właśnie. Więc pozwól, że cię oświecę, na jakich warunkach udzielam pożyczek. Dym, ile bierzemy za tydzień?

Luther dostał zawrotów głowy. Przełknął ślinę, żeby nie zwymiotować.

– Pięć procent – oznajmił Dym.

– Pięć procent – powtórzył Diakon. – Za tydzień.

Jessie, który zamknął oczy z bólu, otworzył je szeroko.

– Ile wynosi tygodniowy procent od tysiąca czterdziestu? – spytał Diakon.

– Sądzę, że jakieś pięćdziesiąt dwa dolary, proszę pana – powiedział Dym.

– Pięćdziesiąt dwa dolary – przeciągnął Diakon. – Niezbyt wiele.

– Nie, proszę pana, zupełnie nie.

Diakon pogłaskał się po brodzie.

– Cholera, ale zaraz, ile to będzie na miesiąc?

– Dwieście osiem – odezwał się Dandys.

Diakon zaprezentował im swój prawdziwy uśmiech, ledwie widoczny. Dopiero teraz zaczął się bawić.

– A na rok?

– Dwa tysiące czterysta dwadzieścia cztery – powiedział Dym.

– A pomnożony przez dwa?

– Eee... – odezwał się Dandys, który najwyraźniej chciał zabłysnąć. – To będzie, będzie...

– Cztery tysiące osiemset czterdzieści osiem – powiedział Luther, nawet nie spodziewając się, że to zrobi, dopóki nie usłyszał własnych słów.

Dandys walnął go w potylicę.

– Wiedziałem, czarnuchu.

Spojrzał uważnie na Luthera, który ujrzał w jego oczach swój grób. Już słyszał zgrzyt piasku pod łopatą.

– Nie jesteś taki głupi, Wieśniaku. Wiedziałem to od pierwszej chwili. Wiedziałem, że jesteś głupi tylko dlatego, iż trzymasz z takimi idiotami jak ten, co mi brudzi stół krwią. Mój błąd, że pozwoliłem ci się zbratać z rzeczonym asfaltem, co przyznaję z bezbrzeżnym smutkiem. – Westchnął i wyprostował wielkie ciało. – Ale nie płaczmy nad rozlanym mlekiem. Więc jeśli dodamy cztery tysiące osiemset czterdzieści do pierwotnego długu, otrzymamy... – Uniósł rękę, zabraniając innym się odzywać. Wskazał palcem Luthera.

– Pięć tysięcy osiemset osiemdziesiąt.

Diakon uderzył pięścią w stół.

– Otóż to! Tam, do kata. A zanim pomyślicie, że jestem człowiekiem wyzutym z litości, musicie zrozumieć, że nawet teraz okazałem wam więcej niż życzliwość, bo musicie zrozumieć, ile bylibyście mi winni, gdybym – jak sugerowali Dandys i Dym – dodał do tej sumy moją prowizję za każdy tydzień. Rozumiecie?

Nikt nie odpowiedział.

– Pytam, czy rozumiecie?

– Tak jest – odrzekł Luther.

– Tak jest – powtórzył Jessie.

Diakon skinął głową.

– Więc jak mi spłacicie te pięć tysięcy osiemset osiemdziesiąt dolarów?

– Jakoś zdołamy... – zaczął Jessie.

– Co? – Diakon zaniósł się śmiechem. – Obrabujecie bank?

Jessie zamilkł.

– Pójdziecie do Białego Miasta i będziecie napadać co trzeciego przechodnia, dniem i nocą?

Jessie milczał. Luther też.

– Nie możecie – wyjaśnił im Diakon łagodnie, rozkładając ręce na stole. – Po prostu. Możecie sobie pomarzyć, ale niektóre rzeczy nie leżą w zasięgu waszych możliwości. Nie, chłopcy, nie ma sposobu, żebyście mi oddali moje... o, cholera, zaczął się nowy tydzień, prawie zapomniałem – moje pięć tysięcy dziewięćset trzydzieści dwa dolary.

Oczy Jessiego wywróciły się białkami do góry. Jessie zmusił się do oprzytomnienia.

– Proszę pana, muszę iść do doktora...

– Będziesz potrzebować tylko grabarza, jeśli nie dojdziemy, jak możecie wybrnąć z tego bałaganu, więc zamknij mordę.

– Proszę powiedzieć, czego pan od nas chce, a my to zrobimy – odezwał się Luther.

Tym razem to Dym walnął go w potylicę, ale Diakon uniósł rękę.

– Dobrze, Wieśniaku. Dobrze. Trafiłeś w sedno, a ja to szanuję. Więc ciebie też będę za to mniej więcej szanował.

Wygładził klapy białej marynarki i pochylił się nad stołem.

– Paru gości jest mi winnych sporą kasę. Niektórzy spoza miasta, inni stąd. Dym, lista.

Dym podszedł do niego i wręczył mu kartkę. Diakon spojrzał na nią i położył ją na stole, by Luther i Jessie też zobaczyli.

– Na tej liście widnieje pięć nazwisk. Każdy skurwiel jest mi winien co najmniej pięćset tygodniowo. Odbierzcie ten dług. I wiem, że teraz jęczycie w duchu: „Ale panie Diakonie, nie jesteśmy osiłkami. Dym i Dandys mają się zajmować takimi przypadkami". Tak myślisz, Wieśniaku?

Luther skinął głową.

– Cóż, w normalnej sytuacji Dym i Dandys lub jakieś inne potężne sukinsyny, co się niczego nie boją, zajęliby się tym. Tylko że to nie jest normalna sytuacja. Każdy gość z tej listy ma w domu kogoś chorego na grypę. A ja nie chcę stracić tak ważnych dla mnie czarnuchów jak Dym i Dandys.

– Ale dwa nieważne czarnuchy, jak my... – mruknął Luther.

Diakon uniósł dłoń.

– Chłopak odzyskał głos. Dobrze cię oceniłem, Wieśniaku, masz talent. – Zachichotał i napił się whisky. – Więc tak, tak to wygląda. Macie odebrać kasę od tych pięciu. Nie odbierzecie, to módlcie się, żeby mieć mi z czego spłacić to, czego zabraknie. Będziecie mi przynosić pieniądze, dopóki nie minie epidemia. Wtedy zapomnę o odsetkach i będziecie mi winni tylko to, co ukradliście. No – dodał z szerokim uśmiechem – co o tym sądzicie?

– Ta grypa zabija ludzi w jeden dzień – odezwał się Jessie.

– To prawda – przyznał Diakon. – Więc jeśli ją złapiecie, jutro będziecie martwi. Ale jeśli nie odbierzecie moich pieniędzy? Czarnuchu, masz jak w banku, że umrzesz jeszcze dziś.

Diakon podał im nazwisko doktora, z którym mieli się spotkać na zapleczu strzelnicy przy Drugiej. Poszli tam, wyrzygawszy się uprzednio w zaułku za klubem. Doktor, pijany, stary żółtek o włosach ufarbowanych na kolor rdzy, zszył ranę Jessiego, który posykiwał i płakał bezgłośnie.

Znalazłszy się na ulicy, powiedział:

– Muszę mieć coś na ból.

– Spróbuj się naszprycować, to sam cię zabiję – warknął Luther.

– Świetnie, ale przez ten ból nie mogę myśleć, więc co proponujesz?

Wrócili na zaplecze drogerii na Drugiej i Luther kupił działkę kokainy. Zrobił sobie dwie ścieżki dla kurażu i cztery dla Jessiego. Jessie wciągnął jedną po drugiej i popił whisky.

– Będziemy potrzebować broni – powiedział Luther.

– Mam – mruknął Jessie. – Cholera.

Poszli do jego mieszkania, gdzie Jessie dał Lutherowi trzydziestkęósemkę z długą lufą, a sam wsunął za pasek colta kaliber czterdzieści pięć.

– Wiesz, jak się z tym obchodzić? – spytał.

Luther pokręcił głową.

– Ale jak jakiś skurwiel będzie chciał mnie wyrzucić z domu, wyceluję mu w pysk.

– A jak go to nie powstrzyma?

– Nie chcę dziś umierać.

– Więc powiedz.

– Co mam powiedzieć?

– Jeśli to go nie powstrzyma, co zrobisz?

Luther włożył trzydziestkęósemkę do kieszeni palta.

– Zabiję skurwiela.

– Cholera, czarnuchu – powiedział Jessie przez zaciśnięte zęby, choć teraz raczej z powodu kokainy niż bólu. – To do roboty.

Stanowili przerażający widok, Luther musiał to przyznać, ujrzawszy ich odbicie w oknie salonu Arthura Smalleya, gdy podeszli po schodkach do drzwi: dwaj kolorowi z maskami na nosach i ustach, jeden z rzędem czarnych szwów, jeżących mu się na szczęce jak drut kolczasty. Kiedyś taki widok wydarłby pieniądze każdemu bogobojnemu mieszkańcowi Greenwood, ale teraz nie miał już tej siły oddziaływania: w tych czasach wiele osób wyglądało przerażająco. Wysokie okna małego domu były oznaczone białymi krzyżami, ale Luther i Jessie nie mieli wyboru. Musieli wejść na stary ganek i zadzwonić.

Sądząc po wyglądzie domu, Arthur Smalley niegdyś usiłował zarabiać uprawą ziemi. Z lewej strony znajdowała się stodoła, którą należało odmalować, a na polu pasły się chudy koń i dwie kościste krowy. Pola od dawna nie były koszone ani uprawiane i chwasty wybujały na nich wysoko.

Jessie raz jeszcze zadzwonił, wtedy drzwi się otworzyły i spojrzeli przez ekran z siatki na człowieka dorównującego wzrostem Lutherowi, ale prawie dwukrotnie od niego starszego. Miał na sobie podkoszulek z pożółkłymi plamami starego potu, spodnie na szelkach i maskę na twarzy, także pożółkłą, a oczy czerwone z wysiłku, od łez lub grypy.

– Coście za jedni? – spytał bezdźwięcznym głosem, jakby odpowiedź go nie interesowała.

– Pan jest Arthur Smalley? – odezwał się Luther.

Mężczyzna wsunął kciuki pod szelki.

– A jak sądzicie?

– Gdybym miał zgadywać, powiedziałbym, że tak.

– Więc dobrze zgadujesz, chłopcze. – Tamten zbliżył się do ekranu. – Czego chcecie?

– Przysyła nas Diakon – oznajmił Jessie.

– Czyżby?

W głębi domu ktoś jęknął. Luther poczuł ostry i kwaśny zapach, jakby ktoś od lipca trzymał na stole jajka, mleko i mięso.

Arthur Smalley dostrzegł w jego oczach, że zapach do niego dotarł. Otworzył siatkowe drzwi.

– Chcecie wejść? Rozejrzeć się?

– Nie – powiedział Jessie. – Może by nam pan oddał pieniądze Diakona?

– Pieniądze? – Smalley poklepał się po kieszeniach. – A tak, mam trochę, dziś sobie wyłowiłem z pieniężnej studni. Trochę jeszcze mokre, ale…

– My nie żartujemy – przerwał Jessie, zsuwając kapelusz z czoła.

Arthur Smalley wychylił się ku nim; obaj się cofnęli.
– Wyglądam, jakbym ostatnio pracował?
– Nie.
– Nie. Wiecie, czym się zajmowałem?
Wyszeptał te słowa i Luther znowu cofnął się o pół kroku, bo ten szept był jakiś odrażający.
– Wczoraj w nocy pochowałem moją najmłodszą na podwórku – szepnął Arthur Smalley, wyciągając ku nim szyję. – Pod wiązem. Lubiła to drzewo, więc... – Wzruszył ramionami. – Miała trzynaście lat. Moja druga córka też choruje. A moja żona? Od dwóch dni nie odzyskała przytomności. Głowę ma rozpaloną jak węgiel. Umrze. – Pokiwał głową. – Najpewniej dzisiaj. Albo jutro. Na pewno nie chcecie wejść?
Luther i Jessie pokręcili głowami.
– Mam zapocone, zasrane prześcieradła, które trzeba uprać. Pomoc mi się przyda.
– Pieniądze, proszę pana. – Luther miał ochotę uciec z tego ganku, od tej choroby. Nienawidził Arthura Smalleya za przepocony podkoszulek.
– Nie...
– Pieniądze – powtórzył Jessie, trzymając czterdziestkępiątkę w opuszczonej dłoni. – Koniec pierdoł, staruchu. Dawaj pieniądze.
Z domu dobiegł kolejny jęk, tym razem przeciągły i głośny, charkotliwy. Arthur Smalley przyglądał im się tak długo, jakby zapadł w trans.
– Nie macie żadnej przyzwoitości? – spytał, spoglądając na Jessiego, a potem na Luthera.
A Luther powiedział prawdę.
– Nie.
Arthur Smalley otworzył szeroko oczy.
– Moja żona i dziecko są...
– Diakona nie obchodzą twoje domowe problemy – rzucił Jessie.
– A was? Co was obchodzi?
Luther nie patrzył na Jessiego i wiedział, że Jessie nie patrzy na niego. Wyjął zza pasa trzydziestkęósemkę i wycelował prosto w czoło Arthura Smalleya.
– Nas obchodzą pieniądze – powiedział.

Arthur Smalley spojrzał w lufę, a potem w oczy Luthera.

– Chłopcze, jak twoja matka może chodzić po ulicach, wiedząc, że wydała na świat taką istotę?

– Pieniądze – powtórzył Jessie.

– Albo co? – spytał Arthur. Było to dokładnie to pytanie, którego obawiał się Luther. – Albo mnie zabijecie? Doskonale. Chcecie zabić moją żonę i córkę? Wyświadczcie mi tę przysługę. Proszę. Nic wam z tego...

– Zmuszę cię, żebyś ją wykopał – powiedział Jessie.

– Co?

– Słyszałeś.

Arthur Smalley oparł się ciężko o framugę.

– Chyba tego nie powiedziałeś.

– Powiedziałem, staruchu, powiedziałem jak cholera. Zmuszę cię, żebyś wykopał córkę. Albo cię zwiążę i będziesz musiał patrzeć, jak ja to robię. A potem zasypię dziurę i będziesz ją musiał pochować po raz drugi.

Pójdziemy do piekła, pomyślał Luther. W pierwszym rzędzie.

– Co o tym myślisz, staruchu? – Jessie schował colta.

W oczach Arthura Smalleya pojawiły się łzy. Luther zaczął się modlić, żeby nie popłynęły. Proszę, nie. Błagam.

– Nie mam pieniędzy – powiedział mężczyzna i Luther zrozumiał, że już się poddał.

– Więc co masz?

Jessie jechał fordem za Lutherem, który wyprowadził hudsona Arthura Smalleya ze stodoły i przejechał nim przed domem. Stary patrzył na niego z ganku. Luther wrzucił dwójkę i dodał gazu, przejeżdżając koło ogrodzenia małego podwórka. Powiedział sobie, że nie widzi tej świeżej ziemi pod wiązem. Ani łopaty sterczącej z ciemnego kopczyka. Ani krzyża, zbitego z cienkich sosnowych deszczułek pomalowanych na biało.

Po wizytach u wszystkich dłużników z listy mieli parę sztuk biżuterii, tysiąc czterysta dolarów gotówką i mahoniowy kufer posagowy, przywiązany z tyłu samochodu do niedawna należącego do Arthura Smalleya.

Widzieli dziecko o skórze granatowej jak nocne niebo i kobietę nie starszą od Lili, która leżała na pryczy na frontowym ganku. Miała sterczące kości, wyszczerzone zęby i oczy wpatrzone w niebo. Widzieli martwego mężczyznę, siedzącego pod stodołą, czarniejszego od najgłębszej czerni, jakby zwęglił go piorun. Na jego skórze widniały nabrzmiałe pręgi.

Dzień Sądu, pomyślał Luther. Nikogo nie ominie. A on i Jessie staną przed Panem i będą musieli się wytłumaczyć z tego, co dziś zrobili. A z tego nie da się wytłumaczyć. Choćby nie wiadomo co.

– Oddajmy to – powiedział po trzecim domu.

– Co?

– Oddajmy i uciekajmy.

– I przez resztę swojego parszywego życia będziesz się oglądał, czy nie nadchodzi Dandys, Dym czy jakiś inny biedny uzbrojony czarnuch, co nie ma nic do stracenia? Gdzie się ukryjemy, Wieśniaku? Dwóch kolorowych, co nie mają się gdzie podziać?

Luther przyznał mu rację, ale widział, że Jessie męczy się z tym tak samo jak on.

– Będziemy się o to martwić później. Ale...

Jessie parsknął śmiechem i był to najbrzydszy śmiech, jaki zdarzyło się słyszeć Lutherowi.

– Albo to zrobimy, albo już nie żyjemy. – Wzruszył ramionami i rozłożył ręce. – I dobrze o tym wiesz. Chyba, że chcesz zabić tego grubego skurwiela, podpisując w ten sposób wyrok śmierci na ciebie i żonę.

Luther wsiadł do samochodu.

Ostatni, Owen Tice, zapłacił gotówką. Powiedział, że i tak już mu się na nic nie przyda. Kiedy jego Bess umrze, zamierzał wziąć broń i udać się w ślad za nią. Od południa drapało go w gardle, chwyciła go gorączka, a bez Bess i tak nie ma po co żyć. Życzył im szczęścia. I powiedział, że rozumie. Oczywiście. Trzeba z czegoś żyć. To nic złego.

– Cała rodzina, kurwa, uwierzycie? – powiedział. – Jeszcze tydzień temu byliśmy zdrowi i szczęśliwi, jedliśmy obiad przy stole – mój syn i synowa, córka i szwagier, troje wnuków i Bess. Siedzieliśmy, jedliśmy i gadaliśmy. A potem jakby sam Bóg sięgnął przez dach do naszego domu, chwycił moją rodzinę w garść i ścisnął.

Jakbyśmy byli muchami na stole – zakończył. – Otóż to.

Jechali o północy pustą Greenwood Avenue i Luther naliczył dwadzieścia cztery okna oznaczone krzyżami. Zaparkowali samochody w zaułku za klubem Wszechmogący. W żadnym z budynków przy uliczce nie paliło się światło; Luther zaczął wątpić, czy na tym świecie jeszcze cokolwiek zostało. Może wszyscy są już czarni, granatowi i chorzy.

Jessie postawił stopę na stopniu swojego forda i zapalił papierosa. Dmuchnął dymem w stronę tylnych drzwi klubu, kiwając głową jakby do taktu niesłyszalnej muzyki. Potem spojrzał na Luthera i powiedział:

– Idę.

– Idziesz?

– Tak. Idę, droga jest długa, a Boga nie ma przy mnie. Przy tobie też nie, Luther.

Odkąd się znali, Jessie ani razu nie nazwał Luthera po imieniu.

– Wyładujmy to gówno – powiedział Luther. – Tak, Jessie? – Sięgnął do pasków, którymi przywiązali kufer Tuga i Evriny Irvine. – Chodź, wyładujmy to gówno.

– Nie ma go przy mnie. Nie ma go przy tobie. Nie ma go na tej ulicy. Chyba porzucił ten świat. Znalazł sobie lepszy. – Jessie zachichotał i zaciągnął się papierosem. – Jak myślisz, ile lat miało to granatowe dziecko?

– Ze dwa.

– Też tak myślę. Ale zabraliśmy biżuterię jego mamie, co? Zabraliśmy jej obrączkę, co ją trzymam w tej kieszeni. – Poklepał się z uśmiechem po piersi i dodał. – He, he, he, no.

– Może…

– Coś ci powiem – przerwał Jessie i obciągnął marynarkę, a potem mankiety. – Jeśli drzwi będą otwarte, możesz zapomnieć, co powiedziałem. Nie są zamknięte? Czyli Bóg jest na tej uliczce. O, tak.

Podszedł, nacisnął klamkę i drzwi się otworzyły.

– To nic nie znaczy – powiedział Luther. – To znaczy tylko tyle, że ktoś zapomniał zamknąć.

– Tak mówisz. Tak mówisz. Pozwól, że spytam... myślisz, że zmusiłbym tego człowieka, żeby rozkopał grób córki?

– Oczywiście, że nie. Byliśmy napruci. To wszystko. Napruci i przerażeni. Oszaleliśmy.

– Puść te paski, bracie. Na razie niczego nie wniesiemy.

Luther cofnął się od samochodu.

– Jessie...

Jessie wyciągnął rękę tak szybko, że mógłby skręcić Lutherowi kark, ale tylko dotknął delikatnie jego ucha, zaledwie je musnął.

– Dobry z ciebie chłop, Wieśniaku.

I wszedł do klubu Wszechmogący, a Luther za nim. Weszli w paskudnie śmierdzący sikami czarny korytarz i, rozchyliwszy czarną aksamitną zasłonę, wyłonili się w pobliżu sceny. Diakon Broscious siedział tam, gdzie go zostawili, przy stoliku pod sceną. Popijał ze szklanki herbatę z mlekiem. Rzucił im uśmiech świadczący, że w tej herbacie było nie tylko mleko.

– Wraz z dwunastym uderzeniem – powiedział i zachwiał się w mroku. – Przybywacie wraz z dwunastym uderzeniem. Mam włożyć maskę?

– Nie, proszę pana – powiedział Jessie. – Nie musi się pan martwić.

Diakon sięgnął za siebie, jakby jednak szukał maski. Ruchy miał niezdarne i ospałe. Potem machnął ręką i rozpromienił się; na czoło wystąpiły mu krople potu wielkie jak grad.

– Ha – powiedział. – Zmęczyliście się, czarnuchy.

– Tak – powiedział Jessie.

– No, to chodźcie, siadajcie. Opowiedzcie Diakonowi o swoich trudach.

Dandys wyszedł z cienia po lewej stronie Diakona, niosąc na tacy imbryk z herbatą. Jego maska poruszała się od powiewu wiatraka pod sufitem. Dandys spojrzał na nich i spytał:

– Czemu weszliście od tyłu?

– Bo tak nam wypadło, panie Dandys – powiedział Jessie, wyszarpnął czterdziestkępiątkę zza pasa i strzelił prosto w maskę Dandysa, którego twarz znikła za rozbryzgiem czerwieni.

Luther przykucnął i rzucił:
– Czekaj!
Diakon uniósł ręce i zaczął:
– Ależ...
Wtedy Jessie wystrzelił raz jeszcze, palce lewej ręki Diakona oderwały się i zabębniły o ścianę za jego plecami, Diakon wybełkotał coś niezrozumiałego, a potem krzyknął:
– Czekaj, dobra?
Jessie strzelił znowu. Diakon przez chwilę nie reagował i Luther pomyślał, że pocisk trafił w ścianę, ale potem zauważył, że czerwony krawat Diakona stał się jakiś większy. Krew rozlewała się na białej koszuli. Diakon spojrzał na nią i z jego ust wydobyło się pojedyncze wilgotne rzężenie.
Jessie odwrócił się do Luthera i uśmiechnął się szeroko, jak to on.
– Cholera. Nawet fajnie, nie?
Luther powiedział coś, czego nawet nie zrozumiał, coś o wyjściu, i zaczął mówić: „Jessie", ale nie skończył, bo spomiędzy bębnów przy scenie wyłonił się Dym z wyciągniętą ręką. Jessie jeszcze się odwracał, kiedy w powietrzu rozkwitło coś białego i żółtoczerwonego. Dym wystrzelił dwa razy w głowę Jessiego i raz w jego gardło i Jessie zaczął się miotać.
Upadł na ramię Luthera; Luther chciał go chwycić, ale złapał jego broń. Dym dalej strzelał, więc Luther zasłonił się ramieniem, jakby to była ochrona przed pociskami i strzelił z czterdziestkipiątki. Colt skoczył mu w dłoni, a wtedy zobaczył wszystkich tych zmarłych i poczerniałych, których oglądał dziś przez cały dzień i usłyszał własny głos, wołający: „Proszę, nie, proszę, nie!". Wydało mu się, że kule przewiercają jego oczy, a potem usłyszał krzyk – cienki i przenikliwy – i przestał strzelać. Opuścił ramię, którym zasłaniał twarz.
Zmrużył oczy. Na scenie kulił się Dym. Rękami ściskał żołądek, usta miał szeroko otwarte. Rzęził. Jego lewa noga drgała.
Luther stał wśród czterech ciał. Sprawdził, gdzie został zraniony. Miał zakrwawioną rękę, jednak kiedy rozpiął koszulę i obmacał ciało, okazało się, że to krew Jessiego. Miał ranę pod okiem, ale płytką. Doszedł do wniosku, że to, co odbiło się od jego policzka, nie było kulą. Jego ciało wydawało się jakieś obce. Jak pożyczone. Nie powi-

nien się w nim znajdować, a ten ktoś, do kogo należało, na pewno nie powinien przebywać na zapleczu klubu Wszechmogący.

Spojrzał na Jessiego i zachciało mu się trochę płakać, ale ogólnie nie czuł nic, nawet ulgi, że przeżył. Potylica Jessiego wyglądała, jakby rozszarpało ją jakieś zwierzę. Z dziury w jego gardle nadal bluzgała krew. Luther ukląkł na podłodze w miejscu, gdzie jeszcze było sucho i spojrzał przyjacielowi w oczy. Były nieco zaskoczone, jakby Stary Byron powiedział mu, że dziś z podziału napiwków wychodzi znacznie większa suma, niż się spodziewał.

– O, Jessie – szepnął Luther i kciukiem zamknął oczy przyjacielowi. Dotknął jego policzka. Ciało zaczęło już stygnąć. Luther poprosił Pana, by wybaczył jego przyjacielowi dzisiejsze postępowanie, bo wynikało z desperacji, z przymusu, ale, o Panie, to był dobry człowiek, który aż do dziś nie skrzywdził nikogo z wyjątkiem siebie.

– Możesz... to... naprawić...

Luther odwrócił się w stronę, z której dobiegał głos.

– Ta... aki mądry... chłopak... – Diakon ze świstem wciągnął powietrze. – Mądry...

Luther podniósł się z bronią w ręku i podszedł do stołu. Stanął po prawej stronie, tak że tłuścioch musiał odwrócić ten swój wielki łeb, żeby na niego spojrzeć.

– Idź po doktora... tego... co dzisiaj... – Diakon zaczerpnął tchu; w jego piersi rozległo się rzężenie. – Idź.

– A wtedy mi wybaczysz i zapomnisz, tak? – spytał Luther.

– Bóg... Bóg mi świadkiem.

Luter zdjął maskę i trzy razy kaszlnął mu w twarz.

– A może będę na ciebie kaszlał tak długo, aż zobaczymy, czy się przez ciebie zaraziłem?

Diakon usiłował dotknąć jego ramienia zdrową ręką, ale Luther ją odtrącił.

– Nie dotykaj mnie, diable.

– Proszę...

– O co prosisz?

Tamten znowu zarzęził; w jego piersi coś zaświstało. Oblizał wargi.

– Proszę – powtórzył.

– O co prosisz, skurwielu?

– Napraw... to...

– Dobrze. – Luter wbił broń w fałdy tłuszczu pod brodą Diakona i nacisnął spust, patrząc mu w oczy.

– Tak dobrze? – wrzasnął patrząc, jak tłuścioch przewraca się na bok i ześlizguje w głąb niszy. – Zabiłeś mojego przyjaciela! – krzyknął i strzelił jeszcze raz, dla pewności. – Kurwa! – ryknął w sufit, chwycił się za głowę ręką, w której ściskał broń i znowu krzyknął.

Potem zauważył, że Dym czołga się po scenie, znacząc swój ślad krwią. Odsunął kopniakiem krzesło i ruszył przed siebie z wyciągniętą ręką. Dym odwrócił głowę i znieruchomiał, spoglądając na Luthera oczami tak samo martwymi, jak oczy Jessiego.

Przez chwilę, która ciągnęła się jak godzina – Luther nigdy się nie dowiedział, jak długo tam stał – gapili się na siebie.

Potem Luther usłyszał, że ta nowa wersja jego samego – nie wiedział, czy ją lubi – mówi:

– Jak przeżyjesz, będziesz musiał mnie zabić, to pewne.

Dym mrugnął raz, bardzo powoli, twierdząco. Luther spojrzał na niego przez celownik. Zobaczył te wszystkie pociski, które zrobił w Columbus, czarną torbę wujka Corneliusa, zobaczył deszcz, który padał ciepły i łagodny jak sen, w to popołudnie, kiedy siedział na ganku, wzywając w myślach ojca, choć ojciec od czterech lat był osiemset kilometrów dalej i nie zamierzał wracać. Opuścił broń.

Zobaczył drgnienie zaskoczenia w oczach tamtego. Wywróciły się białkami do góry, a kropla krwi wypłynęła mu z ust na brodę i na koszulę. Dym osunął się na scenę; krew bluznęła mu z rany na brzuchu.

Luther znowu uniósł broń. Teraz powinno pójść łatwiej, bo Dym już na niego nie patrzył, pewnie już jest w połowie drogi na tamten świat, w połowie drogi na mroczny brzeg po drugiej stronie rzeki. Wystarczyło tylko przycisnąć spust dla większej pewności. Przy Diakonie się nie wahał. Więc czemu teraz?

Broń zadygotała mu w dłoni. Znowu ją opuścił.

Ludzie, z którymi trzymał Diakon, wkrótce poskładają wszystko do kupy i domyślą się, że był tutaj. Czy Dym przeżyje, czy umrze, czas pobytu Luthera i Lili w Tulsie dobiegł końca.

A jednak...

Znowu uniósł broń, napiął rękę, by opanować drżenie i spojrzał na Dyma. Stał tak przez minutę, zanim wreszcie pogodził się faktem, że może tam stać i godzinę, a nie pociągnie za spust.

– To pewne – powiedział.

Spojrzał na krew, nadal płynącą z rany Dyma. Rzucił ostatnie spojrzenie na Jessiego. Westchnął i przeszedł nad trupem Dandysa.

– Durne skurwiele – powiedział, idąc do drzwi. – Sami się prosiliście.

ROZDZIAŁ ÓSMY

Kiedy minęła epidemia, Danny wrócił do patrolowania ulic za dnia i wcielania się w radykała nocami. W ramach tego drugiego zadania Eddie McKenna co najmniej raz w tygodniu zostawiał mu paczki pod drzwiami. Danny znajdował w środku najnowsze socjalistyczne i komunistyczne ulotki propagandowe, a także „Kapitał" i „Manifest komunistyczny", przemówienia Jacka Reeda, Emmy Goldman, Big Billa Haywarda, Jima Larkina, Joe Hilla i Pancho Villi. Przedzierał się przez agitki tak napakowane retoryką, że normalnemu człowiekowi mogły się wydawać instrukcją obsługi jakiejś machiny. Tak często powtarzały się tam słowa w rodzaju „tyranii", „imperializmu", „ucisku kapitalistycznego", „braterstwa" i „zrywu zbrojnego", że masy pracujące świata musiały się chyba posługiwać jakimś kieszonkowym słownikiem, by się porozumiewać. Ale kiedy słowa utraciły indywidualność, straciły też swą moc i, stopniowo, znaczenie. Kiedy zaś znikło znaczenie, Danny zaczął się zastanawiać, jak te jełopy – a wśród owych bolszewickich i anarchistycznych autorów nie spotkał jeszcze kogoś, kto nie był jełopem – zdołały się zjednoczyć i wyjść na ulicę, o obaleniu ustroju już nie wspominając.

Kiedy nie czytywał przemów, zajmował się wiadomościami z, jak to nazywano, „frontu rewolucji robotniczej". Dowiadywał się o strajkujących górnikach, którzy spłonęli w swoich domach wraz z rodzinami, o obtaczanych w smole i pierzu działaczach IWW, o organizatorach ruchu mordowanych w ciemnych uliczkach małych miasteczek, o rozbijaniu związków, o ich delegalizacji, o trzymaniu w więzieniach, biciu i deportowaniu robotników. I zawsze to oni byli uznawani za wrogów wielkiego amerykańskiego stylu życia.

Ku swemu zaskoczeniu Danny od czasu do czasu im współczuł. Oczywiście nie wszystkim – zawsze uważał anarchistów za idiotów, którzy nie oferują światu niczego z wyjątkiem żądzy krwi. Po lekturze nie zmienił opinii. Komuniści także wydawali mu się beznadziejnie naiwni. Dążyli do utopii, która wykluczała najbardziej podstawową cechę ludzkiego zwierzęcia: chciwość. Bolszewicy sądzili, że można się z niej wyleczyć jak z choroby, ale Danny wiedział, że chciwość jest takim samym organem, jak serce i usunięcie jej zabiłoby człowieka. Socjaliści byli mądrzejsi, przyjmowali do wiadomości istnienie chciwości, ale ich ideały nieustannie splatały się z ideałami komunistów i nie można było – przynajmniej w tym kraju – ich odróżnić.

Ale Danny za nic na świecie nie mógł zrozumieć, dlaczego te delegalizowane i nękane związki pracownicze zasłużyły na swój los. Nieustannie wydawało mu się, że są to jedynie ludzie domagający się, by traktowano ich jak ludzi.

Pewnego wieczoru wspomniał o tym McKennie przy kawie w South End, a ten pogroził mu palcem.

– Nie powinieneś sobie zawracać głowy tymi ludźmi, młodzieńcze. Raczej zadaj sobie pytanie, kto ich sponsoruje. I w jakim celu?

Danny ziewnął. Ostatnio był nieustannie zmęczony. Nie potrafił sobie przypomnieć, kiedy ostatnio się wyspał.

– Niech zgadnę. Bolszewicy.

– Masz rację. Z samej Matuszki Rosji. – McKenna spojrzał na niego groźnie. – Myślisz, że to śmieszne, co? Lenin powiedział, że lud Rosji nie spocznie, dopóki wszystkie narody świata nie dołączą do rewolucji. To nie jest czcze gadanie, mały. To cholerna groźba wobec tej ziemi. – Stuknął wskazującym palcem o stół. – Mojej ziemi!

Danny stłumił pięścią ziewnięcie.

– Jak moja legenda?

– Prawie gotowa. Wstąpiłeś już do tego tak zwanego związku policjantów?

– We wtorek idę na zebranie.

– Czemu dopiero wtedy?

– Gdyby Danny Coughlin, syn kapitana Coughlina, sam również rozpoznawalny, nagle wstąpił do Bostońskiego Klubu Społecznego, tamci mogliby zacząć coś podejrzewać.

– Słusznie. Masz rację.

– A mój dawny partner, Steve Coyle…

– Ten, co zachorował. Tak. Szkoda człowieka.

– Był zwolennikiem związku. Odczekałem trochę, żeby wyglądało to tak, jakbym przeżył parę ciężkich dni po jego zachorowaniu. W końcu obudziło się we mnie sumienie, więc musiałem pójść na zebranie. Niech myślą, że mam miękkie serce.

McKenna zapalił cygaro.

– Zawsze miałeś miękkie serce, synu. Tylko ukrywasz to lepiej niż inni.

Danny wzruszył ramionami.

– Więc pewnie ukrywam to także przed samym sobą.

– Zawsze istnieje takie niebezpieczeństwo, owszem. – McKenna skinął głową, jakby dobrze znał ten problem. – Ale pewnego dnia nie będziesz mógł sobie przypomnieć, gdzie zostawiłeś te wszystkie rzeczy, których tak mocno się trzymałeś. Ani dlaczego tak bardzo ci na nich zależało.

Danny spotkał się z Tessą i jej ojcem pewnego wieczoru, gdy powietrze było chłodne i pachniało palonymi liśćmi. Mieli większe mieszkanie niż jego. U niego płytka do gotowania stała na lodówce, a u Abruzzich była mała kuchenka z piecykiem. Tessa przygotowała posiłek; jej długie czarne włosy, związane w kucyk, były wiotkie i lśniące od pary. Federico otworzył wino, które przyniósł Danny, i postawił je na parapecie, żeby odetchnęło, po czym wraz z Dannym usiadł przy małym stole w salonie i zaczęli popijać anyżówkę.

– Nie widuję pana ostatnio w kamienicy.

– Dużo pracuję – powiedział Danny.

– Nawet teraz, gdy grypa już przeminęła?

Danny skinął głową. Bostoński policjant dostawał jeden dzień wolnego na dwadzieścia dni roboczych. A nawet wtedy nie wolno mu było opuszczać granic miasta na wypadek sytuacji alarmowej. Więc samotni policjanci mieszkali przeważnie w okolicy posterunku w wynajętych mieszkaniach, bo po co urządzać sobie życie, kiedy i tak za parę godzin trzeba będzie wracać do pracy. Poza tym przez trzy noce w tygodniu należało spać na posterunku, na śmierdzącej pryczy na piętrze, zapluskwionej lub zawszonej, z której dopiero co wstał jakiś biedny dureń, który zastąpi cię na następnym patrolu.

– Za dużo pan pracuje.

– Proszę powiedzieć to mojemu szefowi, dobrze?

Federico uśmiechnął się, a był to wspaniały uśmiech, który roztopiłby górę lodową. Danny pomyślał, że robi takie wrażenie między innymi dlatego, że czuje się, jak wielkie kryje cierpienie. Może poczuł to właśnie wtedy, na dachu – że uśmiech Federica nie maskował wielkiego bólu, który się za nim krył, lecz go ogarniał. A ogarniając go, tryumfował. Łagodna wersja tego uśmiechu pozostała na ustach Federica, kiedy ten pochylił się i szeptem podziękował Danny'emu za „tę niefortunną sytuację", gdy musiał zabrać zmarłe dziecko Tessy z mieszkania. Zapewnił Danny'ego, że gdyby nie jego obowiązki, zaprosiliby go na kolację, gdy tylko Tessa doszła do siebie po grypie.

Danny spojrzał na Tessę i przyłapał ją, gdy mu się przyglądała. Spuściła głowę; pasmo włosów wysunęło się zza ucha i zasłoniło oko. To nie Amerykanka, upomniał się, dla której seks z obcym byłby niebezpieczny, ale niewykluczony. To Włoszka ze Starego Świata. Panuj nad sobą.

Spojrzał na jej ojca.

– A czym się pan zajmuje?

– Federico – powiedział starszy pan i poklepał go po dłoni. – Piliśmy anyżówkę, przełamaliśmy się chlebem, musisz mi mówić po imieniu.

Danny uniósł kieliszek.

– Więc czym się zajmujesz, Federico?

– Daję anielskie tchnienie śmiertelnikom.

Starszy pan założył ręce na plecy jak impresario. Pod ścianą między dwoma oknami stał gramofon. Danny od pierwszego spojrzenia uznał, że coś takiego nie pasuje do tego miejsca. Skrzynka była zrobiona z mahoniu o drobnych słojach i ozdobiona misternymi rzeźbieniami, które przywiodły Danny'emu na myśl europejskie dynastie. Pod otwartą klapą znajdował się talerz na fioletowej aksamitnej wyściółce, a pod nim – para drzwiczek, chyba ręcznie rzeźbionych, oraz dziewięć półek, w sam raz do przechowywania kilku dziesiątków płyt.

Metalowa korba była złocona, a kiedy rozlegała się muzyka, prawie nie słychać było szumu maszynerii. Dźwięk był silniejszy i bogatszy niż jakikolwiek, który Danny słyszał w życiu. Słuchali intermezza z „Rycerskości wieśniaczej" Mascagniego. Gdyby Danny wszedł do tego pokoju z zawiązanymi oczami, przysiągłby, że w pokoju znajduje się sopranistka. Zerknął znowu na gramofon i uznał, że jest trzy lub cztery razy droższy od kuchenki.

– Silvertone B-Dwanaście – powiedział Federico, a jego głos, zawsze melodyjny, nagle stał się jeszcze bardziej śpiewny. – Sprzedaję je. Sprzedawałem też B-Jedenaście, ale wolę dwunastki. Ludwik XVI jest o wiele gustowniejszy od Ludwika XV. Zgodzisz się ze mną?

– Oczywiście – powiedział Danny, choć równie dobrze Federico mógłby powiedzieć „Ludwik III" albo „Iwan VIII".

– Żaden inny gramofon na rynku nie może się z nim równać – oznajmił Federico, patrząc nań płonącym wzrokiem apostoła. – Żaden inny nie może odtwarzać wszystkich typów płyt – Edisona, Pathe, Victor, Columbii i Silvertone'a. Nie, mój przyjacielu, tylko ten jest do tego zdolny. Płacisz osiem dolarów za model stolikowy, ponieważ jest tańszy – Federico zmarszczył nos – i lekki – phi! – wygodny – phi! – i nie zabiera miejsca. Ale jak brzmi? Czy słyszysz śpiew aniołów? Wątpię. A potem tania igła się niszczy, rysuje płyty, toteż wkrótce zaczynasz słyszeć trzaski i syki. I co wtedy? Osiem dolarów w błoto! – Znowu wyciągnął rękę ku gramofonowi, dumny jak ojciec, któremu urodziło się pierwsze dziecko. – Czasami jakość musi kosztować. To naturalne.

Danny stłumił rozbawienie, jakie budził w nim ten mały staruszek i jego żarliwy kapitalizm.

– Papo – odezwała się Tessa od kuchenki. – Nie bądź taki... – Machnęła rękami, szukając właściwego słowa. – ...*eccitato*.

– Podekscytowany – podpowiedział Danny.

Zmarszczyła brwi.

– Podess...?

– Eks. Podekscytowany.

– Pod – echs – sytowany.

– Prawie.

Uniosła drewnianą łyżkę.

– Angielski! – rzuciła w niebo.

Danny zastanowił się, jaka byłaby w smaku skóra jej szyi, taka miodowa. Kobiety stanowiły jego słabość od czasu, gdy zaczął je zauważać i gdy one zaczęły zauważać jego. Kiedy przyglądał się szyi Tessy, jej gardłu, czuł się jak zaczarowany. Straszne, rozkoszne pragnienie posiadania. Zdobycia – tylko na jedną noc – oczu, potu, bicia serca. I to tutaj, w obecności jej ojca. Jezu!

Odwrócił się do starszego pana, który przysłuchiwał się muzyce z półprzymkniętymi oczami. Nieświadomy. Uroczy i nieświadomy obyczajów nowego świata.

– Kocham muzykę – powiedział, otwierając oczy. – Kiedy byłem chłopcem, minstrele i trubadurzy odwiedzali naszą wioskę od wiosny aż po jesień. Siedziałem na rynku, dopóki matka mnie stamtąd nie przeganiała – czasami kijem, tak? – i przyglądałem się im. Słuchałem. O, te dźwięki! Mowa jest tak nędznym substytutem. Rozumiesz?

Danny pokręcił głową.

– Nie jestem pewien.

Federico przysunął krzesło do stołu i pochylił się nad blatem.

– Ludzie mówią dwoma językami od urodzenia. Tak już jest. Ptaki nie potrafią kłamać. Lew jest łowcą, który budzi strach, tak, ale nie fałszuje swojej natury. Drzewo i kamień są tym, czym są – drzewem i kamieniem. Niczym więcej, niczym mniej. Ale człowiek jako jedyne stworzenie posługuje się mową, używa tego daru, by zdradzać prawdę, zdradzać siebie, zdradzać naturę i Boga. Wskazuje na drzewo i mówi, że to nie drzewo, staje nad martwym ciałem i mówi, że nie zabił. Słowa wyrażają myśli mózgu, a mózg jest maszyną. Muzyka – uśmiechnął się tym swoim cudownym uśmiechem i uniósł palec wskazujący – muzyka wyraża duszę, ponieważ słowa są zbyt małe.

– Nigdy o tym tak nie myślałem.

Federico wskazał swój bezcenny gramofon.

– To przedmiot z drewna. Był drzewem, ale nim nie jest. A drewno jest drewnem, ale co robi z muzyką, która się z niego wydobywa? Co to jest? Czy mamy słowo na ten rodzaj drewna? Na tę odmianę drzewa?

Danny wzruszył ramionami. Zastanawiał się, czy stary nie jest już pijany.

Federico znowu zamknął oczy i uniósł ręce w okolice uszu, jakby nagarniał do nich muzykę, zapraszał ją do pokoju.

Danny podchwycił spojrzenie Tessy. Tym razem nie spuściła oczu. Uśmiechnął się do niej najładniej jak potrafił, tym swoim trochę nieśmiałym, a trochę zawstydzonym uśmiechem małego chłopca. Nie odwróciła spojrzenia. Skóra na jej podbródku poróżowiała.

Odwrócił się do jej ojca. Federico nadal miał zamknięte oczy, a ręce dyrygowały orkiestrą, choć muzyka już się skończyła i igła sunęła po wewnętrznym rowku.

Steve Coyle rozpromienił się na widok Danny'ego, gdy ten wchodził do Fay Hall, miejsca zebrań Bostońskiego Klubu Społecznego. Ruszył wzdłuż rzędu składanych krzeseł, wyraźnie powłócząc nogą. Uścisnął dłoń Danny'ego.

– Dzięki, że przyszedłeś.

Tego Danny się nie spodziewał. Poczuł dwa razy silniejsze wyrzuty sumienia. Wnikał w szeregi BKS, podczas gdy jego dawny partner, chory i bezrobotny, zjawił się, by wspierać walkę, w której nie brał już udziału.

Danny zdobył się na uśmiech.

– Nie spodziewałem się tu ciebie.

Steve obejrzał się przez ramię na mężczyzn ustawiających krzesła na scenie.

– Pozwalają mi pomagać. Jestem żywym przykładem tego, co się dzieje, kiedy związek nie ma prawa głosu, wiesz? – Klepnął Danny'ego po ramieniu. – Co u ciebie?

– Świetnie – odrzekł Danny. Od pięciu lat znał każdy szczegół z życia partnera, często z dokładnością do minuty. Nagle uświadomił sobie, że od dwóch tygodni nie spotkał się ze Steve'em. Dziwne i haniebne. – Jak się czujesz?

Steve wzruszył ramionami.

– Pożaliłbym się, ale kto mnie wysłucha? – Roześmiał się głośno i znowu klepnął Danny'ego. Zarost na jego twarzy był siwy. Steve wyglądał jak zagubiony w swoim od niedawna niesprawnym ciele. Jakby ktoś go odwrócił do góry nogami i nim potrząsnął.

– Dobrze wyglądasz – powiedział Danny.

– Kłamca. – I znowu ten zażenowany śmiech, a po nim zażenowana powaga i wilgotne spojrzenie. – Bardzo się cieszę, że przyszedłeś.

– Nieważne – mruknął Danny.

– Jeszcze zrobimy z ciebie związkowca.

– Nie licz na to.

Steve klepnął go po raz trzeci i przedstawił go wszystkim obecnym. Danny znał połowę z nich z widzenia; przez lata mijali się przy różnych okazjach. Wszyscy wydawali się speszeni obecnością Steve'a, jakby modlili się, żeby zabrał swoje problemy do innego policyjnego związku w innym mieście. Jakby pech był zaraźliwy niczym grypa. Danny widział w ich oczach, kiedy ściskali rękę Steve'owi, że woleliby, żeby umarł. Śmierć pozwalała na iluzję bohaterstwa. Okaleczony bohater sprawiał, że iluzja rozwiewała się w żenującym smrodzie.

Przewodniczący BKS, policjant Mark Denton, wyszedł na scenę. Był wysoki, niemal tak, jak Danny, i chudy jak patyk, bardzo blady, twardy i sztywny jak klawisz fortepianu, a czarne włosy miał przylizane i lśniące.

Danny i inni usiedli. Mark Denton stanął na mównicy. Spojrzał na zebranych ze zmęczonym uśmiechem.

– Burmistrz Peters odwołał spotkanie, które wyznaczył nam na koniec tygodnia.

Rozległy się jęki i parę obraźliwych okrzyków. Denton uniósł rękę, by je uspokoić.

– Krążą plotki o strajku tramwajarzy i burmistrz uważa, że w tej chwili to ważniejsza sprawa. Musimy wracać na koniec kolejki.

– Może powinniśmy zastrajkować – odezwał się ktoś.

Ciemne oczy Dentona błysnęły.

– Nie mówimy o strajku, panowie. Oni tylko na to czekają. Wiecie, co by zrobiły z nami gazety? Naprawdę chcesz im dać taką amunicję, Timmy?

– Nie chcę, ale jakie mamy wyjście? My tu, kurwa, głodujemy.

Denton skinął głową.

– Wiem. Ale nawet szepnięcie słowa „strajk" jest herezją. Wiecie o tym tak samo, jak ja. Naszą szansą jest udawanie cierpliwości i przystąpienie do rozmów z Samuelem Gompersem z AFP.

– A dojdzie do tego? – spytał ktoś siedzący za Dannym.

Denton skinął głową.

– Zamierzałem poddać to pod głosowanie nieco później, ale po co czekać? – Wzruszył ramionami. – Ci, którzy są za rozpoczęciem rozmów z Amerykańską Federacją Pracy, niech powiedzą „tak"

Danny poczuł ten przepływ energii, poczucie wspólnego celu. Nie mógł zaprzeczyć, że krew zaczęła mu krążyć szybciej. Przymierze z najpotężniejszym związkiem w kraju. Jezu.

– Tak! – krzyknął tłum.

– Kto przeciw?

Nikt się nie odezwał.

– Wniosek przyjęty – oznajmił Denton.

Czy to możliwe? Żaden posterunek policji w kraju nie odważył się na coś takiego. A jednak może im się uda. Mogli – dosłownie – zmienić historię.

Danny upomniał siebie, że nie bierze w tym udziału.

Bo to na nic. To tylko grupa naiwnych, skłonnych do fantazjowania ludzi, którzy sądzą, że gadaniem nagną świat do swoich potrzeb. To tak nie działa, Danny mógł im wyjaśnić. To działa zupełnie odwrotnie.

Po Dentonie na scenie stanęli policjanci, którzy przeżyli grypę. Uważali się za szczęściarzy; w przeciwieństwie do dziewięciu funkcjonariuszy z osiemnastu posterunków w mieście, których grypa pokonała. Z dwudziestu obecnych na scenie dwunastu wróciło do służby. Ośmiu nigdy tego nie uczyni. Gdy na podium wyszedł Steve, Danny spuścił oczy. Steve, który zaledwie dwa miesiące temu śpiewał w kwartecie rewelersów, nie potrafił już wyraźnie mówić. Jąkał się i zacinał. Prosił, żeby o nim nie zapomnieli, żeby nie zapomnieli o grypie. Spytał, czy pamiętają o ich braterstwie i że są towarzyszami wszystkich tych, którzy przysięgli chronić i służyć.

Wraz z dziewiętnastką pozostałych opuścił scenę przy głośnych oklaskach.

Potem zebrani stanęli wokół dzbanków z kawą lub w grupkach, w których podawano sobie piersiówki. Danny szybko zorientował się w podstawowym podziale członków tej organizacji. Byli tu Pyskacze – głośni, jak Roper z siódmego posterunku, który wyrzucał z siebie dane statystyczne, a potem głośno się kłócił o drobiazgi. Byli Bolszewicy i Socjaliści, jak Coogan z trzeciego i Shaw z kwatery głównej – ci nie różnili się niczym od radykałów i rzekomych radykałów, o których Danny ostatnio czytywał. Zawsze byli gotowi do recytacji najmodniejszych zwrotów retorycznych i pustych sloganów. Byli także Uczuciowi – na przykład Hannity z jedenastego, który zawsze miał słabą głowę, a oczy szybko mu wilgotniały na dźwięk słów „braterstwo" i „sprawiedliwość". Więc przeważnie byli to – jak mówił nauczyciel angielskiego z dawnego liceum Danny'ego, ojciec Twohy – gadacze, nie działacze.

Ale znaleźli się tu także ludzie w rodzaju Dona Slatterly'ego, detektywa z działu napadów rabunkowych, Kevina McRae'a, krawężnika z szóstki, i Emmetta Stracka, dwudziestopięcioletniego weterana wojennego z trójki, który mało mówił, ale pilnie patrzył i wszystko dostrzegał. Ci krążyli w tłumie, rzucając tu słowo ostrzeżenia lub umiarkowania, tam pociechę, choć przeważnie słuchali i oceniali. Ludzie wodzili za nimi wzrokiem jak psy za panem. To właśnie ich

– i paru innych, podobnych do nich – powinna się bać policja, gdyby doszło do strajku, pomyślał Danny.

Przy dzbankach z kawą Mark Denton niespodziewanie stanął za Dannym i wyciągnął do niego rękę.

– Syn Tommy'ego Coughlina, tak?

– Danny. – Uścisnęli sobie dłonie.

– Byłeś na Salutation podczas wybuchu, tak?

Danny przytaknął.

– Ale to dzielnica portowa. – Denton posłodził kawę.

– Zbieg okoliczności. Zgarnąłem złodzieja w porcie i właśnie odprowadziłem go na Salutation, kiedy...

– Nie będę cię okłamywać, Coughlin, jesteś tu dość znany. Powiadają, że kapitan Tommy tylko nad jednym nie potrafi zapanować – nad swoim synem. Stąd twoja popularność. Przydałby nam się ktoś taki, jak ty.

– Dziękuję. Zastanowię się nad tym.

Denton powiódł wzrokiem po sali i pochylił się do Danny'ego.

– Zastanawiaj się szybko, dobrze?

W ciepłe noce, gdy ojciec wyruszał w trasę, aby sprzedawać gramofony, Tessa lubiła wyjść przed dom. Paliła małe, czarne papierosy, pachnące równie paskudnie, jak wyglądały. Danny czasami siadywał obok niej. Tessa miała w sobie coś, co go denerwowało. Czuł się przy niej jakiś niezdarny, jakby nie potrafił zachowywać się swobodnie. Mówili o pogodzie, jedzeniu i tytoniu, ale nigdy o grypie, dziecku ani tym dniu, gdy Danny zaniósł ją na pogotowie.

Wkrótce przenieśli się z ganku na dach. Na dachu nikt już nie bywał.

Danny dowiedział się, że Tessa ma dwadzieścia lat. Wychowała się w sycylijskiej wiosce Altofonte, na południu od Neapolu. Kiedy miała szesnaście lat, pewien potężny człowiek, niejaki Primo Alieveri, zobaczył ją, jak przejeżdżała na rowerze koło kawiarni, w której siedział wraz ze swoimi wspólnikami. Rozpytał się o nią i zaaranżował spotkanie z jej ojcem. Federico był nauczycielem muzyki w wiosce, słynnym dzięki znajomości trzech języków. Jednakże plotkowano o nim, że oszalał, skoro ożenił się w tak późnym wieku. Matka Tessy zmarła, kiedy dziewczynka miała dziesięć lat, a ojciec wychowywał ją sam, nie mając do pomocy rodziny ani pieniędzy. Więc zawarł umowę.

Pojechali do Collesano u stóp gór Madonie nad Morzem Tyrreńskim. Dotarli na miejsce dzień po siedemnastych urodzinach Tessy. Federico wynajął strażników, którzy strzegli jej posagu, głównie biżuterii i monet przekazanych przez rodzinę matki. Pierwszej nocy w domu dla gości na terenie posiadłości Prima Alieveriego śpiącym w stodole strażnikom poderżnięto gardła i zrabowano posag. Primo Alieveri był oburzony. Przeczesał wioskę w poszukiwaniu bandytów. O zmroku, przy wspaniałym posiłku w wielkiej sali, zapewnił swoich gości, że jego ludzie niedługo dopadną winnych. Posag zostanie zwrócony i ślub odbędzie się, jak planowano, w weekend.

Kiedy Federico zasnął z rozmarzonym uśmiechem przy stole, ludzie Alieveriego zaprowadzili go do domku dla gości, a Primo zgwałcił Tessę na stole, a potem na kamiennej podłodze przy palenisku. Odesłał ją do domku gościnnego, gdzie usiłowała obudzić ojca, ale on nadal spał jak zabity. Położyła się na podłodze przy łóżku z krwią zaschniętą między udami i w końcu zasnęła.

Rankiem obudził ich hałas przed domem i głos Prima, wykrzykującego ich imiona. Wyszli na dziedziniec. Primo czekał na nich z dwoma ludźmi uzbrojonymi w strzelby. Konie i wóz Federica stały na brukowanym dziedzińcu. Primo zmierzył ich wściekłym spojrzeniem.

– Wielki przyjaciel z twojej wioski napisał do mnie, że twoja córka nie jest dziewicą. Jest *putana*, nie nadaje się na żonę człowieka o mojej pozycji. Zejdź mi z oczu, nędzniku.

Federico jeszcze otrząsał się ze snu, nie rozumiejąc, co się dzieje.

Potem zobaczył krew, która zabrudziła piękną białą suknię córki. Tessa nigdy się nie dowiedziała, skąd wziął bat. Może znalazł go przy swoim koniu, może zdjął z haka na dziedzińcu. W każdym razie gdy nim machnął, trafił jednego z ludzi Alieveriego w oczy i wystraszył konie. Kiedy drugi mężczyzna pochylił się nad swoim towarzyszem, klaczka Tessy, zmęczona kasztanka, wyrwała jej cugle z rąk i kopnęła go w pierś. Potem uciekła. Tessa pobiegłaby za nią, ale osłupiała na widok swojego ojca, kochanego, delikatnego, nieco śmiesznego ojca, który powalił Prima Alieveriego na ziemię i chłostał go tak, że strzępy ciała zasłały dziedziniec. Wraz z jednym ze strażników – i z jego strzelbą – odzyskał posag. Skrzynia stała na samym środku sypialni pana domu. Ojciec wraz z Tessą znaleźli klacz i opuścili wioskę przed zmrokiem.

Dwa dni później, zużywszy pół posagu na łapówki, wsiedli na statek w Cefalu i przybyli do Ameryki.

Danny wysłuchał tej opowieści, relacjonowanej kulawą angielszczyzną, nie dlatego, że Tessa nie opanowała języka, lecz ponieważ chciała się wyrażać precyzyjnie.

Zachichotał.

– Więc tego dnia, kiedy cię przyniosłem... Kiedy mało nie zwariowałem, usiłując mówić po włosku, rozumiałaś mnie?

Tessa uniosła powieki i uśmiechnęła się blado.

– Wtedy nie rozumiałam niczego poza bólem. Oczekujesz, że będę pamiętać angielski? Ten... szalony język. Mówicie cztery słowa, jak potrzebne tylko jedno. I tak ciągle. Miałam pamiętać angielski w taki dzień? – Machnęła ręką. – Głupi chłopiec.

– Chłopiec? Jestem starszy od ciebie, kochanie.

– Tak, tak. – Zapaliła kolejnego gryzącego papierosa. – Ale chłopiec. W całym kraju same chłopcy i dziewczyny. Nikt niedorosły. Macie za dużo zabawy.

– Zabawy z czym?

– Z tym. – Machnęła ręką w stronę nieba. – Wielki głupi kraj. Amerykanie – tu nie ma historii. Tylko teraz. Teraz, teraz, teraz. Chcę tego teraz. Chcę tego teraz.

Danny zirytował się nagle.

– A jednak wszyscy w te pędy porzucają swoje kraje i przyjeżdżają tutaj.

– A, tak. Ulice wybrukowane złotem. Wielka Ameryka, gdzie każdy może zbić fortunę. Ale co z tymi, co nie? Co z robotnikami, panie władzo? Tak? Pracują, pracują, pracują, a jeśli chorują od pracy, firma mówi: „Phi! Idź do domu i nie wracaj". A jak zranią się w pracy? To samo. Wy, Amerykanie, mówicie o wolności, ale ja widzę niewolników, którzy myślą, że są wolni. Widzę firmy, które zatrudniają dzieci i rodziny, i...

Danny machnął ręką.

– A jednak tu jesteś.

Popatrzyła nań wielkimi, ciemnymi oczami. Już się przyzwyczaił do tego uważnego spojrzenia. Tessa niczego nie robiła nieuważnie.

Każdy dzień rozpoczynała, jakby najpierw musiała go zanalizować, zanim wyrazi o nim opinię.

– Masz rację. – Strzepnęła papierosa. – To kraj bardziej... *abbondante* niż Włochy. Macie te wielkie – puf! – miasta. Macie więcej samochodów w jednej dzielnicy niż w całym Palermo. Ale jesteście bardzo młodym krajem, panie władzo Danny. Jesteście jak dziecko, które myśli, że jest mądrzejsze niż ojciec i wujkowie.

Danny wzruszył ramionami. Czuł na sobie spojrzenie Tessy, spokojne i uważne jak zawsze. Odwrócił się i popatrzył w mrok.

Pewnego wieczoru w Fay Hall usiadł z tyłu sali, zanim zaczęło się zebranie związku, i uświadomił sobie, że ma już wszystkie informacje, jakich mógłby wymagać od niego ojciec, Eddie McKenna i Starzy. Wiedział, że Mark Denton, jako przywódca BKS, jest dokładnie taki, jak się obawiają: inteligentny, spokojny, nieustraszony i przyzwoity. Znał jego najbardziej zaufanych współpracowników – Emmetta Stracka, Kevina McRae'a, Dona Slatterly'ego i Stephena Kearnsa, zrobionych z tej samej gliny. I wiedział, którzy z nich to tylko krzykacze, kogo łatwo można zastraszyć, przekupić, przekabacić.

W tej chwili, gdy Mark Denton znowu podszedł do mównicy na scenie, by rozpocząć zebranie, Danny uświadomił sobie, że wiedział to wszystko już po pierwszym zebraniu. A to było ósme.

Teraz pozostawało mu tylko usiąść z McKenną i ojcem i przekazać im wrażenia, tych parę notatek, oraz zwięzły schemat hierarchii w Bostońskim Klubie Społecznym. I będzie w pół drogi do złotej odznaki. Może nawet bliżej. Na wyciągnięcie ręki.

Więc co tu jeszcze robił?

Oto pytanie miesiąca.

– Panowie – odezwał się Mark Denton głosem cichszym niż zwykle, prawie ściszonym. – Panowie, proszę o uwagę.

W tym jego ściszonym głosie było coś, co poruszyło każdego obecnego w sali. W pierwszych rzędach zapadła zupełna cisza; jej fala dotarła stopniowo aż na koniec sali. Mark Denton skinął głową. Uśmiechnął się blado i parę razy mrugnął.

– Jak wielu z was wie – zaczął – do tej pracy przyuczył mnie John

Temple z dziewiątego posterunku. Mawiał, że jeśli nie zrobi ze mnie gliniarza, równie dobrze będziemy mogli zatrudniać damy.

W sali rozległy się chichoty. Denton zwiesił głowę.

– Funkcjonariusz John Temple zmarł dziś po południu na powikłania pogrypowe. Miał pięćdziesiąt jeden lat.

Wszyscy, którzy byli w kapeluszach, zdjęli je. Tysiąc mężczyzn spuściło głowy w zadymionym pomieszczeniem. Denton przemówił znowu:

– Korzystając z okazji, oddajmy także honor funkcjonariuszowi Marvinowi Tarletonowi z piątego posterunku, który zmarł wczoraj w nocy z tego samego powodu.

– Marvin nie żyje? – zawołał ktoś. – Już mu było lepiej.

Denton pokręcił głową.

– Jego serce nie wytrzymało o jedenastej w nocy. – Pochylił się nad mównicą. – Decyzją władz rodziny obu tych ludzi nie otrzymają odszkodowania, ponieważ już zdecydowano, że...

Przerwały mu krzyki i huk przewracanych krzeseł.

– ...że... że, że... – krzyczał Denton.

Kilku mężczyzn przemocą posadzono na miejscach. Inni zamknęli usta.

– ...że nie zginęli w czasie pełnienia obowiązków służbowych – dokończył Mark Denton.

– Więc jak się zarazili tą zasraną grypą? – krzyknął Bob Reming. – Od psów?

– Tak – odpowiedział Denton. – Władze twierdzą, że od psów. Od domowych psów. Władze uważają, że mogli się zarazić grypą przy niezliczonych okazjach, które nie mają nic wspólnego z pracą. A zatem nie zginęli w trakcie pełnienia obowiązków. I tyle. Z tym musimy się pogodzić.

Zszedł z podium. W powietrzu zaczęły fruwać krzesła. Po chwili rozpętała się pierwsza bójka. Potem następna. Trzecia zaczęła się tuż przed Dannym, który cofnął się na bezpieczną odległość. Sala trzęsła się od krzyków gniewu i desperacji.

– Jesteście źli? – krzyknął Mark Denton.

Kevin McRae wtargnął między walczących i rozdzielił ich, ciągnąc za włosy.

– Jesteście źli? – krzyknął znowu Denton. – Proszę bardzo, pozabijajcie się nawzajem.

W sali zaczęło się uspokajać. Połowa obecnych odwróciła się w stronę sceny.

– Oni tylko na to czekają. Żebyście się zmasakrowali. Śmiało! Burmistrz? Gubernator? Radni? Śmieją się z was!

Ostatnie bójki ucichły. Wszyscy usiedli.

– Czy jesteście tak źli, że zaczniecie działać? – spytał Mark Denton.

Nikt się nie odezwał.

– Jesteście? – krzyknął.

– Tak! – odpowiedziało tysiąc głosów.

– Jesteśmy związkiem. To znaczy, że występujemy jako jedna organizacja z jednym celem i że pójdziemy do nich! I zażądamy naszych ludzkich praw. Chcecie siedzieć bezczynnie? To siedźcie, zasrańce. A reszta niech mi pokaże, z czego jest zrobiona.

Cała sala wstała jednocześnie – tysiąc osób, niektórzy zakrwawieni, inni ze łzami wściekłości w oczach. Danny także wstał. Już nie był Judaszem.

Spotkał się z ojcem w chwili, gdy ten wychodził z szóstego posterunku w południowym Bostonie.

– Wypisuję się.

Ojciec zatrzymał się na schodach.

– Z czego?

– Z donoszenia na związkowców, ze śledzenia radykałów, ze wszystkiego.

Ojciec zszedł po schodach i stanął obok niego.

– Dzięki tym radykałom przed czterdziestką będziesz kapitanem.

– Mam to gdzieś.

– Masz to gdzieś? – Ojciec uśmiechnął się zimno. – Nie odrzucaj tej szansy, bo następna szansa na złotą odznakę trafi ci się za pięć lat. Jeśli w ogóle.

Danny poczuł strach, ściskający go za gardło, ale głębiej wcisnął ręce w kieszenie i pokręcił głową.

– Nie będę donosić na swoich.

– To wywrotowcy, Aidenie. Wywrotowcy działający w łonie twojego posterunku.

– To gliniarze, tato. A właśnie, co z ciebie za ojciec, że wysyłasz mnie do takiego zadania? Nie mogłeś znaleźć nikogo innego?

Twarz ojca poszarzała.

– To cena za bilet.

– Jaki bilet?

– Na pociąg, który nigdy nie zbacza z torów. – Ojciec potarł czoło. – Pojechałyby nim twoje wnuki.

Danny machnął ręką.

– Wracam do domu, tato.

– Tu jest twój dom, Aidenie.

Danny spojrzał na biały budynek o greckich kolumnach. Pokręcił głową.

– Nie, to twój dom.

Tej nocy poszedł do drzwi Tessy. Zapukał cicho, oglądając się przez ramię. Nie otworzyła, więc wrócił do swojego pokoju, czując się jak smarkacz, który niesie pod płaszczem skradzione jedzenie. W chwili gdy nacisnął klamkę, usłyszał skrzypienie jej drzwi.

Odwrócił się. Szła ku niemu w płaszczu zarzuconym na koszulę, bosa, zaniepokojona i ciekawa. Kiedy przy nim stanęła, usiłował wymyślić jakieś rozsądne zdanie.

– Chciałem pogadać – oznajmił.

Spojrzała na niego wielkimi i mrocznymi oczami.

– O Starym Kraju?

Pomyślał o niej na podłodze wielkiej sali Primo Alieveriego, o tym, jak jej ciało musiało wyglądać na tle marmuru, jak blask ognia igrał na jej ciemnych włosach. Ohydny widok, jeśli znajduje się w nim pożądanie.

– Nie. Nie o tym.

– Więc o czymś nowym?

Danny otworzył drzwi. Zrobił to odruchowo, ale spojrzał w oczy Tessy i zrozumiał, że dla niej ten ruch znaczył coś innego.

– Chcesz wejść i porozmawiać? – spytał.

Stała bosa, w wytartej do osnowy koszuli, patrząc na niego nieruchomo. Przez koszulę prześwitywało jej ciało. Śniada skóra w zagłębieniu pod obojczykami lśniła od potu.

– Chcę wejść – powiedziała.

ROZDZIAŁ DZIEWIĄTY

Lila zobaczyła Luthera po raz pierwszy na pikniku na skraju Minerva Park, na zielonej trawie brzegów Big Walnut River. To miało być spotkanie wyłącznie dla służby rodziny Buchananów z domu w Columbus, ponieważ Buchananowie wyjechali na wakacje do Saginaw Bay. Ale jakoś tak się stało, że jeden wspomniał drugiemu, a ten trzeciemu i gdy Lilia zjawiła się na miejscu późnym rankiem tego gorącego sierpniowego dnia, ujrzała co najmniej sześćdziesiąt osób, bawiących się na całego nad rzeką. Od czasów masakry kolorowych we wschodnim St. Louis minął miesiąc i służący Buchananów odczuli go jak ospały, zimowy czas. Docierały do nich plotki zaprzeczające relacjom w gazetach i, oczywiście, rozmowy białych przy stole. Samo słuchanie tych historii – o białych damach, które kuchennymi nożami zabijały kolorowe kobiety, podczas gdy biali panowie palili okoliczne domy, wieszali i strzelali do kolorowych mężczyzn – wystarczyło, by nad głową każdego zawisła czarna chmura. Jednak po czterech tygodniach ludzie postanowili rozpędzić te chmury na jeden dzień i bawić się, nie czekając na okazję, bo ta może nie nadejść.

Mężczyźni przepiłowali beczkę po oleju i przykryli jej połówki drutem, robiąc w ten sposób grill. Przyniesiono stoły i krzesła, na stołach ustawiono półmiski ze smażonymi rybami i kremową sałatkę z ziemniaków, a także ciemnobrązowe udka i wielkie fioletowe winogrona, i sterty warzyw. Dzieci biegały, dorośli tańczyli, niektórzy grali w baseball na schnącej trawie. Dwóch mężczyzn przyniosło gitary i grali, jakby stali na rogu ulicy w Helenie, a dźwięki tych gitar były czyste jak bezchmurne niebo.

Lila siedziała z koleżankami, które pracowały jako pokojówki – były to: Ginia, CC i Darla Blue. Popijała słodką herbatę, przyglądała się mężczyznom i dzieciom i bez trudu rozpoznawała, którzy są kawalerami, bo zachowywali się bardziej dziecinnie niż prawdziwe dzieci, biegali, skakali i wrzeszczeli. Przypominali Lili konie przed wyścigiem, kiedy grzebią kopytami ziemię i stają dęba.

Darla Blue, subtelna jak cios cepem, powiedziała:

– Ten tam mi się podoba.

Wszystkie spojrzały i pisnęły.

– Ten zębaty z wielką czupryną?

– Jest ładny.

– Jak na stracha na wróble.

– Nie, jest...

– Patrz, jakie wielkie brzucho! Opada mu na kolana! A tyłek wygląda jak micha budyniu.

– Lubię okrągłych mężczyzn.

– Więc to będzie twoja wielka miłość, bo jest okrągły jak nie wiem co. Jak księżyc w pełni. Nie ma w nim nic twardego. I nic mu nie stwardnieje.

Znowu zapiszczały, klepiąc się po udach, a CC spytała:

– A ty, panno Lilo Waters? Widzisz swojego wymarzonego?

Lila pokręciła głową, ale dziewczęta jej nie uwierzyły.

Ale choć piszczały i gadały, nie zdołały z niej nic wydobyć. Milczała jak głaz i wpatrywała się przed siebie, bo już go zobaczyła, dostrzegła z daleka, widziała go kątem oka, kiedy biegał szybki jak wiatr, gdy złapał piłkę w powietrzu ruchem tak pozbawionym wysiłku, że prawie okrutnym. Szczupły, poruszał się, jakby był spokrewniony z kotem, jakby tam, gdzie inni mają stawy, on posiadał sprężyny. I to naoliwione. Kiedy rzucał piłkę, nie widziało się jego ręki, tylko płynny ruch całego ciała.

Muzyka, pomyślała Lila. Ciało tego mężczyzny jest jak muzyka.

Słyszała, że inni wołają do niego „Luther". Kiedy się zbliżył, by wziąć kij, mały chłopczyk pobiegł razem z nimi, potknął się i upadł, uderzając brodą o ziemię. Już otworzył usta, żeby się rozpłakać, ale Luther zgarnął go z ziemi, nie zwalniając, i powiedział:

– No, mały, żadnych ryków w sobotę!

Chłopczyk zamarł z otwartą buzią, a Luther uśmiechnął się do niego szeroko. Dziecko pisnęło i zaczęło się zaśmiewać, jakby nie mogło przestać.

Luther podrzucił chłopca w górę, a potem spojrzał wprost na Lilę. Aż jej zaparło dech, tak szybko odnalazł ją wzrokiem.

– To panine?

Lila nie odwracała wzroku. Nie mogła nawet mrugnąć.

– Nie mam dzieci.

– Na razie – dodała CC i roześmiała się głośno.

To powstrzymało słowa, które miały paść z jego ust. Postawił dziecko na ziemi. Oderwał spojrzenie od Lili i uśmiechnął się ku niebu, lekko wykrzywiając twarz. Potem znowu spojrzał na nią, już poważnie.

– A, to bardzo dobra wiadomość – powiedział. – O, tak. Piękna jak ten dzień.

Uchylił kapelusza i odszedł.

Pod koniec dnia Lila zaczęła się modlić. Leżąc oparta o pierś Luthera pod dębem, jakieś sto metrów od zgromadzonych na pikniku, i patrząc na ciemną, roziskrzoną rzekę, powiedziała Panu, że boi się, iż pewnego dnia pokocha tego mężczyznę za bardzo. Nawet gdyby oślepła we śnie, rozpoznałaby go w tłumie innych mężczyzn po głosie, zapachu, po tym, jak opływało go powietrze. Wiedziała, że serce ma dzikie i gwałtowne, ale duszę łagodną. A kiedy przesunął kciukiem po wewnętrznej stronie jej ramienia, poprosiła Boga, by wybaczył jej wszystko, co zaraz zrobi. Bo dla tego dzikiego, łagodnego człowieka była gotowa zrobić wszystko, by zechciał w niej płonąć.

A Bóg w swojej mądrości wybaczył jej lub ją potępił, nigdy nie była pewna, bo dał jej Luthera Laurence'a. Dawał go jej w tym pierwszym roku znajomości mniej więcej dwa razy na miesiąc. Przez resztę czasu pracowała w domu Buchananów, a Luther w fabryce amunicji i ich życie biegło jak w zegarku.

O tak, był dziki. A jednak – w przeciwieństwie do wielu mężczyzn – nie wybrał tej dzikości świadomie i nie chciał nikogo nią skrzywdzić. Poprawiał się, jeśli się mu wyjaśniło, co robi źle. Ale to było jak wyjaśnianie wodzie, co to jest kamień, albo piaskowi – czym jest powietrze. Luther pracował w fabryce, a kiedy nie pracował, grał w baseball, a kiedy nie grał, to coś naprawiał, a kiedy nie naprawiał, biegał z chłopakami po nocy. A jak tego nie robił, był z Lilą i obdarzał ją pełną uwagą, ponieważ jeśli Luther na czymś się skupiał, to bez reszty, więc będąc z Lilą zachowywał się czarująco, rozśmieszał ją, dawał jej całego siebie i czuła, że nikt, nawet Pan, nie roztacza takiego blasku.

Potem Jefferson Reese pobił go tak, że Luther wylądował na tydzień w szpitalu i wtedy jakoś się zmienił. Coś utracił. Nie można było określić, co to było, ale zauważało się, że czegoś mu brakuje. Lila nie mogła znieść myśli, że jej mężczyzna musiał się kulić na ziemi, podczas gdy Reese go bił, kopał i wyładowywał na nim od dawna gromadzoną w sobie wściekłość. Usiłowała ostrzec przed nim Luthera, ale jej nie słuchał, ponieważ miał w sobie coś, co kazało mu się wszystkiemu przeciwstawiać. Leżąc na ziemi i przyjmując ciosy, dowiedział się, że jeśli stawisz opór, niektórzy – podli ludzie – nie odpowiadają takim samym oporem. O, nie. To im nie wystarcza. Chcą cię zmiażdżyć, zniszczyć, a z takiej sytuacji można ujść z życiem tylko przypadkiem, w żaden inny sposób. Podli tego świata mogą nauczyć tylko jednego: jesteśmy podlejsi, niż sobie wyobrażamy.

Kochała Luthera, ponieważ nie miał w sobie tej podłości. Kochała go, bo to, co kazało mu się zachowywać gwałtownie, jednocześnie sprawiało, że był dobry – kochał świat. Kochał tak, jak się kocha jabłko tak słodkie, że tylko zajadać. Kochał go, nie czekając na wzajemność.

Ale w Greenwood ta miłość i światło Luthera zaczęły przygasać. Początkowo tego nie rozumiała. Owszem, mogło im się powodzić lepiej, a ich dom był mały, potem przez miasto przeszła epidemia – i to wszystko w osiem tygodni – ale i tak żyli w raju. Znaleźli się w jednym z nielicznych miejsc na calutkim świecie, gdzie czarni chodzili z podniesionymi głowami. Biali nie tylko dawali im spokój, ale ich szanowali, a Lila przyznawała rację bratu Garrity, który twierdził, że Greenwood powinno być wzorem dla reszty kraju i że za jakieś dziesięć, dwadzieścia lat takie Greenwood pojawi się w Mobile, Columbus, Chicago, Nowym Orleanie i Detroit. Bo czarni i biali z Tulsy nauczyli się dawać sobie spokój, a ład i dobrobyt, które z tego wynikały, były zbyt godne pożądania, żeby reszta kraju miała się im tylko przyglądać.

Ale Luther widział coś innego. Coś, co zaczęło niszczyć jego łagodność i światło. Lila zaczęła się bać, że ich dziecko nie dotrze na świat w porę, by ocalić ojca. W bardziej optymistyczne dni uważała, że to wystarczy – jeśli Luther weźmie swoje dziecko w ramiona, uświadomi sobie raz na zawsze, że pora stać się mężczyzną.

Przesunęła ręką po brzuchu i poprosiła dziecko, żeby rosło szybciej, szybciej. Usłyszała trzask drzwi samochodu i rozpoznała ich dźwięk:

to samochód tego idioty Jessiego Tella. Luther musiał przyprowadzić ze sobą tego żałosnego typa i obaj są pewnie na haju, mają odlot jak dwa balony, co zerwały się ze sznurków. Wstała, włożyła maskę i zawiązała ją na twarzy w chwili, gdy w drzwiach pojawił się Luther.

To nie krew zauważyła w pierwszej chwili, choć miał nią zbryzganą całą koszulę i szyję. W pierwszej chwili uderzyło ją, że jego twarz nie wygląda jak powinna. W tych oczach nie było już życia, nie było tego Luthera, którego zobaczyła na boisku, tego, który uśmiechał się do niej i odgarniał jej włosy, kiedy w nią wchodził w zimną noc w Ohio, tego Luthera, który ją łaskotał, aż ochrypła ze śmiechu, tego Luthera, który rysował ich dziecko na szybie pędzącego pociągu. Ten człowiek już nie zamieszkiwał ciała, które przed nią stało.

Potem zauważyła krew i podbiegła.

– Luther, kochanie, musisz iść do lekarza. Co się stało? Co się stało?

Nie pozwolił jej się zbliżyć. Chwycił ją za ramiona, jakby była krzesłem, które należy gdzieś odstawić. Rozejrzał się po pokoju i powiedział:

– Pakuj się.

– Co?

– To nie moja krew. Nie jestem ranny. Pakuj się.

– Luther, Luther, spójrz na mnie, Luther!

Spojrzał.

– Co się stało?

– Jessie nie żyje. Jessie i Dandys.

– Jaki Dandys?

– Pracował dla Diakona. Diakon też nie żyje. Jego mózg rozbryzgał się po ścianie.

Lila cofnęła się o krok. Dotknęła dłońmi gardła, bo nie wiedziała, co z nimi zrobić.

– Coś ty zrobił? – szepnęła.

– Musisz się spakować – odpowiedział. – Musimy uciekać.

– Nigdzie nie uciekam – oznajmiła.

– Co? – Przechylił głowę. Stał o parę centymetrów od Lili, ale wydawało się, że jest o tysiąc kilometrów dalej, na drugim końcu świata.

– Nie wyjadę stąd.

– Wyjedziesz, kobieto.
– Nie.
– Lila, mówię poważnie. Pakuj się, do diabła.
Pokręciła głową.
Zacisnął pięści i zmarszczył brwi. Podszedł do zegara nad kanapą i roztrzaskał go pięścią.
– Wyjeżdżamy.
Lila patrzyła na szkło osypujące się na kanapę i na jeszcze poruszającą się wskazówkę. Naprawi go. To się da naprawić.
– Jessie nie żyje – powiedziała. – Z tym do mnie przychodzisz? Człowiek dał się zabić, prawie zabił ciebie i spodziewasz się, że powiem „gdzie ty, tam ja", spakuję się szybciutko i opuszczę dom, bo cię kocham?
– Tak – odparł i znowu wziął ją za ramiona. – Tak.
– Nie zrobię tego. Jesteś głupi. Powiedziałam ci, że będziesz miał kłopoty przez tego chłopaka i Diakona, i proszę, przychodzisz tutaj z piętnem grzechu, zbryzgany krwią i chcesz, żebym co zrobiła?
– Żebyś ze mną wyjechała.
– Zabiłeś dziś kogoś, Lutherze?
Oczy miał błędne, a głos ledwie dosłyszalny.
– Zabiłem Diakona. Strzeliłem mu prosto w głowę.
– Dlaczego? – spytała, także szeptem.
– Bo to on doprowadził do śmierci Jessiego.
– A kogo zabił Jessie?
– Dandysa. Dym zabił Jessiego, a ja strzeliłem do Dyma. Pewnie także umrze.
Zaczął w niej narastać gniew, tłumiący strach, litość i miłość.
– Więc Jessie Tell zabił człowieka, a potem inny człowiek zabił Jessiego, a ty zabiłeś jego, a potem Diakona? To mi mówisz?
– Tak. A teraz...
– To mi mówisz? – wrzasnęła i zaczęła okładać pięściami ramiona i pierś męża. Potem uderzyła go mocno w skroń i biłaby dalej, gdyby nie chwycił jej za nadgarstki.
– Lila, słuchaj...
– Wynoś się z mojego domu! Precz z mojego domu! Odebrałeś komuś życie. Splamiłeś się w oczach Boga i On cię ukarze!
Luther odstąpił od niej.

Stała nieruchomo i poczuła kopnięcie dziecka w jej łonie. Nie było zbyt silne. Łagodne, niezdecydowane.

– Muszę się spakować.

– To się pakuj – mruknęła i odwróciła się do niego plecami.

Kiedy Luther przywiązywał swój majątek do bagażnika samochodu Jessiego, Lila siedziała w domu, nasłuchując odgłosów i myśląc, że taka miłość nie może się skończyć w inny sposób, bo zawsze była zbyt płomienna. I przeprosiła Boga za to, że nie dostrzegła wyraźnie, co było ich największym grzechem: że szukali raju na tym świecie. To zawsze była duma, najgorszy z siedmiu grzechów śmiertelnych. Gorsza niż chciwość, gorsza niż gniew.

Luther wrócił i zastał ją siedzącą w tym samym miejscu.

– Więc tak? – spytał cicho.

– Chyba tak.

– Tak się to skończy?

– Tak sądzę.

– Ja... – Wyciągnął rękę.

– Co?

– Ja cię kocham, kobieto.

Skinęła głową.

– Powiedziałem, że cię kocham.

Powtórzyła ten ruch głowy.

– Wiem. Ale inne rzeczy kochasz bardziej.

Zaprzeczył, nie opuszczając dłoni, jakby czekał, aż Lila ją ujmie.

– O, tak. Jesteś dzieckiem, Lutherze. A przez swoje zabawy doprowadziłeś do rozlewu krwi. To przez ciebie. Nie przez Jessiego czy Diakona. Przez ciebie. Tylko przez ciebie. Ciebie, którego dziecko noszę w łonie.

Opuścił rękę. Stał w drzwiach jeszcze długo. Parę razy otwierał usta, jakby chciał coś powiedzieć, ale nie mógł znaleźć słów.

– Kocham cię – powtórzył ochrypłym głosem.

– A ja kocham ciebie – odpowiedziała, choć w tej chwili tego nie czuła. – Ale musisz uciekać, zanim po ciebie przyjdą.

Wyszedł tak szybko, że zniknął w ułamku chwili. Jeszcze przed chwilą go widziała, a teraz jego buty załomotały o drewniane deski, ryknął silnik i przez jakiś czas warkotał na jałowym biegu.

Potem Luther wrzucił pierwszy bieg, samochód zaklekotał, a Lila wstała, ale nie podeszła do drzwi.

Gdy wreszcie pojawiła się na ganku, już go nie było. Spojrzała na drogę, szukając reflektorów samochodu i rzeczywiście je zauważyła, daleko, w kłębach kurzu.

Luther zostawił kluczyki od samochodu na ganku Arthura Smalleya z karteczką „zaułek za klubem Wszechmogący". Podobną karteczkę zostawił Irvine'om, żeby wiedzieli, gdzie szukać kufra. Zostawił na gankach biżuterię, gotówkę i prawie wszystko, co zabrał chorym. Potem pojechał do domu Owena Tice'a. Zobaczył go przez drzwi z siatki. Siedział martwy za stołem. Kiedy pociągnął spust, strzelba odskoczyła. Sterczała mu między udami, a trup nadal ją ściskał w dłoniach.

Luther ruszył przez rozpraszający się mrok i wrócił do swojego domu. Stanął w saloniku i przyjrzał się żonie śpiącej w fotelu, na którym ją zostawił. Poszedł do sypialni i podniósł materac. Włożył pod niego niemal wszystkie pieniądze Owena Tice'a. Potem wrócił do salonu i znowu spojrzał na żonę. Cicho pochrapywała, jęknęła i przyciągnęła kolana do brzucha.

Miała rację we wszystkim, co powiedziała.

Ale jaka była zimna! Złamała mu serce tak samo, jak on – dopiero teraz to zrozumiał – łamał jej serce przez te minione miesiące. Zapragnął objąć ten dom, którego się bał i z którego uciekał, i zanieść go do samochodu Jessiego, zabrać ze sobą w drogę.

– Naprawdę cię kocham, Lilo Waters Laurence – powiedział, pocałował palec wskazujący i musnął nim jej czoło.

Nie poruszyła się, więc pocałował jej brzuch, a potem wyszedł z domu, wsiadł do samochodu Jessiego i pojechał na północ. Nad Tulsą wstawał świt, a ptaki budziły się ze snu.

ROZDZIAŁ DZIESIĄTY

Tessa pukała do drzwi Danny'ego przez dwa tygodnie, gdy jej ojca nie było w domu. Rzadko sypiali, ale Danny nie nazwałby tego, co robili, miłością. To było trochę zbyt dzikie na miłość. Parę razy zaczęła wydawać rozkazy – wolniej, szybciej, mocniej, włóż tam, nie tam, odwróć się, wstań, połóż się. Ta ich szarpanina i szamotanina wydawała się Danny'emu beznadziejna, a jednak ciągle było mu mało. Czasami, gdy patrolował okolicę, mundur wydawał mu się zbyt szorstki, ocierał te części ciała, które już były prawie odarte ze skóry. Jego sypialnia wydawała mu się legowiskiem zwierzęcia. Wchodzili do niej i rzucali się na siebie jak bestie. A kiedy docierały do nich odgłosy dzielnicy – trąbienie klaksonów, krzyki dzieci kopiących piłkę w zaułkach, rżenie i parskanie koni w stajni za budynkiem, nawet kroki na schodkach przeciwpożarowych, bo inni lokatorzy także odkryli zalety dachu, na którym on i Tessa już się nie pojawiali – wydawały im się odgłosami obcego życia.

Tessa, choć szalona w sypialni, po seksie zachowywała się z rezerwą. Wstawała i wracała do siebie. Ani razu nie zasnęła w łóżku Danny'ego. Jemu to nie przeszkadzało. Nawet tak wolał – najpierw żar, potem chłód. Nie wiedział, czy ta uwalniająca się, nienazwana furia miała związek z jego uczuciami do Nory, potrzebą ukarania jej za to, że go kochała, porzuciła i żyła dalej.

Nie było niebezpieczeństwa, że zakocha się w Tessie. Albo ona w nim. W tych dzikich aktach wyczuwał pogardę, nie tylko jej do niego albo swoją do niej, ale obopólną za owo obsesyjne uzależnienie od tego, co robili. Raz, kiedy była na górze, zacisnęła ręce na jego piersi i szepnęła: „Taki młody". Zabrzmiało to jak oskarżenie.

Kiedy Federico był w mieście, zapraszał Danny'ego na anyżówkę. Siadywali, słuchając opery odtwarzanej na gramofonie Silvertone.

Tessa siedziała na tapczanie, ucząc się angielskiego z elementarzy, które ojciec przywoził jej z wypraw do Nowej Anglii i Nowego Jorku. Danny początkowo niepokoił się, że Federico wyczuje ich bliskość, ale Tessa tkwiła na tapczanie jak ktoś zupełnie obcy, nogi miała podwinięte, bluzkę zapiętą pod szyją. Kiedy spoglądała na Danny'ego, w jej oczach widział tylko lingwistyczne zainteresowanie.

– Zde-fiiinjuj skomp-stwo – powiedziała raz.

W te wieczory Danny wracał do siebie, czując się jednocześnie zdradzonym i zdrajcą. Siadywał przy oknie i do późna czytał ulotki od Eddiego McKenny.

Poszedł na następne zebranie BKS i na kolejne, ale sytuacja się nie zmieniła. Burmistrz nadal nie zgadzał się na spotkanie, Samuel Gompers z Amerykańskiej Federacji Pracy chyba nabrał wątpliwości, czy się z nimi połączyć.

Pewnego wieczoru usłyszał, jak Mark Denton mówi do jakiegoś policjanta:

– Nie traćcie wiary. Nie od razu Rzym zbudowano.

– Ale zbudowano – odparł ten.

Potem, gdy wracał wieczorem po dwóch bitych dniach służby, spotkał panią DiMassi, ciągnącą po schodach chodnik Tessy i Federica. Danny chciał jej pomóc, ale go odtrąciła, rzuciła chodnik na korytarz i głośno westchnęła. Dopiero wtedy na niego spojrzała.

– Odeszli – oznajmiła i Danny zrozumiał, że wiedziała o nich, a ta wiedza zmieniła sposób, w jaki na niego patrzyła. – Odeszli bez słowa. Są mi winni za czynsz. Jak jej będziesz szukać, to jej nie znajdziesz. Kobiety z jej wioski są znane z czarnego serca. Tak? Wiedźmy, myślą niektórzy. Tessa ma czarne serce. Dziecko umiera, serce czarniejsze. Ty – rzuciła, przechodząc obok niego do swojego mieszkania – pewnie zrobiłeś je jeszcze czarniejsze.

Otworzyła drzwi swojego mieszkania i spojrzała na niego.

– Czekają na ciebie.

– Kto?

– Ci w twoim pokoju – powiedziała i weszła do pokoju.

Rozpiął kaburę i wszedł po schodach. Myślał podświadomie o Tessie, że może nie jest za późno, żeby ją znaleźć, że ślad jeszcze nie ostygł. Uznał, że jest mu winna wyjaśnienie. Był pewien, że jakieś istnieje.

Na piętrze usłyszał głos ojca i zamknął kaburę. Zamiast iść do siebie, zbliżył się do mieszkania Tessy i Federica. Drzwi były uchylone. Otworzył je. Chodnik zniknął, ale poza tym salon wyglądał tak samo. Ale kiedy zaczął po nim chodzić, przekonał się, że zniknęły wszystkie zdjęcia. Szafki w sypialni były opróżnione, łóżko odarte z pościeli. Komódka, na której Tessa trzymała kosmetyki i perfumy, stała pusta. Wieszak w kącie wyciągał nagie ramiona. Danny wrócił do salonu i poczuł, że zza ucha spływa mu na kark kropla zimnego potu. Zostawili gramofon.

Wieko było otwarte; podszedł i nagle poczuł ten zapach. Ktoś wylał kwas na obrotowy talerz i aksamitna wyściółka była przeżarta na wylot. Otworzył szafkę; w środku leżały odłamki ukochanych płyt Federica. W pierwszej chwili przyszło mu do głowy, że ich zamordowano: staruszek nigdy by nie zostawił swojego skarbu ani nie pozwolił go tak odrażająco zniszczyć.

Potem zobaczył karteczkę. Była przyklejona do drzwiczek z prawej strony. Charakter pisma należał do Federica; był taki sam jak na tej, którą zaprosił Danny'ego na pierwszą kolację. Danny poczuł nagłe mdłości.

Policjancie,
czy to drewno jest nadal drzewem?
Federico

– Aidenie – odezwał się ojciec od progu. – Dobrze cię widzieć, chłopcze.

Danny spojrzał na niego.

– Co, do cholery...

Ojciec wszedł do mieszkania.

– Lokatorzy mówią, że wydawał się takim kochanym staruszkiem. Ty też tak sądziłeś?

Danny wzruszył ramionami. Był jak odrętwiały.

– Nie był ani kochany, ani stary. O co chodzi w tej notatce?

– Prywatny żart.

Ojciec zmarszczył brwi.

– Nie ma w tym nic prywatnego.

– Więc może mi powiesz, co się dzieje?

Ojciec uśmiechnął się do niego.
– Wyjaśnienie czeka w twoim pokoju.
Danny poszedł za nim. Za drzwiami ujrzał dwóch mężczyzn w muszkach i sztywnych, rdzawych garniturach w ciemne prążki. Włosy mieli przylizane brylantyną, uczesane z przedziałkiem pośrodku. Buty brązowe, wypolerowane. Departament Sprawiedliwości. Nie byliby mniej ostentacyjni, gdyby nosili odznaki na czole.
Ten wyższy spojrzał na niego. Niższy siedział przy stoliku.
– Funkcjonariusz Coughlin? – spytał ten wysoki.
– A wy kto?
– Spytałem pierwszy – powiedział wysoki.
– Nic mnie to nie obchodzi. Ja tu mieszkam.
Ojciec Danny'ego założył ręce na piersi i oparł się o framugę okna, z zadowoleniem oglądając widowisko.
Wysoki mężczyzna obejrzał się przez ramię na drugiego, a potem znowu na Danny'ego.
– Nazywam się Finch. Rayme Finch. Rayme. Nie „ond". Samo Rayme. Jestem agentem. – Miał sylwetkę biegacza, długonogiego i wytrzymałego.
Danny zapalił papierosa i oparł się o framugę drzwi.
– Ma pan odznakę?
– Już pokazałem pańskiemu ojcu.
Danny wzruszył ramionami.
– Ale nie mnie.
W chwili, gdy Finch sięgał do tylnej kieszeni, Danny zauważył, że mężczyzna przy stoliku przygląda mu się z pewną delikatną pogardą, która zwykle kojarzyła się Danny'emu z biskupami lub tancerkami z kabaretu. Był od niego trochę młodszy, mógł mieć najwyżej dwadzieścia trzy lata i na pewno dziesięć lat mniej niż agent Finch, ale pod wyłupiastymi oczami miał ciężkie wory i sińce bardziej pasujące do człowieka dwa razy od niego starszego. Założył nogę na nogę i skubał spodnie na kolanie.
Finch wyjął odznakę i legitymację federalną, ozdobioną pieczęcią rządu Stanów Zjednoczonych: Bureau of Investigation.
Danny przyjrzał się jej szybko.
– Pan jest z BI?
– Tylko bez tego głupiego uśmieszku.

Danny wskazał kciukiem tego przy stole.
– A ten to kto?
Finch otworzył usta, ale tamten wytarł rękę chusteczką i wyciągnął ją ku Danny'emu.
– John Hoover – powiedział. W uścisku dłoń Danny'ego pokryła się potem. – Pracuję w wydziale antyradykalnym Departamentu Sprawiedliwości. Nie sprzyja pan radykałom, prawda?
– W tym budynku nie ma Niemców. Czy nie tym zajmuje się Departament Sprawiedliwości? – Danny obejrzał się na Fincha. – A wasze biuro jest od oszustw finansowych. Tak?
Ten przy stoliku spojrzał na Danny'ego takim wzrokiem, jakby miał ochotę odgryźć mu nos.
– Nasz zakres działalności nieco się rozszerzył od czasów wojny.
Danny pokiwał głową.
– To powodzenia. – Wszedł do pokoju. – Bądźcie tak uprzejmi i spieprzajcie z mojego mieszkania.
– Zajmujemy się także tymi, którzy unikają poboru do wojska – dodał agent Finch – agitatorami, wywrotowcami, ludźmi, którzy mogą doprowadzić do wybuchu wojny w Stanach Zjednoczonych.
– Zawsze to jakieś zajęcie.
– Bardzo dobre. Zwłaszcza jeśli chodzi o anarchistów. Te dranie są na pierwszym miejscu naszej listy. No, wie pan – ci, co rzucają bomby. Jak ta, którą pan dymał.
Danny stanął, gotowy do bójki.
– Kogo dymam?
Teraz to agent Finch oparł się o framugę drzwi.
– Przecież dymał pan Tessę Abruzze. Przynajmniej takie nazwisko podawała. Nie mam racji?
– Znam pannę Abruzze. I co z tego?
Finch uśmiechnął się zimno.
– Pan nic nie wie.
– Jej ojciec sprzedaje gramofony – powiedział Danny. – Mieli kłopoty we Włoszech, ale...
– Jej ojciec – oznajmił Finch – to jej mąż. – Uniósł brwi. – Dobrze mnie pan usłyszał. I gówno go obchodzą gramofony. Nawet nie nazywa się Federico Abruzze. Jest anarchistą, a konkretnie galleanistą. Wie pan, co oznacza ten termin, czy mam panu pomóc?

– Wiem.

– Naprawdę nazywa się Federico Ficara, a kiedy pan rżnął jego żonę, on konstruował bomby.

– Gdzie?

– A tutaj. – Rayme Finch wskazał kciukiem korytarz.

John Hoover oparł dłonie o klamrę paska.

– Jeszcze raz pytam, czy jest pan zwolennikiem radykałów?

– Zdaje się, że mój syn odpowiedział na to pytanie – odezwał się Thomas Coughlin.

John Hoover pokręcił głową.

– Niczego takiego nie usłyszałem.

Danny przyjrzał się facetowi. Jego twarz wyglądała jak niedopieczone ciasto, a źrenice były tak malutkie i ciemne, jakby zostały przeznaczone dla zupełnie innej istoty.

– Pytam, ponieważ właśnie wyciągamy sieć. Największe sztuki uciekły, to prawda, ale jeszcze coś zostało. Czego nas nauczyła wojna? Że wróg nie znajduje się tylko w Niemczech. Nasz wróg przybywa na statkach, korzysta z naszej swobodnej polityki imigracyjnej i działa wewnątrz kraju. Przemawia do górników i robotników, udając przyjaciela mas pracujących i uciskanych. A kim naprawdę jest? Naprawdę jest mataczem, kłamcą, zagraniczną chorobą, człowiekiem, który poprzysiągł zniszczyć naszą demokrację. Należy go zetrzeć na pył. – Hoover otarł szyję chusteczką; jego kołnierzyk pociemniał od potu. – Więc pytam po raz trzeci – czy jest pan zwolennikiem elementu radykalnego? A co za tym idzie, czy jest pan wrogiem mojego wuja Sama?

– On tak poważnie? – spytał Danny.

– O, tak – powiedział Finch.

– John, prawda? – upewnił się Danny.

Bułowaty mężczyzna przytaknął.

– Walczył pan na wojnie?

Hoover pokręcił wielką głową.

– Nie miałem tego zaszczytu.

– Tego zaszczytu – powtórzył Danny. – Ja też go nie miałem, ale to dlatego, że uznano mnie za niezbędnego na froncie krajowym. A jaka jest pańska wymówka?

Hoover poczerwieniał. Schował chusteczkę.

– Istnieje wiele sposobów, by służyć krajowi.

– Tak, w istocie – zgodził się Danny. – Ja od tej służby mam dziurę w karku. Więc czyżbyś znowu kwestionował mój patriotyzm, John? W takim razie będę musiał poprosić mego ojca, żeby się schylił, bo wyrzucę cię przez to pieprzone okno!

Ojciec Danny'ego odsunął się od framugi.

Ale Hoover przyjrzał się Danny'emu oczami pełnymi niezłomnej prawości. Moralnej siły kilkulatka, który bawi się w wojnę. Któremu przybywa lat, ale nie dojrzałości.

Finch odchrząknął.

– Aktualna sprawa dotyczy bomb. Możemy do niej wrócić?

– Skąd wiedzieliście, że znam Tessę? – spytał Danny. – Śledziliście mnie?

Finch pokręcił głową.

– Ją. Wraz ze swoim mężem Federikiem była po raz ostatni widziana dziesięć miesięcy temu w Oregonie. Stłukli na kwaśne jabłko tragarza, który usiłował zrewidować torbę Tessy. Musieli wyskoczyć z rozpędzonego pociągu. Rzecz w tym, że torbę zostawili. Policja z Portland weszła do pociągu i znalazła dynamit i parę pistoletów. Prawdziwy podręczny zestaw anarchisty. Tragarz, biedny podejrzliwy sukinsyn, zmarł z powodu obrażeń.

– Nadal nie odpowiedział pan na moje pytanie.

– Odnaleźliśmy ich tutaj, jakiś miesiąc temu. To przecież kolebka galleanistów. Doszły nas plotki, że kobieta jest w ciąży. W mieście szalała już grypa, więc musieliśmy zwolnić. Wczoraj w nocy pewien gość z anarchistycznego podziemia – na którego liczymy – podrzucił nam adres Tessy. Ale chyba ktoś ją ostrzegł, bo zwinęła się, zanim tu dotarliśmy. Pan? To łatwe. Popytaliśmy lokatorów budynku, czy Tessa nie zachowywała się ostatnio podejrzanie. Każdy z nich odpowiedział: „Oprócz tego, że się rżnie z gliną z czwartego piętra? A skąd!".

– Tessa jest terrorystką? – Danny pokręcił głową. – Nie kupuję tego.

– Nie? Godzinę temu John znalazł w jej pokoju opiłki metalu i wypalone znaki, jakie pozostawia tylko kwas. Chce pan spojrzeć? Oni tam robią bomby. Nie, wróć – robili. Pewnie korzystali z instrukcji samego Galleaniego.

Danny podszedł do okna i je otworzył. Odetchnął zimnym powietrzem i spojrzał na światła portu. Luigi Galleani był ojcem anarchizmu w Ameryce i publicznie nawoływał do obalenia rządu federalnego. Był twórcą każdego aktu terrorystycznego, do jakiego doszło w ciągu ostatnich pięciu lat.

– Co do pańskiej dziewczyny – dodał Finch – rzeczywiście nazywa się Tessa, ale to chyba ostatnia prawdziwa wiadomość. – Finch stanął przy oknie obok Danny'ego i jego ojca. Wyjął z kieszeni złożoną chusteczkę i rozchylił ją. – Widzi pan?

Danny spojrzał w chusteczkę, w której znajdował się biały proszek.

– To piorunian rtęci. Wygląda jak zwykła sól, prawda? Ale wystarczy, żeby umieścił go pan na kamieniu i uderzył młotkiem, a kamień i młotek rozprysnęłyby się na kawałki. Prawdopodobnie wraz z pańskim ramieniem. Pańska dziewczyna to Tessa Valparo, urodzona w Neapolu. Wychowała się w slumsach, straciła rodziców podczas epidemii cholery i zaczęła pracować w burdelu jako dwunastolatka. Rok później zabiła klienta. Za pomocą brzytwy, w imponująco twórczy sposób. Wkrótce potem zakochała się w Federicu i przybyli tutaj.

– Gdzie – podjął Hoover – szybko nawiązali znajomość z Luigim Galleanim w Lynn. Pomogli mu planować ataki w Nowym Jorku i Chicago. Udawali, że obchodzi ich los biednych, bezradnych robotników od Cape Cod po Seattle. Pracowali także nad tą haniebną ulotką propagandową „Cronaca Sovversiva". Zna ją pan?

– Nie można pracować w North End i jej nie widywać. Ludzie zawijają w nią ryby, na Boga.

– A jednak jest nielegalna.

– Nielegalna jest jej dystrybucja drogą pocztową – odezwał się Rayme Finch. – To ja się do tego przyczyniłem. Robiłem naloty na ich siedziby. Dwa razy aresztowałem Galleaniego. Gwarantuję, że przed końcem tego roku wydalę go z kraju.

– Dlaczego nie teraz?

– Prawo na razie sprzyja wywrotowcom – odezwał się Hoover. – Na razie.

Danny prychnął.

– Eugene Debs siedzi w pudle za to, że wygłosił przemówienie!

– W którym nakłaniał do przemocy – odparł tamten donośnym i metalicznym głosem – wobec tego kraju.

Danny wzniósł oczy do nieba.

– Chodzi mi o to, że skoro możecie wsadzić do więzienia byłego kandydata na prezydenta za to, że wygłosił przemówienie, dlaczego nie potraficie wydalić z kraju najbardziej niebezpiecznych anarchistów?

Finch westchnął.

– Amerykańska żona i dzieci. Ostatnim razem to zyskało mu współczucie. Ale wydalimy go, bez obaw. Następnym razem już po nim.

– Po nich wszystkich – dorzucił Hoover. – Po każdym z tych mętów.

Danny obejrzał się na ojca.

– Powiedz coś.

– Co? – spytał ojciec łagodnie.

– Co tu robisz?

– Powiedziałem ci. Ci panowie powiadomili mnie, że mój rodzony syn przyjaźni się z wywrotowcem. Terrorystą, Aidenie.

– Danny.

Ojciec wyjął z kieszeni paczkę gumy Black Jack i poczęstował obecnych. John Hoover przyjął kawałek, Danny i Finch podziękowali. Ojciec i Hoover rozpakowali listki i włożyli je do ust.

Ojciec westchnął.

– Jeśli gazety się dowiedzą, Danny, że mój syn korzystał z, powiedzmy, życzliwości terrorystki, podczas gdy jej mąż konstruował bomby tuż pod jego nosem... co powiedziano by o moim ukochanym wydziale?

Danny obejrzał się na Fincha.

– Więc znajdźcie ich i deportujcie. O to wam chodzi, tak?

– Pewnie, że tak. Ale zanim ich znajdę i deportuję, chcemy narobić hałasu. Teraz wiemy, że zaplanowali parę rzeczy na maj. Rozumiem, że ojciec już pana w to wtajemniczył. Nie wiemy, gdzie ani kogo zaatakują. Coś podejrzewamy, ale anarchiści nie są przewidywalni. Prześladują znanych nam sędziów i polityków, ale nie potrafimy określić, jakie cele przemysłowe zaatakują. Którą gałąź przemysłu wybiorą? Węgiel, żelazo, ołów, cukier, stal, gumę, tekstylia? Czy zaatakują fabrykę? A może rafinerię? Czy wieżę wiertniczą? Nie wiemy. Ale wiemy, że planują wielki atak w naszym mieście.

– Kiedy?

– Może nawet jutro. A może za trzy miesiące. A może zaczekają do maja. Nie wiemy.

– Ale zapewniam – wtrącił Hoover – że ten akt będzie drastyczny.

Finch sięgnął pod marynarkę, wyjął złożoną kartkę i podał ją Danny'emu.

– Znaleźliśmy to w jej szafie. To chyba pierwszy szkic.

Danny rozłożył karteluszek. Widniały na nim litery wycięte z gazety:

ŚMIAŁO!
DEPORTUJCIE NAS! ODPOWIEMY DYNAMITEM

Danny oddał kartkę.

– To wiadomość dla prasy – powiedział Finch. – Stawiam na to. Tylko jeszcze jej nie wysłali. Ale kiedy ta wiadomość dotrze na ulice, na pewno tuż po niej nastąpi wielkie „bum".

– A mówicie mi to wszystko, bo...? – spytał Danny.

– Bo chcemy sprawdzić, czy interesuje pana powstrzymanie tych dwojga.

– Mój syn jest ambitny – odezwał się Thomas Coughlin. – Nie zniósłby, żeby coś takiego zniszczyło mu reputację.

Danny go zlekceważył.

– Każdy przy zdrowych zmysłach chciałby ich powstrzymać.

– Ale pan nie jest „każdym" – oznajmił Hoover. – Galleani już raz urządził zamach na pana.

– Co?

– Jak pan myśli, kto stał za zamachem na Salutation Street? – spytał Finch. – Myśli pan, że to był przypadek? To zemsta za aresztowanie trzech ich kompanów podczas demonstracji antywojennych miesiąc wcześniej. Kto, pańskim zdaniem, stał za zamachem na tych dziesięciu policjantów w Chicago? Galleani, ot co. I jego pachołki. Chcieli zabić Rockefellera. Usiłowali zabijać sędziów. Podkładają bomby podczas parad. Podłożyli nawet bombę w katedrze Świętego Patryka. Galleani i jego zwolennicy. Na przełomie stulecia ludzie wyznający dokładnie taką samą filozofię zabili prezydenta McKinleya, prezydenta Francji, ministra Hiszpanii, cesarzową Austrii i króla Włoch. A wszystko to w ciągu sześciu lat. Może czasem wysadzają w powietrze samych siebie, ale nie są błaznami. To mordercy. I robili bomby tuż pod pańskim nosem, kiedy pan rżnął się z jedną z nich. Ach, nie, poprawka – kiedy ona rżnęła się z panem.

Więc czy musi pana spotkać coś jeszcze bardziej upokarzającego, zanim się pan przebudzi?

Danny pomyślał o Tessie w łóżku, o tych głuchych odgłosach, które wydawali, o jej rozszerzających się oczach, kiedy się w nią wdzierał, o jej paznokciach, orzących mu skórę, o ustach rozciągniętych w uśmiechu i o trzaskaniu schodów przeciwpożarowych, po których wchodzili i schodzili ludzie.

– Widział ich pan z bliska – powiedział Finch. – Kiedy znowu pan zobaczy tych dwoje, będzie pan miał parę sekund przewagi nad ludźmi, którzy znają ich tylko ze spłowiałej fotografii.

– Nie zdołam ich odnaleźć. Nie tutaj. Jestem Amerykaninem – oznajmił Danny.

– Jesteśmy w Ameryce – odrzekł Hoover.

Danny wskazał podłogę i pokręcił głową.

– Jesteśmy we Włoszech.

– A jeśli pana do nich doprowadzimy?

– Jak?

Finch podał mu zdjęcie. Było kiepskiej jakości, jak któraś z kolei odbitka. Widniejący na nim mężczyzna wyglądał na jakieś trzydzieści lat. Miał wąski, patrycjuszowski nos i wąskie jak szparki oczy. Był gładko ogolony. Włosy miał jasne, a skórę bladą, choć tego można się było tylko domyślać.

– Nie wygląda na bolszewika.

– A jednak nim jest – powiedział Finch.

Danny oddał mu zdjęcie.

– Kto to?

– Nazywa się Nathan Bishop. Prawdziwy as. Angielski lekarz i radykał. Ci terroryści czasem przypadkiem urywają sobie rękę albo wychodzą z zamieszek poranieni. Wtedy nie mogą pobiec na pogotowie. Idą więc do naszego przyjaciela. Nathan Bishop to lekarz z ruchu radykalnego w Massachusetts. Radykałowie nie bratają się z innymi komórkami, ale Nathan jest łączącym ich ogniwem. Zna wszystkich graczy.

– I pije – dodał Hoover. – Jak smok.

– Więc niech któryś z was się z nim zaprzyjaźni.

Finch pokręcił głową.

– Na nic.

– Dlaczego?

– Szczerze? Nie mamy budżetu – przyznał Finch z zażenowaniem. – Zwróciliśmy się do pańskiego ojca, a on nam powiedział, że pan już zaczął rozpracowywać komórkę radykałów. Chcemy, żeby pan wskazał wszystkich członków ruchu. Chcemy znać liczbę członków, numery legitymacji. I niech pan wypatruje Bishopa. Wasze ścieżki się przetną, wcześniej czy później. Jeśli pan się do niego zbliży, resztę tych sukinsynów będzie pan miał na wyciągnięcie ręki. Słyszał pan kiedyś o Stowarzyszeniu Robotników Litewskich z Roxbury?

Danny skinął głową.

– Nazywamy ich tu Lettsami.

Finch przechylił głowę, jakby słyszał tę nazwę po raz pierwszy.

– Z jakiegoś durnego sentymentalnego powodu jest to ulubiona grupa Bishopa. Prowadzi ją jego przyjaciel, kelner Luis Frania, z udokumentowanymi powiązaniami z Matuszką Rosją. Doszły nas plotki, że to on może być przywódcą tego wszystkiego.

– Czego wszystkiego? – spytał Danny. – Nie przekazano mi żadnych konkretów.

Finch spojrzał na Thomasa Coughlina, który rozłożył ręce i wzruszył ramionami.

– Mogą planować na wiosnę coś wielkiego.

– A dokładnie?

– Przewrót w dniu pierwszego maja.

Danny parsknął śmiechem. Tylko on.

– Wy nie żartujecie?

Ojciec skinął głową.

– Wybuchy bomb, a po nich zbrojny przewrót, połączona akcja wszystkich komórek radykałów we wszystkich wielkich miastach.

– Ale po co? Chyba nie przypuszczą szturmu na Waszyngton.

– Tak samo car Mikołaj mówił o Sankt Petersburgu – odparł Finch.

Danny zdjął płaszcz i niebieską marynarkę, zostając w białym podkoszulku. Rozpiął pas z kaburą i powiesił go na drzwiach szafy. Nalał sobie szklankę żytniówki, której nie zaproponował swoim gościom

– Więc ten cały Bishop ma związki z Lettsami?

Finch kiwnął głową.

– Czasami. Lettsi nie mają żadnych wyraźnych związków z galleanistami, ale to wszyscy radykałowie, więc Bishop ma z nimi kontakt.

– Z jednej strony bolszewicy – powiedział Danny – z drugiej anarchiści.

– A łączy ich Nathan Bishop.

– Więc mam wniknąć w szeregi Lettsów i sprawdzić, czy robią bomby na pierwszego maja albo, nie wiem, czy mają jakieś związki z Galleanim?

– Jeśli nie z nim samym, to z jego zwolennikami – odrzekł Hoover.

– A jeśli nie?

– Zdobądź ich adresy korespondencyjne.

Danny nalał sobie kolejnego drinka.

– Co?

– Adresy korespondencyjne. To klucz do rozpracowania każdej wywrotowej grupy. Kiedy w zeszłym roku zrobiłem nalot na redakcję „Cronaca", właśnie skończyli drukować ostatni numer. Zdobyłem nazwiska każdej osoby, do której wysyłali gazety. Na tej podstawie Departament Sprawiedliwości zdołał doprowadzić do wydalenia sześćdziesięciu z nich.

– Aha. Słyszałem, że deportowano faceta, który nazwał Wilsona wypierdkiem.

– Usiłowali – uściślił Hoover. – Niestety, sędzia uznał, że bardziej odpowiednie będzie uwięzienie.

Nawet ojciec Danny'ego okazał zdziwienie.

– Za nazwanie człowieka wypierdkiem?

– Za nazwanie wypierdkiem prezydenta Stanów Zjednoczonych – poprawił go Finch.

– A jeśli zobaczę Tessę lub Federica? – Danny nagle poczuł powiew jej zapachu.

– Strzel im pan prosto w łeb – rzucił Finch. – A potem powiedz „stać".

– Coś mi tu nie pasuje – oświadczył Danny.

– Nie, wszystko masz na swoim miejscu – odparł ojciec.

– Bolszewicy są gadatliwi. Galleaniści to terroryści. Jedno nie oznacza drugiego.

– Ani nie wyklucza – zauważył Hoover.

– Może, ale...

– Hej! – rzucił ostro Finch, ze zbyt błyszczącymi oczami. – Mówi pan „bolszewicy" albo „komuniści", jakby różniły ich niuanse, których my nie potrafimy rozpoznać, bo jesteśmy za tępi. Oni się niczym nie różnią – to cholerni terroryści. Co do jednego. Ten kraj czeka wielka zawierucha. Sądzimy, że nadejdzie pierwszego maja. Wtedy nie będzie można przejechać przecznicy, żeby nie trafić na rewolucjonistę z bombą lub strzelbą. A jeśli do tego dojdzie, cały kraj się rozleci. Proszę sobie to wyobrazić – ciała niewinnych Amerykanów zaścielające nasze ulice. Tysiące dzieci, matek, ludzi pracy. A dlaczego? Bo te wypierdki nienawidzą życia, jakie prowadzimy. Bo jest nam lepiej niż im. Jesteśmy bogatsi, mamy więcej wolności, mamy pierwszorzędne tereny w świecie, który składa się głównie z pustyni lub oceanu. Ale nie zagarniamy tego tylko dla siebie. Dzielimy się z innymi. Czy nam za to podziękowali? Za to, że zaprosiliśmy ich na naszą ziemię? Nie. Usiłują nas pozabijać. Chcą obalić nasz rząd jak cholernych Romanowów. Nie jesteśmy cholernymi Romanowami. Jesteśmy jedyną udaną demokracją świata. I przestaliśmy już za to przepraszać.

Danny odczekał chwilę i zaczął bić brawo.

Hoover znowu zrobił minę, jakby chciał go ugryźć, ale Finch się ukłonił.

Danny ponownie ujrzał Salutation Street, ściany obrócone w biały pył, podłogę uciekającą spod nóg. Nigdy o tym z nikim nie rozmawiał, nawet z Norą. Jak można opisać słowami taką bezradność? Jak można ją wyjaśnić? Nie można. To niewykonalne. Spadając z parteru do piwnicy, poczuł nagłą pewność, że nigdy więcej niczego nie zje, nie przespaceruje się ulicami, nie poczuje pod policzkiem poduszki.

Jestem twoją własnością, pomyślał – do Boga, do losu, do własnej bezradności.

– Zrobię to – oznajmił.

– Patriotyzm czy duma? – Fink uniósł brew i napił się z jego szklanki.

– Jedno z nich – odparł Danny.

Po odejściu Fincha i Hoovera Danny i jego ojciec usiedli przy stoliku i na zmianę pili żytniówkę z butelki.

– Od kiedy to pozwalacie, żeby federalni wtykali nosy w sprawy policji?

– Od kiedy wojna zmieniła ten kraj. – Ojciec uśmiechnął się z roztargnieniem i pociągnął łyk. – Gdybyśmy się znaleźli po stronie przegranych, może nadal bylibyśmy tacy sami, ale nie jesteśmy. Volstead… – uniósł butelkę i westchnął – …zmieni ten kraj jeszcze bardziej. Myślę, że go umniejszy. Przyszłością są władze federalne, nie lokalne.

– Twoją?

– Moją? – Ojciec zachichotał. – Jestem starym człowiekiem z jeszcze starszej epoki. Nie, to nie moja przyszłość.

– Cona?

Ojciec skinął głową.

– I twoja. Jeśli zdołasz opanować penis. – Zakorkował butelkę i przysunął ją do Danny'ego. – Kiedy zapuścisz brodę, jak przystało na czerwonego?

Danny wskazał gęstą szczecinę na policzkach.

– Mój popołudniowy zarost pojawia się o świcie.

Ojciec wstał.

– Dobrze wyczyść mundur i schowaj do szafy. Przez jakiś czas nie będziesz go potrzebował.

– Mówisz, że jestem detektywem?

– A jak sądzisz?

– Chcę to usłyszeć.

Ojciec spojrzał na niego z nieprzeniknioną miną. W końcu skinął głową.

– Jeśli to zrobisz, dostaniesz złotą odznakę.

– Dobrze.

– Słyszałem, że byłeś wczoraj na zebraniu BKS. A powiedziałeś, że nie będziesz donosić na swoich.

Danny skinął głową.

– Więc zostałeś związkowcem?

Danny pokręcił głową.

– Nie, tylko smakuje mi ich kawa.

Ojciec znowu obrzucił go przeciągłym spojrzeniem. Położył rękę na klamce.

– Zmień pościel. Trzeba ją dobrze wyprać. – Skinął krótko głową i wyszedł.

Danny stanął przy stole i otworzył butelkę. Pił, słuchając cichnących na schodach kroków ojca. Spojrzał na rozgrzebane łóżko i znowu pociągnął łyk.

ROZDZIAŁ JEDENASTY

Samochód Jessiego dowiózł Luthera tylko do środkowego Missouri. Potem, tuż za Waynesville, pękła opona. Luther wybierał boczne drogi, starał się podróżować głównie nocami, ale opona pękła przed świtem. Oczywiście Jessie nie miał zapasowej, więc Luther musiał przejechać kawał drogi na kapciu. Wlókł się poboczem na pierwszym biegu, powoli jak wózkiem zaprzężonym w wołu. W chwili gdy nad doliną wzeszło słońce, znalazł stację benzynową.

Dwaj biali mężczyźni wyszli z budy mechaników jeden wycierał ręce w szmatę, drugi pił z butelki napój sasafrasowy. To on powiedział, że Luther ma ładny samochód i spytał, jak go zdobył.

Stanęli po obu stronach auta. Ten ze szmatą wytarł nią czoło i splunął na ziemię.

– Kupiłem za oszczędności – powiedział Luther.

– Za oszczędności? – powtórzył ten z butelką. Był chudy i kościsty; miał na sobie kożuch, chroniący go przed zimnem. Głowę otaczała mu gęstwina rudych włosów, ale na czubku miał łysinkę wielkości pięści. – A czym się zajmujesz? – spytał przyjemnym tonem.

– Pracuję w fabryce amunicji, wspierającej nasze działania wojenne – wyrecytował Luther.

– Aha. – Mężczyzna obszedł samochód, przyglądając mu się uważnie. Od czasu do czasu przykucał, przyglądając się bokom w poszukiwaniu zamaskowanych wgnieceń karoserii. – Byłeś na wojnie, nie, Bernard?

Bernard znowu splunął, wytarł usta i przesunął grubymi paluchami po masce, chcąc ją otworzyć.

– Byłem. Na Haiti. – Po raz pierwszy spojrzał na Luthera. – Odstawili nas do miasta i powiedzieli: zabijcie każdego tubylca, co na was spojrzy wilkiem.

– I dużo spojrzało? – spytał rudy.

Bernard otworzył maskę.

– Jak zaczęliśmy strzelać, to już żaden.

– Jak masz na imię? – spytał rudy Luthera.

– Chciałbym tylko załatać oponę.

– Długie imię – powiedział rudy. – Nie sądzisz, Bernard?

Bernard wyjrzał zza klapy.

– Obszerne.

– Ja się nazywam Cully – powiedział rudy, wyciągając rękę.

Luther ją uścisnął.

– Jessie.

– Miło cię poznać, Jessie. – Cully obszedł samochód i kucnął przy oponie, podciągnąwszy spodnie. – O, proszę, jest. Chcesz popatrzyć?

Luther spojrzał w kierunku, który Cully wskazywał palcem. Tuż przy kapslu widniało rozdarcie wielkości dziesięciocentówki.

– Pewnie jakiś ostry kamyk – wyjaśnił Cully.

– Możecie to naprawić?

– Jasne. Daleko na niej przejechałeś?

– Parę kilometrów. Ale bardzo powoli.

Cully przyjrzał się kołu i skinął głową.

– Obręcz chyba nie jest uszkodzona. Skąd pochodzisz, Jessie?

Przez całą drogę Luther powtarzał sobie, że musi wymyślić jakąś bajeczkę, ale kiedy próbował to zrobić, jego myśli wracały do leżącego na podłodze Jessiego w kałuży własnej krwi albo Diakona, wyciągającego do niego rękę, albo zapraszającego ich do domu Arthura Smalleya, albo Lili patrzącej na niego w salonie jak obca osoba.

– Z Columbus w Ohio – powiedział, bo nie mógł się przyznać, że z Tulsy.

– Ale nadjechałeś ze wschodu – zauważył Cully.

Luther poczuł chłodny wiatr, kąsający go w uszy i sięgnął na przednie siedzenie po płaszcz.

– Byłem z wizytą u przyjaciela w Waynesville. Teraz wracam.

– Z Columbus do Waynesville jest daleko – zauważył Cully. Bernard zamknął maskę z hukiem.

– Tak jest – powiedział Bernard i stanął przy samochodzie. – Ładny płaszcz.

Luther spojrzał na swoje okrycie. Należało do Jessiego – płaszcz z wytwornego szewiotu, z odpinanym kołnierzem. Jessie, który uwielbiał się stroić, z żadnego swojego ubrania nie był tak dumny, jak z tego.

– Dziękuję – powiedział Luther.

– Sporawy – rzucił Bernard.

– Słucham?

– Trochę za duży na ciebie – pomógł mu Cully z uśmiechem, prostując się na całą swoją wysokość. – Jak sądzisz, Bern? Potrafimy naprawić tę oponę?

– No, czemu nie.

– A jak wygląda silnik?

– Facet dba o niego. Wszystko gra. O, tak.

Cully pokiwał głową.

– W takim razie, Jessie, z ochotą spełnimy twoją prośbę. W try miga naprawimy twój wozik. – Obszedł samochód. – Ale w tym hrabstwie mamy parę śmiesznych zasad. Jedna wymaga, żeby nie dotykać wozu kolorowego, dopóki nie sprawdzi się jego papierów wozu. Masz je?

Cully uśmiechał się uprzejmie.

– Gdzieś mi się zapodziały.

Cully spojrzał na Bernarda, a potem na pustą drogę. Wrócił spojrzeniem do Luthera.

– A to pech.

– To tylko kapeć.

– Och, wiem, Jessie, przecież wiem. Cholera, gdyby to ode mnie zależało, naprawiłbym ci oponę i już byś pomykał przed siebie. Tak by było. Gdybym mógł decydować. Powiem ci prawdę, w tym hrabstwie jest za dużo reguł. Ale tak to już jest i nie do mnie należy ich zmiana. Coś ci powiem – nie mamy tu tłumu klientów. Może pozwolimy Bernardowi popracować nad samochodem, a my pojedziemy do miejscowego sądu. Wypełnisz wniosek i sprawdzimy, czy Ethel zechce ci wypisać na miejscu nowe dokumenty.

Bernard przesunął szmatą po masce.

– Ten samochód miał jakiś wypadek?

– Nie, panie – powiedział Luther.

– Pierwszy raz powiedział „panie" – mruknął Bernard. – Zauważyłeś?

– W istocie, przykuło to moją uwagę – oznajmił Cully. Wyciągnął rękę do Luthera. – Nie martw się, Jessie. W Missouri jesteśmy przyzwyczajeni, że nasi kolorowi okazują więcej szacunku. Ale mnie to bez różnicy, powtarzam. Tylko tak tu już jest.

– Tak, panie.

– Drugi raz!

– Więc weź rzeczy i jedźmy – powiedział Cully.

Luther wziął walizkę z tylnego siedzenia i po chwili siedział już w furgonetce Cully'ego. Jechali na zachód.

Po dziesięciu minutach Cully przerwał milczenie.

– Wiesz, że walczyłem na wojnie. A ty?

Luther pokręcił głową.

– Straszna rzecz, Jessie, ale nie potrafiłbym ci teraz powiedzieć, o co właściwie walczyliśmy. Chyba w tysiąc dziewięćset czternastym jeden Serb zastrzelił jednego Austriaka. A zaraz potem, nie minęła chwila, a Niemcy zaczęły grozić Belgii, a Francja powiedziała: „nie wolno straszyć Belgów!". Potem Rosja – pamiętasz, kiedy przystąpiła do wojny? – powiedziała, że nie wolno straszyć Francji i ani się człowiek obejrzał, jak wszyscy strzelali do wszystkich. A ty mówisz, że pracowałeś w fabryce amunicji, więc tak sobie myślę: powiedzieli ci, o co w tym wszystkim chodzi?

– Nie. Im chodziło tylko o amunicję – odparł Luther.

– Cholera. – Cully roześmiał się serdecznie. – Może nam wszystkim o nią chodziło. Może tylko o to. To już coś, nie? – Znowu się roześmiał, trącił pięścią udo Luthera, a ten uśmiechnął się zgodnie, bo skoro cały świat zgłupiał, to faktycznie było to coś.

– Tak, panie – powiedział.

– Dużo czytam – oznajmił Cully. – Słyszałem, że w Wersalu chcieli, żeby Niemcy oddały coś z piętnaście procent swojej produkcji węgla i prawie pięćdziesiąt stali. Pięćdziesiąt procent! I jak ten głupi kraj ma stanąć na nogi? Dziwne, co?

– Bardzo dziwne – powiedział Luther, a Cully zachichotał.

– Oddadzą jakieś piętnaście procent swoich ziem. A wszystko to dlatego, że poparli przyjaciela. Tylko dlatego. Ale kto z nas wybiera przyjaciół?

Luther pomyślał o Jessiem i zastanowił się, o kim myśli Cully, który wyglądał przez okno z tęsknym lub ponurym spojrzeniem, trudno było określić.

– Nikt – powiedział Luther.

– Dokładnie. Przyjaciół się nie wybiera. Przyjaciele znajdują się nawzajem. A każdy człowiek, który opuści przyjaciela, nie jest godzien nazywać się człowiekiem. To moja opinia. I rozumiem, że trzeba zapłacić, jeśli wspiera się przyjaciela w trudnej sytuacji, ale czy przy tym trzeba się unurzać w błocie? Nie sądzę. Ale świat najwyraźniej jest innego zdania.

Usadowił się wygodniej, z jedną ręką na kierownicy. Luther nie wiedział, czy powinien coś odpowiedzieć.

– Kiedy byłem na wojnie – ciągnął Cully – nad polem bitwy przeleciał raz samolot i zaczął zrzucać granaty. Kurczę. Staram się zapomnieć ten widok. Granaty zaczęły spadać w okopy i wszyscy wyskakiwali, a wtedy Niemcy zaczęli strzelać i powiadam ci, Jessie, to było piekło na ziemi. Co byś wtedy zrobił?

– Słucham, panie?

Palce Cully'ego spoczywały luźno na kierownicy.

– Zostałbyś w okopach, gdzie spadają granaty, czy wyskoczył na pole, gdzie do ciebie strzelają?

– Nie sposób sobie wyobrazić.

– Tak sądzę. Obrzydliwa sytuacja. Te krzyki umierających. Obrzydliwe. – Cully zadygotał i jednocześnie ziewnął. – O, tak. Czasami życie nie daje ci wyboru. Jesteś między młotem i kowadłem. W takich czasach nie można sobie pozwolić na stratę czasu na myślenie. Trzeba działać.

Cully znowu ziewnął i zamilkł. Jechali w milczeniu przez jakieś piętnaście minut. Wokół nich rozciągały się równiny, jak skamieniałe pod białym, niemiłosiernym niebem. W tym zimnie wszystko wyglądało jak zrobione z metalu. Na poboczach widniały szare pasma szronu. Kiedy dotarli do przejazdu kolejowego i Cully zatrzymał furgonetkę na środku torów, silnik przeciągle zaterkotał. Cully odwrócił się i spojrzał na Luthera. Pachniał tytoniem, choć Luther nie widział, żeby palił, a w kącikach oczu miał różowe żyłki.

– W tych okolicach wiesza się kolorowych za znacznie mniejsze przewinienia niż kradzież wozu.

– Nie ukradłem go. – Luther natychmiast pomyślał o broni, którą miał w walizce.

– Wiesza się ich za to, że jeżdżą samochodami. Jesteś w Missouri, synu. – Głos Cully'ego brzmiał łagodnie i serdecznie. Mężczyzna położył rękę na oparciu siedzenia. – W tych czasach trzeba ciągle przestrzegać prawa, Jessie. Może mi się to nie podoba. A może jednak podoba. Ale nawet jeśli nie, nie mnie o tym decydować. Muszę się podporządkować. Rozumiesz?

Luther nie odpowiedział.

– Widzisz tę wieżę?

Luther spojrzał w stronę, która Cully wskazał głową. Jakieś sto metrów dalej ujrzał wieżę ciśnień.

– Tak.

– Znowu zapomniałeś o tym „panie" – zauważył Cully i poruszył lekko brwiami. – To mi się podoba. No, chłopcze, za jakieś trzy minuty przejedzie tędy pociąg towarowy. Zatrzyma się, żeby nabrać wody, a potem ruszy do St. Louis. Radzę ci do niego wsiąść.

Luther poczuł ten sam chłód, co wtedy, gdy wcisnął lufę broni w podgardle Diakona Brosciousa. Poczuł, że jest gotów umrzeć w tej furgonetce, jeśli zabierze ze sobą także Cully'ego.

– To mój samochód – powiedział. – Jestem jego właścicielem.

Cully zachichotał.

– Nie w Missouri. Może w Columbus czy innym bzdurnym miejscu, z którego rzekomo pochodzisz. Ale nie w Missouri, chłopcze. Wiesz, co Bernard zaczął robić, ledwie wyjechaliśmy z mojej stacji?

Luther trzymał walizkę na kolanach i odnalazł kciukami zatrzaski.

– Zaczął dzwonić po ludziach i opowiadać, że spotkaliśmy kolorowego, co jeździ samochodem, na który go nie stać. Kolorowego w ładnym płaszczu, o wiele na niego za dużym. Stary Bernard zabił w swoim czasie paru czarnuchów i chciałby zabić więcej. W tej chwili organizuje spotkanie. Nie jest to impreza, w której chciałbyś uczestniczyć. Ale ja nie jestem Bernardem. Nie chcę z tobą walczyć, nigdy nie widziałem linczu i nie chcę go zobaczyć. Przypuszczam, że plami sumienie.

– To mój samochód – powtórzył Luther. – Mój.

Cully ciągnął, jakby go nie słyszał.

– Więc możesz skorzystać z moje życzliwości albo zachować się jak kretyn i zostać. Ale jednego...

– To mój...

– ...nie możesz zrobić, Jessie – powiedział Cully, nagle głośniej. – Nie możesz pozostać w mojej furgonetce ani sekundę dłużej.

Luther spojrzał mu w oczy. Były martwe, nieruchome.

– Więc wysiadaj, chłopcze.

Luther uśmiechnął się do niego.

– Jest pan dobrym człowiekiem, który kradnie samochody, prawda, panie?

Cully także się uśmiechnął.

– Dziś nie będzie już drugiego pociągu. Spróbuj wskoczyć do trzeciego wagonu od końca. Słyszysz?

Pochylił się i otworzył drzwi.

– Masz rodzinę? – spytał Luther. – Dzieci?

Cully pokręcił głową i roześmiał się cicho.

– O, nie. Nie prowokuj mnie. – Machnął ręką. – Wysiadaj z mojej furgonetki.

Luther siedział jeszcze przez chwilę. Cully odwrócił się i spojrzał przed siebie. Gdzieś nad nimi zakrakał kruk. Luther sięgnął do klamki.

Wysiadł i stanął na żwirze. Spojrzał w zagajnik ciemnych drzew po drugiej stronie torów. Zima przerzedziła ich korony, pomiędzy gałęziami przeświecało blade poranne światło. Cully zamknął drzwi. Luther spojrzał na niego w chwili, gdy furgonetka zawróciła z chrzęstem na żwirze. Cully pomachał Lutherowi i wrócił w stronę, z której przyjechał.

Pociąg jechał za St. Louis, przez Missisipi do Illinois. Okazało się, że to pierwszy uśmiech losu od dawna – Luther od początku zamierzał się dostać do wschodniego St. Louis. Tu mieszkał brat jego ojca, Hollis, a Luther chciał sprzedać samochód i może przez jakiś czas się tam przyczaić.

Ojciec, którego Luther nie pamiętał, zostawił rodzinę i wyjechał do wschodniego St. Louis, gdy Luther miał dwa lata. Uciekł z niejaką Velmą Standish, zamieszkał z nią i w końcu założył warsztat zegarmistrzowski. Było trzech braci Laurence – Cornelius, najstarszy, Hollis i ostatni Timon. Wujek Cornelius często mówił Lutherowi, że nie powinien żałować, iż dorasta bez Tima. Twierdził, że jego najmłodszy brat urodził się ze słabością do kobiet i alkoholu. Porzucił taką wspaniałą kobietę, jak matka Luthera dla zwykłej pindy z marginesu. (Wujek Cornelius przez całe życie darzył matkę Luthera miłością tak cnotliwą i cierpliwą, że nie było jej równych. Przez lata stała się zupełnie wyjątkowa. Niedługo po utracie wzroku Cornelius powiedział Lutherowi, że to jego krzyż: mieć serce, którego nikt nie chce, podczas gdy jego brat, człowiek bez zasad, przyciąga do siebie miłość jak magnes).

Luther dorastał, znając ojca tylko z fotografii. Dotykał jej tyle razy, że rysy ojca się zatarły. Gdy osiągnął dojrzałość, nie można już było stwierdzić, czy jest podobny do ojca. Nigdy nikomu nie wyznał – ani matce, ani siostrze, ani nawet Lili – jak głęboko rani go fakt, że ojciec nigdy o nim nie myślał. Że zerknął na chłopca, którego powołał na ten świat, i powiedział: bez niego będę szczęśliwszy. Luther od dawna wyobrażał sobie, że pewnego dnia się spotkają. Stanie przed nim jako dumny młodzieniec ze świetlaną przyszłością, a na twarzy ojca odmaluje się żal. Ale nie tak się to ułożyło.

Ojciec umarł półtora roku temu wraz z blisko setką innych kolorowych w pożarze dzielnicy St. Louis. Luther dowiedział się tego od Hollisa, który na arkusiku żółtego papieru napisał drukowanymi literami, ściśniętymi i jakoś zbolałymi:

Twuj tatuś zaszczelony przez białyh. Kondolęcje.

Luther opuścił dworzec i poszedł w stronę miasta. Niebo zaczęło ciemnieć. Miał przy sobie kopertę, w której wujek Hollis wysłał mu ten list. Widniał na niej adres zwrotny. Teraz wyjął ją z płaszcza i szedł, trzymając w ręku. Im bardziej się zagłębiał w dzielnicę kolorowych, tym mniej wierzył własnym oczom. Ulice były puste, prawdopodobnie z powodu grypy, ale także dlatego, że nie ma po co chodzić po ulicach, gdy budynki są albo osmalone, albo sypią się w gruz, albo też zmieniły się w zwęglone ruiny. Przypominały Lutherowi usta starca, w których prawie nie ma zębów, kilka ostatnich jest połamanych, a te, które są całe, chylą się na boki. Całe kwartały zmieniły się w popiół, ogromne sterty popiołu; wieczorny wietrzyk rozwiewał je teraz i roznosił po ulicy. Było tyle popiołu, że nawet tornado by go nie usunęło. Nie zniknął przez cały rok, jaki upłynął od pożaru. Na tych wypalonych ulicach Luther czuł się jak ostatni żywy człowiek. Gdyby kajzer zdołał wysłać tu swoją armię ze wszystkimi samolotami, bombami i karabinami, nie zdołałby dokonać większych zniszczeń.

Luther wiedział, że chodziło o pracę. Biali robotnicy byli coraz bardziej przekonani, że są biedni, bo kolorowi kradną im pracę. Dlatego przyszli tutaj, biali mężczyźni, kobiety i nawet dzieci, i zaczęli strzelać, linczować i podpalać kolorowych. Paru wpędzili do rzeki Cahokia i ukamienowali na śmierć, kiedy tamci usiłowali wypłynąć. To zadanie powierzono głównie dzieciom. Białe kobiety wyciągały kolorowe z tramwajów i tłukły je kamieniami albo dźgały kuchennymi nożami, a kiedy przybyła gwardia narodowa, stanęła bezczynnie i tylko patrzyła.

Drugi lipca tysiąc dziewięćset siedemnastego roku.

– Twój tatuś – powiedział wujek Hollis, gdy Luther stanął na progu jego zakładu, a wujek zabrał go na zaplecze i poczęstował drinkiem – usiłował ochronić ten sklepik, na którym nie zarobił ani centa. Podpalili go i wołali, żeby wyszedł i nagle ściany zapłonęły, a on wyszedł na ulicę wraz z Velmą. Ktoś strzelił mu w kolano. Przez jakiś czas leżał na ulicy. Oddali Velmę kobietom, które zaczęły ją bić wałkami. Biły ją po głowie, twarzy i biodrach. Umarła, przeczołgawszy się w zaułek jak pies, co zdycha pod gankiem. Potem przyszli po twojego ojca i, jak słyszałem, usiłował podnieść się na kolana, ale nie zdołał, ciągle się przewracał i błagał. W końcu paru białych mężczyzn stanęło nad nim i zaczęło strzelać, aż skończyły im się kule.

– Gdzie jest pochowany? – spytał Luther.

Wujek pokręcił głową.

– Nie było czego pochować, synu. Jak go zastrzelili, wzięli go za ręce i nogi i z powrotem wrzucili do sklepu.

Luther wstał i podszedł do małego zlewu. Zwymiotował. Trochę to trwało; wydawało mu się, że wymiotuje sadzą, żółtymi płomieniami i popiołem. Przed oczami stały mu wizje białych kobiet, spuszczających wałki na czarne głowy, białe twarze wyjące z radości i furii, a potem Diakon śpiewający w swoim fotelu na kółkach i jego ojciec, który usiłował się podnieść na kolana, i ciocia Marta, i mecenas Lionel T. Garrity, klaszczący w ręce i uśmiechający się promiennie, i ktoś, kto wołał „Chwała Jezusowi! Chwała Jezusowi!" i cały świat trawiony ogniem jak okiem sięgnąć, aż błękitne niebo poczerniało, a białe słońce znikło za zasłoną dymu.

Kiedy mu przeszło, opłukał usta, a Hollis dał mu mały ręcznik, którym wytarł wargi i spocone czoło.

– Źle z tobą, chłopcze.

– Nie, już mi lepiej.

Wujek Hollis pokręcił powoli głową i nalał mu kolejnego drinka.

– Nie. Źle z tobą. Ci ludzie cię szukają. Rozesłali za tobą wici po całym środkowym zachodzie. Zabiłeś paru kolorowych w Tulsie. Zabiłeś Diakona Brosciousa. Oszalałeś, idioto?

– Skąd wiesz?

– Cholera. To gorąca wiadomość, chłopcze.

– Policja?

Wujek Hollis pokręcił głową.

– Policja uważa, że zrobił to inny idiota. Clarence Jakiśtam.

– Tell – mruknął Luther. – Clarence Tell.

– Właśnie. – Wujek Hollis spojrzał na niego, oddychając ciężko przez płaski nos. – Zdaje się, że jednego zostawiłeś żywego. Nazywa się Dym?

Luther skinął głową.

– Jest w szpitalu. Nikt nie wie, czy wydobrzeje, ale wszystko powiedział. Wskazał na ciebie. Szukają cię cyngle stąd do Nowego Jorku.

– Jest na mnie cena?

– Ten Dym powiedział, że zapłaci pięćset dolarów za zdjęcie twojego trupa.

– A jeśli umrze?

Wujek Hollis wzruszył ramionami.

– Ten, co przejmie interesy Diakona, będzie musiał się upewnić, że nie żyjesz.

– Nie mam dokąd iść.

– Uciekaj na wschód, chłopcze, bo tu nie możesz zostać. I trzymaj się z daleka od Harlemu, to pewne. Słuchaj, znam jednego chłopaka z Bostonu, który może cię przyjąć.

– Z Bostonu?

Luther zastanowił się i szybko doszedł do wniosku, że myślenie to marnowanie czasu, ponieważ i tak nie ma wyboru. Jeśli tylko Boston jest jedynym „bezpiecznym” miejscem w tym kraju, to pojedzie do Bostonu.

– A ty? – spytał. – Zostaniesz tutaj?

– Ja? – zdziwił się wujek Hollis. – Ja nikogo nie zabiłem.

– Tak, ale co tu masz? Wszystko spalone. Słyszałem, że wszyscy kolorowi stąd wyjeżdżają albo przynajmniej próbują.

– A dokąd wyjadą? Problem z naszymi polega na tym, że czepiają się nadziei i nie puszczają przez całe życie. Myślisz, że gdzieś indziej jest lepiej niż tutaj? To tylko inne klatki, chłopcze. Niektóre ładniejsze od innych, ale klatki. – Westchnął. – Pieprzyć. Za stary jestem, żeby się przeprowadzać, a tutaj jest jedyny dom, jaki znam.

W milczeniu dopili drinki.

Wujek Hollis wyprostował nogi i przeciągnął się.

– Mam na górze pokój. Przenocujesz, dopóki nie zadzwonię w parę miejsc. A rano... – Wzruszył ramionami.

– Boston – powiedział Luther.

Wujek Hollis przytaknął.

– Boston. Tyko tyle mogę zrobić.

Jadąc w wagonie towarowym, owinięty eleganckim płaszczem Jessiego Luther obiecał Bogu, że to odpokutuje. Koniec kart. Koniec z whisky i kokainą. Koniec znajomości z gangsterami, hazardzistami i takimi, co choćby myślą o heroinie. Koniec oddawania się gorączce nocy. Będzie chodził ze spuszczoną głową, nie zwracając na siebie uwagi. Jakoś to przeczeka. A kiedy się dowie, że może wrócić do Tulsy, wróci tam jako inny człowiek. Pokorny i skruszony.

Luther nie uważał się za pobożnego, ale nie tyle nie szanował Boga, ile religii. Jego babcia i matka usiłowały wbić mu do głowy baptyzm, a on robił, co mógł, by je zadowolić, żeby uwierzyły, że wierzy, jednak nauki religijne nie trzymały się go tak samo, jak szkolna wiedza. W Tulsie miał jeszcze mniej przekonania do Jezusa. Ciocia Marta i wujek James z przyjaciółmi tak gorliwie i często Go wychwalali, że Luther zaczął podejrzewać, iż słuchający ich głosów Jezus wolałby chwilę spokoju i ciszy, żeby uciąć sobie drzemkę.

Luther mijał wiele białych kościołów, słyszał dochodzące z nich śpiewy i widział ludzi gromadzących się po nabożeństwie, takich pobożnych i świątobliwych, ale wiedział, że gdyby kiedyś pojawił się na tych schodach głodny lub ranny, jedyny chrześcijański uczynek, na jaki mógłby liczyć, to strzał prosto w łeb.

Dlatego stosunki Luthera z Bogiem polegały na wzajemnej nieagresji. Ale w tym wagonie coś do niego dotarło, poczuł jakąś potrzebę, by znaleźć sens życia, by nadać mu znaczenie, by nie odejść z tego świata, zostawiwszy po sobie ślad mniejszy niż żuk gnojak.

Jechał przez środkowy zachód i Ohio, a potem na północny wschód. Choć towarzysze, których spotykał po drodze, nie byli tak wrogo nastawieni ani niebezpieczni, jak często słyszał, a kolejarze ich nie niepokoili, mimo woli przypominał sobie jazdę pociągiem do Tulsy z Lilą. Wtedy tak go przepełnił smutek, że prawie od niego napuchł, jakby w jego ciele nie zostało już ani trochę wolnego miejsca. Chował się po kątach wagonów i rzadko się odzywał, chyba że ktoś zwrócił się do niego wprost.

Nie był jedynym człowiekiem, który uciekał tym pociągiem od czegoś. Ludzie zwiewali przed sądem, policją, długami i żonami. Niektórzy mieli się wpakować w takie same kłopoty. Inni potrzebowali odmiany. Wszyscy potrzebowali pracy. Ale ostatnio gazety zapowiadały nowy kryzys. Mówiły, że czasy prosperity przeminęły. Przemysł wojenny ograniczył produkcję, na ulicy miało się pojawić siedem milionów bezrobotnych. Do tego z wojny powracały następne cztery miliony. Jedenaście milionów osób zacznie szukać pracy, której nie było.

Jeden z tych jedenastu milionów, wielki biały facet, na którego wołano BB, o lewej ręce zmiażdżonej przez prasę na bezwładny placek, obudził Luthera ostatniego dnia podróży, otworzywszy drzwi tak, że wicher uderzył mu w twarz. Luther otworzył oczy, zobaczył BB stojącego w otwartych drzwiach, za którymi przemykał krajobraz. Świtało; księżyc wisiał jeszcze na niebie jak własny duch.

– A to ci piękny obrazek, co? – odezwał się BB, wskazując wielkim łbem niebo.

Luther skinął głową i zasłonił ziewnięcie pięścią. Poruszył zdrętwiałymi nogami i stanął obok BB. Niebo było bezchmurne, niebieskie i twarde. Czuło się chłód, ale powietrze pachniało tak czysto, że Luther miał ochotę położyć kawałek na talerzu i zjeść. Pola, które mijali, skuł mróz, a drzewa na ogół stały bezlistne, i tylko oni byli świadkiem tego widoku. Na tle twardego niebieskiego nieba, tak niebieskiego, jak jeszcze nigdy, wszystko wyglądało tak pięknie, że Luther zapragnął pokazać to Lili. Objąć brzuch, oprzeć brodę na jej ramieniu i spytać, czy widziała kiedyś coś tak niebieskiego. Widziałaś, co? Kiedykolwiek?

Cofnął się od drzwi.

Zapomnę o wszystkim, pomyślał. Zapomnę.

Odnalazł wzrokiem blednący księżyc i zaczął się w niego wpatrywać. Patrzył, dopóki blady krążek zupełnie nie zgasł, a kąśliwy wiatr wdzierał się pod piękny płaszcz Jessiego.

BABE RUTH
I REWOLUCJA ROBOTNICZA

ROZDZIAŁ DWUNASTY

Babe przez cały ranek rozdawał cukierki i piłki baseballowe w przyzakładowej szkole dla kalekich dzieci w South End. Jedno dziecko, od stóp po szyję w gipsie, poprosiło go, żeby się na nim podpisał, więc Babe złożył autograf na rękach, nogach, a potem nabrał tchu i nagryzmolił swoje nazwisko przez cały korpus dziecka, od jego prawego biodra po lewe ramię, a inne dzieciaki zaśmiewały się, podobnie jak pielęgniarki i nawet kilka sióstr dobroczynności. Chłopczyk w gipsie powiedział, że nazywa się Wilbur Connelly. Pracował w przędzalni Sheffertona w Dedham, kiedy wylały się na podłogę jakieś chemikalia, a opary zapaliły się od iskier z postrzygarki i objęły go ogniem. Babe zapewnił Wilbura, że nic mu nie będzie. Dorośnie i pewnego dnia zaliczy *home run* na World Series. A jego dawni szefowie od Sheffertona posinieją z zazdrości, nie? Wilbur Connelly, który był już śpiący, zdobył się tylko na uśmiech, ale inne dzieci roześmiały się i zaczęły przynosić Babe'owi inne rzeczy do podpisania – zdjęcie wydarte z działu sportowego „Standardu", małe kule, pożółkłą nocną koszulę.

Kiedy Babe wyszedł ze swoim agentem, Johnnym Igoe, ten zaproponował, żeby po drodze wpadli do ochronki dla sierot imienia Świętego Wincentego, parę przecznic stąd. Nie zawadzi, wyjaśnił, zrobić sobie pozytywną prasę i może zyskać przewagę podczas nowej rundy rozmów z Harrym Frazzem. Ale Babe był zmęczony – zmęczony pytaniami, aparatami, fleszami błyskającymi mu w twarz, zmęczony sierotami. Kochał dzieci, a zwłaszcza sieroty, ale rany, o rany, tyle dzieciaków w jeden poranek, a wszystkie okaleczone, połamane, poparzone, to go naprawdę wykończyło. Te bez palców przecież ich nie odzyskają, a te z wrzodami na twarzy nie spojrzą pewnego dnia w lustro, by ujrzeć gładkie buzie, a te na wózkach inwalidzkich nie wstaną nagle i nie zaczną chodzić. A jednak zesłano je na ten świat, by wypełniły swoje przeznaczenie i ta świadomość przygniotła Babe'a, wyssała z niego soki.

Dlatego odmówił, tłumacząc, że musi kupić prezent dla Helen, bo kobitka znowu się na niego wścieka. Częściowo była to prawda – Helen faktycznie się nabzdyczyła, ale on nie zamierzał kupić prezentu, przynajmniej nie w sklepie. Poszedł do hotelu „Castle Square". Zimny listopadowy wiatr niósł ze sobą igiełki deszczu, ale Babe miał ciepłe, długie palto na futrze z norek i szedł z pochyloną głową, żeby deszcz nie padał mu w oczy. Rozkoszował się spokojem i anonimowością na tych opustoszałych ulicach. W hotelu przeszedł przez hol; bar okazał się prawie tak opustoszały, jak ulice. Babe usiadł na pierwszym stołku od drzwi, zrzucił z ramion futro i położył obok siebie. Barman stał na drugim końcu baru, rozmawiając z dwoma mężczyznami, więc Ruth zapalił cygaro i powiódł wzrokiem po belkach z ciemnego orzechowego drewna. Wciągnął w nozdrza zapach skóry i zastanowił się, jak, do cholery, ten kraj zdoła zachować jakąś godność, skoro od czasu głosowania Nebraski prohibicja była już pewna. Ci, którzy zabraniają zabawy i wszystko mają za złe, wygrywali tę wojnę i nawet jeśli nazywali się postępowcami, Ruth nie dostrzegał żadnego postępu w zakazaniu picia czy zamknięciu takich miejsc, pełnych drewna i pachnącej skóry. Cholera, człowiek pracuje osiemdziesiąt godzin tygodniowo za gównianą płacę, więc chyba może się spodziewać, że przynajmniej dadzą mu się napić browaru i żytniówki! Nie żeby Ruth kiedykolwiek w życiu przepracował osiemdziesiąt godzin w tygodniu, ale zasada była słuszna.

Podszedł do niego barman, potężny facet z sumiastymi wąsami, tak zadzierzyście podkręconymi, że można by na nich wieszać kapelusze.

– Co podać?

Ruth, nadal czując bliskość do mas pracujących, zamówił dwa piwa i setkę, dwa razy, a barman postawił przed nim kufle, a potem nalał szczodrze whisky.

Ruth pociągnął łyk piwa.

– Szukam niejakiego Dominicka.

– To ja.

– Rozumiem, że ma pan furgonetkę.

– A owszem.

Z drugiej strony baru jeden z mężczyzn rzucił monetę na kontuar.

– Chwilunia – odrzekł barman. – Ci panowie są spragnieni.

Poszedł na drugi koniec baru, przez chwilę słuchał tego, co mówili mu dwaj mężczyźni, skinął dużą głową, zbliżył się do kranu, potem do butelek, a Ruth poczuł na sobie spojrzenie tamtych dwóch, więc się odwrócił i też na nich spojrzał.

Ten na lewo był wysoki, ciemnowłosy i ciemnooki i tak pociągający (to słowo jakoś samo się nasunęło Babe'owi), że mógłby się pojawić w kinie albo w gazetach poświęconych powracającym bohaterom wojennym. Nawet z tej odległości najprostsze gesty – podnoszenie szklaneczki do ust, stukanie niezapalonym papierosem o bar – wykonywał z wdziękiem, który Ruthowi kojarzył się z bohaterami.

Mężczyzna obok niego był o wiele drobniejszy i mniej rzucający się w oczy. Wyglądał jak ktoś wypłowiały czy też wypłukany, a mysie włosy ciągle opadały mu na czoło; odgarniał je niecierpliwie. Ruth uznał go za zniewieściałego. Miał małe oczy, małe ręce i wydawał się jakby wiecznie urażony.

Ten piękny podniósł szklankę.

– Jestem wielkim wielbicielem pańskich sportowych dokonań, panie Ruth.

Ruth podniósł szklankę i skinął głową. Ten myszowaty milczał.

Piękny klepnął go po plecach.

– Pij, Gene, pij – powiedział. Głos miał barytonowy, teatralny, który mógł dotrzeć do najdalszych miejsc na widowni.

Dominick postawił przed nimi nowe drinki; wrócili do rozmowy, a Dominick znowu stanął przed Ruthem, dolał mu whisky i oparł się o kasę.

– Więc trzeba panu coś przewieźć?

Babe pociągnął łyk.

– Tak.

– A co by to było?

Babe znowu sobie łyknął.

– Fortepian.

Dominick założył ręce na piersi.

– Fortepian. No, to niezbyt...

– Z dna jeziora.

Dominick nie odzywał się przez całą minutę. Wydął usta. Spojrzał gdzieś nad ramieniem Rutha, jakby nasłuchiwał echa nieznanego dźwięku.

– Ma pan fortepian na dnie jeziora – upewnił się.

Babe pokiwał głową.

– Właściwie stawu – uściślił.

– Stawu.

– Tak.

– A którego stawu?

– No, stawu – powiedział Babe po chwili milczenia.

Dominick skinął głową w sposób zdradzający doświadczenie w takich sytuacjach. Babe poczuł nową nadzieję.

– W jaki sposób fortepian znalazł się w stawie?

Ruth obrócił w palcach szklaneczkę whisky.

– Widzi pan, było przyjęcie. Dla dzieci. Sierot. Wydałem je z żoną. No, bo remontowaliśmy dom, więc wynajęliśmy pobliską chatę nad jeziorem.

– Nad stawem.

– A tak, nad stawem.

Dominick nalał sobie małego drinka i wypił.

– Więc wszyscy bawili się przednio – podjął Babe – a my kupiliśmy takie małe łyżwy i dzieci się ślizgały – bo staw był zamarznięty.

– Domyśliłem się.

– I, eee... bardzo lubię grać na fortepianie. Helen też.

– Helen to pańska żona?

– A jakże.

– Zapamiętałem. Proszę kontynuować.

– Więc z paroma chłopakami postanowiliśmy wynieść fortepian z domu i przetoczyć po zboczu na lód.

– Znakomity pomysł, z pewnością.

– I jak pomyśleliśmy, tak zrobiliśmy.

Babe wyprostował się i zapalił wygasłe cygaro. Zaciągnął się parę razy, żeby się rozżarzyło i pociągnął whisky. Dominick postawił przed nim kolejne piwo. Babe skinął głową z wdzięcznością. Nie odzywali się przez jakąś minutę. Słyszeli, jak dwaj mężczyźni na końcu baru mówią o osaczonym robotniku i kapitalistycznej oligarchii, co dla Babe'a brzmiało jak chińszczyzna.

– Ale jednego nie rozumiem – odezwał się Dominick.

Babe powstrzymał dreszcz.

– Śmiało.

– Ma pan ten fortepian na lodzie. I co, lód się załamał i te wszystkie dzieci na łyżwach potonęły?

– Nie.

– Nie – powiedział Dominick cicho. – Bo byłoby o tym w gazetach. Więc pytanie brzmi: jak fortepian znalazł się pod lodem?

– Lód się roztopił – palnął Ruth.

– Kiedy?

Babe nabrał tchu.

– Chyba w marcu.

– Ale przyjęcie...?

– Było w styczniu.

– Więc fortepian stał na lodzie dwa miesiące.

– Ciągle brakowało mi czasu.

– Oczywiście. – Dominick wygładził wąsy. – Właściciel...

– O, dostał szału – zapewnił go Babe. – Toczył pianę. Ale za wszystko zapłaciłem.

Dominick zabębnił palcami o bar.

– Więc skoro jest zapłacony...

Babe miał ochotę uciec z baru. Tej części jeszcze nie przemyślał do końca. Wstawił nowy fortepian do wynajętej chatki i drugi, do odnowionego domu na Dutton Road, ale kiedy Helen spoglądała na te instrumenty, rzucała mu takie spojrzenie, że czuł się jak świnia w błocie. Od czasu, gdy nowy fortepian znalazł się w ich domu, żadne z nich na nim nie zagrało.

– Pomyślałem – powiedział Ruth – że jeśli wyciągnę ten fortepian z jeziora...

– Ze stawu.

– Ze stawu. Jeśli go stamtąd wyciągnę i, no wie pan, odnowię, byłby z niego piękny prezent dla mojej żony na naszą rocznicę.

– A która to rocznica?

– Piąta.

– Czy na tę rocznicę nie daje się prezentów z drewna?

Babe zastanowił się nad tą kwestią.

– No, fortepian jest z drewna.

– Słuszna uwaga.
– I mamy trochę czasu. Rocznica wypada dopiero za pół roku.
Dominick nalał dwa drinki i uniósł swój w toaście.
– Za pański niepohamowany optymizm. Dzięki niemu ten kraj jest tym, czym się stał.
Wypili.
– Czy myślał pan kiedyś, jak woda wpływa na drewno? Na klawisze z kości słoniowej, struny i te różne tam małe, delikatne części fortepianu?
Babe pokiwał głową.
– Wiem, że nie będzie łatwo.
– Łatwo? Nie wiem, czy to możliwe. – Barman pochylił się konspiracyjnie. – Mam kuzyna. Zna się na wyciąganiu rzeczy z wody. Prawie całe życie przepracował na morzu. A gdybyśmy mieli ustalić miejsce, gdzie zatonął ten fortepian... jak głębokie jest to jezioro?
– Staw.
– Staw. Gdybyśmy mogli ustalić jego głębokość, już byśmy czymś dysponowali.
Ruth zastanowił się i pokiwał głową.
– Ile to będzie mnie kosztować?
– Nie mogę tego powiedzieć, nie poradziwszy się kuzyna, ale na pewno nie więcej niż nowy fortepian. Może trochę mniej. – Barman wzruszył ramionami i rozłożył ręce. – Ale nie potrafię określić ostatecznej kwoty.
– Oczywiście.
Dominick wziął kartkę, napisał na niej numer telefonu i wręczył go Ruthowi.
– To numer do baru. Pracuję siedem dni w tygodniu od dwunastej w południe do dziesiątej. Proszę zadzwonić do mnie w czwartek, a będę miał dla pana informacje.
– Dziękuję. – Ruth schował kartkę. Dominick oddalił się w głąb baru.

Babe napił się jeszcze i zapalił cygaro. Do baru weszło paru innych mężczyzn, którzy przyłączyli się do tamtych dwóch na końcu. Zamówili drinki, wznieśli toast na cześć tego wysokiego przystojniaka, który, jak się okazało, miał wkrótce wygłosić mowę w kościele baptystów Tremont Temple. Wydawało się, że jest sławny, ale Ruth nie potrafił go sobie przypomnieć. Nieważne – czuł się tu ogrzany, chroniony jak w kokonie. Uwielbiał bar, w którym światła są przyćmione, drewno ciemne, a siedzenia pokryte miękką skórą. Wspomnienie tych dzisiejszych dzieci oddaliło się, tak jakby spotkał je parę tygodni temu, a jeśli na dworze było zimno, tutaj się tego nie czuło.

Babe źle znosił późną jesień i zimę. Nigdy nie wiedział, co ze sobą począć. Nie potrafił zrozumieć, czego się po nim oczekuje, kiedy nie ma meczów do wygrania i kolegów z drużyny do rozmów. Codziennie rano stawał w obliczu decyzji: jak zadowolić Helen, co zjeść, dokąd iść, czym wypełnić sobie czas, co włożyć. Gdy nadchodziła wiosna, miał już spakowaną walizkę i przeważnie wystarczało mu stanąć przed szafką w przebieralni, żeby się dowiedzieć, co dziś włoży; wisiał w niej jego strój, świeżo z klubowej pralni. Ktoś inny zajmował się planowaniem jego dnia – mecz albo trening, albo też Bumpy Jordan, organizator Soksów, wskazywał mu szereg taksówek, które miały go zawieźć do pociągu, a ten miał go zawieźć do tego jakiegoś miasta, które znajdowało się w grafiku. Nie musiał się martwić o posiłki, bo były zaplanowane. Nie zastanawiał się, gdzie będzie spać – jego nazwisko było już wpisane w księgi hotelowe, a tragarz tylko czekał, żeby wziąć walizki. W nocy chłopcy czekali w barze, a wiosna gładko zmieniała się w lato, lato zaś kwitło intensywną żółcią i zielenią, a powietrze pachniało tak cudnie, że człowiekowi chciało się płakać.

Ruth nie wiedział, co innym daje szczęście, ale jemu dawało właśnie to: zaplanowany dzień, tak jak kiedyś, gdy brat Matthias planował czas Babe'owi i innym chłopcom w poprawczaku. W przeciwnym razie Ruth, rzucony w chaos normalnego domowego życia, czuł się rozedrgany i trochę przestraszony.

Ale nie tutaj, pomyślał, gdy mężczyźni w barze stanęli obok niego i zaczęli go poklepywać po plecach. Odwrócił głowę i zobaczył tego wysokiego przystojniaka z końca baru, jak się do niego uśmiechał.

– Czy mogę postawić panu drinka?

Mężczyzna usiadł obok niego i Ruth znowu poczuł ów powiew heroizmu, wyczuł wielkość, która nie mieściła się w tym pomieszczeniu.

– Jasne – powiedział. – Znaczy, jest pan kibicem Red Soksów?

Mężczyzna pokręcił głową i pokazał Dominickowi trzy palce. Jego drobny przyjaciel usiadł obok nich, klapnął ciężko na stołek jak ktoś dwa razy od niego masywniejszy.

– Raczej nie. Lubię sport, ale nie jestem zwolennikiem działania zespołowego.

– Więc co pana kręci w grze?

– Kręci? – powtórzył mężczyzna, gdy postawiono przed nimi drinki.

– Co pan lubi?

Mężczyzna uśmiechnął się olśniewająco.

– Indywidualne osiągnięcia. Czystość gry, popis sprawności ciała i koordynacji ruchów. Koncepcja zespołowej gry jest wspaniała, oczywiście. Sugeruje braterstwo wszystkich ludzi i dążenie do wspólnego celu. Ale jeśli spojrzeć na to, co ukryte, przekonamy się, że korporacje sprzedają ideał, będący antytezą wszystkiego, co podobno reprezentuje ten kraj.

Ruth zgubił się w połowie tej gadki, ale podniósł szklaneczkę, kiwnął głową, miał nadzieję, że przekonująco i pociągnął łyk.

Ten myszowaty oparł się o bar, spojrzał na Rutha i powtórzył jego ruch głowy. Także wypił.

– Gość nie ma bladego pojęcia, o czym nawijasz, Jack.

Jack odstawił drinka.

– Przepraszam za Gene'a. W Village zapomniał o manierach.

– Gdzie?

Gene zachichotał złośliwie.

Jack uśmiechnął się łagodnie do Rutha.

– W Greenwich Village.

– W Nowym Jorku – dodał Gene.

– Wiem, gdzie to jest, konusie – rzucił Ruth. Wiedział, że choć Jack jest potężny, nie zdoła go powstrzymać, gdyby Babe zdecydował się go odepchnąć i złapać tego kurdupla za myszowate kłaki.

– Oooo... Cesarz Jones się gniewa – zauważył Gene.

– Coś powiedział?

– Panowie – wtrącił Jack. – Pamiętajmy, że jesteśmy braćmi. Kieruje nami wspólny cel. Panie Ruth... Babe... jestem kimś w rodzaju podróżnika. Jeśli wymieni pan nazwę jakiegoś kraju, pewnie się okaże, że tam byłem.

– Jest pan komiwojażerem? – Babe wyjął ze słoika marynowane jajko i włożył je do ust.

Jackowi błysnęły oczy.

– Można tak powiedzieć.

– Ty naprawdę nie wiesz, z kim gadasz, co? – odezwał się Gene.

– Pewnie, że wiem, papciu. – Babe wytarł ręce. – To jest Jack. A ty jesteś Jill.

– Gene – powiedział myszowaty. – Gene O'Neill, dla ścisłości. A ty rozmawiasz z Jackiem Reedem.

Babe utkwił wzrok w myszowatym.

– Będę cię nazywać Jill.

Jack roześmiał się i klepnął obu po plecach.

– Jak powiedziałem, byłem wszędzie. Widziałem zawody sportowe w Grecji, Finlandii, we Włoszech i Francji. Widziałem niegdyś mecz polo w Rosji, gdzie niemałą liczbę uczestników stratowały własne konie. Nie ma nic czystszego i bardziej natchnionego niż widok konkurujących ze sobą mężczyzn. Ale jak większość rzeczy czystych, i tę zepsuły wielkie pieniądze i wielkie interesy, które wykorzystują ją dla swoich niegodziwych celów.

Babe uśmiechnął się. Podobała mu się gadka Reeda, choć za cholerę jej nie rozumiał.

Dołączył do nich inny mężczyzna, chudy, z ostrym i drapieżnym profilem.

– To jest ten zawodnik?

– Istotnie – odpowiedział Jack. – Babe Ruth we własnej osobie.

– Jim Larkin – przedstawił się chudy, ściskając rękę Babe'owi. – Przepraszam, lecz nie śledzę pańskich dokonań.

– Nie ma za co, Jim. – Babe uścisnął mu mocno rękę.

– Mój kolega mówi – podjął Jim – że przyszłym opium dla mas nie będzie religia, lecz rozrywka.

– Serio? – Ruth zaczął się zastanawiać, czy Stuffy McInnis jest w domu. I czy gdyby do niego zadzwonił, Stuffy spotkałby się z nim w mieście, żeby zjeść stek i pogadać o baseballu i babkach.

– Wiesz, dlaczego ligi baseballowe powstają w całym kraju jak grzyby po deszczu? W każdej fabryce i stoczni? Dlaczego prawie każdy zakład ma swoją drużynę?

– Pewnie – powiedział Babe. – Bo to fajne.

– Owszem – zgodził się Jim. – Nie zaprzeczę. Ale zakłady produkcyjne lubią zakładać drużyny baseballowe, bo dzięki nim zaszczepiają lojalność wobec firmy.

– Nic w tym złego – oznajmił Babe, a Gene znowu prychnął.

Larkin pochylił się bliżej; Babe miał ochotę się cofnąć, by nie czuć jego przesyconego ginem oddechu.

– Krzewią także wśród imigrantów proces, który z braku lepszych określeń nazywamy „amerykanizacją".

– Ale głównie chodzi o to – podjął Jack – że jeśli pracujesz siedemdziesiąt pięć godzin w tygodniu, a przez następne piętnaście czy dwadzieścia godzin grasz w baseball, zgadnij, na co nie masz sił?

Babe wzruszył ramionami.

– Na strajk – wyjaśnił Larkin. – Jesteś zbyt zmęczony, żeby zastrajkować czy choćby pomyśleć o swoich prawach.

Babe potarł brodę, żeby wyglądało, jakby się zastanawiał. Tak naprawdę modlił się, żeby się odczepili.

– Za robotników! – zawołał Jack, unosząc szklankę.

Inni – Ruth doliczył się dziewięciu czy nawet dziesięciu – podnieśli szklanki i krzyknęli:

– Za robotników!

Wszyscy, włącznie z Ruthem, pociągnęli duży łyk alkoholu.

– Za rewolucję! – krzyknął Larkin.

– Panowie, panowie – odezwał się Dominick, ale jego głos utonął w hałasie, jaki robili wstający z krzeseł mężczyźni.

– Za rewolucję!

– Za nowy proletariat!

Znowu krzyki i wiwaty; Dominick skapitulował i tylko napełniał szklanki.

Następnie wzniesiono huczne toasty za towarzyszy w Rosji, Niemczech, Grecji, za Debsa, Haywarda, Joego Hilla, za lud, za zjednoczone masy pracujące świata!

A kiedy się tak nakręcali, Babe sięgnął po futro, ale Larkin stanął mu na drodze, wznosząc kolejny toast. Ruth powiódł wzrokiem po twarzach, lśniących od potu i rozświetlonych poczuciem misji, a może czegoś więcej, czego nie potrafił nazwać. Larkin odwrócił się bokiem, Babe zauważył w powstałej luce skraj swojego futra, wyciągnął po nie rękę, Jack krzyknął: „Precz z kapitalizmem! Precz z oligarchiami!", Babe chwycił futro, ale Larkin niechcący odtrącił jego ramię. Babe westchnął i znowu wyciągnął rękę.

Wtedy z ulicy weszło do baru sześciu facetów. Byli w garniturach i może w zwykły dzień wyglądaliby na ludzi godnych szacunku, ale dziś cuchnęło od nich alkoholem i gniewem. Babe tylko rzucił na nich okiem i już wiedział, że wdepnął głęboko w gówno i teraz może się tylko modlić, żeby nie zatonąć.

Connor Coughlin nie miał dziś nastroju na użeranie się z wywrotowcami. Właściwie nie miał nastroju na nic, a na wywrotowców w szczególności. Właśnie im ich przekazano. Dziewięć miesięcy śledztwa, ponad dwieście zeznań, sześć tygodni procesu, a wszystko po to, by deportować zaprzysięgłego galleanistę, niejakiego Vittora Scalone'a, który przemawiał do każdego, kto znalazł się w zasięgu jego głosu, namawiając do wysadzenia w powietrze budynku rządowego w czasie obrad senatu.

Ale sędzia uznał, że to za mało, żeby kogoś deportować. Spojrzał surowo ze swojego miejsca na prokuratora okręgowego Silasa Pendergasta, jego zastępcę Connora Coughlina, drugiego zastępcę Petera Walda oraz jeszcze sześciu zastępców i czterech detektywów, po czym orzekł:

– Ponieważ kwestia, czy można zdecydować o deportacji na szczeblu hrabstwa, według niektórych podlega dyskusji, nie stanowi ona przedmiotu obrad tego sądu. – Zdjął okulary i spojrzał zimno na szefa Connora. – Aczkolwiek prokurator okręgowy Pendergast usilnie starał się do tego doprowadzić. Nie, tematem sprawy jest rozstrzygnięcie, czy oskarżony dopuścił się zdrady stanu. Nie widzę dowodów wskazujących na coś ponad wysuwanie błahych gróźb pod wpływem alkoholu. – Odwrócił się i spojrzał na Scalone'a. – Co w świetle ustawy o szpiegostwie jest nadal poważnym przestępstwem, młodzieńcze, i za nie skazuję cię na dwa lata w zakładzie karnym w Charlestown, odliczając czas spędzony w areszcie.

Półtora roku. Za zdradę stanu. Na schodach sądu Silas Pendergast rzucił swoim młodym zastępcom spojrzenie tak straszne, że Connor zrozumiał, iż wszyscy zostaną odesłani do drobnych przestępstw, a tak wielkiej sprawy nie zobaczą i za sto lat. Zaczęli się błąkać po mieście, osowiali, od baru do baru, aż dotarli do hotelu Castle Square i natknęli się na to... dziadostwo.

Na ich widok rozmowy umilkły. Connor i Pete Wald podeszli do baru i zamówili butelkę i pięć szklaneczek. Obrzucono ich nerwowymi, pobłażliwymi uśmiechami. Barman postawił butelkę i szkło na kontuarze. Nadal nikt się nie odzywał. Connor był zachwycony – uwielbiał to ciężkie milczenie, które narasta w powietrzu przed bójką. Było wyjątkowe, słyszało się w nim bicie serca. Jego przyjaciele stanęli wraz z nim przy barze i napełnili szklanki. Szurnęło krzesło. Pete uniósł szklankę, powiódł wzrokiem po wszystkich siedzących przy barze i oznajmił:

– Za prokuratora generalnego Palmera.

– Za Palmera! – krzyknął Connor, wypili i napełnili szklanki.

– Za deportację elementu niepożądanego! – krzyknął Connor i inni go poparli.

– Za śmierć Władka Lenina! – ryknął Harry Block.

Wypili, a tamci zaczęli gwizdać i wyć.

Wysoki facet o ciemnych włosach i urodzie gwiazdora filmowego niespodziewanie stanął przy Connorze.

– Dzień dobry – powiedział.

– Spieprzaj – rzucił Connor, pijąc. Inni zastępcy prokuratora parsknęli śmiechem.

– Zachowujmy się rozsądnie – podjął tamten. – Porozmawiajmy. Zaskoczy was, jak wiele mamy wspólnych poglądów.

Connor nie odrywał wzroku od baru.

– Jasne.

– Wszyscy pragniemy tego samego – powiedział przystojniak i poklepał go po ramieniu.

Connor zesztywniał.

Nalał sobie drinka i odwrócił się do tamtego. Pomyślał o sędzim. I o tym zdrajcy Scalonie, który wyszedł z sądu z tryumfalnym spojrzeniem. Pomyślał, jak będzie usiłował wyjaśnić tę frustrację i poczucie niesprawiedliwości Norze i że nie wiadomo, jak ona zareaguje. Może mu okazać współczucie, a może zachować się jak obca, obojętna. Nie potrafił tego przewidzieć. Czasami wydawało się, że go kocha, ale czasem spoglądała nań jak na Joego, którego można tylko pogłaskać po główce i pocałować w policzek na dobranoc. Zobaczył jej oczy – nieodgadnione. Niedosiężne. Nigdy całkiem szczere. Nigdy niewidzące go naprawdę. Ani nikogo innego. Coś zawsze ukrywały. Chyba, że – oczywiście – zwracała te oczy na...

Danny'ego.

Ta myśl uderzyła go nagle, ale przecież dojrzewała w nim tak długo, że prawie nie wierzył, iż ją do siebie dopuścił. Żołądek mu się skręcił, a oczy zabolały go tak, jakby ktoś przejechał po nich brzytwą.

Odwrócił się z uśmiechem do przystojniaka, chlusnął whisky na te jego piękne czarne włosy, a potem walnął go bykiem w pysk.

Kiedy ten Irlandczyk o kasztanowych włosach i takich samych piegach oblał Jacka i strzelił go z główki, Babe chciał złapać futro i spadać. Wiedział jednak równie dobrze, jak wszyscy, że pierwszą zasadą barowej bójki jest, żeby najpierw bić największego, a tak się złożyło, że to on był tu największy. Dlatego nawet się nie zdziwił, kiedy ktoś rąbnął go stołkiem w potylicę, dwa potężne ramiona opasały mu bary, a dwie nogi ścisnęły go w pasie. Babe rzucił futro, odwrócił się z gościem, siedzącym mu na barana i oberwał w brzuch drugim stołkiem. Ten, który go właśnie walnął, spojrzał na niego z zaskoczeniem i powiedział:

– Cholera. Wyglądasz jak Babe Ruth.

Wtedy gość na jego plecach rozluźnił chwyt, Ruth popędził w stronę baru, zahamował na krok przed nim, a tamten facet przeleciał nad barem, prosto w butelki za kasą.

Babe walnął pięścią najbliżej stojącego mężczyznę, zbyt późno – choć z wielką satysfakcją – uświadomiwszy sobie, że to myszowaty kurdupel Gene, a ten zatoczył się, machając rękami, przewrócił o krzesło i runął tyłkiem na podłogę. W barze znajdowało się pewnie z dziesięciu bolszewików, i to paru całkiem sporych, ale ich przeciwnicy byli tak wściekli, że nie do pokonania. Babe zobaczył, jak ten piegowaty nokautuje Larkina jednym ciosem w twarz, a potem przeskakuje nad nim i powala następnego, grzmocąc go w kark. Nagle przypomniał sobie jedyną radę, jaką dał mu ojciec: nigdy nie zadzieraj w barze z Irlandczykiem.

Kolejny bolszewik skoczył na Rutha z baru; ten cofnął się jak na boisku i bolszewik wylądował na stoliku, który przez chwilę się kołysał, a potem zawalił się pod jego ciężarem.

– Jesteś! – wrzasnął ktoś. Babe odwrócił się i zobaczył tego gościa, który uderzył go stołkiem. Usta miał usmarowane krwią. – Jesteś Babe Ruth, skurwielu!

– Ciągle mi to mówią – odparł Babe. Zdzielił gościa w łeb, porwał leżące na podłodze futro i uciekł z baru.

KLASA PRACUJACA

ROZDZIAŁ TRZYNASTY

Późną jesienią 1918 roku Danny Coughlin porzucił służbę na ulicy, zapuścił długą brodę i narodził się jako Daniel Sante, weteran strajku górników z kopalni ołowiu Thomsona w Zachodniej Pensylwanii w 1916 roku. Prawdziwy Daniel Sante był mniej więcej wzrostu Danny'ego i miał takie same ciemne włosy. Idąc na wojnę, nie zostawił żadnej rodziny. Tuż po przybyciu do Belgii zachorował na grypę i zmarł w szpitalu polowym, nie oddawszy nawet jednego strzału.

Jeśli chodzi o górników z owego strajku, pięciu dostało dożywocie, gdy powiązano ich – choć tylko na podstawie dowodów pośrednich – z bombą, która wybuchła w domu prezesa kopalni, E. Jamesa McLeisha. McLeish zażywał akurat porannej kąpieli, gdy do domu wszedł jego służący z korespondencją. Przechodząc przez próg, potknął się i upuścił kartonowe pudełko, owinięte w zwykły szary papier. Lewe ramię mężczyzny znaleziono potem w jadalni; reszta została w holu. Ponadto pięćdziesięciu uczestników strajku dostało krótsze lub dłuższe wyroki albo zostało tak brutalnie pobitych przez policjantów i wywiadowców z agencji Pinkertona, że na parę lat mogli zapomnieć o podróżach, a resztę czekał zwykły los strajkujących w zagłębiu – stracili pracę i wyruszyli do Ohio w nadziei, że znajdą zatrudnienie w firmach, w których nie czytuje się czarnej listy z kopalni Thomsona.

Była to dobra legenda, by wprowadzić Danny'ego do środowiska rewolucjonistów, ponieważ w historię tego strajku nie była zamieszana żadna znana organizacja pracy – nawet ruchliwi Wobblies. Zorganizowali go sami górnicy, z szybkością, która zaskoczyła chyba ich samych. Zanim Wobblies dotarli na miejsce, bomba już wybuchła, a zamieszki się skończyły. Nie zostało im nic do roboty z wyjątkiem odwiedzania pobitych w szpitalu. Na ich miejsca już zatrudniono nowych chętnych, co rano wystających pod bramą kopalni.

Więc istniała możliwość, że Danny jako Daniel Sante ujdzie przed czujnym okiem różnych radykałów, których napotka. I tak też się stało. O ile się orientował, ani jedna osoba nie podważyła jego legendy. Problem polegał na tym, że nawet jeśli mu uwierzyli, w niczym mu to nie pomogło. Chodził na zebrania i niknął w tłumie. Potem odwiedzał bary, jednak nikt z nim nie pił. Usiłował nawiązywać rozmowę, ale wszyscy zgadzali się z nim uprzejmie i równie uprzejmie odwracali się od niego. Wynajął mieszkanie w budynku w Roxbury i tam za dnia czytywał periodyki radykałów – „The Revolutionary Age", „Cronaca Sovversiva", „Proletariat" i „The Worker". Jeszcze raz przeczytał Marksa, Engelsa, Reeda i Larkina oraz przemowy Dużego Billa Haywarda, Emmy Goldman, Trockiego, Lenina i samego Galleaniego, aż w końcu mógł je cytować z pamięci. W poniedziałki i środy odbywały się zebrania Lettsów, a po nich popijawa w Sowbelly Saloon. Danny spędzał tam całe noce, a rankiem cierpiał jak potępieniec z powodu kaca, bo Lettsi do wszystkiego zabierali się poważnie, także do picia. Ci Siergieje, Borysy, Józefy, a czasem Piotry i Petery przez całe noce doili wódkę i ciepłe piwo, dyskutowali, bijąc pięściami w stoły, cytowali Marksa, Engelsa, Lenina, Emmę Goldman i wrzeszczeli o prawach pracującego człowieka, choć sami traktowali kelnerki jak szmaty.

Ryczeli o Debsie, pyskowali o Dużym Billu Haywardzie, grzmocili w stoły kieliszkami i żądali zemsty za wytarzanych w smole i pierzu działaczach IWW, choć do wspomnianego incydentu doszło w Tulsie przed dwoma laty i działacze już się raczej zdążyli umyć. Wykręcali w rękach włóczkowe mycki, zaciągali się papierosami i grzmieli na Wilsona, Palmeta, Rockeffelera, Morgana i Olivera Wendella Holmesa. Perorowali o Jacku Reedzie, Jimie Larkinie i upadku Mikołaja II.

Gadali, gadali, gadali, gadali, gadali.

Danny już sam nie wiedział, czy rankami głowa pęka mu od alkoholu, czy od tych idiotyzmów. Bolszewicy zagadaliby każdego na śmierć. Człowiek zaczynał śnić o twardych, szorstkich rosyjskich spółgłoskach i nosowych, przeciągłych spółgłoskach litewskich. Danny spędzał z nimi dwa wieczory w tygodniu, a do tej pory zobaczył Luisa

Franię tylko raz, gdy ten wygłosił mowę i znikł, otoczony kordonem ochroniarzy.

Danny krążył po stanie, szukając Nathana Bishopa. Szukał go na targach pracy, w barach wywrotowców, na zbiórkach pieniędzy dla marksistów. Chadzał na zebrania związkowców, radykałów i utopistów, tak naiwnych, że ich idee były obrazą dla dorosłego człowieka. Zapisywał nazwiska mówców i znikał, ale zawsze przedstawiał się jako Daniel Sante, żeby osoba, której ściskał dłoń, musiała odpowiedzieć „Andy Thurston", zamiast „Andy", „towarzysz Ghan" zamiast „Phil". Przy nadarzającej się okazji Danny kradł parę stron listy obecności. Jeżeli przed miejscami spotkań stały automobile, spisywał ich numery z tablic rejestracyjnych.

W mieście zebrania organizowano w kręgielniach, klubach bilardowych lub bokserskich, knajpach i kawiarniach. Na południowym wybrzeżu spotykano się w namiotach, remizach lub opustoszałych do lata terenach jarmarków. Na północnym wybrzeżu i w Merrimac Valley preferowano raczej rampy kolejowe i garbarnie, stojące nad wodą, która kipiała od ścieków i zostawiała na brzegach rdzawą pianę. W Berkshire spotykano się w sadach.

Kto raz poszedł na spotkanie, dowiadywał się o innych. Rybacy z Gloucester mówili o solidarności z braćmi z New Bedford, komuniści z Roxbury o towarzyszach z Lynn. Danny nigdy nie słyszał, żeby ktoś rozprawiał o bombach lub konkretnych planach obalenia rządu. Wypowiadano się ogólnikami. Głośno, chełpliwie i jałowo. To samo dotyczyło rozmów o sabotażu w fabrykach. Wspominano o pierwszym maja, ale tylko w kontekście innych miast i komórek rewolucyjnych. Towarzysze z Nowego Jorku wstrząsną miastem po fundamenty. Towarzysze z Pittsburgha zapalą pierwszą zapałkę, od której wybuchnie płomień rewolucji.

Zebrania anarchistów zwykle odbywały się na północnym wybrzeżu. Sale świeciły pustkami. Mówcy wygłaszali zwięzłe perory, często łamaną angielszczyzną odczytując najnowszy tekst Galleaniego lub Thomasina DiPeppe, albo uwięzionego w więzieniu Leone Scribana, którego rozmyślania przemycano z więzienia na południu Mediolanu. Nikt nie krzyczał ani nie przemawiał z zapałem, przez co spotkania robiły niepokojące wrażenie. Danny szybko się zorientował, że tamci wyczuwają jego obcość – był zbyt wysoki, za dobrze odżywiony, miał zbyt dużo zębów.

Po pewnym zebraniu na tyłach cmentarza w Salem od grupy oderwało się trzech mężczyzn, którzy ruszyli za nim. Szli tak, by odstęp między nimi nie zmniejszał się ani nie zwiększał. Nie przejmowali się, że Danny ich zauważył. W pewnej chwili jeden zawołał za nim po włosku. Chciał wiedzieć, czy Danny jest obrzezany.

Danny ominął róg cmentarza i przeszedł przez białe jak kość łachy piasku na tyłach fabryki. Tamci, oddaleni o jakieś trzydzieści metrów, zaczęli gwizdać przeraźliwie, a jeden zawołał coś w rodzaju:

– Ooo, kochanie!

Te wapienne łachy przypomniały Danny'emu o śnie, który go kiedyś nawiedzał i o którym aż do tej chwili nie pamiętał. W tym śnie szedł przez ogromną, tonącą w świetle księżyca pustynię, nie wiedząc, jak się na niej znalazł ani jak wróci do domu. Z każdym krokiem przygniatał go coraz większy strach, że tego domu już nie ma. Że rodzina i wszyscy, których znał, od dawna nie żyją. Że tylko on ocalał, by już zawsze błąkać się po zapomnianych pustkowiach. Wspinał się na najniższą z wydm, grzęznąc w zimowym pyle.

– Ooo, kochanie!

Dotarł na szczyt. Zobaczył czarne niebo. A pod nim ogrodzenie z otwartymi bramami.

Wyszedł na nierówny bruk uliczki przed szpitalem chorób zakaźnych. Tablica nad drzwiami głosiła, że jest to Cape Ann Sanatorium. Otworzył drzwi i wszedł do środka. Przebiegł koło pielęgniarki w recepcji; zawołała za nim raz i drugi.

Dotarł do schodów i obejrzał się za siebie. Tamci trzej stali na zewnątrz, jeden wskazywał tablicę. Niewątpliwie stracili kogoś bliskiego z powodu chorób, które trawiły pacjentów na piętrze – gruźlicy, ospy, polio, cholery. Te nerwowe gesty świadczyły, że żaden tu nie wejdzie. Danny znalazł tylne wyjście i opuścił budynek.

Noc była bezksiężycowa, powietrze tak zimne, że rozbolały go zęby. Wrócił biegiem przez białe łachy żwiru i cmentarz. Znalazł swój automobil, zostawiony przy falochronie. Przez chwilę siedział w nim nieruchomo, obracając w kieszeni szklany paciorek. Jego kciuk przesunął się po gładkiej powierzchni; znowu przypomniał sobie, jak Nora zamierzyła się na niego misiem w tym hotelu nad morzem, w pokoju zasłanym poduszkami. Jak w jej oczach płonął jasny ogień. Zamknął oczy i poczuł jej zapach. Wrócił do miasta; na przedniej szybie wozu zastygły słone zacieki z morskiej wilgoci. Strach powoli go opuszczał.

Pewnego ranka czekał na Eddiego McKennę, pijąc jedną filiżankę czarnej, gorzkiej kawy za drugą. Siedział w kawiarni na Harrison Avenue, gdzie podłoga była z czarno-białych kafelków, a wentylator pod zakurzonym sufitem piszczał przy każdym obrocie. Ostrzyciel noży ciągnął swój warsztat po bruku za oknem; wystawione na pokaz noże kołysały się na sznurkach, migocząc w słońcu. Błysk podrażnił oczy Danny'ego, padł na ściany kawiarni. Danny odwrócił się, otworzył zegarek na drżącej ręce i zorientował się, że McKenna się spóźnia, choć nie było w tym nic dziwnego. Potem rozejrzał się znowu, żeby sprawdzić, czy ktoś mu się nie przygląda bądź też nie omija go wzrokiem ze zbytnią ostentacją. Kiedy upewnił się, że salę zapełniają jak zwykle drobni przedsiębiorcy, kolorowi tragarze i sekretarki ze Statler Building, znowu zajął się kawą, prawie pewien, że nawet przy takim kacu zauważyłby, że ma ogon.

McKenna stanął w drzwiach, potężny i pewny siebie niemal natchniony w tym swoim zdecydowaniu i upartym optymizmie, które Danny widział u niego przez całe życie, nawet wtedy, gdy Eddie był lżejszy o pięćdziesiąt kilo i wpadał do ojca, kiedy Coughlinowie mieszkali na North Endzie. Przychodził zawsze z lukrecjowymi pałeczkami dla Danny'ego i Connora. Nawet w czasach, gdy był zwykłym krawężnikiem w porcie, gdzie w knajpach krew lała się częściej niż w całym mieście, a populacja szczurów była tak wielka, że przypadki tyfusu i polio zdarzały się tu trzy razy częściej niż w jakiejkolwiek dzielnicy – i tak promieniał tym optymizmem. W wydziale krążyły opowieści, że w początkach kariery Eddie McKenna usłyszał, iż nigdy nie będzie pracować jako tajniak ze względu na ten swój promienny wygląd. Dowódca powiedział mu: „Jesteś jedynym mi znanym człowiekiem, który wchodzi do pokoju na pięć minut przed samym sobą".

McKenna powiesił płaszcz i usiadł w niszy obok Danny'ego. Odnalazł wzrokiem kelnerkę i powiedział do niej bezgłośnie „kawa".

– Święta Mario, Matko Boska – rzucił do Danny'ego. – Śmierdzisz jak Ormiańczyk, co zeżarł pijaną kozę.

Danny wzruszył ramionami i siorbnął kawę.

– A potem się obrzygał – dodał McKenna.

– Pozdrowienia od Cezara.

Eddie zapalił cygaro, którego smród przewrócił Danny'emu żołądek do góry nogami. Kelnerka przyniosła filiżankę kawy dla McKenny i nalała nowej Danny'emu. Eddie odprowadził ją wzrokiem.

Wyciągnął piersiówkę i podał Danny'emu.

– Częstuj się.

Danny nalał parę kropel do kawy i oddał piersiówkę. McKenna rzucił na stół notes, a obok niego ułożył ołówek gruby jak cygaro.

– Właśnie wróciłem z zebrania z paroma innymi chłopcami. Powiedz, że zrobiłeś większe postępy niż oni.

Ci „inni chłopcy" zostali wybrani z oddziału do pewnego stopnia dla ich inteligencji, ale głównie dlatego, że mogli uchodzić za miejscowych. W policji bostońskiej nie było Żydów ani Włochów, ale Harold Christian i Larry Benzie byli tak śniadzi, że mogli uchodzić za Greków lub Włochów. Mały, ciemnooki Paul Wascon wychował się na nowojorskiej East Side. Mówił jakim takim jidysz i wniknął do komórki Socjalistycznego Lewicowego Skrzydła Jacka Reeda i Jima Larkina, działającego w podziemiach West Endu.

Żaden nie prosił się o to zadanie. Oznaczało ono długie godziny bez dodatkowej zapłaty i nagrody, ponieważ wydział oficjalnie twierdził, że grupy terrorystyczne to problem Nowego Jorku, Chicago i San Francisco. Dlatego nawet gdyby odnieśli sukces, nie oddano by im za to chwały – i na pewno nie zapłacono by nadgodzin.

Ale McKenna wyciągnął ich z oddziałów jak zwykle przekupstwem, pogróżkami i przymusem. Danny dostał się do tej operacji tylnymi drzwiami, z powodu Tessy. Bóg jeden wie, co obiecano Chrystianowi i Benziemu, a Wascon został przyłapany w sierpniu na kancie, więc McKenna mógł z nim robić, co chciał.

Danny podał Eddiemu notatki.

– Numery rejestracyjne z zebrania Bractwa Rybaków w Woods Hole. Lista obecności ze spotkania Związku Dekarzy z Zachodniego Roxbury, i druga z Klubu Socjalistycznego z Północnego Wybrzeża. Notatki z zebrań, na których byłem, także dwóch w siedzibie Lettsów.

McKenna wziął kartki i włożył do torby.

– Dobrze, dobrze. Co jeszcze?
– Nic.
– Co to znaczy?
– Że nic więcej nie mam.
McKenna rzucił ołówek i westchnął.
– Jezu miłosierny.
– Co? – warknął Danny, który po łyku kawy z whisky poczuł się odrobinę lepiej. – Cudzoziemscy radykałowie – niespodzianka! – nie ufają Amerykanom. I mają taką paranoję – kto by pomyślał! – że widzą we mnie wtyczkę, choćby moja legenda była ze szczerego złota. A nawet, gdyby ją kupili, Danny Sante nie został na razie uznany za materiał na współpracownika. Przynajmniej przez Lettsów. Jeszcze mnie wyczuwają.
– Widziałeś Luisa Franię?
Danny skinął głową.
– Jak przemawiał. Ale nie rozmawiałem z nim. Nie zbliża się do szeregowców, otaczają go dygnitarze i ochrona.
– Spotkałeś swoją dziewczynę?
Danny się skrzywił.
– Gdybym ją spotkał, już by była w pudle.
McKenna pociągnął z flaszki.
– Szukasz?
– Po całym stanie. Parę razy przeszedłem nawet przez granicę do Connecticut.
– A tutaj?
– Departament Sprawiedliwości przeczesuje cały North End, szukając Tessy i Federica. Wszędzie panuje napięcie, ludzie się pozamykali. Nikt ze mną nie gada. Nikt nie będzie się zwierzać jakiemuś *Americano*.
McKenna westchnął i potarł twarz.
– No, wiedziałem, że łatwo nie będzie.
– Właśnie.
– Drąż dalej.
Jezusie, pomyślał Danny. To ma być praca wywiadowcza? To? Łowienie ryb bez sieci?
– Coś znajdę.
– Oprócz kaca?

Danny uśmiechnął się blado.

McKenna znowu potarł twarz i ziewnął.

– Zasrani terroryści, jak Boga kocham. – Ziewnął jeszcze raz. – Aha, a Nathana Bishopa też nie spotkałeś? Tego doktora?

– Nie.

McKenna puścił oko do Danny'ego.

– To dlatego, że właśnie odsiedział trzydzieści dni w Chelsea za pijaństwo. Wykopali go dwa dni temu. Spytałem jednego z chłopaków, czy jest im znany. Powiedzieli, że lubi knajpę Capitol Tavern. Nawet każe przysyłać listy na ten adres.

– Capitol Tavern – powtórzył Danny. – Ta w piwnicy na West Endzie?

– Ta sama. Możesz tam chlać, a jednocześnie służyć krajowi.

Danny spędził trzy noce w Capitol Tavern, zanim Nathan Bishop się do niego odezwał. Zauważył Bishopa natychmiast, ledwie ten pierwszego wieczoru przekroczył próg knajpy i usiadł przy barze. Bishop siedział samotnie, oświetlony tylko małą świeczką na ścianie. Pierwszej nocy czytał małą książkę, drugiej stertę gazet. Pił whisky z butelki na stole, ale przez pierwsze dwie noce dość wstrzemięźliwie. Nie opróżnił butelki i wyszedł równie pewnym krokiem, jak wchodził. Danny zaczął się zastanawiać, czy Finch i Hoover dobrze go rozpracowali.

Jednak trzeciego wieczoru Bishop wcześnie odsunął gazety i zaczął na dobre pociągać i palić. Początkowo gapił się tylko na dym z papierosa, a jego wzrok wydawał się bardzo odległy. Stopniowo zaczął dostrzegać bar i na jego twarzy ukazał się uśmiech, dziwny, jakby zbyt pospiesznie przyklejony.

Kiedy zaczął śpiewać, Danny w pierwszej chwili nie skojarzył z nim tego głosu. Bishop był niski, drobny – delikatny mężczyzna o delikatnych rysach i smukłych kościach. Jednak głos miał grzmiący, potężny, huczący jak pociąg.

– No i się zaczyna – westchnął barman, choć nie wydawał się niezadowolony.

Była to pieśń Joe Willa, „Kaznodzieja i niewolnik", którą Nathan Bishop wybrał na pierwszy numer tego wieczoru. Głęboki baryton wykonywał protest song z wyraźnie celtyckim akcentem, który doskonale pasował do wielkiego paleniska i mrocznego oświetlenia Capitol Tavern. Ten śpiew przypominał głuche buczenie syren portowych.

Długowłosi kaznodzieje wychodzą co noc.
Żeby swoich kaznodziejskich prawd prawić ci moc.
Ale kiedy powiesz, żeś jest głodny, że chcesz jeść,
oto co ci odpowiedzą, oto słów ich treść:
„Pracuj i módl się, ile sił. To sposób, byś zbawiony był.
Pracuj i módl się, i cierp głód.
Po śmierci będziesz miał dóbr w bród.
Tak powtarzają co dzień nam.
Ach, co za kłam. Ach, co za kłam".

Uśmiechał się słodko, spod wpółprzymkniętych powiek, a bywalcy baru zaklaskali niemrawo. Wtedy Danny podjął pieśń. Wstał ze stołka, uniósł szklankę i zaśpiewał:

A świętoszki jak kumoszki krzyczą, wrzeszczą wraz:
„Dajcie kasę Jezusowi, On uzdrowi was!".

Potem objął faceta siedzącego obok niego, wielkiego gościa z kulawą nogą, a ten gość podniósł szklankę. Bishop wstał od stołu, uprzednio przezornie zabrawszy butelkę i szklankę, i dołączył do nich przy barze. Dwóch marynarzy doszlusowało do nich, wyśpiewując cholernie głośno i fałszywie, ale i tak nikt nie zaprotestował, bo rozpychali się jak cholera.

Jeśli tyrasz dla swej żony i dla dzieci swych
Gdy osiągniesz coś, wtedy języków strzeż się złych.
„Skoro ma, to kradł" powiedzą i dowalą ci:
„Niech się grzesznik smaży w piekle aż po kres swych dni!"

Ostatni wers wykrzyczeli i wyśmiali, a potem barman zadzwonił dzwonkiem i oznajmił, że teraz wszyscy wypiją kolejkę za darmo.

– Wyśpiewaliśmy sobie kolację, chłopcy! – ryknął marynarz.

– Zafunduję wam darmowe drinki, byle byście przestali śpiewać! – krzyknął barman, przekrzykując śmiech.

Byli tak pijani, że zareagowali na to wiwatem, a potem wypili darmową kolejkę i zaczęli się bratać – Daniel Sante poznał Abe Rowleya, Abe Rowley poznał Terrance'a Booma, i Busa Sweeta, Terrance Boom i Gus Sweet poznali Nathana Bishopa, Nathan Bishop poznał Daniela Sante.

– Niezły głos, Nathanie.

– Dziękuję, Danielu. Ty też masz niezły.

– Zawsze tak śpiewasz?

– Tam, skąd pochodzę, to popularne. Robiło się tu dość ponuro, nie uważasz?

– Owszem.

– No, to zdrówko.

– Zdrówko.

Napełnili kieliszki i wypili.

Siedem drinków i cztery pieśni później zjedli gulasz, który barman trzymał przez cały dzień na ogniu. Był ohydny; mięso brązowe i nierozpoznawalne, a ziemniaki szare i twarde. Gdyby Danny miał zgadywać, powiedziałby, że ten osad, który został mu na zębach, to trociny, ale jedzenie wypełniło im brzuchy. Potem siedzieli i pili, a Danny wciskał Bishopowi kit o zachodniej Pensylwanii i kopalni ołowiu.

– Tak to jest, co? – powiedział Nathan, zwijając na kolanie papierosa. – O co byś poprosił ten świat, odpowiedź zawsze brzmi „nie". Kiedy jesteś zmuszony zabrać tym, którzy także komuś zabrali – i to znacznie więcej – ośmielają się nazwać cię złodziejem. To piramidalny absurd. – Podał Danny'emu skręta.

Danny zrobił przeczący gest dłonią.

– Dzięki, nie. Kupuję takie w paczkach. – Wyciągnął z kieszeni koszuli murady i położył je na stole.

Nathan zapalił.

– Skąd masz tę bliznę?

– Tę? – Danny wskazał szyję. – Wybuch metanu.

– W kopalni?

Danny przytaknął.

– Mój ojciec był górnikiem – powiedział Nathan. – Nie tutaj.

– W Anglii?

– Właśnie – uśmiechnął się Nathan. – Tuż pod Manchesterem, na północy. Tam się wychowałem.

– Słyszałem, że to surowe okolice.

– Tak. I paskudne. Ciągle szaro i szaro, od czasu do czasu coś brązowego. Mój ojciec tam zginął. W kopalni. Wyobrażasz sobie?

– Śmierć w kopalni? Tak.

– Był silny. To najbardziej niefortunny aspekt tego całego wstrętnego bajzlu. Rozumiesz?

Danny pokręcił głową.

– No, na przykład ja. Nie jestem okazem zdrowia. Brak koordynacji ruchowej, w sporcie do niczego, krótkowzroczny, krzywonogi i w dodatku astmatyk.

Danny prychnął śmiechem.

– Niczego nie ukryłeś?

Nathan także się uśmiechnął i wyciągnął rękę.

– Parę rzeczy. Ale do tego zmierzam, rozumiesz? Fizycznie jestem słaby. Gdyby zawalił się na mnie tunel i gdyby przygniotło mnie kilkaset kilogramów ziemi albo jeszcze półtonowa drewniana belka, gdyby zaczął mi się kończyć tlen, po prostu bym się poddał. Zachowałbym się jak dobry Anglik i umarłbym cicho i bez skarg.

– Ale twój ojciec…

– Zaczął pełznąć. Znaleźli jego buty tam, gdzie ściany się na niego zawaliły. Dziewięćdziesiąt metrów od miejsca, w którym leżały zwłoki. Pełzł. Ze złamanym kręgosłupem, przez setki, jeśli nie tysiące kilogramów ziemi i kamieni. A dyrekcja kopalni czekała dwa dni, zanim pozwoliła go szukać. Martwiła się, że akcja ratownicza nadweręży ściany głównego tunelu. Gdyby mój ojciec o tym wiedział, wątpię, czy by go to powstrzymało przed pełznięciem.

Przez chwilę siedzieli w milczeniu. Ogień syczał i trzaskał, bo polana były jeszcze trochę wilgotne. Nathan Bishop nalał sobie drinka, a potem nachylił butelkę nad kieliszkiem Danny'ego.

– To nie w porządku – odezwał się.

– Co?

– To, czego ludzie posiadający majątek wymagają od tych, którzy go nie mają. A potem spodziewają się, że biedni będą im wdzięczni za te ochłapy. Mają czelność okazywać urazę – moralną urazę – jeśli biedni się nie podporządkują. Powinno się ich wszystkich spalić na stosie.

Alkohol zaczął palić żołądek Danny'ego.

– Kogo?

– Bogatych. – Bishop uśmiechnął się leniwie. – Spalić wszystkich!

Danny zjawił się w Fay Hall na następnym zebraniu BKS. Tego wieczoru mówiono, że władze policyjne odmówiły leczenia powikłań pogrypowych u chorych policjantów. Steve Coyle, trochę bardziej pijany, niż powinien, mówił o swojej walce o jakieś odszkodowanie od wydziału, w którym przesłużył dwanaście lat.

Kiedy dyskusja o grypie dobiegła końca, zajęli się wstępną propozycją, by władze policji częściowo pokrywały koszt zniszczonych lub znoszonych mundurów.

– To najmniej agresywna salwa, jaką możemy oddać – powiedział Mark Denton. – Jeśli odmówią, potem możemy to przypomnieć, żeby udowodnić, iż nie idą na żadne ugody.

– Komu przypomnieć? – spytał Adrian Melkins.

– Prasie. Wcześniej czy później ta walka trafi do gazet. Chcę, żeby stały po naszej stronie.

Po zebraniu, gdy wszyscy kręcili się przy dzbankach z kawą lub podawali sobie piersiówki, Danny zaczął myśleć o ojcu, a potem o ojcu Nathana Bishopa.

– Ładna broda – odezwał się Mark Denton. – Chcesz straszyć dzieci?

– Mam tajną robotę.

– Słyszałem. Coś dla Ciemnych Typów McKenny, tak?

– Tak ich nazywasz?

– Tak ich nazywają wszyscy.

Danny pomyślał o ojcu Bishopa, pełznącym przez zawalony korytarz. I o jego synu, który stara się zagłuszyć alkoholem tę świadomość.

– Czego potrzebujesz?

– Hmm?

– Ode mnie.

Mark odstąpił od niego o krok i oszacował go wzrokiem.

– Odkąd się tu pokazałeś, staram się zgadnąć, czy jesteś podstawiony.

– Kto by mnie podstawił?

Denton parsknął śmiechem.

– A to dobre. Chrześniak Eddiego McKenny, syn Tommy'ego Coughlina! Kto by cię podstawił? Bardzo śmieszne.

– Skoro jestem podstawiony, dlaczego prosiłeś mnie o pomoc?

– Żeby sprawdzić, czy szybko wykorzystasz okazję. Przyznaję, nie skorzystałeś i to mnie zastanowiło. A teraz przychodzisz i pytasz, jak możesz mi pomóc.

– Zgadza się.

– Chyba teraz ja muszę się zastanowić.

Eddie McKenna czasami odbywał spotkania biznesowe na dachu swojego domu. Mieszkał w południowej dzielnicy Bostonu, w budynku na szczycie Telegraph Hill. Widok, jaki się stąd roztaczał, był równie imponujący, jak sam Eddie – Thomas Park, Dorchester Heights, panorama centrum, Fort Point Channel i port. Płaski dach był pokryty papą; Eddie miał tam stolik i dwa krzesła, a także blaszaną szopę na narzędzia swoje i te, którymi jego żona, Mary Pat, uprawiała ogródek na tyłach domu. Lubił mawiać, że ma piękny widok, dach i miłość dobrej kobiety, więc nie może mieć pretensji, że dobry Bóg poskąpił mu podwórka.

Jak większość rzeczy, które mówił Eddie McKenna, i ta była równie prawdziwa, jak kłamliwa. Owszem, Thomas Coughlin powiedział raz Danny'emu, że w piwniczce Danny'ego z trudem mieści się zapas węgla, a w ogródku rośnie ledwie parę łodyżek bazylii, krzaczek pomidorów i może niewielki krzew różany, ale do ich uprawy nie było potrzeba żadnych narzędzi. Jednak miało to bardzo niewielkie znaczenie, ponieważ Eddie McKenna trzymał w składziku nie tylko narzędzia.

– A co? – spytał Danny.

Thomas pogroził mu palcem.

– Nie jestem aż tak pijany, chłopcze.

Dziś Danny siedział na dachu wraz ze swoim ojcem chrzestnym, przy szklaneczkach irlandzkiej whisky i jednym z tych doskonałych cygar, które Eddie co miesiąc dostawał od przyjaciela z policji w Tampie. Powietrze pachniało wilgocią i dymem jak podczas gęstej mgły, ale niebo było czyste. Danny zdał Eddiemu raport ze spotkania z Nathanem Bishopem, z tego, co Bishop powiedział o bogaczach, a Eddie siedział, jakby nic nie słyszał.

Ale kiedy Danny podał mu kolejną listę – tę zawierającą nazwiska i numery rejestracyjne samochodów ludzi przybyłych na zebranie Koalicji Przyjaciół Ludu Włoch Południowych, Eddie się ożywił. Wziął listę i szybko powiódł po niej wzrokiem. Otworzył drzwi szopy na narzędzia i wziął z niej zniszczoną skórzaną teczkę, którą wszędzie ze sobą nosił. Włożył do niej listę. Schował teczkę w szopie i zamknął drzwi.

– Nie masz kłódki? – spytał Danny.

Eddie przechylił głowę.

– Żeby chować narzędzia?

– I teczki.

Eddie uśmiechnął się pobłażliwie.

– Kto przy zdrowych zmysłach zbliżyłby się do tego domu, nie mając uczciwych intencji?

Danny odpowiedział uśmiechem, ale bez przekonania. Palił cygaro, patrząc na panoramę miasta i oddychając zapachem portu.

– Co my robimy, Eddie?

– Wieczór jest ładny.

– Nie, chodzi mi o śledztwo.

– Łapiemy radykałów. Chronimy obywateli i służymy temu wielkiemu krajowi.

– Układając listy?

– Jesteś jakiś nie w sosie.

– Co to znaczy?

– Nie jesteś sobą. Nie wyspałeś się?

– Nikt nie mówi o pierwszym maja. Nie tak, jak się spodziewaliście.

– Chyba nie myślałeś, że będą o tym wykrzykiwać pod niebiosa, co? Jesteś wśród nich zaledwie miesiąc.

– Oni lubią gadać. I tylko gadają.

– Anarchiści?

– Nie. Anarchiści to terroryści. Ale reszta? Każesz mi sprawdzać związki hydraulików, stolarzy, wszystkie socjalistyczne kółka dyskusyjne, jakie wytropiłeś. I po co? Żeby poznać nazwiska? Nie rozumiem.

– Mamy czekać, aż nas wysadzą w powietrze i dopiero potem zacząć ich traktować poważnie?

– Kto? Hydraulicy?

– Bądź poważny.

– Bolszewicy? Socjaliści? Nie wiem, czy potrafią komuś zaszkodzić. Najwyżej zagadają na śmierć.

– To terroryści.

– To dysydenci.

– Może musisz odpocząć.

– Może potrzebuję dokładniej wiedzieć, co, do cholery, robimy.

Eddie objął Danny'ego i zaprowadził go na skraj dachu. Spojrzeli na miasto – zielone parki, szare ulice, ceglane budynki, czarne dachy, światła centrum odbijające się w ciemnej wodzie.

– Chronimy to, Dan. To, co widzisz. To właśnie robimy. – Eddie zaciągnął się cygarem. – Chronimy ogniska domowe. Ni mniej, ni więcej.

Następnego wieczoru Danny siedział z Nathanem Bishopem w Capitol Tavern. Nathan był ponury, dopóki nie zaczął działać trzeci drink.

– Czy ktoś cię kiedyś uderzył?

– Co?

Nathan podniósł pięści.

– No, wiesz.

– Jasne. Boksowałem – powiedział Danny. I po chwili dodał: – W Pensylwanii.

– Ale czy kiedyś ktoś cię fizycznie stratował?

– Stratował? – Danny pokręcił głowa. – Nie pamiętam. A dlaczego?

– Zastanawiałem się, czy wiesz, jakie to niezwykłe uczucie. Iść przez ten świat, nie bojąc się innych.

Danny nigdy przedtem o tym nie myślał. Nagle zawstydził się, że oczekiwał, iż życie będzie mu się układać. I że zwykle się układało.

– To musi być miłe – dodał Nathan.

– Co robisz? – spytał Danny.

– A ty?

– Szukam pracy. Ale ty? To nie są ręce robotnika. Ubranie też nie.

Nathan dotknął klap swojego płaszcza.
– To nie są drogie ubrania.
– Ale i nie szmaty. Pasują do butów.
Bishop uśmiechnął się krzywo.
– Interesujące spostrzeżenie.
– Tak – powiedział Danny, zapalając papierosa.
– Jestem doktorem.
– Gliniarz i doktor! Możesz wyleczyć tych, do których strzelę.
– Mówię poważnie.
– Ja też.
– Chyba nie.
– No dobra, nie jestem gliniarzem. A ty naprawdę jesteś doktorem?
– Byłem. – Bishop zgasił papierosa i pociągnął powoli drinka.
– Można przestać być lekarzem?
– Można rzucić wszystko. – Bishop znowu się napił i westchnął przeciągle. – Kiedyś byłem chirurgiem. Ludzie, których ratowałem, na ogół na to nie zasługiwali.
– Byli bogaci?
Danny zauważył ogarniający twarz Bishopa wyraz desperacji, do którego już się przyzwyczaił. Oznaczał on, że Nathan za chwilę wpadnie w gniew, który go nie opuści, dopóki się nie wypali.
– Nie chcieli o niczym wiedzieć – rzucił z pogardą. – Gdybyś im powiedział: „Codziennie umierają ludzie. W North Endzie, w West Endzie, w południowym Bostonie, w Chelsea. A zabija ich tylko jedno: bieda. Tylko to. Najprościej na świecie". – Zwinął następnego papierosa, jednocześnie pochylając się nad stołem i siorbnął drinka, nie unosząc szklaneczki. – Wiesz, co mówili? „Co mogę na to poradzić?". Jakby to wystarczało za odpowiedź. Co możesz poradzić? Możesz pomóc, draniu. Tak możesz poradzić, ty burżuazyjny wypierdku. Co możesz zrobić? Bardzo dużo. Zakasz rękawy, dźwignij tłuste dupsko z miejsca, poderwij swoją jeszcze grubszą żonę z kanapy i idźcie tam, gdzie wasi bracia i siostry – takie same istoty ludzkie jak wy – autentycznie umierają z głodu. I zrób, co możesz, żeby im pomóc. To możesz, kurwa, poradzić.
Nathan Bishop wypił resztę drinka. Rąbnął kieliszkiem o porysowany drewniany blat i rozejrzał się po barze przekrwionymi i przenikliwymi oczami.

Jak zwykle po jego tyradzie zapadło ciężkie milczenie. Danny siedział cicho. Czuł, że ludzie przy sąsiednich stolikach poruszają się z zakłopotaniem. Ktoś zaczął nagle mówić o Ruthu, o najnowszych plotkach na temat transferu. Nathan oddychał ciężko przez nos. Sięgnął po butelkę i włożył do ust papierosa. Odchylił się i zapalił zapałkę o paznokieć kciuka.

– To możesz poradzić – szepnął.

W Sowbelly Saloon Danny usiłował dostrzec w zatłoczonej sali Lettsów stojący pod ścianą stolik, przy którym siedział Luis Frania w ciemnobrązowym garniturze i wąskim czarnym krawacie, popijając bursztynowy alkohol z małego kieliszka. Tylko blask jego oczu za małymi, okrągłymi okularami zdradzał, że nie jest profesorem uniwersyteckim, który trafił do niewłaściwego lokalu. To i szacunek, z jakim się do niego zwracali ci, którzy ostrożnie ustawili przed nim kieliszek, a potem z trwożnym, dziecinnym wyrazem twarzy, zadawali mu pytania, kiedy zaś doszli do najważniejszej części wypowiedzi, sprawdzali, czy na nich patrzy. Powiadano, że Frania, Włoch z pochodzenia, mówił po rosyjsku tak płynnie, jak tylko to możliwe w przypadku cudzoziemca. Zauważył to podobno sam Trocki. Frania trzymał na stole otwarty czarny moleskinowy notes i od czasu do czasu zapisywał uwagi ołówkiem lub też go kartkował. Rzadko podnosił wzrok, a jeśli, to tylko po to, by szybkim mrugnięciem dać znak, że słucha. Ani razu nie spojrzał na Danny'ego.

Natomiast inni Lettsi wreszcie przestali traktować go z rozbawioną uprzejmością, z jaką zwracamy się do dzieci i ludzi słabych na umyśle. Danny nie sądził, żeby mu już zaufali, ale zaczęli tolerować jego obecność.

Zresztą mówili z tak mocnym akcentem, że wkrótce męczyli się rozmową z nim i rzucali się na pierwszego Lettsa, który przemówił w ojczystym języku. Tego wieczoru mieli mnóstwo problemów i ich rozwiązań; słowa dolatywały do Danny'ego od strony baru, gdzie się zebrali.

Problem: Stany Zjednoczone wydały jawną wojnę tymczasowemu rządowi bolszewickiemu w Związku Radzieckim. Wilson podpisał rozkaz wymarszu 339 pułku piechoty, który połączył się z siłami brytyjskimi i zdobył rosyjski port Archangielsk na Morzu Białym. Amerykańskie i angielskie siły, które zamierzały odciąć Leninowi i Trockiemu dostawy żywności i zagłodzić ich na śmierć, musiały wytrzymać surową zimę, a plotka głosiła, że są na łasce sprzymierzonych z nimi białych, skorumpowanej grupy watażków i przestępców. Tę żenującą sytuację spowodowała kolejna próba zachodniego kapitalizmu, pragnącego zmiażdżyć wielki ruch ludowy.

Rozwiązanie: robotnicy wszystkich krajów powinni się zjednoczyć i szerzyć niepokoje społeczne, dopóki Amerykanie i Anglicy nie wycofają swoich wojsk z Rosji.

Problem: uciskani strażacy i policjanci z Montrealu zostali potraktowani brutalnie przez rząd i pozbawieni praw.

Rozwiązanie: robotnicy wszystkich krajów powinni się zjednoczyć i szerzyć niepokoje społeczne, dopóki rząd Kanady nie skapituluje i nie zacznie płacić policjantom i strażakom przyzwoitej pensji.

Problem: na Węgrzech, w Bawarii, Grecji i nawet we Francji rewolucja wisi w powietrzu. W Nowym Jorku związek portowców odmówił stawienia się do pracy, a w całym kraju związki ostrzegały o strajkach – „Nie ma piwa, nie ma pracy" – jeśli prohibicja zacznie obowiązywać.

Rozwiązanie: by poprzeć tych wszystkich towarzyszy, robotnicy świata powinni się zjednoczyć w szerzeniu niepokojów społecznych.

Powinni.

Mogliby.

Należałoby.

Danny nie słyszał żadnych prawdziwych planów rewolucyjnych. Żadnych zapowiedzi działalności wywrotowej.

Nic, tylko pili. Gadanina zmieniała się w pijackie wrzaski i rozbijanie stołków. A nie tylko mężczyźni wrzeszczeli i rozbijali stołki, ale i kobiety, choć czasem trudno było ich rozróżnić. Rewolucja robotnicza nie tolerowała seksistowskiego systemu kastowego kapitalistycznych Stanów Zjednoczonych Ameryki, ale większość kobiet w barze była ubrana na szaro i tak bezpłciowa w grubych ubraniach, jak mężczyźni, których nazywały towarzyszami. Na ogół były agresywne, mówiły z ciężkim akcentem i nie miały poczucia humoru (powszechna przypadłość Lettsów) i, co gorsza, uważały go za politycznie niesłuszny – poczucie humoru to sentymentalna choroba, produkt uboczny romantyzmu, a romantyczne wyobrażenia to kolejny narkotyk, którym klasa rządząca usiłuje otępić masy pracujące, by nie ujrzały prawdy.

– Możecie się śmiać – powiedziała tego wieczoru Hetta Losiwicz. – Śmiejcie się, to wyjdziecie na błaznów, na hieny. A industrialiści będą się śmiać z was, bo robicie dokładnie to, czego chcą. Bezsilni. Roześmiani, lecz bezsilni.

Potężny Estończyk Piotr Glaviach klepnął Danny'ego w ramię.

– Pampulaty, tak? Jutro, tak?

Danny spojrzał na niego.

– Ni cholery nie rozumiem, co do mnie mówisz.

Glaviach miał tak krzaczastą brodę, że wyglądał, jakby pożerał szopa. Zatrzęsła mu się, gdy odchylił głowę i ryknął śmiechem. Był jednym z nielicznych zdolnych do śmiechu Lettsów, a śmiał się, jakby chciał nadrobić niedociągnięcia towarzyszy w tej dziedzinie. Jednak ten śmiech nie budził zaufania Danny'ego, który dowiedział się, że Glaviach był członkiem organizacji pierwszych Lettsów, w 1912 roku po raz pierwszy protestujących przeciwko Mikołajowi II. To oni rozpętali walkę partyzancką z żołnierzami carskimi, chociaż ci górowali nad nimi liczebnie w stosunku osiemdziesięciu do jednego, przetrwali pod gołym niebem rosyjską zimę, żywiąc się na wpół zamarzniętymi ziemniakami, i wybijali całe wioski, jeśli podejrzewali, że mieszka w nich choć jeden zwolennik Romanowów.

– Jutro wychodzimy i dajemy pampulat – powiedział Piotr Glaviach. – Dla robotników, tak? Rozumiesz?

Danny nie rozumiał. Pokręcił głową.

– Pampu... co?

Piot Glaviach klasnął niecierpliwie w ręce.

– Pampulat, ty ośli człowieku. Pampulat.

– Nie...

– Ulotki – odezwał się ktoś za Dannym. – Moim zdaniem chodzi mu o ulotki.

Danny odwrócił się; stał za nim Nathan Bishop, oparty łokciem o jego krzesło.

– Tak, tak – ucieszył się Piotr Glaviach. – Dajemy ulotki. Szerzymy wieści.

– Powiedz mu „okay" – podpowiedział Nathan Bishop. – Uwielbia to słowo.

– Okay – powiedział Danny i pokazał Glaviachowi uniesiony kciuk.
– Ło-kej! Ło-kej, myster! Spotkaj mnie tutaj – poinstruował Glaviach. Także pokazał mu kciuk. – Ósma.
Danny westchnął.
– Przyjdę.
– Będziemy bawić – obiecał Glaviach i klepnął Danny'ego w plecy. – Może poznamy ładne panie. – Znowu ryknął śmiechem i odszedł.
Bishop usiadł koło Danny'ego i podał mu kufel piwa.
– W tej organizacji ładne kobiety zobaczyłbyś tylko wtedy, gdybyśmy porwali córki naszych wrogów.
– Co tu robisz? – spytał Danny.
– Jak to?
– Jesteś Lettsem?
– A ty?
– Mam nadzieję.
Nathan wzruszył ramionami.
– Nie powiedziałbym, że należę do konkretnej organizacji. Pomagam im. Znam Lou od dawna.
– Lou?
– Towarzysza Franię – oznajmił Nathan, wskazując głową. – Chciałbyś go kiedyś poznać?
– Żartujesz? Byłbym zaszczycony.
Bishop uśmiechnął się pod nosem.
– Masz jakiś talent?
– Piszę.
– Dobrze?
– Mam nadzieję.
– Daj mi próbkę, zobaczę, co da się zrobić. – Rozejrzał się po barze. – Boże, co za przygnębiająca myśl.
– Co? To, że poznam towarzysza Franię?
– Hm? Nie. Glaviach mnie natchnął. W tych organizacjach naprawdę nie ma ani jednej ładnej kobiety. Ani... a nie, jest jedna.
– Jest?
Bishop skinął głową.
– Jak mogłem zapomnieć. Jest. – Gwizdnął. – Cholernie piękna.
– Jest tutaj?

Bishop prychnął śmiechem.
– Gdyby tu była, wiedziałbyś o tym.
– Jak ma na imię?
Bishop odwrócił głowę tak szybko, że Danny przestraszył się, iż został zdemaskowany. Ale tamten tylko spojrzał mu w oczy, patrząc uważnie na jego twarz.
Danny pociągnął łyk piwa.
Bishop znowu spojrzał na tłum.
– Ma ich wiele.

ROZDZIAŁ CZTERNASTY

Luther wysiadł z pociągu towarowego w Bostonie. Dzięki nagryzmolonej przez wujka Hollisa mapce bez trudu znalazł Dover Street. Poszedł nią do Columbus Avenue, a potem podążył aż do centrum South Endu. Znalazłszy St. Botolph Street, ruszył wzdłuż rzędu czerwonych domków po chodniku usłanym mokrymi liśćmi. W końcu dotarł do numeru 121, wszedł po schodkach i zadzwonił.

Lokator spod numeru 121 nazywał się Isaiah Giddreaux i był ojcem Brendy, drugiej żony wujka Hollisa. Hollis był czterokrotnie żonaty. Pierwsza i trzecia żona go opuściły, Brenda zmarła na tyfus, a jakieś pięć lat temu Hollis i jego czwarta jakby się nawzajem zagubili. Hollis powiedział Lutherowi, że choć tęskni za Brendą, a czasami ta tęsknota jest aż straszna, równie boleśnie tęskni za jej ojcem. Isaiah Giddreaux wyprowadził się na wschód w 1905 roku, by wstąpić do ruchu Niagra doktora Du Bois, ale nie stracił kontaktu z Hollisem.

Drzwi otworzyły się i na rogu stanął niski, szczupły mężczyzna w ciemnym garniturze z kamizelką i granatowym krawacie w białe groszki. Włosy miał przetykane siwizną i zbyt krótkie, a zza szkieł okrągłych okularów spoglądały spokojne, przejrzyste oczy.

Mężczyzna wyciągnął rękę.

– Ty pewnie jesteś Luther Laurence.

Luther uścisnął jego dłoń.

– Isaiah?

– Pan Giddreaux, jeśli pozwolisz, synu.

– Tak jest, proszę pana.

Jak na tak niskiego mężczyznę Isaiah wydawał się widoczny. Chodził niezwykle wyprostowany, z rękami założonymi za klamrę paska, a jego oczy patrzyły tak pogodnie, że nie sposób było odczytać ich prawdziwego wyrazu. Mogły to być oczy jagnięcia, leżącego w ostatniej plamie zachodzącego letniego słońca. Albo oczy lwa, czekającego, aż jagnię stanie się śpiące.

– Czy twój wujek Hollis ma się dobrze? – Isaiah zaprowadził Luthera do holu.

– Tak.

– Jak tam jego reumatyzm?

– Popołudniami okrutnie bolą go kolana, ale poza tym jest w szczytowej formie.

Isaiah obejrzał się przez ramię, wchodząc po szerokich schodach.

– Mam nadzieję, że skończył już z tymi małżeństwami.

– Tak mi się wydaje.

Luther jeszcze nigdy nie był w takim szeregowcu. Zdumiała go jego przestronność. Z ulicy trudno było ocenić wielkość pokojów i wysokość sufitów. Dom był równie pięknie wyposażony, jak wszystkie na Detroit Avenue; były tu masywne żyrandole i ciemne belki na sufitach, a także francuskie sofy i kozetki. Główna sypialnia znajdowała się na najwyższym piętrze, na pierwszym były trzy mniejsze, a drzwi jednej z nich Isaiah otworzył na tyle, by Luther mógł wstawić do środka torbę. Zdążył jeszcze dostrzec ładne mosiężne łóżko i szafkę z orzechowego drewna z porcelanową miednicą na górze, po czym Isaiah znowu wyprowadził do na korytarz. Wraz z żoną Yvette był właścicielem tego dwupiętrowego domu z tarasem na dachu, skąd rozciągał się widok na całą okolicę. South End – co Luther zrozumiał z opisu Isaiaha – był następnym Greenwood, miejscem, w którym czarni mogli wydrzeć życiu coś dla siebie. Restauracje serwowały tu ich dania, w klubach grano ich muzykę. Isaiah powiedział Lutherowi, że to osiedle powstało, by zapewnić domy służącym, ponieważ to oni dbali o wygodę bogatych starych rodzin na Beacon Hill i w Back Bay. Budynki – szeregowce z czerwonej cegły i czekoladowego kamienia – były takie ładne dlatego, że służącym bardzo zależało, by żyć tak jak ich pracodawcy.

Zeszli po schodach do salonu, gdzie czekał na nich imbryk herbaty.

– Pański wuj wyraża się o panu bardzo pochlebnie.

– Naprawdę?

– Powiedział, że ma pan skłonność do szaleństw, ale ufa z całego serca, że pewnego dnia zwolni pan tempo i odnajdzie spokój, by żyć jak człowiek godny szacunku.

Luther nie potrafił znaleźć na to odpowiedzi.

Isaiah sięgnął po imbryk i nalał herbaty do filiżanek. Jedną z nich podał Lutherowi. Do swojej wlał kroplę mleka i powoli zamieszał.

– Czy wujek opowiadał panu o mnie?

– Tylko że jest pan ojcem jego żony i że był pan w Niagrze z Du Boisem.

– Doktorem Du Boisem. Rzeczywiście.

– Znał go pan? Doktora Du Boisa?

Isaiah pokiwał głową.

– Znam go dobrze. Kiedy Narodowe Stowarzyszenie dla Postępu Kolorowych postanowiło otworzyć filię w Bostonie, poprosił mnie o jego prowadzenie.

– To wielki zaszczyt.

Isaiah przytaknął ledwie dostrzegalnym ruchem głowy. Wrzucił do filiżanki kostkę cukru i zamieszał.

– Proszę mi opowiedzieć o Tulsie.

Luther wlał trochę mleka do herbaty i pociągnął łyczek.

– Słucham?

– Popełnił pan zbrodnię. Tak? – Isaiah uniósł filiżankę do ust. – Hollis postanowił nie opisywać mi jej szczegółowo.

– Więc, z całym należnym szacunkiem, ja też tego nie zrobię.

Isaiah obciągnął nogawkę spodni, aż zakryła skarpetkę.

– Słyszałem plotki o strzelaninie w zakazanym nocnym klubie w Greenwood. Nie wie pan nic o tym?

Luther spojrzał mu w oczy. Nie odpowiedział.

Isaiah pociągnął następny łyk herbaty.

– Czy sądzi pan, że miał wybór?

Luther spuścił głowę.

– Czy mam powtórzyć pytanie?

Luther nie odrywał wzroku od dywanu. Był niebiesko-czerwono-żółty, a kolory splatały się ze sobą w esach-floresach. Pewnie były drogie. Te esy-floresy.

– Czy sądzi pan, że miał wybór? – Głos Isaiaha brzmiał spokojnie.

Luther podniósł wzrok, ale nadal nic nie mówił.

– A jednak zabił pan jednego ze swoich.
– Zło nie zwraca uwagi na kolor skóry. – Luther odstawił drżącą ręką filiżankę na stolik. – Zło brudzi wszystko, aż sprawy zaczynają się gmatwać.
– Tak opisuje pan zło?
Luther rozejrzał się po pokoju, równie pięknym jak wszystkie inne na Detroit Avenue.
– Wystarczy je zobaczyć, żeby rozpoznać.
Isaiah pociągnął łyk herbaty.
– Niektórzy powiedzieliby, że morderca jest złym człowiekiem. Zgodziłby się pan?
– Zgodziłbym się, że niektórzy tak by powiedzieli.
– Popełnił pan morderstwo.
Luther nie odpowiedział.
– A zatem... – Isaiah wyciągnął rękę.
– Z całym należnym szacunkiem... Nie powiedziałem, że cokolwiek popełniłem.
Siedzieli cicho przez chwilę. Za plecami Luthera tykał zegar. Z oddali słychać było stłumione trąbienie klaksonu. Isaiah dopił herbatę i odstawił filiżankę na tacę.
– Później pozna pan moją żonę, Yvette. Właśnie nabyliśmy budynek, by urządzić w nim filię Narodowego Stowarzyszenia dla Postępu Kolorowych. Zgłosi się pan tam na ochotnika.
– Co?
– Zgłosi się pan na ochotnika. Hollis powiedział, że ma pan złote ręce, a my musimy zrobić remont, zanim zaczniemy działalność. Przyłożysz się do pracy, Lutherze.
Do pracy. Cholera. A kiedy ten stary ostatnio się przyłożył do jakiejś pracy oprócz podnoszenia filiżanki z herbatą? Wyglądało na to, że to takie samo bagno, które Luther zostawił w Tulsie – wzbogaceni kolorowi zachowujący się tak, jakby pieniądze dawały im prawo rozstawiać innych po kątach. A ten stary idiota robi miny, jakby przejrzał Luthera na wylot, gada o złu, jakby je potrafił rozpoznać. Pewnie zaraz wyciągnie Biblię. Ale Luther przypomniał sobie przysięgę, którą złożył w pociągu towarowym – że stworzy nowego Luthera, lepszego Luthera i postanowił, że zaczeka jeszcze z wyrobieniem sobie zdania o Isaiahu Giddreaux. Ten człowiek pracował z Du Boisem, a ten był

jednym z dwóch ludzi w tym kraju, dla których Luther czuł podziw. Tym drugim był oczywiście Jack Johnson. Jack nie dawał sobie wciskać kitu ani czarnym, ani białym.

– Wiem, że pewna biała rodzina potrzebuje służącego. Potrafiłbyś wykonywać taką pracę?

– Dlaczego nie?

– To dobrzy ludzie... jak na białych. – Isaiah rozłożył ręce. – Ale jest jeden problem – pan tego domu jest kapitanem policji. Jeśli chciałeś posłużyć się innym nazwiskiem, obawiam się że by cię zdemaskował.

– Nie ma potrzeby – odparł Luther. – Rzecz w tym, żeby nie wspominać o Tulsie. Jestem Luther Laurence z Columbus. – Nie czuł nic oprócz zmęczenia. Przed oczami zaczęły mu migotać punkciki. – Dziękuję panu.

Isaiah skinął głową.

– Chodźmy na górę. Obudzimy cię na kolację.

Luther śnił, że gra w baseball w wezbranych wodach powodzi. Widział graczy zmywanych przez fale. Albo usiłujących odbijać piłkę nad powierzchnią. Słyszał śmiech za każdym razem, kiedy jego pałka uderzała z chlupotem o błotnistą wodę, sięgającą mu powyżej pasa, ku żebrom. Tymczasem w górze przeleciał samolot, a Babe Ruth i Cully rzucali z niego granaty, które nie wybuchały.

Obudził się, gdy jakaś starsza pani zaczęła nalewać gorącą wodę do miednicy na umywalni. Obejrzała się przez ramię i przez chwilę wydawało mu się, że to jego matka. Były tego samego wzrostu i miała tak samo jasną skórę z ciemnymi piegami na kościach policzkowych. Ale ta kobieta miała siwe włosy i była szczuplejsza od jego matki. Choć emanowało z niej takie same ciepło, taka sama serdeczność, jakby ta dusza była zbyt dobra, by można ją ukryć.

– Ty pewnie jesteś Luther.

Luther usiadł.

– Tak, proszę pani.

– Dobrze. Byłoby straszne, gdyby jakiś inny człowiek się tu zakradł i zajął twoje miejsce. – Położyła przy miednicy brzytwę, tubkę z kremem do golenia, pędzel i miseczkę. – Pan Giddreaux oczekuje, by mężczyźni siadali przy jego stole gładko ogoleni. Kolacja już prawie na stole. Do porządku doprowadzimy cię potem. Może być?

Luther postawił stopy na podłodze i stłumił ziewnięcie.

– Tak, proszę pani.

Wyciągnęła rękę, delikatną i małą jak u lalki.

– Jestem Yvette Giddreaux, Lutherze. Witaj w moim domu.

Czekając, aż kapitan policji odpowie Isaiahowi, Luther poszedł z Yvette Giddreaux do przyszłej filii Narodowego Stowarzyszenia dla Postępu Kolorowych na Shawmut Avenue. Była to barokowa budowla w czekoladowym kolorze i z mansardowym dachem. Luther po raz pierwszy zobaczył taki styl gdzie indziej niż w książce. Przyjrzał się domowi z bliska, obchodząc go chodnikiem. Budynek miał prostą linię, bez żadnych łuków i sklepień. Trochę osiadł ze starości, czego można się spodziewać po domostwie wzniesionym w latach trzydziestych dziewiętnastego wieku. Luther przyjrzał się uważnie nachyleniu krawędzi i uznał, że fundamenty są nienaruszone, więc konstrukcja musi być w dobrym stanie. Zszedł z chodnika i ruszył po ulicy, przyglądając się dachowi.

– Pani Giddreaux...

– Tak, Lutherze.

– Zdaje się, że brakuje części dachu.

Pani Giddreaux przyciskała torebkę do piersi i patrzyła na niego z niewinnością, która musiała być fałszywa.

– Zdaje się, że już mi coś o tym wspominano – powiedziała.

Luther znowu powiódł wzrokiem po kalenicy i zauważył zapadnięcie dokładnie tam, gdzie się obawiał – na samym środku. Pani Giddreaux nadal patrzyła na niego wielkimi oczami niewiniątka. Łagodnie wziął ją pod ramię i weszli do środka.

Sufit na parterze prawie nie istniał. To, co z niego zostało, przeciekało. Schody były poczerniałe od wilgoci. Ze ścian odpadały wielkie płaty gipsu, obnażając wewnętrzną konstrukcję, a gdzie indziej widniały osmalenia. Podłoga była tak uszkodzona przez pożar i wodę, że nawet jastrych uległ zniszczeniu. Wszystkie okna zabito deskami.

Luther gwizdnął cicho.

– Kupiliście ten dom na aukcji?

– Mniej więcej. I co sądzisz?
– Możecie odzyskać pieniądze?
Uderzyła go w łokieć. Po raz pierwszy, ale był pewien, że nie ostatni. Miał ochotę ją przytulić, tak jak matkę i siostrę, które zawsze tak wspaniale z nim walczyły, że zawsze kosztowało go to kuksańca w żebra albo biodro.
– Niech zgadnę – powiedział. – Jerzy Waszyngton nigdy tu nie spał, ale jego służący tak?
Pani Giddreaux błysnęła zębami i oparła drobne piąstki na drobnych biodrach.
– Możesz to wyremontować?
Luther parsknął śmiechem, który odbił się echem w pustce budynku.
– Nie.
Pani Giddreaux patrzyła na niego. Twarz miała kamienną. Oczy błyskały wesoło.
– I cóż z ciebie za pomocnik?
– Nikt tego nie wyremontuje. Jestem zdumiony, że miasto nie wyburzyło tego domu.
– Chciało.
Luther przyjrzał się jej i westchnął przeciągle.
– Wie pani, ile trzeba będzie pieniędzy, żeby dało się tu mieszkać?
– Nie martw się o pieniądze. Potrafisz to wyremontować?
– Szczerze mówiąc, nie wiem. – Znowu gwizdnął, obliczając te miesiące, jeśli nie lata, które trzeba będzie poświecić na pracę. – Pewnie nie będę miał pomocników?
– Możemy od czasu do czasu skrzyknąć ochotników, a jeśli będziesz czegoś potrzebować, zrobisz listę. Nie mogę zapewnić, że zdobędziemy wszystko, albo że to, czego potrzebujesz, dostaniesz natychmiast, ale spróbujemy.
Luther pokiwał głową i spojrzał na życzliwą twarz kobiety.
– Rozumie pani, że trzeba będzie w to włożyć gigantyczny wysiłek?
Znowu klepnęła go w łokieć.
– Więc lepiej zabieraj się do roboty od razu.
Luther westchnął.
– Tak jest.

Kapitan Thomas Coughlin otworzył drzwi gabinetu i uśmiechnął się do Luthera ciepło i szeroko.

– Pan pewnie jest panem Laurence'em.

– Tak, proszę pana.

– Noro, na dziś to wszystko.

– Tak, proszę pana – powiedziała dziewczyna, którą Luther poznał przed chwilą. – Miło pana poznać, panie Laurence.

– Mnie również, panno O'Shea.

Dygnęła i wyszła.

– Proszę, proszę. – Kapitan Coughlin otworzył drzwi szeroko i Luther wszedł do gabinetu pachnącego dobrym tytoniem, niedawno rozpalonym ogniem w kominku i późną jesienią. Kapitan Coughlin zaprosił go na skórzany fotel, a sam obszedł wielkie mahoniowe biurko i zajął miejsce przy oknie.

– Isaiah Giddreaux mówi, że pochodzi pan z Ohio.

– Tak, panie.

– Mówił pan do mnie „proszę pana".

– Słucham?

– Przed chwilą. Kiedy się witaliśmy. – Błękitne oczy zabłysły. – Powiedziałeś „proszę pana", nie „panie". Więc jak będzie, synu?

– A co pan woli, panie kapitanie?

Kapitan Coughlin machnął niezapalonym cygarem.

– To, z czym czuje się pan swobodniej, panie Laurence.

– Tak, proszę pana.

Znowu uśmiech, tym razem nie tyle serdeczny, ile zadowolony z siebie.

– Columbus, tak?

– Tak, proszę pana.

– I co pan tam porabiał?

– Pracowałem w Zakładach Produkcji Uzbrojenia Andersona.

– A przedtem?

– Zajmowałem się stolarką, murarką, hydrauliką, co kto chce.

Kapitan Coughlin odchylił się na krześle i oparł nogi na biurku. Zapalił cygaro i spojrzał na Luthera przez płomień i dym.

– Ale nigdy nie pracował pan jako służący.

– Nie, proszę pana.

Kapitan Coughlin uniósł głowę i wydmuchnął ku sufitowi kółko z dymu.

– Ale szybko się uczę. I potrafię wszystko naprawić. Poza tym elegancko wyglądam we fraku i białych rękawiczkach.

Kapitan Coughlin roześmiał się cicho.

– Poczucie humoru. Dobrze, synu. W istocie. – Przesunął dłonią po potylicy. – Proponuję panu zajęcie w niepełnym wymiarze godzin. Nie mogę też zaoferować lokum.

– Rozumiem, proszę pana.

– Będzie pan pracować mniej więcej czterdzieści godzin tygodniowo. Na ogół pańskie obowiązki będą polegać na wożeniu pani Coughlin do kościoła, sprzątaniu, utrzymaniu domu i podawaniu posiłków. Umie pan gotować?

– Tak.

– Zresztą to bez różnicy. Tym zajmuje się Nora. To ta dziewczyna, którą pan poznał. Mieszka z nami. Ona także wykonuje pewne prace domowe, ale przez większość dnia jej tu nie ma. Pracuje w fabryce. Panią Coughlin pozna pan wkrótce – powiedział kapitan i oczy znowu mu błysnęły. – Może jestem panem tego domu, ale Bóg zapomniał jej o ty powiedzieć. Rozumie pan? Czegokolwiek zażąda, proszę to wykonać w oka mgnieniu.

– Tak jest, proszę pana.

– I proszę się trzymać wschodniej strony dzielnicy.

– Słucham?

Kapitan Coughlin zdjął nogi z biurka.

– Wschodniej strony, panie Laurence. Zachodnia jest znana z nietolerancji wobec kolorowych.

– Tak, proszę pana.

– Oczywiście rozejdzie się wkrótce, że pracuje pan u mnie i będzie to ostrzeżenie dla większości buraków, nawet tych z zachodniej strony, ale ostrożności nigdy za wiele.

– Dziękuję za radę.

Kapitan znowu spojrzał na niego przez dym. Tym razem jego oczy były równie ruchliwe, jak siwe kłęby, omiatały Luthera, zaglądały mu w oczy, serce i duszę. Luther widywał już takie spojrzenie u gliniarzy, ale wzrok kapitana Coughlina był przenikliwy jak żadnego znanego Lutherowi człowieka. Miał nadzieję, że więcej już nie będzie musiał go znosić.

– Kto pana nauczył czytać, Lutherze? – Głos kapitana zabrzmiał bardzo łagodnie.

– Pani Murtrey. W szkole w Hamilton, pod Columbus.

– Czego jeszcze pana nauczyła?

– Słucham?

– Czego jeszcze, Lutherze? – Kapitan Coughlin zaciągnął się powoli cygarem.

– Nie rozumiem pytania.

– Czego jeszcze? – powtórzył kapitan po raz trzeci.

– Nie pojmuję, do czego pan zmierza.

– Zapewne dorastałeś w biedzie? – Kapitan pochylił się ku niemu i Luther miał ochotę cofnąć się razem z krzesłem.

– Tak, proszę pana.

– Dzierżawiłeś ziemię?

– Ja nie. Ale rodzice tak.

Kapitan pokiwał głową i wydął usta. Na jego twarzy ukazał się wyraz bólu.

– Ja też urodziłem się w ubogiej rodzinie. W dwupokojowej chatce, pełnej much i polnych myszy. To nie było dobre miejsce dla dziecka. A już na pewno nie dla inteligentnego dziecka. Wie pan, czego się uczy inteligentne dziecko w takich okolicznościach?

– Nie, proszę pana.

– Ależ wiesz, synu. – Kapitan Coughlin uśmiechnął się po raz trzeci, odkąd Luther go poznał i ten uśmiech przeniknął go na wskroś tak samo, jak spojrzenie. – Nie kręć.

– Nie jestem pewien, o czym mowa.

Kapitan Coughlin przechylił głowę, a po chwili nią skinął.

– Inteligentne dziecko, wychowujące się w niezbyt fortunnych okolicznościach, uczy się czarować. – Wyciągnął rękę i poruszył palcami. – Uczy się ukrywać za tym czarem, żeby nikt się nie zorientował, co naprawdę myśli. I czuje.

Sięgnął po stojącą za biurkiem karafkę i nalał bursztynowego płynu do dwóch kryształowych szklanek. Postawił je na biurku, jedną podał Lutherowi. Po raz pierwszy w życiu Luthera biały człowiek podał mu szklankę.

– Zamierzam pana zatrudnić, Lutherze, bo mnie pan intryguje. – Kapitan usiadł na brzegu biurka i stuknął szklanką w szklankę Luthera.

Sięgnął za siebie i wziął z blatu kopertę. Podał ją Lutherowi. – Avery Wallace zostawił to dla swojego następcy. Zauważy pan, że pieczęć nie jest złamana.

Luther obejrzał bordową woskową pieczęć na kopercie. Odwrócił ją i ujrzał adres: „Do mojego następcy, Avery Wallace".

Napił się szkockiej. Jeszcze nigdy nie pił tak dobrej whisky.

– Dziękuję panu.

Kapitan Coughlin skinął głową.

– Szanowałem prywatność Avery'ego. Będę szanować pańską. Ale niech się panu nie wydaje, że pana nie znam. Znam, jak samego siebie.

– Tak, proszę pana.

– Co „tak, proszę pana"?

– Tak, zna mnie pan.

– I co o panu wiem?

– Że jestem mądrzejszy, niż się wydaję.

– I co jeszcze?

Luther spojrzał kapitanowi w oczy.

– Że nie jestem taki mądry, jak pan.

Czwarty uśmiech. Taki, jak należy, pozbawiony wahania. Znowu brzęknęły szklanki.

– Witaj w moim domu, Lutherze Laurence.

W tramwaju jadącym do domu państwa Giddreaux Luther odczytał list Avery'ego Wallace'a.

Do mojego następcy.

Jeśli czytasz ten list, to znaczy, że nie żyję. Jeśli go czytasz, to także jesteś czarny, jak ja, bo biali z ulicy K, L i M zatrudniają tylko czarnych. Rodzina Coughlinów nie jest taka zła jak na białych. Z kapitanem nie można zadzierać, ale potraktuje cię sprawiedliwie, jeśli go nie rozgniewasz. Jego synowie są na ogół dobrzy. Panicz Connor od czasu do czasu na ciebie naskoczy. Joe to tylko dziecko, zagada cię na śmierć, jeśli mu pozwolisz. Danny jest dziwny. Idzie własną drogą. Jest jednak podobny do kapitana, potraktuje cię sprawiedliwie i jak człowieka. Nora też ma osobliwe pomysły, ale jest szczera. Możesz jej zaufać. Uważaj na panią Coughlin. Rób, co ci każe i nigdy nie podważaj jej decyzji.

Trzymaj się z daleka od przyjaciela kapitana, porucznika McKenny. Źle, że Bóg go stworzył. Powodzenia.

Z poważaniem
Avery Wallace

Luther podniósł wzrok w chwili, gdy tramwaj mijał most Broadway Bridge; pod nim płynęła leniwie srebrna woda kanału Fort Point.

Więc tak będzie teraz wyglądać jego życie. To jest jego nowe miasto.

Punktualnie o wpół do siódmej rano pani Ellen Coughlin opuszczała rezydencję na K Street 221 i schodziła po schodkach do samochodu, sześciocylindrowego auburna, w którym czekał już Luther. Pani Coughlin pozdrawiała go skinieniem głowy, przyjmowała jego rękę i zajmowała miejsce. Wówczas Luther delikatnie, tak jak nauczył go kapitan Coughlin, zamykał drzwi i wiózł panią Coughlin parę przecznic dalej na mszę o siódmej w kościele Bram Niebios. Czekał na zewnątrz i często gawędził z innym służącym, Claytonem Tomesem, który pracował u pani Amy Wagenfeld, wdowy z M Street, najbardziej prestiżowej ulicy w południowej części Bostonu, w domku z widokiem na park Independence Square.

Pani Ellen Coughlin i pani Amy Wagenfeld nie przyjaźniły się – o ile Luther i Clayton rozumieli, stare białe kobiety nie miewały przyjaciół – ale ich służący szybko się dogadali. Obaj pochodzili ze środkowego zachodu – Clayton wychowywał się w Indianie, nieopodal French Lick – i obaj pracowali u ludzi, którzy nie musieliby ich zatrudniać, gdyby choć jedną nogą weszli w XX wiek. Pierwszym obowiązkiem Luthera po powrocie z panią Coughlin było narąbanie drewna do kominka. Clayton przynosił węgiel z piwnicy.

– W tych czasach? – zauważył Clayton. – Cały naród – przynajmniej ci, których na to stać – przechodzi na elektryczność, ale pani Wagenfeld nie chce o tym słyszeć.

– Pani Coughlin także – odpowiedział Luther. – W tym domu jest tyle nafty, że można by spalić całą dzielnicę. Pół dnia spędzam, zmywając kopeć ze ścian, ale kapitan mówi, że pani Coughlin odmawia rozmowy na ten temat. Przez pięć lat przekonywał ją, żeby pozwoliła założyć w domu kanalizację, żeby nie musieli chodzić do wygódki na podwórku.

– Białe kobiety – mruknął Clayton i powtórzył z westchnieniem: – Białe kobiety.

Kiedy Luther odwoził panią Coughlin na K Street i otwierał przed nią drzwi, rzucała mu ciche: „Dziękuję, Lutherze", a podawszy jej śniadanie, rzadko widywał ją przez resztę dnia. Przez miesiąc ich kontakty ograniczały się głównie do „dziękuję" i „cała przyjemność po mojej stronie". Nigdy nie spytała, gdzie mieszka, czy ma rodzinę i skąd pochodzi, a Luther na tyle się znał na stosunkach państwa ze służbą, by wiedzieć, że nie powinien zaczynać z nią rozmowy.

– Jest nieodgadniona – powiedziała pewnego dnia Nora, kiedy poszli na Haymarket Square po cotygodniowe zakupy. – Mieszkam w tym domu od czterech lat, tak, i nie wiem, czy potrafię o niej powiedzieć więcej niż pierwszego wieczoru.

– Dopóki się mnie nie czepia, może milczeć jak grób.

Nora włożyła tuzin ziemniaków do worka, z którym przyszła.

– Z innymi układa ci się dobrze?

Luther skinął głową.

– Wyglądają na miłą rodzinę.

Przytaknęła, choć nie wiedział, czy się z nim zgadza, czy też spodobały jej się jabłka, nad którymi się zastanawiała.

– Mały Joe cię polubił.

– Chłopak kocha baseball.

Uśmiechnęła się.

– „Kocha" to mało powiedziane.

Kiedy Joe odkrył, że Luther grał kiedyś w baseball, cały czas po szkole spędzał z nim na małym podwórku, ucząc się rzucać i łapać. Luther kończył pracę o zmierzchu, więc ostatnie trzy godziny poświęcał głównie na grę, co kapitan Coughlin natychmiast zaakceptował.

– Jeśli dzięki temu przestanie dręczyć matkę, pozwolę panu nawet założyć drużynę.

Joe nie był utalentowanym zawodnikiem, ale kochał sport i był pojętny jak na dziecko w jego wieku. Luther pokazał mu, jak się przyklęka, żeby złapać piłkę, która spada na ziemię, i jak udoskonalić technikę narzutu i zamachów pałką. Starał się go nauczyć rzucać, ale chłopiec nie miał do tego siły ani cierpliwości. Chciał tylko uderzać i to z całych sił. Luther dostrzegł kolejną winę Babe'a Rutha – przez niego w grze zaczął się liczyć tylko pałkarz, mecz zmienił się w cyrkowe widowisko, a każdy biały dzieciak w Bostonie uważał, że chodzi w nim tylko o ochy i achy i tani blichtr niewczesnego home runu.

Jeśli nie liczyć tej porannej godziny z panią Coughlin i wieczornych godzin z Joem, Luther spędzał większość dnia pracy z Norą O'Shea.

– I na razie ci się tu podoba?

– Nie mam za wiele do roboty.

– Chciałbyś wziąć trochę mojej?

– Szczerze? Tak. Wożę panią Coughlin do kościoła i z powrotem. Przynoszę jej śniadanie. Woskuję samochód. Czyszczę buty kapitana i panicza Connora, a także ich garnitury. Czasami poleruję medale kapitana. W niedzielę podaję kapitanowi i jego przyjaciołom drinki w gabinecie. Poza tym odkurzam przedmioty, które nie są zakurzone, układam to, co poukładane i zamiatam czyste podłogi. Rąbię drewno, przynoszę węgiel, rozpalam ogień. Ile to może zająć? Dwie godziny? Przez resztę czasu udaję, że jestem zajęty, dopóki nie pojawisz się ty albo panicz Joe. Nie wiem, po co mnie zatrudnili.

Położyła mu lekko rękę na ramieniu.

– Wszystkie najlepsze rodziny mają jednego.

– Kolorowego?

Nora skinęła głową. Oczy miała błyszczące.

– Tak jest w tej okolicy. Gdyby Coughlinowie cię nie zatrudnili, musieliby się tłumaczyć.

– Z czego? Że nie mają elektryczności?

– Z tego, dlaczego nie zachowują fasonu. – Szli przez East Broadway do City Point. – Irlandczycy przypominają mi o Anglii. Tak. Koronkowe firaneczki w oknach, spodnie włożone w cholewy butów.

– Może tutaj. Bo gdzie indziej...

– Co?

Luther wzruszył ramionami.

– No, co? – Pociągnęła go za ramię.

Spojrzał na jej rękę.

– To. Nigdy więcej tak nie rób w tej okolicy. Proszę.

– Ach...

– Bo zabiją nas oboje. I nie będzie mowy o żadnych koronkowych firaneczkach. Zapewniam cię.

Co wieczór pisywał do Lili, a co parę dni listy wracały do niego nieotwierane.

Serce mu się łamało – to jej milczenie, pobyt w obcym mieście, jego dusza, równie niespokojna i nieokreślona jak przedtem. Pewnego ranka Yvette przyniosła korespondencję i położyła delikatnie koło jego łokcia dwa zwrócone listy.

– Twoja żona? – Usiadła obok niego.

Luther przytaknął.

– Chyba zrobiłeś jej jakąś krzywdę.

– Tak, proszę pani. Zrobiłem.

– Ale to nie była inna kobieta?

– Nie.

– Więc ci wybaczam. – Poklepała go po ręce. Luther poczuł, że jej ciepło wlewa się do jego krwi.

– Dziękuję – powiedział.

– Nie martw się. Ciągle się dla niej liczysz.

Pokręcił głową. Poczucie straty przenikało go do szpiku kości.

– Nie, proszę pani.

Yvette powoli pokręciła głową, a na jej ustach pojawił się blady uśmiech.

– Mężczyźni są wspaniali pod wieloma względami, ale żaden nie ma pojęcia, co się dzieje w sercu kobiety.

– No właśnie. Jej tam wszystko równo, czy wiem, co się dzieje w jej sercu.

– Wszystko jedno.

– Co?

– Wszystko jedno, czy wiesz, co się dzieje w jej sercu.

– A no tak. – Luther zapragnął ukryć się pod jakimś płaszczem, zniknąć. Niech mnie ktoś schowa!

– Ośmielę się z tobą nie zgodzić, synu. – Pani Giddreaux uniosła jeden z listów i pokazała mu kopertę. – Co widzisz przy tym skrzydełku?

Luther wytężył wzrok. Niczego nie dostrzegł.

Pani Giddreaux powiodła palcem wzdłuż skrzydełka koperty.

– Widzisz ten zaciek na krawędzi? I ten pomarszczony papier?

Teraz to zauważył.

– Tak.

– To od pary, synu. Od pary.

Luther wziął kopertę i zagapił się na nią.

– Ona otwiera twoje listy nad parą, a potem odsyła je, niby nieczytane. Nie wiem, czy nazwałabym to miłością – uścisnęła jego ramię – ale na pewno nie jest to obojętność.

ROZDZIAŁ PIĘTNASTY

Po kilku wilgotnych atakach wichru, który przemknął nad wschodnim wybrzeżem, jesień ustąpiła miejsca zimie, a lista nazwisk Danny'ego zrobiła się dłuższa. Mógł z niej wywnioskować – i każdy inny na jego miejscu – że prawdopodobieństwo zamieszek pierwszego maja jest znikome. Na ogół spisywał tylko nazwiska wykorzystanych robotników, którzy chcieli założyć związek, oraz obłąkanych romantyków, którzy całkiem serio wierzyli, że świat pragnie się zmienić.

Danny zaczął jednak podejrzewać, że krążąc między Lettsami z Roxbury i BKS uzależnił się od dziwnej rzeczy – zebrań. Spotkania Lettsów, gadających i pijących, nie prowadziły do niczego z wyjątkiem dalszego gadania i picia. A jednak kiedy wieczorem nie miał w planach żadnego zebrania, czuł się zagubiony. Siedział w mrocznym mieszkaniu, pijąc i obracając w palcach szklane oczko misia z taką żarliwością, że dziw, iż nie pękło. Więc wkrótce znajdował następne zebranie Bostońskiego Klubu Społecznego w Fay Hall w Roxbury. A po nim następne.

Nie różniło się od spotkań Lettsów. Retoryczne przemówienia, wściekłość, bezradność. Mimo woli dostrzegał ironię tej sytuacji – ludzie, którzy kiedyś byli łamistrajkami, nagle znajdowali się w takich samych opałach, jak ich poprzednicy, bici i wykorzystywani.

Innego wieczoru był następny bar i nowe rozmowy o prawach robotników, ale tym razem w BKS; bracia policjanci, krawężniki, gliny i psy z dziennej i nocnej zmiany oburzali się na ciągłe gnębienie. Nadal nie doszło do negocjacji, nadal nikt nie rozmawiał z nimi o przyzwoitych godzinach pracy i przyzwoitej pensji, nadal nie dostali podwyżek. A podobno w Montrealu, zaledwie pięćset kilometrów na północ, władze miasta zerwały negocjacje z policjantami i strażakami. Strajk był nieunikniony.

„Zresztą czemu nie", mówili mężczyźni w barze. „My tu normalnie głodujemy. Tamci nas kopią w dupę i przykuwają do roboty, w której nie idzie ani wykarmić rodzin, ani z nimi pobyć".

– Mój najmłodszy – powiedział Francie Deegan – mój najmłodszy, chłopcy, donasza ubrania po braciach, a ja nawet nie zauważyłem, kiedy z nich wyrośli, bo tyle siedzę w robocie. Wydawało mi się, że są w drugiej klasie, a są w piątej. Myślałem, że sięgają mi do pasa, a oni prawie mi dorównują wzrostem.

Potem usiadł wśród oklasków, a zaczął Sean Gale:

– Cholerni portowcy zarabiają trzy razy tyle, co my, gliniarze, którzy w piątkowe noce pudłujemy ich za pijaństwo i rozrabianie. Lepiej, żeby ktoś zaczął się zastanawiać, jak nam zapłacić to, co się nam należy.

Znowu dały się słyszeć oklaski. Ktoś trącił kolegę, tamten następnego i wszyscy obejrzeli się w stronę komisarza policji bostońskiej, Stephena O'Meary, stojącego przy barze i czekającego na swój kufel. Kiedy mu go podano, a w barze zrobiło się cicho, wielki człowiek zaczekał, aż barman szpatułką ściągnie pianę z piwa. Potem wziął kufel i zaczekał na resztę, stojąc plecami do pomieszczenia. Barman wręczył mu pieniądze. O'Meara zostawił jedną monetę na barze, resztę schował i odwrócił się do zebranych.

Deegan i Gale spuścili głowy, jakby czekali na egzekucję.

O'Meara ostrożnie ruszył przez tłum, trzymając kufel wysoko, żeby nie rozlać piwa. Usiadł przy kominku, między Martym Learym i Dennym Toole'em. Spojrzał na zebranych i pociągnął łyk piwa, a na wąsach została mu biała smużka piany.

– Zimno tu. – Znowu pociągnął piwa; polana trzasnęły za jego plecami. – Ale ogień jest zacny. – Skinął głową, a ten krótki gest jakby objął ich wszystkich. – Nie mam dla was żadnej odpowiedzi, panowie. Jesteście źle opłacani, to fakt.

Nikt nie ośmielił się odezwać. Ci sami mężczyźni, którzy przed chwilą byli najbardziej wygadani, najbardziej rozgniewani i rozżaleni, odwrócili oczy.

O'Meara uśmiechnął się do nich ponuro i trącił kolanem nogę Denny'ego Toole'a.

– Dobra knajpa, co? – Znowu powiódł po nich wzrokiem, jakby czegoś lub kogoś szukał. – Młody Coughlin! To ty kryjesz się pod tą brodą?

Danny poczuł na sobie spojrzenie tych życzliwych oczu i coś mu się ścisnęło w piersi.
– Tak jest.
– Zakładam, że pracujesz w przebraniu.
– Tak jest.
– Jako niedźwiedź?
W sali rozległ się śmiech.
– Nie całkiem. Ale prawie.
O'Meara złagodniał, a wydawał się tak zwyczajny, że Danny miał wrażenie, iż w barze są tylko oni dwaj.
– Od dawna znam twojego ojca, synu. Jak twoja matka?
– Doskonale. – Danny czuł na sobie także spojrzenia innych.
– Najzacniejsza kobieta, jaką znał ten świat. Przekaż jej moje pozdrowienia, dobrze?
– Tak zrobię.
– Jeśli mogę spytać… jakie masz zdanie na temat tego ekonomicznego pata?
Wszyscy spojrzeli na Danny'ego. O'Meara pociągnął łyk piwa.
– Rozumiem – zaczął Danny i nagle zaschło mu w gardle. Zapragnął, żeby w knajpie zgasło światło, zrobiło się ciemno jak w grobie, żeby nie czuł już na sobie tych spojrzeń. Chryste!
Pociągnął łyk piwa i spróbował się odezwać znowu.
– Rozumiem, że wydatki są duże, a fundusze małe. Rozumiem to.
O'Meara skinął głową.
– I rozumiem, że nie jesteśmy zwykłymi obywatelami, lecz funkcjonariuszami służby publicznej, którzy przysięgli wykonywać swoją powinność. I że nie ma bardziej wzniosłego powołania.
– Nie ma – zgodził się komisarz.
Danny skinął głową.
O'Meara nie spuszczał z niego oczu. Tamci także.
– Ale… – podjął Danny zrównoważonym głosem. – Coś nam obiecano. Obiecano, że nasze płace nie będą się zmieniać przez czas trwania wojny, lecz potem zostaniemy nagrodzeni za cierpliwość podwyżką. – Dopiero teraz ośmielił się zerknąć na zebranych wokół niego. Miał nadzieję, że nie widzą, jak drżą mu nogi.
– Współczuję – powiedział O'Meara. – Naprawdę. Ale nastąpił

wzrost kosztów utrzymania. Miasto jest spłukane. Sytuacja nie jest prosta. Żałuję.

Danny skinął głową, chciał usiąść i przekonał się, że nie może. Nogi mu nie pozwalały. Obejrzał się na O'Mearę i poczuł, że ten człowiek ma wrodzoną przyzwoitość, prawdziwą jak wewnętrzny narząd organizmu. Napotkał spojrzenie Marka Dentona, który skinął głową.

– Nie wątpimy w pańskie współczucie – powiedział. – Naprawdę. I wiemy, że miasto jest spłukane. Tak. Tak. – Nabrał tchu. – Ale obietnica to obietnica. Może ostatecznie tylko to się liczy. Powiedział pan, że to nie jest proste, ale jest. Z całym szacunkiem. Nie jest łatwe, jest nawet trudne, ale proste. Wielu wspaniałych dzielnych ludzi nie może związać końca z końcem. A obietnica to obietnica.

Nikt się nie odezwał. Nikt się nie poruszył. Jakby na środek sali upadł granat i wszyscy czekali, kiedy wybuchnie.

O'Meara wstał. Ruszył do Danny'ego, a wszyscy pospiesznie odsuwali mu się z drogi. Wyciągnął rękę. Danny musiał odstawić kufel na gzyms kominka i podać komisarzowi swoją dygoczącą dłoń.

O'Meara uścisnął ją mocno, nie poruszając ręką.

– Obietnica to obietnica – powiedział.

– Tak jest – wykrztusił Danny.

O'Meara skinął głową, puścił jego dłoń i odwrócił się do zebranych. Danny miał wrażenie, że ta scena zastyga w bezruchu, jakby była stworzonym przez bogów obrazem w albumie historii – Danny Coughlin i wielki człowiek stojący obok siebie na tle kominka z trzaskającym ogniem.

O'Meara podniósł kufel.

– Jesteście dumą tego wielkiego miasta, panowie. A ja z dumą nazywam się jednym z was. A obietnica rzeczywiście jest obietnicą.

Danny poczuł żar ognia na plecach. I rękę O'Meary na plecach.

– Ufacie mi? – zawołał O'Meara. – Czy mi wierzycie?

– Tak jest! – krzyknęli chórem.

– Nie zawiodę was.

Danny zobaczył w oczach zebranych miłość. Po prostu.

– Jeszcze tylko trochę cierpliwości, panowie, tylko o to proszę. Wiem, że żądam wiele, tak. Ale czy zechcecie jeszcze przez jakiś czas ustąpić staremu człowiekowi?

– Tak jest!

O'Meara wciągnął głośno powietrze i podniósł wyżej kufel.

– Za mężczyzn z bostońskiego wydziału policji – nie macie sobie równych w tym narodzie!

Wypił kufel jednym łykiem. Zebrani poszli w jego ślady. Marty Leary zamówił następną kolejkę. Danny zauważył, że jakoś znowu stali się dziećmi, chłopcami, bezwarunkowo lojalnymi wobec siebie.

O'Meara pochylił się do niego.

– Nie jesteś jak twój ojciec, synu.

Danny spojrzał na niego niepewnie.

– Masz czystsze serce.

Danny stracił mowę. O'Meara uścisnął jego rękę nad łokciem.

– Nie sprzedaj tego. Nigdy tego nie odzyskasz.

– Tak jest.

O'Meara mierzył go jeszcze przez chwilę spojrzeniem, a potem Mark Denton podał im kufle i komisarz cofnął rękę.

Po drugim kuflu O'Meara pożegnał się z zebranymi. Danny i Mark Denton odprowadzili go do auta. Z czarnego nieba padał gęsty deszcz.

Kierowca, sierżant Reid Harper, wysiadł z samochodu i osłonił swojego szefa parasolem. Skinął głową Danny'emu i Dentonowi, otwierając drzwi przed O'Mearą. Komisarz położył na nich rękę i odwrócił się.

– Jutro z samego rana porozmawiam z burmistrzem Petersem. Przekażę mu, jak ważne jest szybkie działanie i zorganizowanie zebrania w ratuszu w sprawie negocjacji z Bostońskim Klubem Społecznym. Czy któryś z was ma coś przeciwko reprezentowaniu chłopców?

Danny spojrzał na Dentona. Ciekawe, czy O'Meara słyszał, jak im łomoczą serca.

– Nie, proszę pana.

– Nie, proszę pana.

– Więc dobrze. – O'Meara wyciągnął rękę. – Pozwólcie, że podziękuję wam obu. Szczerze.

Obaj uścisnęli mu dłoń.

– Jesteście przyszłością związku bostońskich policjantów, panowie.

– Uśmiechnął się łagodnie. – Mam nadzieję, że sprostacie zadaniu. A teraz uciekajcie z tego deszczu.

Wsiadł do samochodu.

– Do domu, Reid, bo pani pomyśli, że poszedłem na lumpy.

Reid Harper ruszył; O'Meara pomachał do nich przez szybę.

Deszcz ściekał im z włosów i karków.

– Jezu Chryste – odezwał się Mark Denton. – Coughlin. O Jezu Chryste.

– Wiem.

– Wiesz? Rozumiesz, co zrobiłeś? Uratowałeś nas.

– Wcale nie...

Denton chwycił go w niedźwiedzi uścisk i podniósł z chodnika.

– Kurwa, uratowałeś nas!

Podniósł go w górę i krzyknął z radości. Danny usiłował się uwolnić, ale także się śmiał, obaj zaśmiewali się na tej ulicy jak wariaci, a krople deszczu leciały Danny'emu w oczy. Pomyślał, że chyba jeszcze nigdy w życiu nie czuł się tak dobrze.

Pewnego wieczoru spotkał się z Eddiem McKenną na Governor's Square, w barze hotelu Buckminster.

– Co masz?

– Zbliżyłem się do Bishopa. Ale jest ostrożny.

McKenna oparł ręce na siedzeniu.

– Podejrzewają, że jesteś wtyczką?

– Jak już wspomniałem, na pewno przeszło im to przez myśl.

– Jakieś pomysły?

Danny skinął głową.

– Jeden. Ryzykowny.

– Bardzo ryzykowny?

Danny wyjął moleskinowy notes, taki sam, jak ten Frani. Odwiedził cztery sklepy, zanim go znalazł. Podał go McKennie.

– Pracowałem nad tym dwa tygodnie.

McKenna przekartkował notes, parę razy unosząc brwi.

– Poplamiłem parę stron kawą, nawet wypaliłem w jednej dziurę papierosem.

McKenna cicho gwizdnął.

– Widzę.
– To polityczne przemyślenia Daniela Sante. Co sądzisz?
McKenna przejrzał strony.
– Piszesz o Montrealu i Związku Spartakusa. Nieźle. Oooo, Seattle i Ole Hanson. Dobrze, dobrze. A Archangielsk?
– Pewnie.
– Konferencja wersalska?
– Czyli spisek tych, którzy chcą zapanować nad światem? – Danny przewrócił oczami. – Miałbym o tym zapomnieć?
– Uważaj – rzucił McKenna, nie podnosząc głowy. – Brawura szkodzi w takich misjach.
– Od tygodni niczego nie osiągnąłem. Gdzie tu brawura? Zdobyłem notes, a Bishop powiedział, że pokaże go Frani, ale niczego nie gwarantuje. I tyle.
Eddie oddał notes.
– Dobre. Można by pomyśleć, że w to wierzysz.
Danny nie skomentował jego słów. Schował notes do kieszeni płaszcza.
Eddie otworzył zegarek.
– Przez jakiś czas nie pokazuj się na zebraniach związkowców.
– Nie mogę.
Eddie zamknął zegarek i schował go do kieszeni kamizelki.
– A, prawda. Teraz należysz do BKS.
– Akurat.
– Po tym spotkaniu z O'Mearą krąży taka plotka, wierz mi. – McKenna uśmiechnął się łagodnie. – Służę prawie trzydzieści lat, a nasz drogi komisarz pewnie nawet nie pamięta mojego nazwiska.
– Znalazłem się we właściwym czasie i miejscu.
– W niewłaściwym miejscu. – McKenna zmarszczył brwi. – Lepiej się pilnuj, chłopcze, bo tamci zaczęli cię obserwować. Przyjmij radę wujka Eddiego, wycofaj się. Wszędzie zbiera się na burzę. Wszędzie. Na ulicach, w fabrykach, a teraz w naszym wydziale. Władza? Przemija, Dan. Teraz jeszcze szybciej niż kiedyś. Nie wychylaj się.
– Już się wychyliłem.
Eddie uderzył w stół.
Danny drgnął. Jeszcze nigdy nie widział, żeby McKenna stracił ten swój niewzruszony spokój.

– A jeśli w gazecie zamieszczą twoje zdjęcie z komisarzem? I burmistrzem? Pomyślałeś, co to oznacza dla mojego dochodzenia? Nie mogę cię wykorzystać, jeśli Daniel Sante, początkujący bolszewik, stanie się Aidenem Coughlinem, przedstawicielem BKS. Potrzebuję listy korespondentów Frani!

Danny spojrzał na człowieka, którego znał przez całe życie, i zobaczył go z innej strony. Jej istnienie podejrzewał, ale nigdy nie widział go na własne oczy.

– Po co ci ta lista, Eddie? Myślałem, że szukamy dowodu na planowanie zamieszek w dniu pierwszego maja.

– To też. Ale jeśli tak się przy tobie pilnują i jeśli twoje umiejętności wywiadowcze nie są tak wybitne, jak się spodziewałem, to daj mi tylko listę prenumeratorów, zanim twoja twarz pojawi się we wszystkich gazetach na pierwszej stronie. Zrobisz to dla wujcia, kolego? – Wstał i włożył płaszcz, rzucił monety na stół. – To chyba wystarczy.

– Dopiero przyszliśmy – powiedział Danny.

Eddie z wysiłkiem przybrał maskę, która zawsze nosił w jego obecności – łobuzerską i dobrotliwą.

– Miasto nigdy nie śpi, chłopcze. Mam interesy w Brighton.

– W Brighton?

Eddie przytaknął.

– Magazyny żywca. Nienawidzę tego miejsca.

Danny poszedł za nim.

– Teraz zajmujesz się krowami?

– Lepiej. – Eddie pchnął drzwi i wyszedł na chłód. – Kolorowymi. Te walnięte fajfusy spotykają się po pracy, żeby dyskutować o swoich prawach. Uwierzysz? Do czego to dojdzie? Niedługo żółtki zaczną przetrzymywać nasze pranie, jeśli coś im się nie spodoba.

Szofer Eddiego zatrzymał czarnego hudsona przy krawężniku.

– Podwieźć cię? – spytał Eddie.

– Pójdę piechotą.

– Alkohol z ciebie wywietrzeje. Dobry pomysł. A tak przy okazji, znasz kogoś o nazwisku Finn? – Twarz Eddiego była pogodna, szczera.

Mina Danny'ego też.

– W Brighton?

Eddie zmarszczył brwi.

– Powiedziałem, że jadę do Brighton w sprawie bambusów. „Finn" brzmi dla ciebie jak nazwisko kolorowego?

– Raczej Irlandczyka.

– Słusznie. Znasz jakiegoś Finna?

– Nie. Bo co?

– Tak się tylko zastanawiam. Na pewno?

– Tak, jak powiedziałem, Eddie. – Danny postawił kołnierz, by się ochronić przed wiatrem. – Nie.

Eddie pokiwał głową i wyciągnął rękę ku drzwiom samochodu.

– Co zrobił? – rzucił za nim Danny.

– Hę?

– Ten Finn, którego szukasz. Co zrobił?

Eddie obrzucił go przeciągłym spojrzeniem.

– Dobranoc, Dan.

– Dobranoc, Eddie.

Czarny houston odjechał Beacon Street, a Danny zastanowił się, czy nie wrócić i nie zadzwonić do Nory z budki telefonicznej w hotelowym holu. Ale potem wyobraził ją sobie z Connorem – jak trzyma go za rękę, całuje, może nawet siedzi mu na kolanach, kiedy nikt w domu ich nie widzi – i uznał, że na świecie jest wielu Finnów. A połowa znajduje się w Irlandii lub w Bostonie. McKenna mógł mieć na myśli każdego z nich. Dosłownie każdego.

ROZDZIAŁ SZESNASTY

Pierwszym zadaniem Luthera było zabezpieczenie budynku na Shawmut Avenue przed deszczem i śniegiem. To znaczyło, że najpierw musiał załatać dziurawy dach. Był piękny, kryty dachówką, lecz zniszczony i zaniedbany z powodu niefortunnego losu. Pewnego pięknego chłodnego poranka, gdy w powietrzu unosił się zapach dymu z fabryk, a niebo było bezchmurne i błękitne jak stal, Luther wspiął się na dach. Zebrał kawałki dachówek, które toporki strażaków rozbiły i strąciły do rynsztoków. Zgromadził je razem z tymi, które podniósł z podłogi. Oderwał zawilgocone lub osmalone drewno i przybił nowe dębowe deski, które przykrył uratowanymi odłamkami. Kiedy mu się skończyły, kładł te, które pani Giddreaux jakimś cudem zdołała wyprosić od firmy w Cleveland. Zaczął w sobotę z pierwszym świtem, a skończył późnym niedzielnym popołudniem. Siedząc na kalenicy, zlany potem pomimo zimna, otarł czoło i spojrzał w czyste niebo. Odwrócił głowę i popatrzył na rozciągającą się przed nim panoramę miasta. Czuł już zapach nadciągającego zmierzchu, choć na razie nic go nie zapowiadało. Niewiele jest piękniejszych zapachów.

W tygodniu jego dzień pracy był zorganizowany tak, że kiedy Coughlinowie siadali do obiadu, Luther – nakrywszy do stołu i pomógłszy Norze przygotować jedzenie – wracał do domu. Ale w niedziele obiad był wielkim wydarzeniem i ciągnął się prawie przez cały dzień, co nieustannie przypominało Lutherowi wizyty u cioci Marty i wujka Jamesa na Standpipe Hill. Niedawne nabożeństwo w kościele i piękna niedzielna zastawa jakoś pobudza zebranych do potoczystych wypowiedzi, tak białych, jak i czarnych biesiadników.

Podając drinki w gabinecie kapitana, czasami miał wrażenie, że goście przemawiają z myślą o nim. Podchwytywał ukradkowe zerknięcia współpracowników kapitana, kiedy ten rozprawiał o eugenice albo udowodnionych intelektualnych różnicach ras ludzkich czy innych głupotach, o których mają czas dyskutować tylko prawdziwe nieroby.

Ostatni, za to z największym ogniem w oczach przemawiał ten, przed którym przestrzegał Luthera Avery Wallace, był to porucznik Eddie McKenna, prawa ręka kapitana. Ten tłuścioch ciężko sapał przez owłosione nozdrza, a uśmiech miał jasny jak pełnia nad rzeką. Był jednym z tych głośnych, jowialnych facetów, którym Luther nauczył się nie ufać. Tacy ludzie zawsze ukrywają jakąś nieprzyjemną stronę charakteru, a ukrywają ją tak głęboko, że staje się wygłodzona jak niedźwiedź, co się właśnie przebudził z zimowego snu i wyłazi z gawry, węsząc tak zapamiętale, że nie da się mu przemówić do rozumu.

Ze wszystkich mężczyzn, którzy w niedziele pojawiali się w gabinecie kapitana – a goście zmieniali się z tygodnia na tydzień – to McKenna najuważniej przyglądał się Lutherowi. Z pozoru wydawał się dość sympatyczny. Zawsze dziękował za drinka lub dolewkę, podczas gdy inni zachowywali się tak, jakby go nie dostrzegali. Wchodząc do gabinetu, zwykle pytał Luthera o zdrowie, jak mu minął tydzień, czy przyzwyczaił się już do zimna.

– Jeśli będzie ci potrzebny drugi płaszcz, daj nam znać, synu. Zwykle mamy parę zapasowych na posterunku. Ale nie obiecuję, że będą pięknie pachniały. – I klepał Luthera po plecach.

Tak, jakby zakładał, że Luther pochodzi z południa, a on nie widział powodu, żeby wyprowadzać porucznika z błędu – aż do pewnego popołudnia podczas niedzielnego obiadu.

– Kentucky? – rzucił McKenna.

Luther w pierwszej chwili nie uświadomił sobie, że to pytanie skierowane do niego. Stał przy bufecie, napełniając małą czarkę kostkami cukru.

– Raczej powiedziałbym, że Louisville. Mam rację? – McKenna spojrzał na niego, wkładając do ust kawałek szynki.

– Skąd pochodzę?

Oczy McKenny błysnęły.

– Tak brzmi pytanie, synu.

Kapitan pociągnął łyk wina.

– Porucznik szczyci się darem rozpoznawania akcentu.

– Bo nie może się pozbyć własnego, nie? – rzucił Danny.

Connor i Joe parsknęli śmiechem. McKenna pogroził Danny'emu widelcem.

– Mądrzy się od kołyski. Więc co powiesz, Lutherze?

Zanim zdołał odpowiedzieć, kapitan Coughlin uniósł rękę.

– Proszę pozwolić mu zgadywać, panie Laurence.

– Przecież zgadłem.

– Nie zgadłeś.

– Aaa... – Eddie McKenna otarł usta serwetką. – Więc nie Louisville?

Luther pokręcił głową.

– Nie, proszę pana.

– Lexington?

Luther znowu zaprzeczył. Czuł na sobie wzrok całej rodziny.

McKenna odchylił się, jedną ręką gładząc brzuch.

– No, zastanówmy się. Nie zaciągasz jak ci z Missisipi, to pewne. A Georgia jest tuż obok. Za mocny masz akcent jak na Wirginię i mówisz za szybko, jak na Alabamę.

– Ja typuję Bermudy – odezwał się Danny.

Luther podchwycił jego spojrzenie i uśmiechnął się do niego. Ze wszystkich Coughlinów Danny'ego spotykał najrzadziej, ale Avery miał rację – ten człowiek nie miał w sobie fałszu.

– Kuba – odpowiedział mu.

– Za daleko na południe – rzucił Danny.

Obaj zachichotali.

Z oczu McKenny zniknął podstępny wyraz. Jego policzki poróżowiały.

– A, chłopcy się bawią. – Uśmiechnął się do Ellen Coughlin. – Bawią się – powtórzył i ukroił kawałek pieczeni wieprzowej.

– Więc co powiesz, Eddie? – Kapitan Coughlin wbił widelec w plasterek ziemniaka.

Porucznik podniósł głowę.

– Będę musiał poświęcić panu Laurence'owi nieco więcej uwagi, zanim zaryzykuję diagnozę.

Luther odwrócił się w stronę tacy z kawą, ale zdążył jeszcze podchwycić spojrzenie Danny'ego. Nie było całkiem przyjemne. Można było w nim zauważyć litość.

Luther włożył płaszcz, wychodząc na ganek. O maskę orzechowego oaklanda 49 opierał się Danny. Uniósł ku niemu butelkę z jakimś płynem, a kiedy Luther zbliżył się do niego, okazało się, że to whisky, dobry rocznik, przedwojenny.

– Napije się pan?

Luther wziął butelkę i uniósł do ust. Zatrzymał się i spojrzał na Danny'ego, upewniając się, że syn kapitana naprawdę chce pić z jednej butelki z kolorowym. Danny uniósł pytająco brew, więc Luther przechylił butelkę i pociągnął łyk.

Kiedy ją oddał, tamten nie wytarł szyjki rękawem, ale też sobie zdrowo pociągnął.

– Dobra, co?

Luther przypomniał sobie, że Avery Wallace nazwał tego Coughlina człowiekiem dziwnym, który idzie własną drogą. Przytaknął.

– Ładny wieczór.

– Tak.

Było chłodno, lecz bezwietrznie, w powietrzu unosił się cierpki zapach zgniłych liści.

– Jeszcze? – Danny oddał butelkę.

Luther napił się, przyglądając się szczerej, przystojnej twarzy tego wielkiego białego człowieka. Zdobywca kobiecych serc, można się było założyć, ale nie taki, który czyni z tego sens życia. Jego oczy miały wyraz, który świadczył, że ten człowiek słyszy muzykę nieznaną innym.

– Podoba się panu praca?

Luther przytaknął.

– Tak, panie. Ma pan miłą rodzinę.

Danny przewrócił oczami i pociągnął łyk z butelki.

– A może by przestał się pan wygłupiać z tym „tak, panie"? Myśli pan, że to możliwe?

Luther cofnął się o krok.

– Więc jak mam się do pana zwracać?

– Tutaj? Wystarczy „Danny". Tam? – Wskazał głową dom. – Pewnie „proszę pana".

– A co się panu nie podoba w „tak, panie"?

Danny wzruszył ramionami.

– Głupie to jakieś.

– Słusznie. W takim razie proszę mi mówić po imieniu.

Danny skinął głową.

– Wypijmy za to.

Luther zachichotał, przejmując butelkę.

– Avery ostrzegł mnie, że jesteś inny.

– Powstał z martwych, żeby ci to powiedzieć?

Luther pokręcił głową.

– Napisał list do swojego następcy.

– Aaa. – Danny odstawił butelkę. – Co sądzisz o moim wujciu Eddiem?

– Wydaje się dość miły.

– Nie jest – powiedział Danny cicho.

Luther oparł się o samochód obok niego.

– Nie jest – przyznał.

– Widziałeś, jak cię osaczał?

– Czułem.

– Masz czysty rejestr?

– Jak większość z nas.

– Czyli niezbyt czysty.

Luther się uśmiechnął.

– Słusznie.

Danny znowu podał mu butelkę.

– Mój wujek Eddie... Czyta w ludziach jak mało kto. Prześwietla im głowy i widzi, czego nie chcą zdradzać światu. Jeśli na posterunku mają podejrzanego, którego nikt nie potrafi złamać, posyłają po mojego wujcia. On wydostaje zeznania w parę chwil. Przy użyciu wszystkich koniecznych środków.

Luther obrócił butelkę w palcach.

– Dlaczego mi to mówisz?

– Bo wyczuł w tobie coś, co mu się nie podoba – widziałam to po jego oczach – a my pociągnęliśmy ten żart za daleko, aby to zaakceptował. Pomyślał, że śmiejemy się z niego, a to niedobrze.

– Bardzo dziękuję za alkohol. – Luther wstał. – Jeszcze nigdy nie piłem z jednej butelki z białym. – Wzruszył ramionami. – Ale chyba już wrócę do domu.

– Nie rozpracowuję cię.

– Nie? Skąd mam wiedzieć?

Danny wyciągnął ręce.

– Na tym świecie istnieją tylko dwa rodzaje ludzi, o których warto mówić – ci, którzy są tacy, jak się wydają, i ci inni. Jak ci się wydaje, do których należę?

Luther czuł szum alkoholu we krwi.

– Jesteś chyba najdziwniejszym facetem, jakiego spotkałem w tym mieście.

Danny pociągnął łyk i spojrzał w gwiazdy.

– Eddie może chodzić wokół ciebie rok albo dwa. Nie będzie się spieszyć, wierz mi. Ale kiedy w końcu się do ciebie dobierze, nie zostawi ci drogi ucieczki. – Spojrzał Lutherowi w oczy. – Nie przeszkadza mi, co Eddie i mój ojciec robią, żeby dopiąć swego z bandziorami i oprychami, ale nie lubię, kiedy robią to samo ze zwykłymi ludźmi. Rozumiesz?

Luther włożył ręce do kieszeni. Robiło się ciemno i coraz zimniej.

– Więc mówisz, że możesz odwołać tego psa?

Danny wzruszył ramionami.

– Może. Nie dowiemy się, dopóki nie nadejdzie odpowiednia chwila.

Luther pokiwał głową.

– A jaka jest twoja cena?

Danny uśmiechnął się do niego.

– Cena?

Luther także się uśmiechnął; czuł, że obaj usiłują się wybadać, ale dobrze się przy tym bawią.

– Na tym świecie nie ma nic za darmo... z wyjątkiem pecha.

– Nora – powiedział Danny.

Luther znowu oparł się o samochód i wziął butelkę.

– A mianowicie?

– Chciałbym wiedzieć, jak się mają sprawy między nią a moim bratem.

Luther napił się, mierząc Danny'ego wzrokiem. Potem parsknął śmiechem.

– No co?

– Gość zakochał się w dziewczynie brata, a mnie mówi „no co" – mruknął i zachichotał.

Danny mu zawtórował.

– Powiedzmy, że Norę i mnie coś łączyło.

– Nic nowego. Byłem z wami w tym samym pokoju. Mój ślepy wujek, od dawna trup, też by to zauważył.

– To takie oczywiste?

– Dla większości. Nie wiem, dlaczego panicz Connor tego nie dostrzega. Jeśli o nią chodzi, nie widzi wielu rzeczy.

– Rzeczywiście.

– Dlaczego pan nie poprosi jej o rękę? Zgodziłaby się w mgnieniu oka.

– Nie zgodziłaby się, wierz mi.

– Zgodziłaby się. Z takim spojrzeniem? Cholera. To jest miłość.

Danny pokręcił głową.

– Widziałeś kiedyś, żeby kobieta zachowała się logicznie, gdy chodzi o miłość?

– Nie.

– No właśnie. – Danny spojrzał na dom. – Nie wiem, co jest między nimi. Nie potrafię odgadnąć, o co im chodzi.

Luther uśmiechnął się i pokręcił głową.

– I mimo to pewnie dobrze im życzysz.

Danny podniósł butelkę.

– Zostało nam whisky na jakieś dwa palce. Ostatni łyk?

– Nie odmówię. – Luther pociągnął zdrowo i oddał butelkę Danny'emu, który całkiem ją opróżnił. – Będę miał oczy i uszy otwarte. Zgoda?

– Zgoda. Jak Eddie zacznie cię przyciskać, daj mi znać.

Luther wyciągnął rękę.

– Umowa stoi.

Danny uścisnął mu dłoń.

– Cieszę się, że się poznaliśmy.

– Ja też.

Wróciwszy na Shawmut Avenue, Luther zaczął sprawdzać, czy sufity przeciekają. Nie przeciekały, a ściany nie były zawilgocone. Zdarł z nich tynk i przekonał się, że można uratować wiele desek, choć niektóre będą się trzymać na słowo honoru. To samo dotyczyło podłogi i schodów. W normalnych okolicznościach tak zrujnowany dom, zniszczony przez zaniedbanie, a potem pożar i wodę, należałoby zrównać z ziemią. Ale w tych okolicznościach, przy ograniczonych finansach i organizowaniu materiałów metodą próśb, gróźb i żebrania, trzeba było ratować wszystko, co się da, włącznie z gwoździami. Wraz z Claytonem Tomesem, służącym Wagenfeldów, pracował w tych samych godzinach. Mieli nawet ten sam dzień wolny. Po jednym obiedzie z Yvette Giddreaux Clayton nawet się nie zorientował, kiedy został wciągnięty na listę uczestników projektu. Tego samego weekendu Luther wreszcie dostał pomocnika. Przez cały dzień nosili nadające się do użytku drewno, metal i mosiężne elementy na drugie piętro, żeby w przyszłym tygodniu zacząć pracę nad zakładaniem kanalizacji i elektryczności.

Praca była ciężka. Człowiek się pocił, kurzył i paprał. Trzeba było wyrywać belki, podważać deski, wyciągać gwoździe. Od takiej roboty bolały ramiona i sztywniał kark, kolana zaczynały palić i wydawało się, że w krzyżu utkwiły gorące kamienie. Po takiej robocie człowiek siadał na środku brudnej podłogi, opierał głowę na kolanach i szeptał „Ufff", a potem przez jakiś czas nie prostował się i nie otwierał oczu.

Ale po tygodniach niemal zupełnej bezczynności w domu Coughlinów Luther nie oddałby tej roboty za nic. Tu trzeba było posługiwać się mięśniami i umysłem. Trzeba było włożyć w nią samego siebie.

Wujek Cornelius powiedział mu kiedyś, że rzemiosło to takie mądre słowo na opisanie tego, co się dzieje, kiedy praca łączy się z miłością.

– Cholera. – Clayton, leżący na plecach w holu wejściowym gapił się na sufit o dwie kondygnacje wyżej. – Zdajesz sobie sprawę, że skoro uparła się założyć kanalizację…

– A się uparła.

– …to rura odpływowa – sama rura odpływowa! – będzie musiała sięgnąć od piwnicy po sufit? To cztery kondygnacje.

– A musi mieć pięć cali średnicy – zachichotał Luther. – I musi być z kutego żelaza.

– I na każdym piętrze będą z niej odchodzić inne rury. Z łazienek pewnie nawet dwie. – Clayton miał oczy wielkie jak spodki. – Lutherze, to wariactwo.

– Aha.
– To czemu się uśmiechasz?
– A ty? – spytał Luther.

O co chodzi z Dannym? – spytał Luther Norę, kiedy szli przez Haymarket.
– A co?
– Jakoś nie pasuje do tej rodziny.
– Nie wiem, czy Aiden gdziekolwiek pasuje.
– Dlaczego czasami mówisz na niego Danny, a czasami Aiden?
Wzruszyła ramionami.
– Jakoś tak wyszło. Zauważyłam, że nie mówisz do niego „paniczu".
– I co?
– A do Connora tak. Nawet do Joego.
– Danny powiedział, żebym się tak do niego nie zwracał, chyba że przy innych.
– Szybko się zaprzyjaźniliście, co?
Cholera. Luther przestraszył się, że się wygadał.
– Nie wiem, czy można to nazwać przyjaźnią.
– Ale go lubisz. To widać.
– Jest inny. Nie wiem, czy znałem kiedyś takiego białego, jak on. I nie znałem takiej białej kobiety, jak ty.
– Nie jestem biała. Jestem Irlandką.
– Tak? A jaki to kolor?
Uśmiechnęła się blado.
– Ziemniaczana szarość.
Luther parsknął śmiechem i wskazał palcem na siebie.
– Brąz papieru ściernego. Miło mi poznać.
Nora dygnęła szybko.
– Cała przyjemność po mojej stronie.

Po którymś niedzielnym obiedzie McKenna uparł się, że odwiezie Luthera do domu, a Luther, który właśnie wkładał płaszcz w holu, nie potrafił zareagować odpowiednio szybko.

– Cholerny ziąb – dodał McKenna – a obiecałem Mary Pat, że wrócę przed zmrokiem. – Wstał od stołu i pocałował panią Coughlin w policzek. – Zechcesz przynieść mi płaszcz z wieszaka, Lutherze? Dobry chłopak.

Danny'ego nie było na kolacji. Luther rozejrzał się; nikt nie zwracał na nich uwagi.

– No, to do szybkiego, ludziska.

– Dobranoc, Eddie – powiedział Thomas Coughlin. – Dobranoc, Lutherze.

– Dobranoc, proszę pana – pożegnał się Luther.

Eddie jechał przez East Broadway. Skręcił na West Broadway, gdzie w zimne niedzielne wieczory panowała równie nieprzewidywalna i burzliwa atmosfera, jak w Greenwood w piątkowe wieczory. Otwarcie grano w kości, dziwki wyglądały z okien, z każdej knajpy buchała głośna muzyka, a wszędzie widziało się niezliczoną ilość barów. Nawet dużym, ciężkim samochodem jechało się wolno.

– Ohio? – spytał McKenna.

Luther odpowiedział uśmiechem.

– Tak, proszę pana. Z tym Kentucky był pan blisko. Myślałem, że wtedy pan zgadnie, ale...

– Aaa, wiedziałem. – McKenna strzelił palcami. – Nie ta strona rzeki. Jakie miasto?

Hałasy bombardowały samochód, a światła ulicy rozpływały się na przedniej szybie jak lody.

– Tuż pod Columbus.

– Byłeś kiedyś w policyjnym samochodzie?

– Nigdy, panie.

McKenna zaśmiał się nieprzyjemnie. Brzmiało to jak grzechot kamieni.

– Ach, Lutherze, może trudno ci będzie w to uwierzyć, ale zanim Tom Coughlin i ja staliśmy się towarzyszami broni, sporo czasu spędziliśmy po niewłaściwej stronie prawa. Nieraz siadywaliśmy w więźniarkach, a w piątkowe noce to i na dołku. – Machnął ręką. – Tak to jest z imigrantami. Sprawdzają, na ile mogą sobie pozwolić. Myślałem, że brałeś udział w tych samych rytuałach.

– Nie jestem imigrantem, panie.

McKenna przyjrzał mu się uważnie.

– Słucham?
– Urodziłem się tutaj, panie.
– Co to miało znaczyć?
– Nic takiego. Tylko... powiedział pan, że tak to jest z imigrantami, i tak może być, ale ja nie jestem...
– Co może być?
– Słucham?
– Co może być? – McKenna uśmiechnął się do niego; omiotło go światło ulicznej latarni.
– Panie, nie rozumiem...
– Powiedziałeś.
– Słucham?
– Powiedziałeś. Powiedziałeś, że więzienie może być rozwiązaniem sprawy imigrantów.
– Nie, panie, nic takiego nie powiedziałem.
McKenna pociągnął się za ucho.
– Chyba mam uszy zatkane woskiem.
Luther nie odpowiedział. Wpatrywał się przed siebie. Zatrzymali się na światłach na rogu D Street i West Broadway.
– Masz coś przeciwko imigrantom? – spytał Eddie McKenna.
– Nie, panie. Skąd.
– Myślisz, że nie zasłużyliśmy na miejsce w społeczeństwie?
– Wcale tak nie myślę.
– Może mamy czekać, aż nasze wnuki zasłużą na ten zaszczyt?
– Panie, nie zamierzałem...
McKenna pogroził Lutherowi palcem i roześmiał się głośno.
– Mam cię! Dałeś się podejść. Nie? – Klepnął go w kolano i roześmiał się serdecznie. Światła zmieniły się na zielone. Ruszyli przez Broadway.
– A to dobre, panie. Dałem się oszukać.
– I to jak! – McKenna klepnął dłonią w deskę rozdzielczą. Przejechali przez most. – Podoba ci się praca u Coughlinów?
– O, tak, panie.
– A u państwa Giddreaux?
– Słucham?
– U państwa Giddreaux, synu. Nie sądziłeś, że ich znam? Isaiah jest tu prawdziwą czarną gwiazdą. Podobno Du Bois go popiera.

Ma wizję równości kolorowych, i to akurat w naszym pięknym mieście. To by było coś, nie?

– Tak, panie.

– Pewnie, to by była wielka rzecz. – McKenna uśmiechnął się najcieplejszym ze swoich uśmiechów. – Oczywiście niektórzy powiedzieliby, że państwo Giddreaux nie są przyjaciółmi waszego ludu, tylko wręcz wrogami. A ich marzenie o równości doprowadzi do tego, że ulice spłyną krwią twojej rasy. Tak by powiedzieli niektórzy. – Położył rękę na piersi. – Niektórzy. Nie wszyscy, nie wszyscy. To wstyd, że na świecie jest tyle niesnasek. Nie sądzisz?

– Tak, panie.

– To wręcz tragedia. – McKenna pokręcił głową, cmokając z ubolewaniem. Skręcił w St. Botolph Street. – A twoja rodzina?

– Słucham, panie?

McKenna jechał powoli ulicą, przyglądając się drzwiom domów.

– Zostawiłeś rodzinę w Canton?

– W Columbus, panie.

– A właśnie, w Columbus.

– Nie, panie. Jestem sam.

– Co cię przywiodło do Bostonu?

– To ten.

– Hm?

– To dom państwa Giddreaux, panie, właśnie go minęliśmy.

McKenna zahamował.

– No cóż. Innym razem.

– Będę czekać, panie.

– Opatul się dobrze! Bo zmarzniesz!

– Dobrze, Dziękuję, panie. – Luther wysiadł z automobilu. Obszedł go i stanął na chodniku. McKenna opuścił szybę.

– Czytałem o tym – powiedział McKenna.

Luther odwrócił się do niego.

– O czym, panie?

– Boston! – McKenna uniósł wesoło brwi.

– Nie rozumiem, panie.

McKenna pokiwał głową, jakby dla niego było to całkiem jasne.

– Tysiąc dwieście kilometrów.

– Tak, panie?

– Odległość. Między Bostonem a Columbus. – Klepnął dłonią w drzwi samochodu. – Dobranoc, Lutherze.

– Dobranoc, panie.

Luther odprowadził McKennę wzrokiem. Uniósł ręce i przyjrzał się swoim dłoniom. Drżały, ale nie za bardzo. Nie za bardzo. Zważywszy na okoliczności.

ROZDZIAŁ SIEDEMNASTY

Danny spotkał się ze Steve'em Coyle'em na drinku w Warren Tavern w niedzielne popołudnie. Dzień był bardziej zimowy niż jesienny. Steve pożartował trochę z brody Danny'ego i spytał go o sprawę, choć Danny parę razy przepraszał go, że nie może rozmawiać z cywilem o prowadzonym śledztwie.

– Przecież to ja – powiedział Steve, a potem podniósł rękę. – Żartowałem, żartowałem, przecież rozumiem. – Uśmiechnął się do Danny'ego, jednocześnie szeroko i blado. – Naprawdę.

Więc rozmawiali o starych sprawach i dawnych czasach. Na każdy drink Danny'ego przypadały trzy Steve'a. Steve mieszkał obecnie w West Endzie, w pokoju bez okna w piwnicy czynszowego domu. Piwnicę podzielono na sześć pomieszczeń, a każde śmierdziało węglem.

– I nadal nie ma kanalizacji – powiedział Steve. – Uwierzysz? Trzeba ganiać do wygódki jak w początkach wieku. Jak jakieś wsioki. – Pokręcił głową. – A jeśli nie wrócisz do domu przed jedenastą, ten stary piernik zamyka bramę na całą noc. I tak mi się żyje. – Znowu uśmiechnął się blado i szeroko, i pociągnął łyk alkoholu. – Ale niech ja tylko zdobędę ten wózek, wszystko się zmieni, zapewniam cię.

Najnowszy plan biznesowy Steve'a zakładał ustawienie wózka z owocami przed targowiskiem Faniuel Hall. Fakt, że znajdowało się tam już z dziesięć takich samych, a ich właścicielami byli osobnicy bardzo agresywni, jeśli nie okrutni, jakoś go nie peszył. W dodatku hurtownicy owoców byli tak nieufni w stosunku do nowych sprzedawców, że za pierwsze pół roku pobierali od nich raty niemożliwe do spłacenia, ale Steve uważał to za plotkę. A to, że ratusz już dwa lata temu przestał wydawać zezwolenia na handel w tym rejonie, w ogóle go nie obchodziło.

– Wszyscy ludzie, których znam w ratuszu, jeszcze by mi dopłacili, żebym tam stanął! – zapewniał.

Danny nie przypomniał, że dwa tygodnie temu Steve wyznał mu, iż tylko on ze wszystkich ich dawnych znajomych odpowiedział na jego telefon. Pokiwał tylko głową i uśmiechnął się zachęcająco. Co innego mógł zrobić?

– Jeszcze jednego? – spytał Steve.

Danny spojrzał na zegarek. O siódmej miał kolację z Nathanem Bishopem. Pokręcił głową.

– Nie mogę.

Steve, który już dał znak barmanowi, ukrył zawód za zbyt szerokim uśmiechem.

– Nieważne, Kevin.

Barman spochmurniał i zdjął rękę z kranu z piwem.

– Jesteś mi winien dolar dwadzieścia, pijusie. I lepiej, żebyś tym razem miał kasę.

Steve poklepał się po kieszeniach, ale Danny powiedział:

– Ja zapłacę.

– Na pewno?

– Jasne. – Wstał i podszedł do baru. – Hej, Kevin. Masz chwilkę?

Barman podszedł jak z łaski.

– Co?

Danny położył na barze dolara i cztery pięciocentówki.

– Dla ciebie.

– Chyba mam urodziny.

Kiedy barman sięgnął po pieniądze, Danny chwycił go za przegub i przyciągnął do siebie.

– Uśmiechnij się, albo ci złamię tę rękę.

– Co?

– Uśmiechnij się, jakbyśmy gadali o Soksach, albo połamię ci kości.

Kevin uśmiechnął się z zaciśniętymi zębami. Oczy zaczęły mu wychodzić z orbit.

– Jeszcze raz usłyszę, jak nazywasz mojego kolegę pijusem, ty cholerny... barmanie... to zęby ci powybijam i wepchnę ci je w dupę.

– A...

Danny wykręcił mu rękę.

– Nic nie rób, tylko skiń głową.

Kevin zagryzł wargę i cztery razy przytaknął.

– A następna kolejka jest na koszt firmy – zapowiedział Danny i puścił go.

Wyszli na Hanover w zapadający mrok. Danny zamierzał jeszcze wstąpić do swojego mieszkania i przynieść sobie parę cieplejszych rzeczy do pokoju, który wynajmował jako Daniel Sante. Steve powiedział, że chce się tylko przejść po dawnej dzielnicy. Na Prince minął ich tłum biegnący na Salem Street. Kiedy stanęli na rogu ulicy, na którym znajdowała się kamienica Danny'ego, ujrzeli morze ludzi wokół czarnego hudsona super six. Paru mężczyzn i chłopców skakało po jego stopniach i masce.

– Co jest, do cholery? – odezwał się Steve.

– Funkcjonariusz Danny! Panie władzo Danny! – Pani DiMassi machała gorączkowo ręką, stojąc na ganku. Danny spuścił na chwilę głowę – tygodnie pracy tajniaka poszły na marne, bo staruszka rozpoznała go z odległości dwudziestu metrów, pomimo brody i całego przebrania. W tłumie Danny dostrzegł, że kierowca samochodu nosi słomkowy kapelusz, podobnie jak pasażer.

– Chcą zabrać moją siostrzenicę – rzuciła pani DiMassi, kiedy Steve przy niej stanął. – Chcą zabrać Arabellę.

Danny dostrzegł za kierownicą Rayme'a Fincha, który, trąbiąc klaksonem, usiłował ruszyć samochodem z miejsca.

Ludzie nie ustępowali. Jeszcze niczym nie rzucali, ale już krzyczeli, zaciskali pieści i klęli po włosku. Danny zobaczył w tłumie dwóch członków Czarnej Ręki.

– Jest w samochodzie? – spytał.

– Z tyłu! – załkała pani DiMassi. – Zabrali ją.

Danny uścisnął jej dłoń i zaczął sobie torować drogę w tłumie. Finch napotkał jego spojrzenie i zmrużył oczy. Dziesięć minut później w jego oczach mignęło światełko zrozumienia, ale szybko zgasło. Zastąpiła je uparta determinacja.

Ktoś popchnął Danny'ego, który pewnie by się przewrócił, gdyby nie podtrzymały go dwie potężne kobiety w średnim wieku. Jakiś chłopak wdrapał się na latarnię, trzymając pomarańczę. Jeśli dobrze rzuci, pocisk nabierze przerażającego rozpędu.

Danny dotarł do samochodu. Finch uchylił okno. Arabella siedziała skulona na tylnym siedzeniu, ściskając w palcach krzyżyk na szyi i poruszając ustami w modlitwie.

– Wypuść ją – powiedział Danny.

– Rozpędź ten tłum.

– Chcesz tu zamieszek?

– Chcesz widzieć martwych Włochów na ulicy? – Finch walnął pięścią w klakson. – Rozpędź ich w cholerę, Coughlin.

– Ta kobieta nie wie nic o anarchistach.

– Była widziana z Federikiem Ficaro.

Danny przyjrzał się Arabelli. Wpatrywała się w niego wielkimi oczami, które nie pojmowały niczego z wyjątkiem narastającej furii tłumu. Ktoś wbił Danny'emu łokieć w krzyż i przygniótł go do samochodu.

– Steve! – krzyknął Danny. – Jesteś tam?

– Za tobą.

– Zrobisz mi miejsce?

– Chyba laską.

– Nie krępuj się. – Danny odwrócił się, zajrzał w uchylone okno i powiedział: – Widziałeś ją z Federikiem?

– Tak.

– Kiedy?

– Pół godziny temu. Przy piekarni.

– Na własne oczy?

– Nie. Powiedział mi agent. Dobrze przyjrzał się tej dziewczynie. Federico mu uciekł.

Ktoś zdzielił Danny'ego bykiem w plecy. Danny zamachnął się i trafił w czyjś podbródek.

Przycisnął usta do szczeliny w oknie.

– Jeśli z nią odjedziesz, a potem ją wypuścisz, wiesz, co będzie? Zabiją ją. Słyszysz? Właśnie odbierasz jej życie. Wypuść ją. Daj mi to załatwić. – Ktoś znowu walnął go od tyłu, ktoś inny wdrapał się na maskę samochodu. – Zaraz się uduszę.

– Nie możemy się teraz wycofać – powiedział Finch.

Drugi facet wspiął się na maskę i samochód zaczął się kołysać.

– Finch! Już i tak spieprzyłeś jej życie, wsadzając ją do tego samochodu. Niektórzy pomyślą, że jest donosicielką, choćby nie wiem co. Ale jeśli ją teraz wypuścisz, możemy uratować sytuację. W przeciwnym razie... – Miał na plecach kolejne ciało. – Jezusie, Finch! Otwieraj te zasrane drzwi!

– Musimy pogadać.

– Świetnie. Pogadamy. Otwieraj.

Finch obrzucił go długim spojrzeniem, dając znak, że to jeszcze nie koniec, żeby nawet o tym nie marzył, a potem odblokował tylne drzwi, Danny położył rękę na klamce i odwrócił się do tłumu.

– Zaszła pomyłka. *Ci è stato un errore*. Cofnąć się! *Sostegno! Sostegno!* Ona wysiada. *Sta uscendo*. Cofnąć się! *Sostegno!*

Ku jego zaskoczeniu tłum cofnął się o parę kroków. Danny otworzył drzwi i wyciągnął dygoczącą kobietę z samochodu. Rozległy się krzyki i oklaski, gdy Danny objął Arabellę i ruszył z nią na chodnik. Włoszka przyciskała ręce do piersi; Danny poczuł pod dłońmi coś twardego i kanciastego. Zajrzał jej w oczy, ale dostrzegł w nich tylko strach.

Mocno tulił Arabellę i kiwał głową mijanym ludziom, wyrażając swoją wdzięczność. Rzucił ostatnie spojrzenie Finchowi i wskazał głową ulicę. Znowu rozbrzmiały okrzyki i tłum zaczął się rozpraszać. Finch przejechał automobilem parę metrów; ludzie cofnęli się jeszcze bardziej. Potem padła pierwsza pomarańcza. Była zmarznięta na kamień. Po niej poleciało jabłko, następnie ziemniak i w końcu o samochód zabębnił grad owoców i warzyw. Ale Finch już jechał Salem Street, powoli, lecz płynnie. Łobuziacy biegli obok niego, wykrzykując przekleństwa, choć się uśmiechali, a okrzyki tłumu sprawiły, że atmosfera stała się jakby świąteczna.

Danny dotarł na chodnik; pani DiMassi chwyciła w objęcia siostrzenicę i zaprowadziła ją na schody. Światła hudsona Fincha znikły za zakrętem. Steve Coyle stał tuż obok, wycierając czoło chusteczką. Ulica była zasypana na wpół zamarzniętymi owocami.

– Warto by się napić, co? – Steve podał Danny'emu piersiówkę.

Danny przyjął ją bez słowa. Spojrzał na Arabellę Moscę, tulącą się do ciotki. Zastanowił się, po czyjej właściwie stoi stronie.

– Muszę z nią porozmawiać, pani DiMassi.

Gospodyni spojrzała na niego uważnie.

– Teraz – dodał.

Arabella Mosca była drobną kobietką o wielkich migdałowych oczach i krótkich czarnych włosach z granatowym połyskiem. Nie mówiła po angielsku ani słowa z wyjątkiem „dzień dobry", „do widzenia" i „dziękuję". Siedziała na kanapie w salonie, nadal tuląc się do ciotki. Nie zdjęła płaszcza.

Danny zwrócił się do pani DiMassi:

– Czy może ją pani spytać, co ukrywa pod płaszczem?

Pani DiMassi zerknęła na siostrzenicę i zmarszczyła brwi. Wskazała jej płaszcz i kazała go zdjąć.

Arabella skuliła się i zawzięcie potrząsnęła głową.

– Proszę – dodał Danny.

Pani DiMassi nie należała do kobiet, które proszą o coś młodsze krewne. Zamiast prosić, uderzyła ją w policzek. Arabella prawie nie zareagowała. Skuliła się jeszcze bardziej i znowu potrząsnęła głową. Pani DiMassi stanęła nad siostrzenicą i podniosła rękę.

Danny wszedł między kobiety.

– Arabello – odezwał się, z trudem dobierając włoskie słowa. – Oni deportują twojego męża.

Podniosła głowę.

– Mężczyźni w słomkowych kapeluszach. Zrobią to.

Arabella zatrajkotała coś po włosku. Pani DiMassi uniosła rękę. Młoda kobieta mówiła tak szybko, że nawet ona z trudem ją rozumiała.

– Powiedziała, że nie mogą – przetłumaczyła gospodyni. – Jej mąż ma pracę.

– Jest tu nielegalnie.

– Phi! Połowa tej dzielnicy jest tu nielegalnie. Deportują wszystkich?

Danny pokręcił głową.

– Tylko tych, którzy ich wkurzyli. Powiedz jej to.

Pani DiMassi wzięła siostrzenicę pod brodę.

– *Dammi quel che tieni sotto il capotto, o tuo marito passera'il prossimo Natale a Palermo.*

– *No, no, no* – jęknęła Arabella.

Pani DiMassi znowu uniosła rękę i przemówiła równie szybko, jak jej krewniaczka.

– *Questi Americani ci trattano come cani. Non ti permettero 'di umiliarmi dinanzi ad uno di loro. Apri il capotto, o te lo strappo di dosso!*

Danny nie zrozumiał nic z wyjątkiem „amerykańskie psy" i „nie przynieś mi wstydu", ale podziałało. Arabella rozchyliła płaszcz i wyjęła białą papierową torbę. Podała ją pani DiMassi, która wręczyła ją Danny'emu.

Danny zajrzał do środka i zobaczył plik kartek. Wyjął jedną:

Gdy odpoczywacie i klęczycie, my pracujemy. Egzekwujemy.
To jest początek, nie koniec. Nie koniec.
Wasz dziecinny bóg i dziecinna krew spłyną do morza.
Wasz dziecinny świat będzie następny.

Danny pokazał ulotkę Steve'owi, a panią DiMassi spytał:

– Kiedy miała je rozprowadzić?

Gospodyni przetłumaczyła pytanie. Arabella zaczęła kręcić głową i nagle przestała. Szepnęła jedno słowo, które pani DiMassi powtórzyła:

– O zachodzie słońca.

Danny odwrócił się do Steve'a.

– W ilu kościołach odprawia się wieczorną mszę?

– Na North Endzie? W dwóch, może trzech. Bo co?

Danny wskazał tekst.

– „Gdy odpoczywacie i klęczycie". Jasne?

Steve potrząsnął głową.

– Nie.

– Odpoczywa się w dzień święty. Klęczy się w kościele. A na końcu – „wasza krew spłynie do morza". To musi być kościół w porcie.

Steve podszedł do telefonu pani DiMassi.

– Zgłoszę to. Co typujesz?

– Pasują mi tylko dwa kościoły. Świętej Teresy i Świętego Tomasza.

– U Świętego Tomasza nie odprawiają wieczornej mszy.

Danny ruszył do drzwi.

– Dogonisz mnie?

Steve uśmiechnął się ze słuchawką przy uchu.

– Jasne, z tą laską. – Machnął ręką. – Idź, idź. I... Dan?

Danny zatrzymał się przy drzwiach.
– Tak?
– Strzelaj pierwszy. Wiele razy.

Kościół pod wezwaniem świętej Teresy stał na rogu Fleet i Atlantic Street naprzeciwko przystani Lewis. Ten jeden z najstarszych kościołów na North Endzie był mały i zniszczony. Danny pochylił się, łapiąc oddech. Koszulę miał przepoconą po galopadzie. Wyjął z kieszeni zegarek: za dwanaście szósta. Msza wkrótce się skończy. Jeśli, tak jak na Salutation, bomba jest w podziemiach, można jedynie wbiec do kościoła i wszystkich usunąć. Steve już to zgłosił, więc oddział saperów był w drodze. Ale jeśli bomba rzeczywiście tam jest, dlaczego nie wybuchła? Parafianie znajdują się w kościele od ponad czterdziestu pięciu minut. Mnóstwo czasu, żeby zdruzgotać podłogę pod ich stopami...

W oddali rozległa się pierwsza syrena, pierwszy samochód patrolowy opuścił posterunek. Niewątpliwie wkrótce podążą za nim następne.

Skrzyżowanie wydawało się puste i ciche – przed kościołem stało kilka gruchotów, tylko minimalnie lepszych od furmanek, choć parę było wyraźnie zadbanych. Danny powiódł wzrokiem po dachach budynków, zastanawiając się, dlaczego kościół? Nawet w przypadku anarchistów wydawało się to politycznym samobójstwem, zwłaszcza na North Endzie. Potem przypomniał sobie, że kościoły w okolicy odprawiały późne msze dla robotników tak ważnych dla przemysłu wojennego, że nie mieli wolnego nawet w niedzielę. „Ważni dla przemysłu wojennego" oznaczało związki z wojskiem – czyli robotnicy z fabryk broni, stalowni, wytwórni gumy czy alkoholu przemysłowego. Dlatego ten kościół był nie tylko kościołem, lecz celem wojskowym.

Ze świątyni dobiegał hymn śpiewany przez dziesiątki głosów. Danny nie miał wyboru – musiał usunąć ludzi z kościoła. Nie potrafił pojąć, dlaczego bomba jeszcze nie wybuchła. Może zjawił się o tydzień za wcześnie. Może konstruktor bomby miał kłopot z zapalnikiem – często zdarzało się to anarchistom. Mogły być dziesiątki powodów, ale żaden nie miał znaczenia, gdyby Danny dopuścił do śmierci tylu osób. Musiał ich najpierw ulokować w bezpiecznym miejscu, a potem się zastanawiać i martwić się, czy ewentualnie ktoś go nie obrzuci jajkami. Na razie trzeba ich było zabrać stąd w cholerę.

Ruszył przez ulicę i zauważył, że jeden z gruchotów stoi bok w bok z innym samochodem.

Przecież nie było takiej potrzeby. Po obu stronach ulicy pozostało mnóstwo miejsca. Jedyny zajęty fragment chodnika znajdował się dokładnie naprzeciwko drzwi kościoła. I tam właśnie zaparkował ten drugi samochód. Był to stary rambler 63, pewnie z 1911 lub 1912 roku. Danny zatrzymał się na środku ulicy, jakby zlodowaciał. Na szyi i pod pachami czuł zimny pot. Odetchnął i ruszył znowu, tym razem szybciej. Mijając samochód, zobaczył kierowcę pochylonego nisko nad kierownicą, w ciemnym, nasuniętym na czoło kapeluszu. Syrena zabrzmiała głośniej, dołączyło do niej kilka innych. Kierowca wyprostował się. Lewą rękę trzymał na kierownicy. Danny nie widział jego prawej dłoni.

Hymn dobiegł końca.

Kierowca przechylił głowę i odwrócił się w stronę ulicy.

Federico. Nie miał teraz siwych włosów, zgolił wąsik, a jego rysy wydawały się ostrzejsze.

Dostrzegł Danny'ego, ale w jego oczach nie błysnęło rozpoznanie, tylko zaciekawienie na widok tego wielkiego bolszewika z krzaczastą brodą.

Drzwi kościoła stanęły otworem.

Syrena rozbrzmiewała jakby z sąsiedniej przecznicy. Jakiś chłopiec w tweedowej czapce wyszedł ze sklepu cztery budynki dalej, niosąc coś pod pachą.

Danny sięgnął pod płaszcz. Federico spojrzał mu w oczy.

Danny wyciągnął spod płaszcza broń. Federico sięgnął po coś, co leżało na siedzeniu samochodu.

Pierwsi parafianie wyszli na schody kościoła.

Danny machnął rewolwerem.

– Do środka! – ryknął.

Nikt nie zareagował. Danny zrobił krok w lewo, wyprostował rękę i wystrzelił w szybę samochodu Federica.

Ludzie na schodach krzyknęli.

– Do środka!

Coś świsnęło koło jego lewego ucha. Po lewej zobaczył biały rozbłysk – to tamten chłopiec strzelał do niego z pistoletu. Federico otworzył drzwi; trzymał laskę dynamitu z zapalonym lontem. Danny podtrzymał łokieć dłonią i strzelił w lewe kolano Federica. Ten wrzasnął i osunął się na samochód. Dynamit upadł na przednie siedzenie.

Danny był już na tyle blisko, że zobaczył inne laski dynamitu na tylnym siedzeniu – dwie lub trzy wiązki.

Podskoczył odłupany z bruku kamień. Danny przykucnął i strzelił do chłopca. Ten upadł na ulicę; czapka spadła mu z głowy, a spod niej wysunęła się fala włosów w kolorze karmelu. Chłopiec wturlał się pod samochód. Nie chłopiec. Tessa. Danny zauważył kątem oka ruch w ramblerze i znowu strzelił. Kula uderzyła w deskę rozdzielczą, krępująca skucha, a potem rozległo się stuknięcie pustego rewolweru. Danny znalazł kule w kieszeni i wytrząsnął puste łuski na ulicę. Pobiegł, pochylony, do latarni, oparł się o nią ramieniem i usiłował naładować bębenek. Pociski odbijały się od pobliskich samochodów i słupa latarni.

Tessa powtarzała imię Federica, błagalnym, zrozpaczonym głosem, a potem krzyknęła:

– *Scappa, scappa, amore mio! Mettiti in salvo! Scappa!*

Federico spełzł z przedniego siedzenia, uderzył zdrowym kolanem o krawężnik. Danny oderwał się od latarni i strzelił. Pierwsza kula trafiła w drzwi, druga – w tyłek Federica. Znowu rozległ się głośny wrzask, trysnęła krew i zabarwiła spodnie ciemną plamą. Federico rzucił się na siedzenie i wpełzł do środka. Przed oczami Danny'ego stanął nagle obrazek z przeszłości: Federico w salonie, uśmiechnięty tym swoim ciepłym, wspaniałym uśmiechem. Odsunął od siebie tę wizję, gdy Tessa krzyknęła jakby z głębi trzewi, strasznym głosem straconej nadziei. Strzeliła, trzymając pistolet w obu rękach. Danny uskoczył w lewo i poturlał się po jezdni. Pociski wyrwały fragmenty bruku; Danny toczył się, dopóki nie ukrył się za samochodem. Usłyszał, że Tessie skończyły się naboje. Federico wychylił się z ramblera. Wygiął się w łuk i odwrócił. Pchnął drzwi samochodu, a wtedy Danny trafił go w brzuch. Federico wpadł do wnętrza ramblera, a drzwi przytrzasnęły mu nogi. Przed oczami Danny'ego znowu stanęła wizja – Federico z zamkniętymi oczami i rozchylonymi wargami dyryguje muzyką sączącą się z gramofonu.

Danny wystrzelił w stronę, gdzie ostatnio widział Tessę, ale jej tam już nie było. Oddaliła się o parę budynków od kościoła; przyciskała dłoń do biodra. Ta dłoń była czerwona. Po twarzy płynęły jej łzy, a usta były otwarte w niemym krzyku. Kiedy zza zakrętu wyłonił się pierwszy samochód policyjny, Danny po raz ostatni rzucił za nią okiem i pobiegł z uniesionymi rękami na spotkanie policjantów, dając im znaki, żeby się nie zbliżali.

Odgłos wybuchu zabrzmiał głucho, jakby dochodził spod wody. Pierwsza fala przewróciła Danny'ego, który wylądował w rynsztoku i zobaczył ramblera wylatującego w powietrze na półtora metra. Spadł niemal w to samo miejsce. Szyby roztrzaskały się na kawałki, opony pękły, a część dachu odskoczyła w górę jak wieczko puszki. Schody kościoła stały się kupą gruzu. Masywne drewniane drzwi wypadły z zawiasów. Witraże rozbiły się z brzękiem. W powietrzu unosiły się okruchy kamieni i biały pył. Z samochodu bluzgały płomienie i czarny tłusty dym. Danny wstał. Poczuł, że z uszu kapie mu krew.

Pojawiła się przed nim jakaś znajoma twarz. Ten ktoś wypowiedział bezgłośnie jego imię. Danny wyciągnął ręce. W jednej nadal trzymał rewolwer. Gliniarz – Danny przypomniał sobie jego imię, Glen Jakiśtam, Glen Patchett – potrząsnął głową: nie, zatrzymaj broń.

Danny opuścił ręce i schował rewolwer do płaszcza. Żar płomieni parzył go w twarz. Zobaczył w samochodzie Federica, poczerniałe, płonące ciało, oparte o drzwi od strony pasażera, jakby uśpione. Z zamkniętymi oczami wyglądał jak wtedy, gdy po raz pierwszy przełamali się chlebem, gdy zamknął oczy i dyrygował muzyką sączącą się z gramofonu. Ludzie zaczęli wychodzić z kościoła i gromadzili się na chodnikach. Danny nagle usłyszał ich głosy, dobiegające jakby z głębokiej studni.

Odwrócił się do Glena.

– Daj znak głową, jeśli mnie słyszysz.

Patchett spojrzał na niego dziwnie, ale przytaknął.

– Roześlij rysopis Tessy Ficary. Dwadzieścia lat, Włoszka. Średniego wzrostu, długie brązowe włosy. Ranna w prawe biodro. I, Glen, jest przebrana za chłopca. Tweedowe spodenki, czapka, kraciasta koszula, szelki, brązowe robocze buty. Masz?

Patchett gryzmolił szybko w notesie. Skinął głową.

– Uzbrojona i niebezpieczna – dodał Danny.

Ołówek znowu się poruszył.

Nagle lewe ucho Danny'ego odblokowało się z trzaskiem. Krew znowu pociekła mu po szyi, ale przynajmniej odzyskał słuch – a dźwięki, które do niego dotarły, były głośne i sprawiały mu ból. Zasłonił ucho ręką.

– Kurwa.

– Teraz mnie słyszysz?

– Tak, Glen. Tak.

– Kto się tam smaży w samochodzie?

– Federico Ficara. Ścigany listem gończym. Pewnie słyszałeś o nim jakiś miesiąc temu. Podkłada bomby.

– Już nic nie podłoży. Ty go zastrzeliłeś?

– Strzelałem trzy razy.

Glen spojrzał na biały pył, który osiadał im na włosach, pudrował twarze.

– No i niedzielny nastrój się zepsuł.

Eddie McKenna zjawił się na miejscu wypadku jakieś dziesięć minut po wybuchu. Danny siedział na gruzach, które pozostały ze schodów kościoła i słuchał, jak jego ojciec chrzestny rozmawia z Fentonem, sierżantem oddziału saperów.

– O ile możemy się zorientować, plan polegał na tym, by zdetonować dynamit w samochodzie, gdy ludzie wyjdą z kościoła. Wiesz, jak to jest, kręcą się na dziedzińcu jeszcze przez dziesięć minut po nabożeństwie. Ale kiedy makaroniarze zaczęli wyłazić z kościoła, syn Coughlina wrzasnął na nich, żeby się schowali do środka. Poparł rozkaz strzałem z rewolweru. Więc się schowali, a Coughlin zaczął strzelać do tego drania z ramblera. Wówczas do gry wkroczył ktoś nowy – podobno kobieta, uwierzysz? – i do niej także otworzył ogień. Ale jednocześnie nie pozwolił temu draniowi uciec z samochodu. Doprowadził do tego, że zamachowiec wyleciał w powietrze razem ze swoim dynamitem.

– Wyborna ironia losu – przyznał McKenna. – Sprawę przejmuje oddział specjalny.

– Powiedz to wydziałowi taktycznemu.

– Pewnie, że powiem. Spokojna głowa. – Położył rękę na ramieniu Fentona, zanim ten zdążył odejść. – Jak sądzisz, co by się stało, gdyby ta bomba wybuchła wtedy, gdy wierni zgromadziliby się na chodniku?

– Zginęłoby co najmniej dwadzieścia osób. Może trzydzieści. Reszta byłaby ranna, pokaleczona, co tylko chcesz.

– Rzeczywiście, co chcę – mruknął McKenna. Podszedł do Danny'ego, kręcąc głową z uśmiechem. – Wyszedłeś bez jednego draśnięcia?

– Chyba tak. Ale uszy mnie bolą, że kurwa mać.

– Najpierw Salutation, potem praca podczas grypy, a teraz to. – McKenna usiadł obok Danny'ego, podciągnąwszy nogawki spodni. – Ile razy będziesz się mijać ze śmiercią o włos?

– Najwyraźniej przekonam się o tym doświadczalnie.

– Podobno ją postrzeliłeś. Tę pindę Tessę.

Danny przytaknął.

– W prawe biodro. Może ja, może trafił ją rykoszet.

– Za godzinę jesteś umówiony, tak?

Danny przechylił głowę.

– Chyba nie myślisz, że pójdę?

– Dlaczego nie?

– Facet, z którym mam się spotkać, pewnie właśnie zszywa Tessę.

McKenna pokręcił głową.

– Ona jest profesjonalistką. Nie spanikuje, nie będzie galopować po ulicy w biały dzień, cała we krwi. Gdzieś się zaszyła. – Powiódł wzrokiem po budynkach. – Pewnie w pobliżu. Dziś postawię tu mnóstwo patroli, to ją powinno powstrzymać. Przynajmniej nie dopuszczę, żeby uciekła gdzieś daleko. Twój przyjaciel Nathan nie jest jedynym konowałem w tej szajce. Więc myślę, że kolacja powinna się odbyć zgodnie z planem. Oczywiście ryzyko istnieje, ale warto je podjąć.

Danny przyjrzał się Eddiemu, sprawdzając, czy to nie żart.

– Jesteś już tak blisko – dodał McKenna. – Bishop chciał zobaczyć twoje teksty. Dałeś mu je. Teraz zaprosił cię na kolację. Zakładam się o całe złoto Irlandii, że Frania też się pojawi.

– Nie wiemy tego na...

– Wiemy – przerwał mu McKenna. – Możemy to wywnioskować. A jeśli układ gwiazd będzie odpowiedni i Frania zabierze cię do redakcji „The Revolutionary Age"?

– Co? Mam mu powiedzieć: „To skoro się zakumplowaliśmy, może dasz mi listę członków twojej organizacji?" Coś w tym guście, tak?

– Zwiniesz mu ją.

– Co?

– Jeśli wpuszczą cię do redakcji, ukradniesz ją, jełopie.

Danny wstał, jeszcze trochę chwiejnie. Jedno ucho miał nadal zatkane.

– Dlaczego ta lista jest taka ważna?

– Bo w ten sposób zorientujemy się w ich liczebności.

– W liczebności.

McKenna przytaknął.

– Kłamiesz, aż się kurzy. – Danny zszedł po schodkach. – A mnie nie wpuszczą do redakcji. Spotykamy się w knajpie.

McKenna uśmiechnął się pod nosem.

– Dobrze, dobrze. Oddział specjalny da ci ubezpieczenie. Dopilnuje, żeby bolszewikom przez parę dni nawet nie przyszło do głowy spojrzeć na ciebie wilkiem. Czy to cię uszczęśliwi?

– Jakie ubezpieczenie?

– Znasz Hamiltona z mojego oddziału, nie?

Danny przytaknął. Jerry Hamilton, Jerry z Jersey. Bandzior; od innych bandziorów różniła go tylko policyjna odznaka.

– Znam.

– Dobrze. Bądź dziś czujny i gotowy.

– Gotowy na co?

– Zorientujesz się, wierz mi. – McKenna wstał i otrzepał spodnie z białego pyłu, który od chwili wybuchu jednostajnie opadał na ziemię. – Teraz doprowadź się do porządku. Zmyj tę mąkę. Upudrowała ci włosy i twarz. Wyglądasz jak buszmeni z komiksów.

ROZDZIAŁ OSIEMNASTY

Kiedy Danny przyszedł pod restaurację, drzwi były zamknięte na klucz, a okna zasłonięte żaluzjami.

– W niedziele jest zamknięta. – Nathan Bishop wyłonił się z mrocznej bramy i stanął w bladym żółtawym świetle pobliskiej latarni. – Pomyliłem się.

Danny powiódł wzrokiem po pustej ulicy.

– Gdzie towarzysz Frania?

– W innym miejscu.

– W jakim?

Nathan zmarszczył brwi.

– W tym, do którego idziemy.

– Aha.

– Bo to jest zamknięte.

– Słusznie.

– Zawsze byłeś taki tępy czy dopiero teraz cię pokarało?

– Zawsze.

Nathan wyciągnął rękę.

– Samochód jest tam.

Danny dopiero teraz go zobaczył – stary oldsmobile, model M. Piotr Glaviach siedział za kierownicą, wpatrując się przed siebie. Przekręcił kluczyk w stacyjce i warkot silnika odbił się echem od ścian kamienic.

Nathan, zmierzając ku samochodowi, obejrzał się przez ramię.

– Idziesz?

Danny miał nadzieję, że ludzie McKenny gdzieś tu są, i że obserwują go, a nie chlają w barze za rogiem, zanim zdecydują się dźwignąć tyłki z miejsca i ruszyć do restauracji, by wykonać tę swoją zamierzoną akcję. Już to sobie wyobrażał – Jerry z Jersey i jakiś drugi bandyta z policyjną odznaką stoją jak kołki pod zamkniętą restauracją, a któryś z nich sprawdza adres zapisany na ręce i kręci głową, ogłupiały jak dziecko.

Zszedł z chodnika i ruszył do samochodu.

Przejechali parę przecznic i skręcili w Harrison Avenue. Zaczął siąpić deszczyk. Glaviach włączył wycieraczki. Jak cały samochód, były masywne i ich miarowy stukot odzywał się echem w piersi Danny'ego.

– Coś cicho – zauważył Nathan.

Danny spojrzał na aleję i puste chodniki.

– No. W końcu niedziela.

– Mówiłem o tobie.

Restauracja nazywała się Październik. Ta nazwa widniała tylko na drzwiach; czerwone literki były tak małe, że Danny przez ostatnie miesiące mijał ją kilka razy, nie zauważając. W środku stały trzy stoliki, tylko jeden był nakryty. Nathan poprowadził ku niemu Danny'ego.

Piotr zaciągnął zasuwę na drzwiach frontowych i usiadł obok nich; jego wielkie łapska spoczęły na kolanach jak śpiące psy.

Luis Frania stał przy malutkim barze, mówiąc szybko po rosyjsku przez telefon. Często kiwał głową i spiesznie pisał coś w notesie. Kelnerka, tęga sześćdziesięcioletnia kobieta, przyniosła Nathanowi i Danny'emu butelkę wódki i koszyk razowego chleba. Nathan nalał do kieliszków i uniósł swój w toaście. Danny zrobił to samo.

– Zdrowie – powiedział Nathan.

– Co? Nie po rosyjsku?

– Dobry Boże, skąd. Wiesz, jak Rosjanie nazywają ludzi z Zachodu, którzy mówią w ich języku?

Danny pokręcił głową.

– Szpiedzy. – Nathan nalał znowu i odpowiedział, jakby czytając w myślach Danny'ego. – Wiesz, dlaczego Luis jest wyjątkiem?

– Dlaczego?

– Bo to Luis. Spróbuj chleba. Dobry.

Od strony baru dobiegła ich eksplozja rosyjskich słów, a po niej zaskakująco serdeczny śmiech. Luis Frania odłożył słuchawkę, podszedł do ich stolika i nalał sobie wódki.

– Dobry wieczór, panowie. Cieszę się, że mogliście przyjść.

– Dobry wieczór, towarzyszu – powiedział Danny.

– A, pisarz. – Luis Frania wyciągnął rękę.

Danny ją ujął. Frania uścisnął go mocno, jednak nie starając się niczego udowodnić.

– Miło cię poznać, towarzyszu.

Frania usiadł i znowu nalał wódki do opróżnionego kieliszka.

– Dajmy sobie na razie spokój z tym „towarzyszu". Przeczytałem twoje teksty, więc nie wątpię w twoje zaangażowanie.

– Dobrze.

Frania uśmiechnął się do Danny'ego. Z bliska emanował serdecznością, której podczas jego przemówień na tyłach knajpy w ogóle nie było widać.

– Zachodnia Pensylwania, tak?

– Tak.

– Co cię sprowadziło aż do Bostonu? – Frania oderwał kawałek chleba z bochenka i włożył kęs do ust.

– Miałem tu wujka. Kiedy przyjechałem, już go nie było. Nie wiem, gdzie się podział.

– Był rewolucjonistą?

Danny pokręcił głową.

– Szewcem.

– Więc mógł uciec przed niebezpieczeństwem w dobrych butach.

Danny uśmiechnął się lekko.

Frania odchylił się i machnął na kelnerkę. Skinęła głową i znikła na zapleczu.

– Zjedzmy – zarządził Frania. – O rewolucji pogadamy po deserze.

Zjedli sałatę z winegretem i olejem, który Frania nazwał warzywnym. Następnie podano *draniki*, placki ziemniaczane, i *żarkoje*, wołowinę z ziemniakami. Danny nie miał pojęcia, czego się spodziewać, ale jedzenie było dość dobre, o wiele lepsze niż ta breja, którą podawano co wieczór w Sowbelly Saloon. Jednak podczas posiłku nie mógł się skupić. Trochę z powodu dzwonienia w uszach. Słyszał tylko połowę i musiał nadrabiać to uśmiechami lub kręceniem głowy w odpowiednich miejscach. Ale to nie problem ze słuchem odwracał jego uwagę od tego, o czym mówiono przy stole, lecz uczucie – ostatnio zbyt dobrze mu znane – że to zadanie nie dla niego.

Dziś rano wstał z łóżka i dlatego ktoś stracił życie. W tej chwili nie obchodziło go, czy ów człowiek na to zasługiwał – a zasługiwał. Męczyło go, że to on zabił. Dwie godziny temu. Stanął na ulicy i zastrzelił tamtego jak zwierzę. Jeszcze słyszał te piskliwe wrzaski. Widział każdą z kul, które przebiły ciało Federica Ficary – pierwsza kolano, druga tyłek, trzecia brzuch. Wszystkie bolesne, ale pierwsza i trzecia wyjątkowo.

Od tego czasu minęły dwie godziny, a on znowu pracował. Jego praca polegała na siedzeniu przy stole z dwoma mężczyznami, którzy wydawali się zbyt egzaltowani, ale nie robili wrażenia przestępców.

Kiedy strzelił Federicowi w tyłek (a to gnębiło go najbardziej, to upokorzenie, widok Federica, usiłującego się wydostać z auta jak ranne zwierzę), zastanowił się, co doprowadziło do sytuacji, kiedy troje ludzi strzela do siebie na ulicy w pobliżu samochodu pełnego dynamitu. Tego scenariusza nie tworzył żaden bóg, nawet bóg najpodlejszych stworzeń. Kto stworzył takiego Federica? Taką Tessę? Nie żaden bóg. Człowiek.

Zabiłem cię, pomyślał Danny.

Uświadomił sobie, że Frania coś do niego mówi.

– Słucham?

– Powiedziałem, że jak na tak zapalczywego polemistę jesteś dość małomówny.

Danny uśmiechnął się pod nosem.

– Wolę wyrażać się na papierze.

Frania skinął głową i stuknął kieliszkiem kieliszek Danny'ego.

– Słusznie. – Odchylił się i zapalił papierosa. Zdmuchnął zapałkę tak, jak dziecko zdmuchuje świeczkę, z wydętymi wargami i w skupieniu. – Dlaczego Stowarzyszenie Litewskich Robotników?

– Chyba nie rozumiem pytania.

– Jesteś Amerykaninem – wyjaśnił Frania. – Mieszkasz kilkaset metrów od Amerykańskiej Partii Komunistycznej towarzysza Reeda.

Ale postanowiłeś trzymać z przybyszami z Europy Wschodniej. Źle się czujesz ze swoimi?

– Nie.

Frania oparł brodę na pięści.

– Więc?

– Chcę pisać. Towarzysze Reed i Larkin nie pozwalają nowym wypowiadać się w ich gazecie.

– A ja pozwalam?

– Tak mówią.

– Szczery – oznajmił Frania. – To mi się podoba. Zresztą, niektóre są całkiem dobre. Znaczy, twoje przemyślenia.

– Dziękuję.

– Inne są zbyt, hm, kwieciste. Niektórzy powiedzieliby „napuszone".

Danny wzruszył ramionami.

– Mówię prosto z serca, towarzyszu.

– Rewolucja potrzebuje ludzi, którzy wyrażają myśli, nie uczucia. Inteligencja, precyzja – oto, co najbardziej cenimy w partii.

Danny skinął głową.

– Więc chciałbyś pomagać przy wydawaniu gazety. Tak?

– Bardzo.

– To niezbyt atrakcyjna praca. Owszem, będziesz czasami pisać, ale spodziewamy się, że staniesz w drukarni i będziesz wkładać gazety do kopert i wypisywać na tych kopertach nazwiska i adresy. Potrafiłbyś?

– Na pewno.

Frania zdrapał z języka płatek tytoniu i wrzucił go do popielniczki.

– Przyjdź do redakcji w przyszły piątek. Zobaczymy, czy się nadasz.

Tak po prostu, pomyślał Danny. Tak po prostu.

Wyszedł z Października i znalazł się za plecami Luisa Frani i Piotra Glaviacha. Nathan Bishop przeszedł przez chodnik, by otworzyć oldsmobile'a. Nagle Frania zachwiał się, a na pustej ulicy rozległ się huk strzału. Piotr Glaviach pchnął Luisa na ziemię i przykrył własnym ciałem. Okulary Frani spadły do rynsztoka. Ten, który strzelał, wyjrzał z bramy dwa budynki dalej. Danny zerwał pokrywę z kubła na śmieci i wytrącił mężczyźnie pistolet z wyciągniętej ręki. Broń wystrzeliła raz jeszcze, a Danny uderzył napastnika w czoło. Rozległy się syreny policyjne. Zbliżały się. Danny po raz trzeci grzmotnął zamachowca pokrywą; tamten usiadł ciężko.

Danny odwrócił się w chwili, gdy Glaviach wepchnął Franię na tylne siedzenie oldsmobile'a i stanął na stopniu. Nathan Bishop wskoczył na przednie siedzenie. Machnął gorączkowo w stronę Danny'ego.

– Wsiadaj!

Napastnik chwycił Danny'ego za kostki i przewrócił go na ziemię. Danny rąbnął o bruk z takim rozmachem, że aż podskoczył.

U wylotu Columbus pojawił się samochód policyjny.

– Jedźcie! – krzyknął Danny.

Oldsmobile ruszył z piskiem opon.

– Dowiedz się, czy jest biały! – krzyknął stojący na stopniu Glaviach. Policyjny samochód zatrzymał się przed restauracją, a oldsmobile skręcił gwałtownie w lewo i znikł.

Pierwsi dwaj gliniarze podbiegli do restauracji. Wepchnęli do środka kelnerkę i dwóch ciekawskich. Zamknęli drzwi. Następny policyjny samochód pojawił się chwilę potem i zatrzymał się jednym kołem na krawężnika. Wysiadł z niego McKenna, już rozbawiony absurdem tej sytuacji. Jerry Hamilton puścił nogi Danny'ego i obaj wstali. Dwaj policjanci zaprowadzili ich do samochodu.

– Dość realistyczne, nie sądzicie? – zagadnął McKenna.

Hamilton roztarł czoło, a potem walnął Danny'ego w ramię.

– Krew mi leci, ty świrze.

– Twarzy nie ruszyłem.

– Twarzy nie... – Hamilton splunął krwią na ulicę. – Jak bym cię walnął...

Danny podszedł do niego.

– Mogę cię z miejsca wysłać do szpitala. Chcesz, gnoju?

– E, Eddie, czemu on tak do mnie mówi?

– Bo może. – McKenna klepnął obu w ramiona. – Przyjmijcie pozycję panowie.

– Nie, mówię poważnie – powiedział Danny. – Chcesz się ze mną bić?

Hamilton odwrócił wzrok.

– Tak tylko gadałem.

– Tak gadałeś – powtórzył Danny.

– Panowie.

Danny i Jerry z Jersey położyli ręce na dachu samochodu, a McKenna ostentacyjnie ich skuł.

– Lipa, nie podstęp – szepnął Danny. – Zorientują się.

– Nonsens – odparł McKenna. – O wy, ludzie małej wiary.

Nie zatrzasnął im kajdanek i wepchnął obu na tył samochodu. Usiadł za kierownicą i ruszyli przez Harrison.

– Wiesz co? Jak cię kiedyś spotkam… – zaczął Hamilton.

– To co? – spytał Danny. – Zrobisz z siebie jeszcze większego durnia?

McKenna odwiózł Danny'ego do jego mieszkania w Roxbury i zaparkował przy krawężniku o pół przecznicy od budynku.

– Jak się czujesz?

Prawdę mówiąc, Danny miał ochotę się rozpłakać. Bez konkretnego powodu, po prostu ze zmęczenia i w ogóle. Potarł twarz.

– Dobrze.

– Parę godzin temu dałeś wycisk terroryście w wyjątkowo trudnej sytuacji, a potem poszedłeś na spotkanie z innym ewentualnym terrorystą i…

– Eddie, do cholery, oni nie…

– Co mówisz?

– Oni nie są żadnymi zasranymi terrorystami. To komuniści. I z wielką radością zobaczą nasz upadek, owszem, będą wiwatować, jeśli cały ten rząd upadnie i utonie w oceanie. To ci gwarantuję. Ale nie oni rzucają bomby.

– Aleś ty naiwny, chłopcze.

– Niech ci będzie. – Danny sięgnął do klamki drzwi.

– Dan. – McKenna położył mu rękę na ramieniu.

Danny znieruchomiał.

– Przez parę ostatnich miesięcy wiele od ciebie wymagaliśmy. To prawda, Bóg mi świadkiem. Ale niedługo dostaniesz złotą odznakę. I wtedy wszystko będzie idealnie.

Danny skinął głową, żeby tamten się wreszcie odczepił. Eddie puścił jego ramię.

– Nie będzie – powiedział Danny i wysiadł.

Następnego dnia po południu, w konfesjonale nieznanego kościoła, Danny ukląkł i przeżegnał się.

– Czuję od ciebie alkohol – powiedział ksiądz.

– Bo piłem, ojcze. Poczęstowałbym ojca, ale zostawiłem butelkę w mieszkaniu.

– Przyszedłeś się wyspowiadać, synu?

– Nie wiem.

– Jak możesz nie wiedzieć? Albo zgrzeszyłeś, albo nie.

– Wczoraj zastrzeliłam człowieka. Przed kościołem. Pewnie ksiądz już słyszał.

– Tak, słyszałem. To był anarchista. A ty...?

– Tak. Strzeliłem do niego trzy razy. W sumie pięć, ale dwa razy spudłowałem. Rzecz w tym, ojcze... proszę mi powiedzieć, czy dobrze postąpiłem. Co?

– To Bóg...

– On chciał wysadzić kościół w powietrze. Jeden z waszych.

– Zgadza się. Dobrze zrobiłeś.

– Ale on nie żyje. Usunąłem go z tego świata. I nie mogę się pozbyć uczucia...

Zapadło długie milczenie, tym cichsze, że było to milczenie kościelne; pachniało kadzidłem i mydłem z oliwek, a otaczały je ramy z ciemnego drewna i mięsistego aksamitu.

– Jakiego uczucia?

– Uczucia, że żyjemy... – ja i ten, którego zabiłem – że żyjemy w tej samej beczce. Rozumie ksiądz?

– Nie. Mówisz zagadkami.

– Przepraszam. Jest wielka beczka gówna. Tak? I...

– Panuj nad językiem!

– ...i nie ma w niej tych z klasy rządzącej ani bogaczy, tak? Oni tam tylko wrzucają konsekwencje, o których nie chcą myśleć. I rzecz w tym...

– Jesteś w domu Bożym.

– ...rzecz w tym, ojcze... Rzecz w tym, że mamy się zachowywać grzecznie i odejść, kiedy z nami skończą. Przyjąć to, co nam dadzą, wypić, zjeść, bić brawo i mówić: „Mniam, mniam, prosimy jeszcze. Wielkie dzięki". We Francji i Niemczech zginęły miliony. Za co? Za nic. A teraz? Teraz chcą nam sprzedawać takie same bzdury i, muszę ojcu wyznać, że mam tego, kurwa, po uszy.

– Natychmiast opuść tę świątynię.
– Dobra. Ksiądz też wychodzi?
– Sądzę, że musisz wytrzeźwieć.
– A ja sądzę, że ksiądz musi opuścić to mauzoleum, w którym się ukrywa i zobaczyć, jak naprawdę żyją parafianie księdza. Robiłeś to ostatnio, ojcze?
– Natychmiast...
– Lub w ogóle?

Proszę – powiedział Luis Frania. – Usiądź.
Minęła północ. Od czasu sfabrykowanego zamachu minęły trzy dni. Koło jedenastej Piotr Glaviach zadzwonił do Danny'ego i podał mu adres piekarni w Mattapan. Kiedy Danny przybył na miejsce, Glaviach wysiadł z oldsmobile'a i dał mu znak, żeby wszedł w zaułek między piekarnią i salonem krawieckim. Danny poszedł za nim do magazynu, w którym na drewnianym krześle siedział Luis Frania. Przed nim czekało drugie, identyczne.

Danny usiadł na nim, tak blisko tego drobnego, ciemnookiego mężczyzny, że mógłby dotknąć starannie przystrzyżonej brody Frani. Tamten nie odrywał wzroku od jego twarzy. Nie były to płonące oczy fanatyka, lecz zwierzęcia, tak przyzwyczajonego do ucieczki przed myśliwymi, że aż znudzonego. Frania skrzyżował nogi w kostkach i pochylił się ku Danny'emu.
– Opowiedz, co się wydarzyło, kiedy odjechaliśmy.
Danny wskazał za siebie kciukiem.
– Mówiłem już Nathanowi i towarzyszowi Glaviachowi.
Frania pokiwał głową.
– Teraz opowiedz mnie.
– A właśnie, gdzie Nathan?
– Powiedz, co się wydarzyło. Kim był człowiek, który chciał mnie zabić?
– Nie znam jego nazwiska. Nie rozmawiałem z nim.
– Tak, wydaje się nieuchwytny jak duch.
– Chciałem. Gliny zjawiły się natychmiast. Wzięli mnie, jego, paru innych. Wrzucili nas na tył samochodu i zawieźli na posterunek.
– Który?

– Przy Roxbury Crossing.
– A po drodze nie wymieniłeś żadnych uprzejmości z moim niedoszłym zabójcą?
– Próbowałem. Nie odpowiadał. Potem gliniarz kazał mi zamknąć mordę.
– Tak powiedział? Mordę?
Danny skinął głową.
– Bo mi w nią włoży pałkę.
Oczy Frani błysnęły.
– Obrazowe.
Podłogę pokrywała warstwa zaskorupiałej starej mąki. W pomieszczeniu czuć było drożdże, pot, cukier i pleśń. Pod ścianami stały wielkie brązowe beczki, niektóre wielkości człowieka, a pomiędzy nimi worki z mąką i ziarnem. Pośrodku sufitu wisiała naga żarówka na łańcuszku; w cieniach kładących się w kątach pomieszczenia piszczały gryzonie. Piece pewnie były wygaszone od południa, ale ze ścian bił żar.
– Można się było spodziewać, nie sądzisz?
Danny włożył rękę do kieszeni i odnalazł szklany paciorek między monetami. Ścisnął go i pochylił się nad stołem.
– Jak to?
– Ten zabójca... – Frania machnął ręką wokół siebie. – Nikt nie może znaleźć jego akt. Nie został zauważony nawet przez towarzysza, który tej nocy znajdował się w areszcie przy Roxbury Crossing. To weteran Rewolucji Październikowej, prawdziwy Letts, jak nasz towarzysz Piotr.
Wielki Estończyk siedział, oparty o wielkie drzwi, z rękami założonymi na piersi, i nie zdradzał, że usłyszał swoje imię.
– Ciebie także tam nie widział – dodał Frania.
– Bo mnie nie wsadzili – odparł Danny. – Dla draki wysłali mnie do Charlestown. Już to powiedziałem towarzyszowi Bishopowi.
Frania uśmiechnął się serdecznie.
– Więc wszystko jasne. Wszystko świetnie. – Klasnął w dłonie. – Co, Piotrze? A nie mówiłem?
Glaviach oderwał wzrok od półek za Dannym.
– Wszystko jest świetnie.
– Wszystko świetnie.
Danny siedział nieruchomo. Od stóp do głowy oblewał go żar.

Frania pochylił się, opierając łokcie na kolanach.
– Tylko że ten człowiek stał o jakieś dwa, trzy metry ode mnie. Jak mógł spudłować z takiej odległości?
Danny wzruszył ramionami.
– Nerwy?
Tamten pogładził kozią bródkę i pokiwał głową.
– Też tak z początku myślałem. Ale potem zacząłem się zastanawiać. Było nas trzech, staliśmy blisko siebie. Czterech, jeśli doliczyć ciebie. A za nami? Wielki samochód. Więc pytam, towarzyszu Sante, gdzie trafiły kule?
– Pewnie w chodnik.
Frania cmoknął i pokręcił głową.
– Niestety, nie. Sprawdziliśmy. Sprawdziliśmy wszystko w promieniu dwóch przecznic. Było nam łatwo, bo policjanci tego nie sprawdzili. Niczego nie szukali. Broń wystrzeliła w granicach miasta. Dwa razy. A policja potraktowała to jak niewinny figiel.
– Hmmm... A to...
– Jesteś federalny?
– Słucham?
Frania zdjął okulary i wytarł je chusteczką.
– Z Departamentu Sprawiedliwości? Wydziału Imigracyjnego? BI?
– Nie rozumiem...
Frania wstał i włożył okulary. Spojrzał na Danny'ego z góry.
– A może z miejscowej policji? Jesteś jednym z tych agentów, których rozpuścili po mieście? Słyszałem, że u anarchistów z Revere pojawił się nowy członek, który podobno pochodzi z północy Włoch, ale mówi z akcentem z południa. – Frania obszedł krzesło Danny'ego i stanął za jego oparciem. – A ty, Danielu? Jaki jesteś?
– Jestem Daniel Sante, maszynista z Harlansburga w Pensylwanii. Nie jestem wtyczką, towarzyszu. Nie jestem sługusem rządu. Jestem tym, za kogo się podaję.
Frania przykucnął za nim.
– Czy mógłbyś odpowiedzieć inaczej? – szepnął mu do ucha.
– Nie. – Danny odwrócił się, by spojrzeć na szczupłą twarz tamtego. – Bo taka jest prawda.
Frania położył ręce na oparciu krzesła.

– Ktoś chce mnie zabić i przypadkiem okazuje się fatalnym strzelcem. Ratujesz mnie, bo akurat wychodzisz w tym samym czasie, co ja. Policja zjawia się parę chwil po wystrzale. Wszyscy w restauracji zostają zatrzymani, ale nie przesłuchani. Zabójca znika. Ty zostajesz wypuszczony bez żadnych zarzutów, a jakby tego było mało, okazujesz się też utalentowanym pisarzem. – Frania znowu stanął przed Dannym i postukał się w skroń. – Widzisz, ile szczęśliwych zbiegów okoliczności!

– Rzeczywiście, były szczęśliwe.

– Nie wierzę w zbiegi okoliczności, towarzyszu. Wierzę w logikę. A w twojej historii jej nie ma. – Frania przykucnął przed Dannym. – Idź już. Powiedz swoim burżuazyjnym szefom, że Stowarzyszenie Robotników Litewskich jest bez zarzutu i nie łamie prawa. Powiedz im, żeby nie wysyłali następnych szpiegów.

Danny usłyszał kroki w magazynie za swoimi plecami. Tam ktoś był. Kilka osób. Może trzy.

– Jestem dokładnie tym, za kogo się podaję – oznajmił. – Jestem oddany sprawie i rewolucji. Nie wyjdę. Nie wyprę się siebie.

Frania wstał.

– Idź.

– Nie, towarzyszu.

Piotr Glaviach odepchnął się łokciem od drzwi i wstał. Drugą rękę trzymał za plecami.

– Po raz ostatni – idź.

– Nie mogę, towarzyszu. Jestem…

Szczęknęły kurki czterech pistoletów. Trzy za jego plecami, czwarty w ręku Glaviacha.

– Stój! – krzyknął Estończyk. Echo jego głosu odbiło się od kamiennych ścian.

Danny znieruchomiał.

Piotr stanął za nim. Jego cień położył się na podłogę przed Dannym. Ten cień miał wyciągniętą rękę.

Frania uśmiechnął się ze smutkiem.

– Zostało ci jedyne wyjście. Możesz z niego skorzystać jeszcze tylko przez chwilę. – Wskazał drzwi.

– Mylisz się.

– Nie. Mam rację. Dobranoc.

Danny nie odpowiedział. Frania przeszedł obok niego. Na ścianie rysowały się cienie czterech mężczyzn za plecami Danny'ego, który otworzył drzwi i, czując na karku palący żar, wyszedł z piekarni.

Ostatnią czynnością, jaką wykonał Danny w wynajętym pokoju Daniela Sante, było zgolenie brody w łazience. Najpierw ściął włosy nożyczkami, zmiótł gęste kłaki do papierowej torby, potem zwilżył resztę zarostu gorącą wodą i mydłem do golenia. Z każdym ruchem brzytwy czuł się szczuplejszy, lżejszy. Wreszcie wytarł ostatnie płatki piany, usunął ostatni zapomniany włosek i uśmiechnął się do swego odbicia.

W sobotnie popołudnie Danny i Mark Denton spotkali się z komisarzem O'Mearą i burmistrzem Andrew Petersem w gabinecie tego ostatniego. Burmistrz wydał się Danny'emu zagubiony, jakby nie pasował do swojego gabinetu, wielkiego biurka, sztywnej koszuli z wysokim kołnierzykiem i tweedowego garnituru. Często przestawiał telefon i wyrównywał bibułę.

Kiedy zajęli miejsca, uśmiechnął się do nich.

– Chluba bostońskiej policji, co, panowie?

Danny odpowiedział uśmiechem.

Stephen O'Meara stanął za biurkiem. Zdominował to pomieszczenie swoją obecnością, chociaż nie odezwał się ani słowem.

– Burmistrz Peters i ja sprawdziliśmy przyszłoroczny budżet i widzimy pozycje, z których możemy obciąć parę dolarów. Zapewniam, nie będzie to kwota wystarczająca, ale zawsze coś. To nie tylko pieniądze – to publiczne przyznanie się, że traktujemy wasze skargi poważnie. Prawda, panie burmistrzu?

Peters podniósł głowę znad blatu.

– A, zdecydowanie tak.

– Skonsultowaliśmy się z miejskimi służbami sanitarnymi w sprawie dochodzenia odnośnie 2 warunków higienicznych we wszystkich posterunkach. Zgodzili się rozpocząć kontrolę w pierwszym miesiącu nowego roku. – O'Meara spojrzał Danny'emu w oczy. – Czy to zadowalający początek?

Danny spojrzał na Marka, a potem na komisarza.
– Zdecydowanie tak.
– Nadal spłacamy pożyczkę na projekt skanalizowania Commonwealth Avenue, nie wspominając już o rozbudowie torów tramwajowych, związanym z wojną krajowym kryzysie paliwowym oraz deficycie środków na publiczne szkolnictwo w białych dzielnicach – wtrącił burmistrz Peters. – Nasze akcje spadają. A teraz koszta utrzymania podskoczyły do bezprecedensowego poziomu. Więc liczymy się z waszymi trudnościami, naprawdę się liczymy. Ale potrzebujemy czasu.
– I wiary – dodał O'Meara. – Jeszcze trochę wiary. Czy zechcecie przeprowadzić ankietę w gronie kolegów? Sporządzić listę ich bolączek i zebrać prywatne relacje o codziennych doświadczeniach w pracy? Osobiste wynurzenia, jak ta zachwiana równowaga finansowa wpływa na ich życie prywatne? Czy możecie zrobić pełną dokumentację stanu sanitarnego posterunków oraz listę przypadków nadużywania władzy przez dowództwo wyższego szczebla?
– Bez obawy? – spytał Danny.
– Bez najmniejszej obawy.
– W takim razie chętnie – powiedział Mark Denton.
O'Meara skinął głową.
– Spotkajmy się tu za miesiąc. Przez ten czas powstrzymajmy się od okazywania niezadowolenia w gazetach i jakiegokolwiek zaogniania sytuacji. Czy możecie się na to zgodzić?
Danny i Mark skinęli głowami.
Burmistrz Peters wstał i uścisnął im dłonie.
– Może jestem nowy na tym stanowisku, panowie, ale ufam, że nie zawiodę waszego zaufania.
O'Meara zbliżył się do nich zza biurka i wskazał drzwi.
– Kiedy otworzą się te drzwi, ujrzycie dziennikarzy. Błyski fleszy, pytania, i tak dalej. Czy któryś z was wykonuje jakąś tajną misję?
Danny sam nie rozumiał, dlaczego uśmiechnął się tak szeroko i dlaczego odpowiedział z taką dumą:
– Już nie.

Na zapleczu Warren Tavern wręczył Eddiemu McKennie pudło z ubraniami Daniela Sante oraz kluczem do jego pokoju, liczne notatki, których nie włączył do raportu oraz literaturę otrzymaną do przestudiowania.

Eddie wskazał na ogoloną twarz Danny'ego.

– Więc skończyłeś z tym.

– Skończyłem.

McKenna przejrzał pudło i odstawił je na bok.

– Na pewno nie zmienisz zdania? Może jakbyś się dobrze wyspał...

Danny rzucił mu spojrzenie, które przerwało to zdanie w połowie.

– Myślisz, że by cię zabili?

– Nie. Z logicznego punktu widzenia? Nie. Ale kiedy słyszysz za plecami szczęk czterech kurków...

McKenna pokiwał głową.

– Sam Chrystus wszechmogący zrewidowałby swoje poglądy.

Przez jakiś czas siedzieli w milczeniu, każdy zajęty drinkiem i myślami.

– Mógłbym ci stworzyć nową tożsamość, przenieść do nowej komórki. Jest jedna...

– Dość. Proszę. Mam dość. Nie wiem, co w ogóle robimy. Nie wiem, dlaczego...

– Nie nam pytać, dlaczego.

– Nie mnie pytać. Ty możesz.

Eddie wzruszył ramionami.

– Co ja tam robiłem? – Danny spuścił wzrok na ręce. – Co osiągnąłem? Oprócz tego, że tworzyłem listy związkowców i niegroźnych bolszewików...

– Niegroźni czerwoni nie istnieją.

– ...to po cholerę się tam plątałem?

Eddie McKenna napił się piwa i zapalił cygaro, mrużąc oko przed dymem.

– Straciliśmy cię.

– Co?

– Tak, tak – powiedział cicho Eddie.

– Nie rozumiem, o co ci chodzi. To ja, Danny.

McKenna spojrzał w sufit.

– Kiedy byłem chłopcem, przez jakiś czas mieszkałem z wujkiem.

Nie pamiętam, ze strony matki czy papcia, ale był takim samym irlandzkim śmieciem, jak my. Niesklonnym do miłości. Nie było w nim światła. Ale miał psa, nie? Paskudny był to kundel, głupi jak but, ale potrafił kochać, miał w sobie to światło. I na pewno umiał tańczyć z radości na mój widok. Tańczył, bo wiedział, że go pogłaszczę, będę z nim biegał, podrapię go po parchatym brzuchu. – Eddie zaciągnął się cygarem i powoli wydmuchnął dym. – Zachorował. Robaki. Zaczął kaszleć krwią. Jak przyszedł czas, wujek powiedział, żebym go zabrał nad morze. I że mnie zleje, jeśli odmówię. I jeszcze mocniej, jak będę płakać. Więc zaniosłem kundla nad morze. Wszedłem z nim do wody po brodę i puściłem. Miałem go przytrzymać i liczyć do sześćdziesięciu, ale nie było po co. Był słaby, chory i smutny. Poszedł na dno bez jednego piśnięcia. Wróciłem na brzeg, a wujek jak mnie nie palnie. „Za co?" – krzyczę. A on pokazuje. I proszę, ten biedny, głupi kundel wraca. Płynie do mnie. W końcu dociera na brzeg. Dygocze, dyszy, ocieka wodą. To cud, ten pies, romantyk, bohater. I patrzył na mnie tak długo, aż wujek uniósł siekierę i przerąbał go na pół.

Eddie usiadł i podniósł cygaro z popielniczki. Kelnerka zabrała sześć kufli z sąsiedniego stolika. Wróciła za bar i zrobiło się cicho.

– Po cholerę opowiadasz mi taką historię? – spytał Danny. – Co się z tobą dzieje?

– Raczej, co się dzieje z tobą. Myślisz o sprawiedliwości. Nie zaprzeczaj. Myślisz, że można ją osiągnąć. Tak myślisz. Widzę to.

Danny pochylił się ku niemu; piwo chlusnęło z kufla, gdy odjął go od ust.

– Mam się czegoś nauczyć z tej cholernej historii o psie? Czego? Że życie jest ciężkie? Że gra jest niebezpieczna? Myślisz, że nie wiem? Myślisz, że według mnie związkowcy, bolszewicy albo BKS mają choćby cień szansy?

– Więc czemu to robisz? Twój ojciec, brat, ja – wszyscy się martwimy. Do szaleństwa. Zaprzepaściłeś szanse z Franią, bo chciałeś.

– Nie.

– Siedzisz i mówisz, że żaden rozsądny rząd – lokalny, państwowy czy federalny – nigdy nie pozwoli na komunizację tego kraju. Przenigdy. A jednak coraz głębiej toniesz w bagnie BKS i coraz bardziej oddalasz się od tych, którym jesteś bliski. Dlaczego? Jesteś moim synem chrzestnym. Dlaczego?

– Zmiana boli.

– To jest twoja odpowiedź?

Danny wstał.

– Zmiana boli, Eddie, ale wierz mi, nadchodzi.

– Nieprawda.

– Musi.

Eddie pokręcił głową.

– Jest walka i są fanaberie. Niestety, wkrótce dowiesz się, na czym polega różnica.

ROZDZIAŁ DZIEWIĘTNASTY

Było wtorkowe popołudnie, Nora właśnie wróciła z fabryki butów, Luther kroił warzywa na zupę, Nora obierała ziemniaki i raptem spytała:

– Masz dziewczynę?

– Hmm?

Zerknęła na niego tymi jasnymi oczami, iskrzącymi się, jakby ktoś zapalił zapałkę.

– Słyszałeś. Masz gdzieś dziewczynę?

Luther pokręcił głową.

– Nie, proszę panienki.

Parsknęła śmiechem.

– Co?

– Kłamiesz, oczywiście.

– Hę? Skąd wiesz?

– Słyszę.

– Co słyszysz?

Roześmiała się ochryple.

– Miłość.

– To, że ją kocham, nie znaczy, że jest moja.

– Przez cały tydzień nie powiedziałeś nic prawdziwszego. To, że kogoś kochasz, nie znaczy… – Urwała i znowu zaczęła obierać ziemniaki, cicho nucąc. To jej nucenie było nawykiem, z którego nie zdawała sobie sprawy, Luther był tego pewien.

Zsunął nożem posiekany seler z deski do krojenia do garnka. Obszedł Norę, by wyjąć parę marchewek z sagana w zlewie. Położył je na desce i najpierw ściął czubki, potem pokroił, cztery jednocześnie.

– Ładna? – spytała Nora.

– Ładna.
– Wysoka? Niska?
– Dość mała. Jak ty.
– Jestem mała, tak?
Obejrzała się na niego przez ramię. W jednej ręce trzymała nóż i Luther znowu poczuł, jak parę razy wcześniej, że w najbardziej niewinnych momentach emanuje z niej wulkaniczny temperament. Nie znał zbyt wielu białych kobiet, a już żadnych Irlandek, ale miał wrażenie, że Norę należy traktować z wielką ostrożnością.
– No, nieduża – powiedział.
Długo mu się przyglądała.
– Znamy się od wielu miesięcy, a dziś przyszło mi do głowy, że nic o tobie nie wiem.
Luther roześmiał się cicho.
– Przyganiał kocioł garnkowi.
– A to niby dlaczego?
– Dlaczego? – Luther pokręcił głową. – Wiem, że jesteś z Irlandii, ale nie wiem, skąd dokładnie.
– Znasz Irlandię?
– Ni cholery.
– To co ci za różnica?
– Wiem, że mieszkasz tu od czterech lat. Wiem, że panicz Connor się do ciebie zaleca, ale ty go masz za nic. Wiem...
– Coś powiedział, chłopcze?
Luther przekonał się, że kiedy Irlandka mówi „chłopcze" do kolorowego, nie znaczy to to samo, co w ustach białej Amerykanki. Znowu zachichotał.
– Dotknąłem w bolące miejsce, co, dziewuszko?
Nora parsknęła śmiechem i zasłoniła usta mokrą ręką z nożykiem.
– Powiedz to jeszcze raz!
– Co?
– Ten akcent, akcent!
– A, nie mam pojęcia, o czym mówisz.
Oparła się o zlew.
– To był głos Eddiego McKenny, ten akcent, ta wymowa!
Luther wzruszył ramionami.

– Nieźle, co?
Nora spoważniała.
– Lepiej, żeby nigdy nie usłyszał, jak to robisz.
– Myślisz, że oszalałem?
Odłożyła nożyk na stół.
– Tęsknisz za nią. Widać po twoich oczach.
– Tęsknię.
– Jak ma na imię?
Luther pokręcił głową.
– Na razie wolałbym na tym poprzestać, panienko.
Nora wytarła ręce w fartuch.
– Przed czym uciekasz?
– A ty?
Uśmiechnęła się, oczy znowu jej zabłysły, ale tym razem wilgocią.
– Przed Dannym.
Skinął głową.
– Widać. I jeszcze przed czymś. Przed czymś wcześniejszym.
Odwróciła się do zlewu, wzięła sagan z ziemniakami w wodzie i zaniosła go na kuchenkę.
– Co za interesująca z nas para, drogi panie. Nieprawdaż? Jesteśmy tacy przenikliwi, kiedy chodzi o innych, a nigdy we własnej sprawie.
– I dużo nam z tego przyjdzie – dokończył Luther.

Tak powiedziała? – rzucił Danny do telefonu. – Ucieka przede mną?
– Tak powiedziała. – Luther siedział przy stoliku w holu państwa Giddreaux.
– Wyglądała, jakby miała tego dość?
– Nie. Jakby się przyzwyczaiła.
– O.
– Przykro mi.
– Nie, dzięki, naprawdę. Eddie czepia się ciebie?
– Dał mi znać, że jest na tropie. Ale jeszcze nie wie, na jakim.
– Dobrze. Jak się dowie…
– Dam ci znać.

– Co o niej sądzisz?
– O Norze? Że to za silna kobieta dla ciebie.
Śmiech Danny'ego zabrzmiał jak grzmot. Można by pomyśleć, że bomba wybuchła człowiekowi u stóp.
– Tak powiadasz?
– To tylko moje zdanie.
– Dobranoc, Luther.
– Dobranoc, Danny.

Jedną z tajemnic Nory było to, że paliła. Luther przyłapał ją w początkach pracy u Coughlinów i od tej pory nabrali zwyczaju wykradać się na papieroska, kiedy pani Ellen Coughlin przygotowywała się w łazience do kolacji, lecz na długo przed powrotem panicza Connora lub kapitana Coughlina.
Przy jednej z takich okazji, w słoneczne, lecz mroźne popołudnie znowu spytał ją o Danny'ego.
– Co znowu?
– Powiedziałaś, że przed nim uciekasz.
– Tak powiedziałam?
– Tak.
– Byłam trzeźwa?
– Wtedy, w kuchni.
– Ach... – Wzruszyła ramionami i jednocześnie wypuściła dym, trzymając papierosa przy ustach. – A może to on uciekł ode mnie.
– Tak?
Oczy jej błysnęły; niebezpieczeństwo, które się w niej wyczuwało, pojawiło się bliżej powierzchni.
– Chcesz się czegoś dowiedzieć o swoim przyjacielu Aidenie? Czegoś takiego, że nigdy byś nie zgadł?
Luther wiedział, że w takich przypadkach najlepiej jest milczeć.
Nora wydmuchnęła strumień dymu, tym razem szybko i z goryczą.
– Wydaje się, że jest takim buntownikiem, co? Niezależnym i wolnomyślnym, nie? – Potrząsnęła głową i mocno zaciągnęła się papierosem. – Nie jest. Tak naprawdę wcale taki nie jest. – Spojrzała na Luthera. Uśmiech zaczął powoli rozjaśniać jej twarz. – Okazało się, że nie może znieść mojej przeszłości, tej przeszłości, której jesteś taki

ciekawy. Chciał być, jak on to powiedział… „człowiekiem godnym szacunku". A ja, oczywiście, nie mogłam mu tego zapewnić.

– Ale panicz Connor nie wydaje mi się człowiekiem, który…

Pokręciła parę razy głową.

– Panicz Connor nic nie wie o mojej przeszłości. Tylko Danny. I patrz, co zrobiła z nami ta wiedza. – Rzuciła mu kolejny nerwowy uśmiech i zgasiła niedopałek stopą. Podniosła go ze skutego lodem ganku i włożyła do kieszeni fartucha. – Skończyliśmy na dziś z pytaniami?

Luther przytaknął.

– Jak ma na imię? – spytała.

Spojrzał jej w oczy.

– Lila.

– Lila – powtórzyła łagodniejszym tonem. – Jak ładnie.

Luther i Clayton Tomes rozbierali zrujnowane schody w budynku przy Shawmut Avenue w sobotę tak mroźną, że z ust ulatywały im obłoki pary. Mimo to rozbiórka była tak ciężką pracą – z łomem i młotem – że po pierwszej godzinie rozebrali się do podkoszulków.

Koło południa zrobili sobie przerwę i zjedli kanapki, które przygotowała im pani Giddreaux. Popili je paroma piwami.

– A potem co? – spytał Clayton. – Zaczniemy łatać ten jastrych?

Luther przytaknął i zapalił papierosa, wydmuchując dym przeciągłym, zmęczonym westchnieniem.

– W przyszłym i następnym tygodniu możemy pociągnąć w ścianach przewody elektryczne i spróbujemy zabrać się do tych rur, co to ci się tak podobają.

– Cholera. – Clayton pokręcił głową i ziewnął głośno. – Taka robota dla idei? Na pewno zbudujemy tu raj dla czarnuchów, nie ma co.

Luther uśmiechnął się łagodnie, ale nie odpowiedział. Słowo „czarnuch" przestało mu przychodzić z taką łatwością, choć używał go tylko wobec innych kolorowych. Ale Jessie i Diakon Broscious nieustannie nim szafowali i Luther pogrzebał to słowo wraz z nimi w klubie Wszechmogący. Nie potrafił tego wyjaśnić lepiej, ale teraz jakoś mu nie pasowało. To mu pewnie minie, jak większość rzeczy, lecz na razie…

– No, moglibyśmy także...

Zamilkli, bo do domu wszedł McKenna, jakby był właścicielem tego cholernego budynku. Stanął w holu, przyglądając się rozebranym schodom.

– Cholera – szepnął Clayton. – Policjant.

– Wiem. To przyjaciel mojego szefa. I zachowuje się przyjaźnie, ale uważaj. To nieprzyjaciel.

Clayton skinął głową, bo obaj znali wielu białych, którzy odpowiadali temu opisowi. McKenna wszedł do pokoju, w którym przysiedli – wielkim, tuż przy kuchni. Jakieś pięćdziesiąt lat temu była tu pewnie jadalnia.

Pierwsze słowo, jakie padło z ust McKenny brzmiało:

– Canton?

– Columbus – poprawił go Luther.

– A, prawda. – McKenna uśmiechnął się do Luthera, a potem do Claytona. – My się chyba nie znamy. – Wyciągnął mięsistą łapę. – Porucznik McKenna z policji bostońskiej.

– Clayton Tomes. – Clayton uścisnął mu dłoń.

McKenna przytrzymał jego rękę w uścisku, potrząsał nią z nieruchomym uśmiechem i spoglądał prosto w oczy Claytona, a potem Luthera, jakby chciał ujrzeć ich serca.

– Pracujesz u wdowy z M Street, pani Wagenfeld. Zgadza się?

Clayton skinął głową.

– Eeee... tak panie.

– Właśnie. – McKenna puścił rękę Claytona. – Podobno trzyma pod skrzynią na węgiel małą fortunkę w hiszpańskich dublonach. Jest w tym trochę prawdy?

– Nic o tym nie wiem, proszę pana.

– I nic byś nie powiedział, gdybyś wiedział! – roześmiał się McKenna i tak mocno klepnął Claytona w plecy, że ten stracił równowagę i zsunął się z kilku schodków.

McKenna podszedł do Luthera.

– Co cię tu sprowadza?

– Słucham, panie? – spytał Luther. – Pan wie, że mieszkam u państwa Giddreaux. Tu będzie filia.

McKenna uniósł brwi i obejrzał się na Claytona.

– Filia? Czego?

– Narodowego Stowarzyszenia dla Postępu Kolorowych – wyjaśnił Luther.

– Ach, duża rzecz – powiedział McKenna. – Ja też kiedyś zrobiłem remont generalny domu. Straszne zawracanie głowy. – Odsunął stopą łom. – Widzę, że jesteście w fazie rozbiórki.

– Tak, panie.

– Praca wre?

– Tak, panie.

– Prawie skończyliście. Przynajmniej z tą podłogą. Ale moje pytanie, Lutherze, nie dotyczy twojej pracy w tym budynku. Nie. Kiedy spytałem, co cię tu sprowadziło, mówiłem o samym Bostonie. Na przykład... Skąd pochodzisz, Claytonie Tomesie?

– Z West Endu. Urodziłem się tam i wychowałem.

– Dokładnie. Nasi kolorowi są tutejsi. Paru przybyło tu bez dobrego powodu, nie mogąc znaleźć swoich w Nowym Jorku czy jakimś, czy ja wiem, Chicago lub Detroit. Więc co cię tu sprowadziło?

– Praca.

McKenna pokiwał głową.

– Przebyć tysiąc dwieście kilometrów tylko po to, żeby wozić Ellen Coughlin do kościoła? Śmieszne.

Luther wzruszył ramionami.

– Więc pewnie jest to śmieszne.

– No, no – mruknął McKenna. – Dziewczyna?

– Słucham?

– Masz tu dziewczynę?

– Nie.

McKenna potarł zarośniętą szczękę. Znowu spojrzał na Claytona, jakby uczestniczyli w tej grze razem.

– Widzisz, uwierzyłbym, że przebyłeś taki szmat drogi dla panienki. To prawdopodobne. Ale tak...?

Wbił w Luthera spojrzenie tych swoich serdecznych, szczerych oczu.

W drugiej minucie milczenia odezwał się Clayton:

– Luther, musimy wracać do roboty.

McKenna odwrócił powoli głowę i zerknął na niego, a Clayton szybko uciekł wzrokiem w bok.

McKenna znowu spojrzał na Luthera.

– Nie chcę cię zatrzymywać. Ja też wrócę do pracy. Dziękuję za przypomnienie, Claytonie.

Clayton pokręcił głową nad własną głupotą.

– Wracam do świata – oznajmił McKenna ze zmęczeniem. – W tych czasach ludzie, którzy dobrze zarabiają, sądzą, że mogą gryźć rękę, co ich karmi. Wiecie, co to jest fundament kapitalizmu?

– Nie, panie.

– Nie wiemy, proszę pana.

– Fundament kapitalizmu, panowie, to wytwarzanie lub wydobywanie dóbr w celu sprzedaży. Ot, co. Oto, na czym zbudowano nasz kraj. Dlatego bohaterami tego kraju są nie żołnierze, sportowcy ani nawet prezydenci. Bohaterami są ludzie, którzy budują nasze tory, automobile, przędzalnie i fabryki. Dzięki nim to państwo funkcjonuje. Dlatego ludzie, którzy dla nich pracują, powinni być wdzięczni, że biorą udział w procesie, który stworzył społeczeństwo obdarzone największą wolnością na świecie. – Wyciągnął rękę i poklepał Luthera po obu ramionach. – Ale ostatnio ci ludzie nie okazują wdzięczności. Uwierzycie?

– Wśród nas, kolorowych, nie ma wywrotowców, panie poruczniku.

McKenna zrobił wielkie oczy.

– Gdzieś ty się wychował, Lutherze? W tej chwili w Harlemie powstaje ruch lewicowy. Twoi zarozumiali kolorowi bracia liznęli trochę wykształcenia, zaczęli czytywać Marksa, Bookera T i Fredricka Douglasa, i teraz mamy ludzi takich, jak Du Bois i Garvey, których pewni obywatele mogliby uznać za równie niebezpiecznych, jak Goldman, Reed i ci bezbożnicy z IWW. – McKenna uniósł palec. – Pewni ludzie mogliby nawet uważać, że Narodowe Stowarzyszenie dla Postępu Kolorowych jest po prostu wylęgarnią idei wywrotowych, Lutherze. – Łagodnie poklepał go po policzku ręką w rękawiczce. – Pewni ludzie. – Spojrzał w osmalony sufit. – No, robota przed wami, chłopcy. Zostawiam was z nią.

Założył ręce na plecach i ruszył przed siebie. Luther i Clayton czekali z zapartym tchem, aż wyszedł i zamknął za sobą drzwi.

– O rety – odezwał się Clayton.
– Wiem.
– Nie wiem, co mu zrobiłeś, ale go przeproś.
– Nic mu nie zrobiłem. On już taki jest.
– Jaki? Biały?
Luther przytaknął.
– I wredny. Będzie mnie nękać aż do śmierci.

ROZDZIAŁ DWUDZIESTY

Po opuszczeniu oddziału specjalnego Danny wrócił na swój dawny teren, na posterunek pierwszy przy Hanover Street. Na partnera przydzielono mu Neda Wilsona, który za dwa miesiące miał skończyć dwadzieścia lat, a nadzieję porzucił pięć lat wcześniej. Większość zmiany spędzał, pijąc lub grając w kości u Costella. Na ogół widywał się z Dannym przez jakieś dwadzieścia minut, gdy podbijali karty pracy rano i wieczorem. Przez resztę dnia Danny mógł robić, co mu się podoba. Jeśli zatrzymał jakichś podejrzanych, dzwonił ze służbowego telefonu na ulicy do Costella i Ned dołączał do niego w samą porę, by wmaszerować z aresztowanymi po schodach posterunku. Poza tym Danny był pozostawiony samemu sobie. Przemierzał całe miasto, zatrzymując się we wszystkich posterunkach, które mijał – dwójce na Court Square, trójce na Beacon Hill, czwórce na LaGrange, potem piątce na South Endzie, najdalej położonym z osiemnastu posterunków policji, do którego Danny mógł zawędrować pieszo. Trzy posterunki w West Roxbury, Hyde Parku i Jamaica Plain zostały powierzone Emmettowi Strackowi; siódmy w Eastie Kevinowi McRaei. Mark Denton obskakiwał Dorchester, Southie i czwórkę w Brighton. Danny załatwiał resztę – centrum, North i South End oraz Roxbury.

Jego zadaniem było zbieranie zeznań. Namową, argumentacją, przymusem i perswazją skłonił jedną trzecią policjantów do opisania tygodnia pracy, swoich długów i dochodów oraz stanu posterunku. W ciągu tych trzech pierwszych tygodni pracy zaprosił sześćdziesięciu ośmiu policjantów na zebrania Bostońskiego Klubu Społecznego w Fay Hall.

Pracując w oddziałach specjalnych, czuł do siebie wstręt tak dojmujący, że dziwił się teraz, jak w ogóle udało mu się wytrwać. Tymczasem praca dla BKS, mająca na celu utworzenie związku, którego głos liczyłby się w dyskusji, dawała mu poczucie misji bliskie apostolstwu.

Właśnie tego szukałem, pomyślał pewnego popołudnia, gdy wracał na posterunek z trzema kolejnymi zeznaniami policjantów z jedynki. Właśnie tego szukał od czasu Salutation Street: powodu, dla którego został oszczędzony.

W swojej szafce znalazł wiadomość od ojca, który prosił go o przyjście do domu po pracy. Z tych wezwań bardzo rzadko wynikało coś dobrego, ale Danny i tak pojechał tramwajem do południowej dzielnicy i ruszył przez zaśnieżoną ulicę.

Drzwi otworzyła Nora; Dany zauważył, że nie spodziewała się jego widoku. Otuliła się mocniej swetrem i cofnęła gwałtownie.

– Danny.

– Dobry wieczór.

Od czasu grypy prawie się z nią nie widywał, nie widywał prawie nikogo z rodziny, jeśli nie liczyć tego jednego rodzinnego obiadu, na który poznał Luthera Laurence'a.

– Wejdź, wejdź.

Przestąpił próg i zdjął szalik.

– Gdzie mama i Joe?

– Poszli spać. Odwróć się.

Posłuchał, a Nora otrzepała mu ramiona i plecy ze śniegu.

– No. Teraz zdejmuj.

Zsunął płaszcz z ramion; poczuł słabą woń perfum, których prawie nie używała. Pachniały różami i pomarańczą.

– Jak się masz? – Danny spojrzał w jej jasne oczy, myśląc: chyba umrę.

– Świetnie. A ty?

– Dobrze, dobrze.

Powiesiła jego płaszcz na wieszaku w holu i starannie wygładziła szalik. Był to dziwny gest; Danny przystanął na moment, obserwując ją. Odwiesiła szalik na osobny haczyk i odwróciła się, szybko spuszczając oczy, jakby Danny na czymś ją przyłapał. Bo właściwie przyłapał.

Zrobiłbym dla ciebie wszystko, chciał powiedzieć. Wszystko. Byłem głupcem. Najpierw wtedy, gdy byliśmy razem, i potem, i znowu teraz, stojąc tu przed tobą. Głupcem.

– Chciałbym... – zaczął.

– Hmm?
– Świetnie wyglądasz.

Znowu spojrzała na niego oczami przejrzystymi i niemal ciepłymi.

– Przestań.
– Co?
– Dobrze wiesz, co. – Spuściła wzrok i splotła ręce na piersi.
– Ja...
– Co?
– Przepraszam.
– Wiem. – Skinęła głową. – Już się naprzepraszałeś. Aż nadto. Chciałeś być... – spojrzała na niego – ...godny szacunku. Tak?

Chryste. Znowu to słowo, rzucone mu prosto w twarz. Gdyby mógł je usunąć ze słownika, wytrzeć do czysta, jakby go nigdy nie było, a co za tym idzie – jakby go nigdy nie użył, zrobiłby to natychmiast. Powiedział je po pijanemu. Był wtedy pijany i wstrząśnięty jej niespodziewanymi, niedobrymi wyznaniami o Irlandii. O Quentinie Finnie.

Godny szacunku. Cholera.

Wyciągnął dłonie. Nie mógł mówić.

– Teraz moja kolej – powiedziała. – Też będę godna szacunku.

Pokręcił głową.

– Nie.

I na widok furii na jej twarzy zrozumiał, że znowu źle odczytała jego słowa. Chciał tylko powiedzieć, że dążenie do szacowności jest celem jej niegodnym. A ona zrozumiała, że nigdy tego celu nie osiągnie.

Zanim zdążył się wytłumaczyć, rzuciła:

– Twój brat poprosił mnie o rękę.

Serce mu zamarło. I płuca. I mózg. I krążenie.

– I...? – Głos także mu zamierał jak zagłuszony przez chwasty.
– Powiedziałam, że się zastanowię.
– Noro... – Wyciągnął do niej rękę, ale się cofnęła.
– Twój ojciec czeka w gabinecie.

Odeszła, a on zrozumiał, że ją zawiódł. Znowu. Miał zareagować inaczej. Szybciej? Wolniej? W mniej przewidywalny sposób? Jak? Czy gdyby padł na kolana i też poprosił ją o rękę, zareagowałaby inaczej niż ucieczką? A jednak poczuł, że miał wykonać jakiś efektowny gest, choćby tylko po to, żeby go mogła odtrącić. I to by w pewien sposób wyrównało rachunki.

Otworzyły się przed nim drzwi do gabinetu ojca.

– Aidenie.

– Danny – poprawił przez zaciśnięte zęby.

W gabinecie ojca widać było przez okna śnieg padający z ciemnego nieba. Danny usiadł w jednym ze zwróconych ku biurku skórzanych foteli. Ojciec kazał rozpalić w kominku i teraz blask ognia nadawał pokojowi kolor whisky.

Thomas Coughlin był nadal w mundurze. Bluzę rozpiął pod szyją, na błękitnych rękawach miał kapitańskie belki. Danny przyszedł w cywilnym ubraniu i te belki jakoś z niego drwiły. Ojciec podał mu szklankę szkockiej i przysiadł na rogu biurka.

Spojrzał na syna przez szklankę, pijąc whisky. Dolał sobie z karafki. Obrócił szklankę w dłoniach, przyglądając się Danny'emu błękitnymi oczami.

– Eddie mówi, że bratasz się z miejscowymi.

Danny zorientował się, że również obraca swoją szklankę i położył lewą rękę na udzie.

– Eddie przesadza.

– Naprawdę? Bo ostatnio miałem powody się zastanawiać, czy bolszewicy cię nie przekabacili. – Ojciec uśmiechnął się łagodnie, nie patrząc nań i pociągnął łyk alkoholu. – Mark Denton jest bolszewikiem, wiesz? Podobnie, jak połowa członków BKS.

– Rany, tato, dla mnie wyglądają jak policjanci.

– To bolszewicy. Mówią o strajku, Aidenie. O strajku!

– Nikt nie wypowiedział tego słowa w mojej obecności.

– Trzeba szanować jakieś zasady. Potrafisz to zrozumieć?

– A co to za zasady, ojcze?

– Dla ludzi noszących policyjną odznakę bezpieczeństwo publiczne stoi ponad wszelkimi ideałami.

– Zapewnienie rodzinie jedzenia to inny ideał.

Ojciec machnął lekceważąco ręką, jakby rozpędzał dym.

– Czytałeś dzisiejszą gazetę? Zamieszki w Montrealu. Chcą spalić całe miasto, do fundamentów. A policjanci nie ochraniają własności ani ludzi, strażacy nie gaszą pożarów, bo wszyscy strajkują. Równie dobrze mógłby to być Piotrogród.

– Może to po prostu Montreal. Albo Boston.

– Nie jesteśmy zwykłymi pracownikami, Aidenie. Jesteśmy funkcjonariuszami służb publicznych. Chronimy i służymy.

Danny pozwolił sobie na uśmiech. Rzadko miał okazję widzieć, jak stary bez potrzeby się nakręca. To mogła być droga ucieczki. Zgasił papierosa i roześmiał się cicho.

– Śmiejesz się?

Uniósł rękę.

– Tato, tato. Tu nie Montreal. Naprawdę.

Ojciec zmrużył oczy i przysunął się bliżej.

– Co dokładnie słyszałeś?

Ojciec sięgnął do humidora po cygaro.

– Rozmawiałeś ze Stephenem O'Mearą. Mój syn! Coughlin. Wypowiadałeś jakieś pochopne sądy. A teraz chodzisz od posterunku do posterunku, zbierając zeznania o warunkach pracy. Rekrutujesz chętnych do waszego tak zwanego „związku", i to w godzinach służby.

– Podziękował mi.

Ojciec znieruchomiał z cygarem w obcinarce.

– Kto?

– Komisarz O'Meara. Podziękował mi, tato, i poprosił Marka Dentona i mnie o zebranie tych opinii. Powiedział, że wkrótce rozwiążemy tę sytuację.

– O'Meara?

Danny skinął głową. Twarz ojca poszarzała. Tego się nie spodziewał. Nie domyśliłby się i za milion lat. Danny zagryzł wargi, żeby się nie uśmiechnąć.

Mam cię, pomyślał. Dwadzieścia siedem lat na tej planecie i wreszcie cię zaskoczyłem.

Ojciec zaskoczył go jeszcze bardziej. Wstał i wyciągnął rękę. Danny podniósł się i przyjął uścisk ojca, który przyciągnął go do siebie i klepnął w plecy.

– W takim razie, synu, jesteśmy z ciebie dumni. Cholernie dumni. – Ojciec puścił jego rękę, znowu go klepnął – w ramię – i usiadł na biurku. – Cholernie dumni – powtórzył z westchnieniem. – Ulżyło mi, że już po wszystkim, po tym bałaganie.

Danny usiadł.

– Mnie też.

Ojciec wyrównał leżącą na biurku bibułę. Wyraz siły i przebiegłości na jego twarzy był jak druga skóra. Thomas szykował już coś nowego. Zaczynał podchody.

– Co sądzisz o bliskich zaręczynach Nory i Connora?

Danny wytrzymał spojrzenie ojca. Głos mu nie zadrżał.

– Cieszę się. Bardzo się cieszę. To piękna para.

– O, tak, tak – przyznał ojciec. – Nie potrafię ci powiedzieć, ile wysiłku kosztuje mnie i matkę, żeby go powstrzymać przed wykradaniem się do niej nocą. Jak dzieci, jak dzieci. – Obszedł biurko i spojrzał przez okno na śnieg. Danny widział w szybie odbicie twarzy ich obu. Ojciec zauważył to i uśmiechnął się do niego.

– Jesteś podobny jak dwie krople wody do mojego wujka Paudrica. Mówiłem ci?

Danny pokręcił głową.

– Największy chłop w Clonakilty – powiedział ojciec. – O, pił jak smok, a wtedy robił się ździebko nierozsądny. Raz karczmarz odmówił mu obsługi. Ha, wtedy Paudric rozwalił dzielący ich bar. Bar z litego dębu, Aidenie. A on wyrwał cały kawał i sam nalał sobie piwa. Krążyły o nim legendy. A kobiety go ubóstwiały. Pod tym względem jesteś bardzo do niego podobny. Wszyscy kochali Paudrica, kiedy był trzeźwy. A ty? Wszyscy cię kochają, co, synu? Kobiety, dzieci, przybłędy Włosi i przybłędy psy. I Nora.

Danny odstawił drinka na biurko.

– Co powiedziałeś?

Ojciec odwrócił się od okna.

– Nie jestem ślepy, chłopcze. Może powiedzieliście sobie co innego, może ona i kocha Cona na swój sposób. Może na lepszy sposób. – Ojciec wzruszył ramionami. – Ale ty...

– Wchodzisz na kurewsko cienki lód, ojcze.

Ojciec spojrzał na niego z półotwartymi ustami.

– Tak dla twojej informacji – dodał Danny. Głos miał zduszony.

Ojciec po chwili kiwnął głową. Był to gest mędrca, który daje do zrozumienia, że przyjmuje do wiadomości tę stronę twojego charakteru, choć dostrzega jej wady.

Wziął szklankę, podszedł z nią do karafki i napełnił. Podał ją Danny'emu.

– Wiesz, dlaczego pozwoliłem ci boksować?

– Bo nie mogłeś mnie powstrzymać.

Ojciec stuknął napełnioną szklanką w szklankę Danny'ego.

– No właśnie. Od najwcześniejszych lat wiedziałem, że można cię czasem do czegoś zmusić, a czasem powściągnąć, ale nie można cię ukształtować. To twoje przekleństwo. Prześladuje cię, odkąd nauczyłeś się chodzić. Wiesz, że cię kocham?

Danny spojrzał mu w oczy i przytaknął. Wiedział. Od zawsze. Gdy ojciec pozbywał się masek, które pokazywał światu, widać było wyraźnie tę miłość.

– Oczywiście kocham i Cona – dodał Thomas. – Kocham wszystkie swoje dzieci. Ale ciebie kocham inaczej, bo z poczuciem porażki.

– Porażki?

Ojciec przytaknął.

– Nie mogę na tobie polegać, Aidenie. Nie potrafię cię ukształtować. Ta sprawa z O'Mearą jest doskonałym przykładem. Tym razem się udało, ale to nierozważna decyzja. Mogła cię kosztować karierę. Nigdy bym ci na coś takiego nie pozwolił. I na tym polega różnica między tobą a resztą moich dzieci – nie potrafię przewidzieć twojego losu.

– Za to Con…

– Con zostanie pewnego dnia prokuratorem okręgowym. Niewątpliwie. Zapewne burmistrzem. Być może gubernatorem. Miałem nadzieję, że ty będziesz szefem policji, ale nie jest ci to pisane.

– Nie – zgodził się Danny.

– A myśl, że mógłbyś zostać burmistrzem, jest jedną z bardziej komicznych w moim życiu.

Danny uśmiechnął się pod nosem.

– Dlatego – ciągnął Thomas Coughlin – twoja przyszłość to coś, co uparłeś się sam określić. Świetnie. Akceptuję tę porażkę. – Uśmiechnął się na znak, że nie mówi całkiem poważnie. – Ale o przyszłość twojego brata dbam jak o ogród. – Usiadł na biurku. Oczy miał błyszczące wilgocią, co stanowiło nieomylną zapowiedź ciosu. – Czy Nora opowiadała o Irlandii i dlaczego tu przyjechała?

– Mnie?

– Oczywiście.

On coś wie, pomyślał Danny.

– Nie.

– Nigdy nie wspominała o swojej przeszłości?

Może nawet wszystko.

Danny pokręcił głową.

– Nie mnie.

– Zabawne.

– Tak?

Ojciec wzruszył ramionami.

– Najwyraźniej nie byliście sobie tak bliscy, jak sądziłem.

– Cienki lód, ojcze. Zaraz może pęknąć.

Ojciec uśmiechnął się przelotnie.

– Zwykle ludzie rozmawiają o swojej przeszłości. Zwłaszcza z bliskimi... przyjaciółmi. A jednak Nora tego nie robi. Zauważyłeś?

Danny usiłował obmyślić jakąś odpowiedź, ale w tej samej chwili w holu zadzwonił telefon. Głośno i przeraźliwie. Ojciec spojrzał na zegar na kominku. Prawie dziesiąta.

– Ktoś telefonuje do tego domu po dziewiątej? Kto podpisał na siebie wyrok śmierci? Słodki Jezu.

– Tato... – Danny usłyszał, że Nora odbiera telefon. – Dlaczego...

Nora cicho zapukała do drzwi.

– Otwarte – powiedział Thomas Coughlin.

– Dzwoni Eddie McKenna – powiedziała. – Twierdzi, że to pilne.

Thomas spochmurniał, wstał i wyszedł na korytarz.

– Czekaj – rzucił Danny, siedzący plecami do Nory.

Wstał i podszedł do niej. Ojciec podniósł słuchawkę telefonu w niszy przy kuchni na drugim końcu korytarza.

– Eddie?

– Co? – mruknęła Nora. – Danny, o Jezu, jestem zmęczona.

– On wie.

– Co? Kto?

– Ojciec. Wie.

– Co wie, Danny?

– Chyba o tobie i Quentinie Finnie. Może nie wszystko, ale coś. Miesiąc temu Eddie spytał, czy znam jakiegoś Finna. Pomyślałem, że to zbieg okoliczności. To dość popularne nazwisko. Ale stary właśnie...

Nawet się nie zorientował, kiedy go uderzyła. Stał zbyt blisko, a kiedy zdzieliła go w brodę, autentycznie się zachwiał. Taka kruszyna, a prawie go powaliła.

– Powiedziałeś mu! – Prawie splunęła tym słowem.

Chciała się odwrócić, ale chwycił ją za przegub.

– Oszalałaś, kretynko? – szepnął ochryple. – Myślisz, że mógłbym cię wydać? Mógłbym? Nie odwracaj oczu. Patrz na mnie! Mógłbym?

Spojrzała mu znowu w oczy; miała wzrok zaszczutego zwierzęcia miotającego się po pokoju w poszukiwaniu drogi ucieczki. Żeby przeżyć jeszcze jedną noc.

– Danny – szepnęła. – Danny.

– Nie mogę dopuścić, żebyś tak myślała – powiedział załamującym się głosem. – Nie mogę.

– Nie myślę tak. – Na chwilę wtuliła twarz w jego pierś. – Nie. Nie. – Oderwała się od niego i znowu nań spojrzała. – Co mam zrobić, Danny? Co zrobić?

– Nie wiem. – Usłyszał, jak ojciec odkłada słuchawkę.

– On wie?

– Coś wie.

Kroki ojca zbliżały się w ich stronę. Nora odskoczyła od Danny'ego. Rzuciła mu ostatnie dzikie, zagubione spojrzenie i wyszła na korytarz.

– Proszę pana...

– Tak – odpowiedział ojciec.

– Czy coś podać? Herbatę?

– Nie, kochana. – Głos ojca drżał. Twarz mu poszarzała. – Dobranoc, kochana.

– Dobranoc panu.

Thomas Coughlin zamknął za sobą drzwi. Trzema długimi krokami podszedł do biurka, wypił whisky i natychmiast nalał sobie następną porcję. Wymamrotał coś pod nosem.

– Co? – spytał Danny.

Ojciec odwrócił się zaskoczony, jakby o nim zapomniał.

– Tętniak. Eksplodował w jego mózgu jak bomba.

– Słucham?

Ojciec podniósł szklankę. Oczy miał szeroko otwarte.

– Runął na podłogę w swoim salonie i odszedł na tamten świat, zanim żona zdążyła dobiec do telefonu. O Jezusie.

– Ojcze, nadal nie rozumiem. O kim...?

– Nie żyje. Komisarz Stephen O'Meara nie żyje, Aidenie.

Danny oparł dłoń na krześle.

Ojciec wpatrywał się w ściany gabinetu takim wzrokiem, jakby mogły mu odpowiedzieć.

– Teraz temu wydziałowi może pomóc tylko Bóg.

ROZDZIAŁ DWUDZIESTY PIERWSZY

Stephen O'Meara został złożony na cmentarzu Holyhood w Brookline w śnieżny, bezwietrzny poranek. Na ziemi leżał zamarznięty śnieg, a czubki drzew wyglądały jak biała koronka, rozpostarta na tle białego nieba i współgrająca z obłokami pary z ust żałobników. W mroźnym powietrzu echo salwy honorowej, oddanej z dwudziestu jeden karabinów, zabrzmiało jak drugi strzał na innym, mniej okazałym pogrzebie za kępą oszronionych drzew.

Wdowa po O'Mearze, Isabella, siedziała wraz z trzema córkami i burmistrzem Petersem. Córki miały koło trzydziestki; ich mężowie siedzieli po lewej stronie, wraz z wnukami O'Meary, które dygotały z zimna i wierciły się niespokojne. Na końcu tego długiego rzędu zajął miejsce nowy komisarz, Edwin Upton Curtis. Był niskim mężczyzną o skórze koloru od dawna leżącej na śmietniku skórki pomarańczowej i oczach równie burych, jak jego koszula. Gdy Danny był oseskiem, Curtis sprawował urząd burmistrza, jako najmłodszy burmistrz w historii tego miasta. Teraz nie był już młody i od dawna przestał być burmistrzem. W 1896 roku był jasnowłosym naiwniakiem z partii republikańskiej, którego rzucono na pożarcie wściekłym demokratom, zanim znajdzie się kandydat rokujący większe nadzieje. Opuścił urząd po roku, a posady, które obejmował potem, były stopniowo coraz mniej znaczące. Teraz, po dwudziestu latach, gdy gubernator McCall wyznaczył go na następcę O'Meary, pracował jako celnik.

– Nie do wiary, że miał czelność się pokazać – powiedział później Steve Coyle w Fay Hall. – Gość nienawidzi Irlandczyków. Nienawidzi policji. Nienawidzi katolików. Jak mamy się z nim dogadać?

Steve nadal uważał się za policjanta i wciąż zjawiał się na zebraniach. Nie miał się gdzie podziać. I to właśnie on zadał najważniejsze pytanie tego ranka. Na mównicy w Fay Hall położono megafon dla tych, którzy chcieli wspomnieć zmarłego komisarza. Reszta kręciła się wokół dzbanków z kawą i beczek z piwem. Kapitanowie, porucznicy i inspektorzy uczestniczyli w stypie w Locke-Ober, jedli francuskie dania z porcelanowej zastawy, ale zwykli policjanci wylądowali w Roxbury, usiłując okazać smutek po stracie kogoś, kogo ledwie znali. Dlatego gdy każdy opowiedział już o swoim spotkaniu z wielkim człowiekiem, przywódcy „twardym, lecz sprawiedliwym", z wolna wspominki się skończyły. Milty McElone wszedł na scenę, by opowiedzieć o obsesji O'Meary na tle mundurów i jego zdolności do zauważenia zmatowiałego guzika z odległości dziesięciu metrów w pomieszczeniu pełnym policjantów.

Policjanci odszukali Danny'ego i Marka Dentona. Cena węgla w ostatnim miesiącu skoczyła o kolejnego pensa. Ludzie wracali z pracy do lodowatych sypialni i widzieli obłoki pary unoszące się z ust ich dzieci. Gwiazdka była tuż-tuż. Ich żony miały dość cerowania pocerowanych ubrań, dolewania wody do i tak rzadkiej zupy, były złe, że nie mogą robić zakupów u Raymondsa, Gilchrista, Houghtona&Duttona. Inne kobiety mogły – żony tramwajarzy, woźniców, robotników portowych – więc dlaczego nie one?

– Mam dość wyrzucania z własnego łóżka – oznajmił jeden z policjantów. – Sypiam w nim dwa razy w tygodniu.

– To nasze żony – powiedział ktoś – i żyją w biedzie tylko dlatego, że za nas wyszły.

Mężczyzna, który przejął megafon, zaczął mówić o podobnych sprawach. Przestano wspominać O'Mearę. Wicher za szybami wył, szyby malował mróz.

Dom Furst dorwał się do megafonu. Podwinął rękaw bluzy, żeby zobaczyli jego ramię.

– To ślady po ukąszeniach pluskiew z wczorajszej nocy na posterunku, chłopcy. Włażą nam do łóżek, kiedy je znudzi wożenie się na grzbietach szczurów. A oni nam dają Curtisa? To jeden z nich! – Machnął mniej więcej w stronę Beacon Hill ręką, poznaczoną czerwonymi punktami. – Jest wielu kandydatów, których mogli wyznaczyć na miejsce O'Meary, aby nam pokazać, że ich nie obchodzimy. Ale Edwin Taka Jego Mać Curtis? To już jakby powiedzieli: „Walcie się!".

Niektórzy rzucili krzesłami o ścianę. Inni kubkami w okno.

– Lepiej coś zróbmy – powiedział Danny do Marka Dentona.

– Nie krępuj się – mruknął ten.

– „Walcie się”? – krzyknął Furst. – A ja mówię: walić ich! Słyszycie? Walić ich!

Danny jeszcze torował sobie drogę w tłumie ku megafonowi, kiedy cała sala podjęła okrzyk:

– Walić ich! Walić ich! Walić ich! Walić ich!

Danny uśmiechnął się do Doma, skinął mu głową i podszedł do megafonu.

– Panowie – powiedział, ale go zagłuszono.

– Panowie! – krzyknął znowu. Mark Denton popatrzył na niego z uśmiechem i uniósł brwi. I jeszcze raz: – Panowie!

Parę osób obejrzało się na niego. Reszta dalej skandowała to samo, unosząc pięści i rozlewając piwo i kawę.

– Mordy! W kubeł! – ryknął Danny do megafonu. Nabrał tchu i rozejrzał się po zebranych. – Jesteśmy reprezentantami związku, tak? Ja, Mark Denton, Kevin McRae, Doolie Ford. Pozwólcie nam negocjować z Curtisem, zanim zupełnie oszalejecie!

– Kiedy? – krzyknął ktoś z tłumu.

Danny spojrzał na Marka Dentona.

– W Boże Narodzenie – odpowiedział ten. – Mamy spotkanie z burmistrzem.

– Nie może nas zlekceważyć, nie, chłopcy?

– Może to żydek? – zawołał ktoś i wszyscy parsknęli śmiechem.

– Może. Ale zrobił duży krok we właściwym kierunku. To dowód dobrych zamiarów. Na razie nie skreślajmy człowieka, dobra?

Danny spojrzał na tych kilkaset twarzy przed sobą; nie wyglądali na całkiem przekonanych. Parę osób w głębi sali znowu zaczęło wołać „Walić ich”. Danny wskazał zdjęcie O'Meary, wiszące na lewo od niego. Kilkanaście par oczu poszło za ruchem jego ręki i wtedy zrozumiał coś przerażającego i jednocześnie wspaniałego: oni chcieli, żeby ich poprowadził.

Do celu. Jakiegokolwiek.

– Pamiętajcie! – krzyknął. – Dziś pochowaliśmy wielkiego człowieka!

W pokoju ucichło. Nikt już nie krzyczał. Wszyscy patrzyli na Danny'ego ciekawi, dokąd zmierza, dokąd ich prowadzi. Sam był tego ciekaw.

Zniżył głos.
– Zmarł, nie ziściwszy swego marzenia.
Kilka osób spuściło głowy.
O Jezu, i co dalej?
– To marzenie było naszym marzeniem! – Danny wyciągnął szyję i spojrzał w tłum. – Gdzie jest Sean Moore? Sean, widziałem cię. Podnieś rękę.
Zakłopotany Sean usłuchał.
Danny spojrzał mu w oczy.
– Byłeś tam tamtej nocy. W barze. Byłeś ze mną. Poznałeś go. Co powiedział?
Sean obejrzał się na swoich sąsiadów i przestąpił z nogi na nogę. Uśmiechnął się blado i pokręcił głową.
– Powiedział... – Danny omiótł wzrokiem pomieszczenie. – Powiedział: obietnica to obietnica.
Połowa zebranych zaklaskała. Paru gwizdnęło.
– Obietnica to obietnica – powtórzył Danny.
Dały się słyszeć głośniejsze oklaski, a rzadsze gwiazdy.
– Spytał, czy mu wierzymy. Wierzymy? Bo to było tak samo jego marzenie, jak nasze.
Bzdura, oczywiście, ale zadziałała. Wszyscy podnieśli głowy. Zamiast gniewu pojawiła się duma.
– Podniósł kufel – i tu Danny powtórzył ów gest. Czuł, że naśladuje zagrywki ojca: ten sam kit, ta sama gra pod publiczkę, ten sam dramatyzm – i powiedział: „Za mężczyzn z bostońskiego wydziału policji – nie macie sobie równych w tym narodzie!". Czy wypijecie za to, chłopcy?
Wypili, a potem zaczęli wiwatować.
Danny zniżył głos.
– Skoro Stephen O'Meara wiedział, że nie macie sobie równych, Edwin Upton Curtis wkrótce się o tym dowie.
Znowu zaczęli skandować. Danny nie od razu rozpoznał to słowo, bo podzielili je na dwie sylaby, które brzmiały jak dwa wyrazy. Krew napłynęła mu do twarzy tak szybko, że wydała mu się zimna.
– Cough-lin! Cough-lin! Cough-lin!
– Za Edwina O'Mearę! – krzyknął Danny, znowu unosząc kufel na cześć ducha, idei. – I jego marzenie!

Kiedy odstąpił od megafonu, tamci go otoczyli. Kilku usiłowało go wziąć na ramiona. Dopiero po dziesięciu minutach udało mu się dotrzeć do Marka Dentona, który trzymał już nowe piwo. Mark pochylił mu się do ucha i krzyknął przez otaczający ich hałas:

– Ale naobiecywałeś!

– Dzięki – odkrzyknął Danny.

– Ależ proszę. – Mark uśmiechał się niewesoło. Znowu się pochylił. – A jeśli nie spełnimy tych obietnic? Pomyślałeś o tym? Co będzie?

Danny spojrzał na otaczających ich mężczyzn o twarzach błyszczących od potu. Kilku minęło Marka, by klepnąć Danny'ego po ramieniu, by stuknąć się z nim kuflami. Wspaniałe uczucie? Cholera, tak muszą się czuć królowie. Królowie, generałowie i lwy.

– Spełnimy! – odkrzyknął.

– Mam cholerną nadzieję.

Parę dni później Danny umówił się na drinka z Eddiem McKenną w Parker House. Obaj mieli szczęście znaleźć miejsce przy kominku, bo wieczór był lodowaty, a wicher łomotał w szyby.

– Jakieś wiadomości o nowym komisarzu?

McKenna trącił palcem podstawkę pod piwo.

– Sługa tych cholernych elit. Kurwa przebrana za dziewicę. Wiesz, że w zeszłym roku czepiał się samego kardynała O'Connella?

– Co?

McKenna pokiwał głową.

– Na ostatnim zjeździe republikanów zasponsorował ustawę o wycofaniu funduszy na szkoły parafialne. – Uniósł brwi. – Nie mogą nam odebrać dziedzictwa, to zajmą się religią. Dla nich nie ma nic świętego. Nic.

– Więc szansa na podwyżkę?

– Nie łudziłbym się ani przez chwilę.

– Za trzy dni mam spotkanie z Curtisem i burmistrzem.

McKenna pokręcił głową.

– W czasach reżimu możesz zrobić tylko jedno – spuścić głowę.

– A jeśli nie mogę?

– To ci ją rozbiją.

Danny i Mark Denton spotkali się, by przedyskutować strategię rozmów z burmistrzem Petersem i komisarzem Curtisem. Usiedli przy stole na tyłach Blackstone Saloon na Congress Street. Była to znana policyjna knajpa; inni, wyczuwając, że w rękach Marka i Danny'ego spoczywa ich przyszłość, zostawili ich w spokoju.

– Podwyżka o dwieście rocznie już nie wystarczy – powiedział Mark.

– Wiem – odparł Danny. Koszty utrzymania w ciągu ostatniego półrocza tak dramatycznie wzrosły, że wszystkie przedwojenne pensje oznaczały nędzę. – A jeśli poprosimy o trzysta?

Mark potarł czoło.

– Niebezpieczne. Mogą to podać do prasy i powiedzieć, że jesteśmy chciwi. A Montreal nie pomógł nam w rozmowach.

Danny sięgnął w stronę gazet, które Denton rozłożył na stole.

– Ale te podwyżki nas zabiją. – Wziął wycięty z zeszłotygodniowego „Travelera" artykuł o wzroście cen węgla, oleju, mleka i biletów komunikacji miejskiej.

– Tylko jak prosić o trzysta, skoro z trudem wyskrobali dwieście?

Danny westchnął i potarł czoło.

– Powiedzmy jasno, co i jak. Kiedy zaczną jęczeć, możemy spuścić do dwustu pięćdziesięciu dla weteranów, dwustu dla nowych rekrutów. Zacznijmy różnicować.

Mark pociągnął łyk piwa, najgorszego, ale i najtańszego w całym mieście. Starł ręką pianę z wargi i znowu spojrzał na wycinek z „Travelera".

– Może się i uda. A jeśli po prostu nam odmówią? Powiedzą, że nie ma pieniędzy, zero, nul?

– Wtedy musimy poruszyć temat zaopatrzenia. Spytać, czy według nich godzi się, żeby policjanci sami kupowali sobie mundury, płaszcze, broń i pociski. Spytać, skąd policjant pracujący pierwszy rok za płacę z tysiąc dziewięćset piątego ma wziąć forsę na ekwipunek i jedzenie dla dzieci.

– Te dzieci są dobre. – Mark uśmiechnął się krzywo. – Pamiętaj, żeby o nich wspomnieć, jeśli przy wyjściu natkniemy się na dziennikarzy, a sprawa nie potoczy się po naszej myśli.

Danny pokiwał głową.

– Coś jeszcze. Obniżyć średnią godzin przepracowanych w tygodniu o dziesięć, a za specjalne zadania płacić półtora raza więcej. Prezydent ma tu zawitać za rok, tak? Zejdzie ze statku z Francji i przeparaduje przez ulice. Oczywiście ściągną wszystkich policjantów, niezależnie od liczby przepracowanych godzin. Zażądajmy półtora raza więcej za godzinę.

– Nie zgodzą się.

– No właśnie. A jak się nie zgodzą, powiemy, że wycofamy wszystkie żądania, jeśli dadzą nam obiecaną podwyżkę z uwzględnieniem wzrostu kosztów utrzymania.

Mark zastanowił się, popijając piwo. Spojrzał na śnieg padający za szarzejącymi oknami.

– Musimy uderzyć w pogwałcenie przepisów sanitarnych. W dziewiątce widziałem wczoraj szczury tak wielkie, że nie wiem, czy kule by się od nich nie odbiły. Walniemy ich tym, wyposażeniem i stawkami za zadania specjalne. – Wyprostował się. – Tak, chyba masz rację. – Stuknął kuflem o kufel Danny'ego. – I pamiętaj, jutro nie wyrażą zgody. Zaczną nas zwodzić i zwlekać. Kiedy spotkamy się z dziennikarzami, będziemy udawać, że jesteśmy gotowi do ugody. Powiemy, że poczyniliśmy pewne postępy. Ale także zwrócimy ich uwagę na nasze problemy. Wspomnimy, że Peters i Curtis to dobrzy ludzie, który ze szczerego serca chcą nam pomóc z problemem wyposażenia. A na to dziennikarze spytają...

– Z jakim problemem? – uśmiechnął się Danny, który wreszcie zrozumiał.

– Dokładnie. To samo będzie dotyczyć kosztów utrzymania. „Wiemy oczywiście, że burmistrz Peters ma nadzieję wyrównać różnicę między obecnymi płacami i wysoką ceną węgla".

– Z tym węglem to dobre – pochwalił Danny. – Ale jeszcze trochę za abstrakcyjne. Grajmy dziećmi.

Mark zachichotał.

– Nabierasz wprawy.

– Nie zapominajmy – Danny uniósł kufel – czyim jestem synem.

Rano Danny włożył swój jedyny garnitur, ten, który wybrała Nora podczas ich tajemnego romansu w 1917 roku. Był ciemnogranatowy, spodnie z zakładkami, marynarka dwurzędowa, w prążki –

i zrobił się za duży, bo udając wygłodzonego bolszewika, Danny sporo schudł. Ale gdy włożył kapelusz i przesunął palcami po jego rondzie, żeby nadać mu pożądany kształt, prezentował się elegancko, nawet szykownie. Uporawszy się z wysokim kołnierzykiem i zawiązawszy krawat na nieco szerszy węzeł, by odwrócić uwagę od za luźnego kołnierzyka, przećwiczył przed lustrem surowe spojrzenie. Martwił się, że wygląda zbyt szykownie, jak młody fircyk. Czy Curtis i Peters potraktują go poważnie? Zdjął kapelusz i zmarszczył brwi. Parę razy rozpinał i zapinał kieszenie. Uznał, że lepiej wyglądają zamknięte. Znowu zmarszczył brwi. Przygładził włosy brylantyną i włożył kapelusz.

Poszedł na Pemberton Square. Ranek był piękny, zimny, lecz bezwietrzny, niebo miało kolor stali, a powietrze pachniało dymem, topniejącym śniegiem, rozgrzanymi cegłami i pieczonym drobiem.

Na School Street spotkał Marka Dentona. Uśmiechnęli się i skinęli do siebie głowami. Razem weszli na Beacon Hill.

– Denerwujesz się? – spytał Danny.

– Trochę. Zostawiłem Emmę i dzieci same w domu w świąteczny poranek, więc lepiej, żebym coś osiągnął. A ty?

– Postanowiłem o tym nie myśleć.

– Słusznie.

Przed budynkiem było pusto. Nie spotkali dziennikarzy. Ani jednego. Spodziewali się zobaczyć chociaż szofera burmistrza albo Curtisa.

– Na tyłach – powiedział Mark Denton, kiwając głową zdecydowanie. – Wszyscy są na tyłach, pewnie popijają na cześć świąt.

– Właśnie – zgodził się Danny.

Weszli przez drzwi frontowe. Zdjęli kapelusze i płaszcze. Czekał na nich drobny mężczyzna w ciemnym garniturze i z czerwoną muszką. Na kolanach trzymał wąską teczkę. Jego oczy, za duże w drobnej twarzy, nadawały mu wyraz wiecznego zdumienia. Nie był starszy od Danny'ego, ale jego łysina sięgnęła już połowy głowy, a odsłonięta skóra była odrobinę zaróżowiona, jakby włosy wypadły mu przez noc.

– Stuart Nichols, osobisty sekretarz komisarza Curtisa. Panowie pozwolą za mną.

Nie podał ręki, nie spojrzał im w oczy. Wstał z ławki i ruszył po szerokich marmurowych schodach. Poszli za nim.

– Wesołych świąt – rzucił Mark Denton do jego pleców.

Stuart Nichols obejrzał się szybko i bez słowa.

Mark spojrzał na Danny'ego. Ten wzruszył ramionami.

– I panu również – powiedział Nichols.

– Dziękuję panu. – Denton z trudem opanował uśmiech. Przypomniał Danny'emu czasy ministrantury. – I szczęśliwego Nowego Roku.

Stuart Nichols albo ich nie słyszał, albo nie zauważał. Na górze zaprowadził ich korytarzem i zatrzymał się przed drzwiami z szybą z mrożonego szkła. Złote litery układały się na nich w napis „Komisarz Bostońskiego Wydziału Policji". Nichols otworzył drzwi i zaprowadził ich do małego przedpokoju. Stanął za biurkiem i podniósł słuchawkę telefonu.

– Już są, panie komisarzu.

Odłożył słuchawkę.

– Proszę usiąść.

Mark i Danny usiedli na skórzanej kanapie naprzeciwko biurka. Danny usiłował bagatelizować wrażenie, że coś jest nie tak. Siedzieli przez pięć minut; Nichols otworzył teczkę, wyjął z niej skórzany notes i zaczął w nim pisać srebrnym piórem, którego stalówka odrobinę zgrzytała.

– Czy burmistrz już przyszedł? – spytał Mark.

W tej samej chwili zadzwonił telefon. Nichols odebrał, przez chwilę słuchał i odłożył słuchawkę bez słowa.

– Przyjmie panów w tej chwili.

Znowu zajął się notesem. Danny i Mark stanęli przed drzwiami gabinetu. Mark sięgnął do mosiężnej gałki, obrócił ją i wszedł do gabinetu Curtisa.

Komisarz siedział za biurkiem. Uszy miał wielkie jak pół głowy, a ich płatki dyndały jak zwiędłe. Zaczerwienioną skórę pokrywały plamy. Oddychał przez nos, sapiąc. Zerknął na nich przelotnie.

– Syn kapitana Coughlina, tak?

– Tak jest.

– Ten, który zabił w zeszłym miesiącu terrorystę. – Komisarz pokiwał głową z zadowoleniem, jakby sam to zaplanował. Spojrzał na rozłożone przed nim dokumenty. – Daniel, tak?

– Aiden. Ale ludzie mówią do mnie Danny.

Curtis lekko się skrzywił.

– Proszę siadać.

Za jego plecami znajdowało się owalne okno, zajmujące większą część ściany. Za nim widać było panoramę miasta, wyraźną i nieruchomą w ten świąteczny poranek; białe pola, czerwone cegły i bruk, port rozciągający się niczym jasnoniebieska patelnia, a także kolumny dymu z kominów, bijące w niebo.

– Funkcjonariusz Denton – odezwał się Curtis. – Z dziewiątego posterunku, tak?

– Tak jest.

Curtis nagryzmolił coś w notesie. Nie odrywał od niego wzroku. Danny usiadł obok Marka.

– I funkcjonariusz Coughlin z pierwszego posterunku?

– Tak jest.

Znowu zgrzyt stalówki.

– Czy burmistrz już jedzie? – Danton położył płaszcz na kolanach i oparciu krzesła.

– Burmistrz jest w Maine. – Curtis sprawdził coś w dokumencie, po czym znowu zrobił notatkę. – Mamy Boże Narodzenie Wyjechał z rodziną.

– Ale przecież... – Mark spojrzał na Danny'ego. Ten wpatrywał się w Curtisa. – Przecież mieliśmy wyznaczone na dziesiątą spotkanie z panem i burmistrzem Petersem.

– Mamy Boże Narodzenie. – Curtis otworzył szufladę. Przez chwilę w niej grzebał, po czym wyjął kartkę, którą ułożył z lewej strony. – Chrześcijańskie święto. Burmistrz Peters zasługuje na dzień wolny w dniu narodzin naszego Pana.

– Spotkanie zostało wyznaczone na...

– Funkcjonariuszu, zwrócono mi uwagę, że przez dziewięć tygodni spóźnił się pan lub wcale nie stawiał na poranny apel. – Po raz pierwszy spojrzał im w oczy.

Mark poruszył się nerwowo.

– Panie komisarzu, nie jestem tutaj jako policjant. Jestem tu jako przedstawiciel Bostońskiego Klubu Społecznego. I jako taki z całym szacunkiem chciałbym...

– Jest to jawne zaniedbanie obowiązków. – Curtis machnął kartką. – Czarno na białym. Państwo oczekuje, że jego funkcjonariusze zasłużą na swoją płacę. A pan tego nie robi. Gdzie pan był, skoro nie mógł się zjawić na apel?

– Panie komisarzu, nie tego dotyczy nasze spotkanie. Chodzi o...

– Spotkanie dotyczy właśnie tego. Podpisał pan umowę. Przysiągł pan chronić i służyć mieszkańcom tego wielkiego państwa. Przysiągł pan wypełniać obowiązki powierzone panu przez wydział bostońskiej policji. Jednym z nich, zawartym w paragrafie siódmym owej umowy, jest obecność na apelu porannym. A jednak mam poświadczone zeznania, zarówno dowódcy zmiany, jak i oficera dyżurnego z dziewiątego posterunku, że postanowił pan nie dopełnić tego ważnego obowiązku.

– Panie komisarzu, z całym szacunkiem przyznaje, że parę razy mogłem nie zjawić się na apelu z powodu moich obowiązków względem BKS, ale...

– Nie ma pan żadnych obowiązków względem BKS. Postanowił pan wykonać pracę na rzecz klubu.

– ...ale... we wszystkich przypadkach dostałem pozwolenie dowódcy zmiany i oficera dyżurnego.

Curtis pokiwał głową.

– Mogę skończyć? – spytał.

Mark spojrzał na niego, mocno zaciskając szczęki.

– Czy mogę skończyć? – powtórzył Curtis. – Czy mogę spokojnie dokończyć? Wpadanie w słowo jest niegrzeczne. Nie sądzi pan?

– Tak, panie komisarzu. Dlatego...

Curtis uniósł rękę.

– Chciałbym pozbawić pana przekonania, że stoi za panem jakaś moralna słuszność, bo tak nie jest. Pański dowódca zmiany i oficer dyżurny przyznali, że przymykali oczy na pańskie spóźnienia i nieobecności, ponieważ sami są członkami tego klubu społecznego. Jednak nie posiadają oni prawa, by podejmować taką decyzję. – Rozłożył ręce. – To nie leży w ich kompetencjach. Mógłby to zrobić jedynie oficer w randze kapitana lub wyższej.

– Panie komisarzu...

– Dlatego...

– Panie komisarzu...

– Jeszcze nie skończyłem. Czy pozwoli mi pan skończyć? – Curtis oparł się łokciem o biurko i wymierzył palec w Marka. Jego poznaczona plamami twarz dygotała. – Czy dopuścił się pan gorszącego zaniedbania swoich obowiązków funkcjonariusza policji?

– Panie komisarzu, miałem wrażenie…

– Proszę odpowiedzieć na pytanie.

– Panie komisarzu, sądzę…

– Tak, czy nie? Sądzi pan, że mieszkańcy tego miasta chcą wymówek? Rozmawiałem z nimi. Nie chcą. Czy pojawił się pan na owych apelach?

Komisarz zgarbił się, nadal celując palcem w Dentona. Danny uznałby tę scenę za komiczną, gdyby wydarzyła się w innej sytuacji, w innym dniu, w innym kraju. Ale Curtis zagrał w niespodziewany sposób, wyciągnął argument, który uważali za niemodny i przestarzały w tych nowoczesnych czasach: rodzaj fundamentalnej świętoszkowatości, cechującej tylko fanatyków. Nieskażona wątpliwościami, robi wrażenie moralnej inteligencji i sumienności. Straszne, jak poniżony, jak bardzo bezbronny czuje się człowiek atakowany tego rodzaju argumentami. Jak można walczyć z wściekłością świętoszka, gdy jedyną bronią jest logika i zdrowy rozsądek?

Denton otworzył swoją teczkę i wyjął dokumenty, nad którymi pracowali od tygodni.

– Jeśli mógłbym zwrócić pańską uwagę na podwyżkę, którą nam obiecano w…

– Nam? – podchwycił Curtis.

– Tak, wydziałowi bostońskiej policji.

– Ma pan czelność uważać się za reprezentanta tych wspaniałych ludzi? – nasrożył się Curtis. – Odkąd objąłem swój urząd, rozmawiałem z wieloma z nich i mogę pana zapewnić, że nie wybrali pana na swojego przywódcę. Mają już dość, że przypisuje im pan swoje poglądy i przedstawia ich jako malkontentów. Nie dalej, jak wczoraj rozmawiałem z policjantem z dwunastego posterunku i wie pan, co mi powiedział? Powiedział: „Panie komisarzu, my, policjanci z dwunastki, z dumą służymy naszemu miastu w czasie potrzeby. Proszę powiedzieć ludziom, że nie zmienimy się w bolszewików. Jesteśmy funkcjonariuszami policji".

Mark wyjął pióro i notes.

– Jeśli mogę prosić o nazwisko tego policjanta… Z radością porozmawiam z nim na temat wszelkich zarzutów, jakie może mieć przeciwko mnie.

Curtis machnął lekceważąco ręką.
– Rozmawiałem z kilkoma dziesiątkami ludzi, z całego miasta. I żaden z nich, daję słowo, nie jest bolszewikiem.
– Ja też nie.
– Funkcjonariuszu Coughlin. – Curtis odwrócił kolejną kartkę. – Jak rozumiem, powierzono panu ostatnio zadanie specjalne. Inwigilację komórek terrorystycznych w tym mieście.
Danny przytaknął.
– I jak postępy?
– Dobrze.
– Dobrze? – Curtis pociągnął się za obwisłe podgardle, zwisające nad kołnierzykiem. – Czytałem raporty porucznika McKenny. Są pełne mglistych przypuszczeń, które nie mają odbicia w rzeczywistości. W związku z tym zacząłem studiować akta jego poprzednich akcji i znowu nie zdołałem zauważyć żadnych osiągnięć. Jest to dokładnie taka działalność, która odrywa funkcjonariuszy policji od obowiązków. Czy może mi pan konkretnie opisać, jakich postępów dokonał pan z tymi... jak im tam? Litewskimi Robotnikami, zanim został pan zdemaskowany?
– Stowarzyszeniem Robotników Litewskich, panie komisarzu – poprawił Danny. – A postępy są trudne do określenia. Pracowałem w przebraniu, usiłując zbliżyć się do Luisa Frani, przywódcy grupy, znanego wywrotowca i wydawcy „The Revolutionary Age".
– W jakim celu?
– Mamy powody przypuszczać, że planuje on atak na miasto.
– Kiedy?
– Najbardziej prawdopodobną datą wydaje się pierwszy maja, ale krążą też pogłoski, że...
– Plotki – przerwał Curtis. – Wątpię, żebyśmy w ogóle mieli problem z terrorystami.
– Panie komisarzu, z całym szacunkiem...
Curtis pokiwał głową kilka razy.
– Tak, zastrzelił pan jednego. Wiem o tym, tak jak pewnie będą o tym wiedzieć pańskie praprawnuki. Ale to tylko jeden człowiek. Jedyny, który według mnie działał w tym mieście. Czy chce pan odstraszyć inwestorów? Czy sądzi pan, że powszechna świadomość, iż w mieście działają dziesiątki terrorystycznych organizacji sprawi, że jakakol-

wiek rozsądna firma otworzy tu sklepy? Uciekną do Nowego Jorku! Do Filadelfii! Do Providence!

– Porucznik McKenna i kilku członków Departamentu Sprawiedliwości – powiedział Danny – sądzą, że pierwszego maja wybuchnie ogólnokrajowy bunt.

Curtis znieruchomiał ze wzrokiem wbitym w biurko. Zapadła tak głucha cisza, że Danny zaczął się zastanawiać, czy burmistrz go usłyszał.

– Miał pan tuż pod nosem dwójkę anarchistów, którzy produkowali bomby. Tak?

Mark spojrzał na Danny'ego. Ten przytaknął.

– Więc wziął pan to zadanie, by odpokutować niedopatrzenie. Zdołał pan zabić jednego z nich.

– Mniej więcej.

– Jest pan żądny krwi wywrotowców?

– Nie lubię tych, którzy są skłonni do przemocy, ale nie nazwałbym tego żądzą krwi.

Curtis pokiwał głową.

– A co z wywrotowcami w łonie pańskiego wydziału, którzy szerzą niezadowolenie w szeregach, którzy chcieliby zrusyfikować tę szacowną placówkę zaufania publicznego? Co z ludźmi, którzy spotykają się i rozmawiają o strajkach, o przedłożeniu swojego dobra nad dobro ogółu?

Mark wstał.

– Chodźmy stąd.

Curtis zmrużył oczy.

– Jeśli pan w tej chwili nie usiądzie, zawieszę pana w prawach – od ręki – i będzie mógł pan toczyć walkę o ich przywrócenie w sądzie.

Mark usiadł.

– Popełnia pan duży błąd. Kiedy prasa o tym usłyszy...

– Dziennikarze też zostali w domu.

– Co?

– Wczoraj otrzymali wiadomość, że burmistrza Petersa nie będzie i że główny temat spotkania ma bardzo niewiele wspólnego z tym „związkiem", który nazywacie klubem społecznym. Postanowili więc spędzić czas z rodzinami. Znacie jakichś dziennikarzy na tyle, żeby mieć ich numery domowe?

Curtis znowu odwrócił się do Danny'ego, który poczuł ogarniającą go słabość.

– Funkcjonariuszu, czuję, że marnuje się pan przy patrolowaniu ulic. Wolałbym, żeby dołączył pan do detektywa sierżanta Stevena Harrisa z wydziału wewnętrznego.

Odrętwienie opuściło Danny'ego. Pokręcił głową.

– Nie.

– Odmawia pan swojemu zwierzchnikowi. Pan, który sypiał z terrorystką? Terrorystką, która, o ile wiemy, nadal działa w tym mieście?

– Odmawiam, lecz z całym szacunkiem.

– Nie ma szacunku w odmowie życzeniu zwierzchnika.

– Przykro mi, że tak pan to widzi.

Curtis odchylił się na krześle.

– Więc jest pan przyjacielem ludzi pracy, bolszewików, wywrotowców, którzy udają „szarych ludzi".

– Sądzę, że Bostoński Klub Społeczny reprezentuje policjantów z bostońskiego wydziału policji.

– Ja tak nie uważam – oznajmił Curtis i zabębnił palcami w blat biurka.

– To jasne, panie komisarzu. – Tym razem to Danny wstał.

Curtis pozwolił sobie na krzywy uśmieszek. Mark także podniósł się z miejsca. Obaj włożyli płaszcze.

– Dni, kiedy w tym wydziale rządziły takie szare eminencje, jak Edward McKenna i pański ojciec, przeminęły. Dni, w którym wydział uginał się przed żądaniami bolszewików, także już nie wrócą. Funkcjonariuszu Denton, proszę stanąć w pozycji na baczność.

Mark wyprostował ramiona i założył ręce za plecy.

– Zostaje pan przeniesiony do posterunku piętnastego w Charlestown. Ma pan się tam natychmiast zameldować. Natychmiast, czyli dziś po południu. Rozpocznie pan swoje obowiązki na zmianie od południa do północy.

Mark zrozumiał, co to znaczy: nie zdąży na zebrania w Fay Hall, jeśli na pół dnia ugrzęźnie w Charlestown.

– Funkcjonariuszu Coughlin, baczność. Pan także otrzymuje przydział.

– Do...?

– Specjalnego zadania. Ma już pan w nich doświadczenie.
– Tak.
Komisarz przesunął ręką po brzuchu.
– Ma pan się zająć sprawą strajku. Kiedy robotnicy zwrócą się przeciwko dobrym ludziom, którzy im płacą, dopilnuje pan, żeby nie doszło do żadnego wybuchu agresji. Będzie pan wypożyczany do posterunków policji w całym stanie. Aż do odwołania, ma pan tłumić strajki.
Curtis oparł się na łokciach i spojrzał na Danny'ego, czekając na jego reakcję.
– Jak pan sobie życzy – odpowiedział Danny.
– Witajcie w nowym wydziale policji bostońskiej – oznajmił Curtis. – Możecie odejść, panowie.

Danny wyszedł z gabinetu w takim szoku, że wydawało się, iż nic go już nie zaskoczy, ale w przedpokoju ujrzał innych, czekających na swoją kolej.
Tescotta, sekretarza BKS.
McCrae'a, skarbnika.
Slatterly'ego, wiceprezesa.
Fentona, rzecznika prasowego.
To McCrae wstał i spytał:
– Co jest, do cholery? Pół godziny temu dostałem telefon, żebym natychmiast się stawił. Dan? Mark?
Mark wyglądał jak ogłuszony. Położył rękę na ramieniu McCrae'a.
– Pogrom – szepnął.

Na zewnątrz, na schodach, zapalili papierosy, starając się odzyskać równowagę.
– Nie mogą tego zrobić – powiedział Mark.
– Już zrobili.
– Chwilowo. Chwilowo. Zadzwonię do naszego prawnika Clarence'a Rowleya. Zrobi awanturę. Sędzia wyda nakaz.

– Nakaz czego? Nie zawiesił nas, tylko przydzielił do innych zadań. To jego prawo. Nie mamy się do czego przyczepić.

– Kiedy dziennikarze to usłyszą... – Głos Marka zamarł.

– Może. Jeśli nie będzie ciekawszych wiadomości.

Danny spojrzał na puste ulice, a potem na puste niebo. Taki piękny dzień, mroźny, bezwietrzny i pogodny.

ROZDZIAŁ DWUDZIESTY DRUGI

Danny, jego ojciec i Eddie McKenna spotkali się w gabinecie przed świąteczną kolacją. Eddie nie zamierzał zostać; na Telegraph Hill, o parę przecznic dalej czekała na niego rodzina. Pociągnął łyk z kieliszka.

– Tom, ten człowiek wyruszył na krucjatę. I wydaje mu się, że niewierni to my. Wczoraj wieczorem przysłał mi rozkaz, aby przeszkolić ludzi w kierunku panowania nad tłumem i tłumienia zamieszek. Chce, żeby się także przyuczyli do służby konnej. A teraz zaatakował klub?

Thomas Coughlin podszedł do niego z karafką i napełnił mu kieliszek.

– Przeczekamy, Eddie. Przeżyliśmy gorsze czasy.

Eddie przytaknął; Thomas Coughlin poklepał go po plecach i zwrócił się do Danny'ego:

– Ten twój Denton skontaktował się z prawnikiem BKS?

– Z Rowleyem. Tak – powiedział Danny.

Thomas oparł się o biurko i potarł dłonią potylicę, co oznaczało intensywny namysł.

– Mądrze to rozegrał. Gdyby cię zawiesił, to inna sprawa, ale przydział do innego zadania – choćby kiepskiego – to karta, którą może zagrać przeciwko tobie, gdybyś się zbuntował. I nie zapominajmy – wie, że przeleciałeś tę terrorystkę.

Danny nalał sobie drinka. Poprzedni zniknął z jego kieliszka w rekordowym tempie.

– A skąd wiedział? Myślałem, że to zastrzeżona wiadomość.

Ojciec szeroko otworzył oczy.

– Nie ode mnie, jeśli to sugerujesz. A ty, Eddie?

– Słyszałem, że miałeś jakąś utarczkę z agentami z Departamentu

Sprawiedliwości. Na Salem Street. Wyciągnąłeś im z wozu jakąś dziewczynę.

Danny pokiwał głową.

– Dzięki temu dotarłem do Federica Ficary.

McKenna wzruszył ramionami.

– Ci ze Sprawiedliwości plotkują jak stare baby. Zawsze tak było.

– Cholera. – Danny uderzył dłonią w oparcie skórzanego fotela.

– Dla komisarza Curtisa jest to czas wendety – oznajmił Thomas. – Spłata długów. Za wszystko, co oberwał od Lomasneya i szefów okręgów jako burmistrz. Za wszystkie nędzne posady, na których kiblował od 1897 roku. Za wszystkie przyjęcia, na które go nie zaproszono, wszystkie bale, o których dowiedział się po fakcie. Za wszystkie te sytuacje, kiedy jego żona wstydziła się, że ją z nim widują. On pochodzi z bostońskiej elity, panowie, a jeszcze tydzień temu był w niełasce. – Ojciec poruszył kieliszkiem i sięgnął do popielniczki po cygaro. – To wystarczy, żeby człowiek nabrał rozmachu, przystępując do wyrównania rachunków.

– Więc co zrobimy?

– Ty graj na zwłokę. Nie wychylaj się.

– Dokładnie tę samą radę dałem tydzień temu naszemu chłopcu. – Eddie uśmiechnął się do Danny'ego.

– Mówię poważnie. Eddie, w najbliższych miesiącach będziesz musiał schować do kieszeni dumę. Jestem kapitanem, nie może mnie wezwać na dywanik, ale mój statek płynie z kursem, a odkąd objąłem rządy, w moim okręgu ilość przestępstw spadła o sześć procent. I to tutaj – kapitan wskazał podłogę – na terenie dwunastego posterunku, od zawsze w najbardziej zbrodniczej, niemakaroniarskiej dzielnicy miasta. Nie może mi dużo zrobić, chyba że dam mu amunicję, a dołożę starań, żeby do tego nie doszło. Ty natomiast jesteś porucznikiem i nie działasz jawnie. Może ci przykręcić śrubę i to mocno. Więc to zrobi.

– Czyli…

– Czyli, jeśli chce, żeby twoi ludzie jeździli konno do końca świata, dostosuj się. A ty – rzucił do Danny'ego – trzymaj się z daleka od BKS.

– Nie. – Danny dopił drinka i wstał, żeby sobie dolać.

– Słyszałeś, co powiedziałem?

– Będę tłumił strajki bez narzekania. Będę polerował guziki i buty, ale nie wystawię BKS do wiatru. Nic z tego.

– Więc on cię zgnoi.

Rozległo się ciche pukanie.

– Thomasie...

– Tak, skarbie.

– Kolacja za pięć minut.

– Dziękuję, moja droga.

Kroki Ellen Coughlin ucichły. Eddie zdjął płaszcz z wieszaka.

– Ale będziemy mieli rok!

– Wytrzymaj. Okręg to my. Okręgi rządzą miastem. Nie zapominaj.

– Nie zapominam. Dzięki. Wesołych świąt.

– Wesołych świąt.

– Tobie także, Dan.

– Wesołych świąt, Eddie. Pozdrowienia dla Mary Pat.

– Bardzo się ucieszy.

Eddie wyszedł z gabinetu. Danny znowu poczuł na sobie spojrzenie ojca.

– Curtis cię znokautował, co, chłopcze?

– Dojdę do siebie.

Przez chwilę nie odzywali się ani słowem. Z jadalni dobiegało szuranie krzeseł i stukanie ciężkich waz i półmisków.

– Von Clausewitz powiedział, że wojna to polityka prowadzona innymi środkami. – Thomas uśmiechnął się łagodnie i pociągnął łyk alkoholu. – Zawsze mi się wydawało, że jest dokładnie na odwrót.

Connor wrócił z pracy niespełna godzinę później. Został przydzielony do sprawy rzekomego podpalenia i nadal cuchnął sadzą i dymem. Dwa trupy, powiedział, podając ziemniaki Joemu. Z pewnością dla ubezpieczenia, które wynosiło o parę setek więcej, niż można by dostać za legalną sprzedaż. Ci Polacy, powiedział i przewrócił oczami.

– Musisz bardziej uważać – upomniała go matka. – Nie żyjesz już tylko dla siebie.

Nora zarumieniła się, a Connor do niej mrugnął.

– Wiem, mamo. Wiem. Będę uważać. Obiecuję.

Danny spojrzał na ojca, który siedział po jego prawej stronie, u szczytu stołu. Ojciec odpowiedział obojętnym spojrzeniem.

– Czyżbym coś przegapił? – spytał Danny.

– Oż ch… – Connor spojrzał na matkę. – Choroba – dokończył. – Zgodziła się, Dan. Nora. Zgodziła się.

Nora podniosła głowę i spojrzała na Danny'ego. W jej oczach zobaczył dumę i wyzwanie, które wydały mu się odrażające.

Ale uśmiech miała niepewny.

Danny pociągnął łyk drinka, którego przyniósł z gabinetu ojca. Ukroił kawałek szynki. Poczuł na sobie spojrzenia wszystkich zebranych przy stole. Spodziewali się, że coś powie. Connor wpatrywał się w niego z szeroko otwartymi oczami. Matka przyglądała mu się z zaciekawieniem. Joe zamarł z widelcem nad talerzem.

Danny odłożył sztućce. Przywołał na twarz szeroki, promienny uśmiech. Jasna cholera, od ucha do ucha. Joe wyraźnie odetchnął, a z oczu matki znikła ciekawość. Danny zmusił się, żeby ten uśmiech odbił się w jego oczach. Mało mu ich nie wypalił.

– Wspaniale! Gratulacje dla obojga. Bardzo się cieszę. – Uniósł kieliszek.

Connor roześmiał się i też uniósł swój.

– Za Connora i Norę! – zawołał gromkim głosem Danny.

– Za Connora i Norę! – Reszta rodziny uniosła kieliszki i stuknęła się nimi przez stół.

Przed deserem Nora podeszła do niego, gdy wracał z gabinetu ojca, niosąc kolejną dolewkę szkockiej.

– Chciałam ci powiedzieć – oświadczyła. – Wczoraj trzy razy dzwoniłam do twojego mieszkania.

– Wróciłem dopiero po szóstej.

– Och…

Klepnął ją w ramię.

– Nie, naprawdę. To wspaniale. Świetnie. Nie mógłbym się bardziej cieszyć.

Potarła ramię.

– To dobrze.

– Kiedy?
– Myśleliśmy o siedemnastym marca.
– Dzień świętego Patryka. Idealnie. Za rok o tej samej porze możecie mieć już dziecko.
– Możliwe.
– Albo... bliźniaki! To by było coś.
Wypił szkocką. Nora przyjrzała mu się uważnie. Nie wiedział, co chciała zobaczyć. O czym tu jeszcze mówić? Najwyraźniej wszystkie decyzje zostały już podjęte.
– Czy...
– Co?
– Chcę... nie wiem, co powiedzieć...
– Nie mów.
– Chcesz o coś spytać? Czegoś się dowiedzieć?
– Nie. Chcę się jeszcze napić. A ty?
Wrócił do gabinetu i znalazł karafkę. Było w niej o wiele mniej alkoholu niż wcześniej tego samego dnia, kiedy tu przyszedł.
– Danny.
– Nie. – Odwrócił się do niej z uśmiechem.
– Co „nie"?
– Nie wymawiaj w ten sposób mojego imienia.
– Jak?
– Jakby coś znaczyło. Zmień ton, dobrze? Tylko tyle. Gdy je wymawiasz.
– Nie mogę... – Nora uniosła rękę i zaraz ją opuściła.
– Co?
– Nie mogę pozwolić, żeby mężczyzna użalał się nad sobą.
Wzruszył ramionami.
– Matko. Jakie to irlandzkie.
– Upiłeś się.
– Dopiero zacząłem.
– Przepraszam.
Parsknął śmiechem.
– Naprawdę? Pozwól, że o coś cię spytam. Wiesz, że stary zaczął sprawdzać irlandzkie sprawy. Mówiłem ci.
Nora skinęła głową, wpatrując się w dywan.
– Dlatego dążysz do ślubu?

Spojrzała mu w oczy bez słowa.
– Naprawę myślisz, że to cię uratuje, jeśli rodzina dowie się, że jesteś mężatką?
– Myślę... – zaczęła tak cichym głosem, że prawie jej nie słyszał – myślę, że jeśli będę żoną Connora, twój ojciec nigdy się mnie nie wyrzeknie. Zrobi, co trzeba – co będzie konieczne.
– Aż tak się boisz, że się ciebie wyrzeknie?
– Boję się samotności. Głodu. I... – Pokręciła głową.
– I?
Znowu spuściła wzrok.
– Bezradności.
– No, no, zawsze wypłyniesz na powierzchnię, czyż nie? – Parsknął śmiechem. – Rzygać mi się chce przez ciebie.
– Co?
– Po całym dywanie – dodał.
Przeszła przez gabinet energicznym krokiem, aż halka jej zaszeleściła. Nalała sobie irlandzkiej whisky, wypiła połowę i odwróciła się do Danny'ego.
– Więc kim ty, kurwa, jesteś?
– Śliczny język – powiedział. – Uroczy.
– Chce ci się wymiotować z mojego powodu?
– W tej chwili tak.
– A to dlaczego?
Podszedł do niej. Miał ochotę chwycić Norę za tę gładką białą szyję. Wyrwać serce, żeby nigdy więcej nie widzieć uczuć w jej oczach.
– Ty go nie kochasz – powiedział.
– Kocham.
– Nie tak, jak mnie.
– A kto tak powiedział?
– Ty.
– Nie, ty.
– Nie, ty.
Chwycił ją za ramiona.
– Precz z łapami.
– I kto to mówi?
– Precz z łapami! Puszczaj!

Dotknął czołem miejsca tuż pod jej szyją. Poczuł się bardziej samotny niż w okopach albo wtedy, gdy bomby upadły na podłogę posterunku przy Salutation Street, bardziej samotny i udręczony tym stanem, niż się spodziewał.

– Kocham cię.

Odepchnęła jego głowę.

– Kochasz siebie, chłopcze.

– Nie…

Chwyciła go za uszy i spojrzała mu w oczy.

– Tak. Kochasz siebie. Swój wzniosły ton. A ja mam drewniane ucho. Nie docenię go.

Wyprostował się i zrobił głęboki wdech. Zamrugał.

– Kochasz go? Tak?

– Nauczę się – mruknęła i wypiła resztę whisky.

– Ze mną nie musiałaś się uczyć.

– I patrz, do czego nas to doprowadziło – odparła, wychodząc z gabinetu.

Akurat siadali do deseru, kiedy rozległ się dzwonek u drzwi. Danny czuł, że alkohol coraz głośniej szumi mu we krwi, ciąży w rękach i nogach, rozjątrza myśli.

Drzwi otworzył Joe. Nie zamknął ich tak długo, że nocny chłód dotarł do jadalni.

– Joe, kto to? – zawołał Thomas. – Zamknij drzwi!

Usłyszeli stukot drzwi, przyciszoną rozmowę Joego z kimś obcym. Jego głos brzmiał nisko i ochryple, słowa były niezrozumiałe.

– Tato! – Joe stanął w progu.

Za jego plecami pojawił się mężczyzna, wysoki, lecz przygarbiony, o pociągłej, wygłodniałej twarzy i z ciemną, kudłatą brodą przetykaną pasmami siwizny. Oczy miał ciemne i małe, ale mimo to wydawało się, że wychodzą z oczodołów, siwe włosy ostrzyżone na jeża, ubranie tanie i podarte. Danny czuł jego zapach przez cały pokój.

Obcy uśmiechnął się do nich, ukazując kilka pożółkłych zębów w kolorze schnącego na słońcu, zawilgoconego papierosa.

– Jakże się dziś miewa bogobojny ludek? Zapewne dobrze?

Thomas Coughlin wstał.

– Co to ma znaczyć?
Mężczyzna odnalazł wzrokiem Norę.
– A jak ty się miewasz, myszko?
Nora siedziała jak skamieniała, z jedną ręką na filiżance herbaty, z martwymi, nieruchomymi oczami.
Mężczyzna wyciągnął rękę.
– Przepraszam, że wam przeszkadzam, ludziska. Szczerze. Pan musi być kapitanem Coughlinem.
Joe ostrożnie odsunął się od przybysza, przeszedł pod ścianą na drugi koniec stołu, do matki i Connora.
– Jestem Thomas Coughlin – powiedział kapitan – a pan przyszedł do mojego domu w święta, więc lepiej, żeby się pan wytłumaczył.
Obcy uniósł brudne dłonie.
– Nazywam się Quentin Finn. Sądzę, że przy pańskim stole siedzi moja żona.
Connor poderwał się, przewracając krzesło.
– Co jest, do…?
– Connorze – rzucił ojciec. – Opanuj się, chłopcze.
– Właśnie – dodał Quentin Finn. – Przecież to Boże Narodzenie. Tęskniłaś, myszko?
Thomas Coughlin uniósł rękę.
– Musi pan się wyrazić jaśniej.
Quentin Finn przyjrzał mu się zmrużonymi oczami.
– Jeszcze jaśniej? Ożeniłem się z tą kobietą. Dałem jej swoje nazwisko. Podzieliłem się z nią prawem do ziemi w Donegal. To moja żona. Przybyłem, żeby zabrać ją do domu.
Nora wytrzymała zbyt długo, nie odzywając się. Danny widział to wyraźnie – w oczach matki i Connora. Jeśli chciała zaprzeczyć, najlepszy moment już minął.
– Noro – odezwał się Connor.
Zamknęła oczy.
– Ćśśś – szepnęła i uniosła rękę.
– Ćśśśś? – powtórzył Connor.
– Czy to prawda? – spytała matka Danny'ego. – Noro, spójrz na mnie. To prawda?
Ale ona nie spojrzała. Nie chciała otworzyć oczu. Kołysała ręką, jakby w ten sposób mogła cofnąć czas.

Danny przyglądał się przybyszowi z perwersyjną fascynacją. Z czymś takim? – chciał spytać. Rżnęłaś się z czymś takim? Czuł w żyłach żar alkoholu i wiedział, że ten żar potrafi wyzwolić w nim różne emocje, ale teraz czuł tylko to, które kazało mu położyć głowę na jej piersi i wyznać, że ją kocha.

Na co odpowiedziała: „Kochasz siebie".

– Proszę usiąść – powiedział jego ojciec.

– Postoję, kapitanie, jeśli wolno.

– Czego pan oczekuje? – spytał Thomas.

– Oczekuję, że wyjdę stąd z moją żoną. Tak. – Finn pokiwał głową.

Thomas spojrzał na Norę.

– Podnieś głowę, dziewczyno.

Nora otworzyła oczy i spojrzała na niego.

– Czy to prawda? Czy ten człowiek jest twoim mężem?

Nora spojrzała na Danny'ego. Co powiedziała w gabinecie? „Nie mogę pozwolić, żeby mężczyzna użalał się nad sobą". Kto się teraz nad sobą użala?

Danny spuścił wzrok.

– Noro – przemówił Thomas. – Odpowiedz mi. Czy to twój mąż?

Sięgnęła po filiżankę, ale ta zadygotała w jej palcach, więc ją odstawiła.

– Był nim.

Matka Danny'ego przeżegnała się.

– Jezu Chryste! – Connor kopnął w ścianę.

– Joe – polecił ojciec cicho. – Idź do swojego pokoju. I nie waż się protestować, synu.

Joe otworzył usta, rozmyślił się jednak i wyszedł.

Danny poczuł, że kręci głową i znieruchomiał. Z tym czymś? – chciał krzyknąć na cały głos. Wyszłaś za tego odrażającego, obleśnego łachudrę? I miałaś czelność traktować mnie z wyższością?

Nalał sobie kolejnego drinka. Quentin Finn zrobił dwa kroczki w głąb pokoju.

– Noro – podjął Thomas Coughlin. – Powiedziałaś, że to był twój mąż. Więc rozumiem, że małżeństwo zostało anulowane, tak?

Nora znowu spojrzała na Danny'ego. Jej oczy lśniły czymś, co w innych okolicznościach można by uznać za szczęście.

Danny znowu spojrzał na Quentina, który drapał się w brodę.

– Noro – powtórzył Thomas. – Zostało anulowane? Odpowiedz, dziewczyno.

Nora pokręciła głową.

Danny zagrzechotał kostkami lodu w szklance.

– Quentinie...

Quentin Finn spojrzał na niego. Uniósł brew.

– Tak, młodzieńcze?

– Jak nas znalazłeś?

– Mam swoje sposoby. Szukałem tego dziewczęcia już od jakiegoś czasu.

Danny pokiwał głową

– Jesteś zatem człowiekiem zamożnym.

– Aidenie.

Danny spojrzał przelotnie na ojca i znowu odwrócił się do Finna.

– Odnalezienie kobiety po drugiej stronie oceanu kosztuje. I to sporo.

Quentin uśmiechnął się do ojca Danny'ego.

– Widzę, że chłopak jest niegłupi, nie?

Danny zapalił papierosa od świecy.

– Jeszcze raz mnie nazwiesz chłopcem, kartoflarzu, to...

– Aidenie – rzucił ojciec. – Wystarczy. – Odwrócił się do Nory. – Masz coś na swoją obronę, dziewczyno? Czy on kłamie?

– To nie jest mój mąż – oznajmiła Nora.

– Twierdzi, że nim jest.

– Już nie.

Thomas oparł się o stół.

– W katolickiej Irlandii nie ma rozwodów.

– Nie powiedziałam, że dostałam rozwód, tylko że to nie jest już mój mąż.

Quentin Finn parsknął śmiechem, jednym głośnym „ha!", które zagrzmiało w pokoju jak strzał.

– O Jezu – szeptał Connor raz po raz. – O Jezu.

– No, to się pakuj, myszko.

Nora spojrzała na niego. W jej oczach malowała się nienawiść. I strach. Wstręt. Upokorzenie.

– On mnie kupił – powiedziała – kiedy miałam trzynaście lat.

Ten człowiek jest moim kuzynem. To w porządku? – Spojrzała na Coughlinów. – Trzynaście lat. Tak, jak kupuje się krowę.

Thomas rozłożył ręce.

– Tragiczne okoliczności – powiedział cicho. – Ale to twój mąż.

– Racja, kapitanie, jak kurwa mać.

Ellen Coughlin przeżegnała się i przyłożyła dłoń do piersi.

Thomas nie spuszczał oczu z Nory.

– Jeśli znowu użyje pan przekleństwa w moim domu... – Odwrócił się i uśmiechnął do Quentina Finna. – Pański bezpieczny powrót stanie pod znakiem zapytania.

Quentin Finn tylko podrapał się w brodę.

Thomas delikatnie przyciągnął do siebie dłonie Nory, a potem spojrzał na Connora. Ten zasłaniał oczy rękami. Następnie Thomas odwrócił się do żony, która pokręciła głową. Przytaknął. Spojrzał na Danny'ego.

Danny spoglądał w oczy ojca, przejrzyste i błękitne. Były to oczy dziecka o nieoszacowanej inteligencji i nieznanych zamiarach.

– Nie każcie mi z nim iść – szepnęła Nora.

Connor wydał dźwięk, który można by uznać za śmiech.

– Błagam.

Thomas pogładził jej dłonie.

– Ale będziesz musiała odejść.

Skinęła głową. Z policzka spadła jej łza.

– Byle nie teraz. Nie z nim.

– Dobrze, kochana. – Thomas wyprostował się. – Panie Finn...

– Tak, kapitanie.

– Pańskie małżeńskie prawa zostały odnotowane. I uszanowane.

– Dziękuję.

– Proszę odejść i zjawić się jutro rano w dwunastym posterunku na East Fourth Street. Wówczas zajmiemy się sprawą odpowiednio.

Quentin Finn zaczął kręcić głową już w połowie zdania.

– Nie przebyłem tego drańskiego oceanu po to, żeby mnie odprawiono z kwitkiem. Nie. Zabieram żonę teraz, dziękuję.

– Aidenie. – Danny wstał.

– Mam prawo. Jestem mężem – dodał Quentin.

– I to prawo zostanie uszanowane. Ale dziś...

– A co z jej dzieckiem? Co sobie pomyśli o...

– Ona ma dziecko? – Connor odjął ręce od oczu.

Ellen Coughlin znowu się przeżegnała.

– Święta Mario, Matko Boża...

Thomas puścił dłonie Nory.

– A no pewnie, ma w domu małego berbecia, a jak.

– Zostawiłaś własne dziecko? – spytał Thomas.

Oczy Nory błysnęły gorączkowo, jej ramiona się napięły. Skuliła się – jak łowna zwierzyna, zawsze klucząca, kręcąca, w każdej chwili gotowa do szalonej ucieczki.

Dziecko? Nigdy nie wspomniała ani słowem.

– Nie moje – powiedziała. – Jego.

– Zostawiłaś dziecko? – spytała matka Danny'ego. – Dziecko?

– Nie moje! – powtórzyła Nora i wyciągnęła do niej rękę, ale Ellen Coughlin cofnęła dłonie na kolana. – Nie moje, nie moje, nie moje!

Quentin pozwolił sobie na uśmieszek.

– Mały jest całkiem zagubiony bez mamuni. Całkiem.

– On nie jest mój! – rzuciła do Danny'ego. I do Connora: – Nie mój!

– Przestań – mruknął Connor.

Ojciec Danny'ego wstał i przesunął ręką po głowie, podrapał się w kark i westchnął ciężko.

– Zaufaliśmy ci – powiedział. – Powierzyliśmy ci naszego syna. Joego. Jak mogłaś nas postawić w takiej sytuacji? Jak mogłaś nas oszukać? Nasze dziecko, Noro. Powierzyliśmy ci nasze dziecko.

– I dobrze je traktowałam – odpowiedziała Nora z nową siłą. Danny widział to samo u bokserów, zwłaszcza tych mniejszych, w dalszych rundach. To coś wykraczało poza fizyczną siłę i wielkość ciała. – Dobrze traktowałam jego i pana, a także pańską rodzinę.

Thomas spojrzał na nią, potem na Quentina Finna, znowu na nią, a w końcu na Connora.

– Miałaś wyjść za mojego syna. Upokorzyłabyś nas. Skalałabyś moje nazwisko. To nazwisko, dzięki któremu masz dom, dach nad głową, jedzenie, rodzinę? Jak śmiałaś, kobieto? Jak śmiałaś?

Nora spojrzała mu prosto w oczy. W końcu zaczęła płakać.

– Jak śmiałam? Ten dom jest trumną dla tego chłopca! – Wskazała w kierunku pokoju Joego. – Czuję to codziennie. Zajmowałam się nim, bo nawet nie zna swojej matki. Bo ona...

Ellen Coughlin wstała, ale nie odeszła od stołu. Położyła rękę na oparciu krzesła.

– Zamknij usta – rozkazał Thomas Coughlin. – Ty nędznico.

– Ty kurwo – odezwał się Connor. – Ty parszywa kurwo!

– O, dobry Jezu – jęknęła Ellen Coughlin. – Przestańcie! Przestańcie!

Do jadalni wszedł Joe. Powiódł po nich wzrokiem.

– Co? – spytał. – Co?

– Natychmiast opuść ten dom – rozkazał Thomas Norze.

Quentin Finn uśmiechnął się pod nosem.

– Tato – odezwał się Danny, ale ojciec osiągnął stan, w którym uwolniły się w nim emocje, przez wielu wyczuwane, lecz dotąd nie oglądane przez nikogo. Wycelował w Danny'ego palec, nie patrząc na niego.

– Jesteś pijany. Wracaj do siebie.

– Co? – powtórzył Joe zachrypniętym głosem. – Dlaczego wszyscy krzyczą?

– Wracaj do łóżka – rzucił Connor.

Ellen Coughlin wyciągnęła rękę do Joego, ale ten nie zwrócił na nią uwagi. Spojrzał na Norę.

– Dlaczego wszyscy krzyczą?

– Chodź, kobieto – odezwał się Quentin Finn.

– Niech pan tego nie robi – zwróciła się Nora do Thomasa.

– Kazałem ci zamknąć usta.

– Tato – uparł się Joe. – Dlaczego wszyscy krzyczą?

– Słuchaj... – zaczął Danny.

Quentin Finn podszedł do Nory i podniósł ją z krzesła za włosy.

Joe załkał, Ellen Coughlin krzyknęła.

– Uspokójmy się – powiedział Thomas.

– To moja żona! – Quentin pociągnął Norę za sobą.

Joe rzucił się na niego, ale Connor chwycił go w ramiona. Joe zaczął go tłuc piąstkami. Matka Danny'ego upadła na krzesło, zanosząc się głośnym płaczem i modląc się do Matki Boskiej.

Quentin przycisnął Norę do siebie tak mocno, że jej policzek rozpłaszczył się na jego piersi.

– Niech no ktoś przyniesie jej graty, co? – rzucił.

Thomas wyciągnął rękę i krzyknął „Nie", bo Danny już się zamachnął i, wychodząc zza stołu, cisnął szklanką w kark Finna.

Ktoś jeszcze krzyknął „Danny" – może matka, może Nora, może nawet Joe – ale on już wbił palce w oczodoły Quentina Finna i uderzył jego głową we framugę drzwi jadalni. Jakaś ręka chwyciła go od tyłu, ale puściła, gdy wypchnął tamtego na korytarz i powlókł go do drzwi frontowych. Joe chyba nie zamknął ich na klucz, bo po uderzeniu głowy Quentina otworzyły się dość łatwo. Danny wywlókł go z domu. Finn wylądował brzuchem na schodkach i zjechał po nich w świeży śnieg. Znieruchomiał na chodniku, wśród gęsto padających wielkich płatków. Po chwili jednak Danny z zaskoczeniem ujrzał, że Quentin wstaje, ale pośliznął się i upadł ze zgiętą lewą nogą.

Danny zszedł po schodach ostrożnie, bo ganek był z żelaza i pod wpływem śniegu zrobił się bardzo śliski. W miejscach, gdzie wlókł Quentina, śnieg rozmiękł. Danny spojrzał na wstającego mężczyznę.

– Zabaw mnie – powiedział. – Uciekaj.

Ojciec chwycił go za ramię i odwrócił ku sobie. Danny ujrzał w jego oczach coś nowego – niepewność, może nawet strach.

– Daj mu spokój.

Matka stanęła w progu w chwili, gdy Danny chwycił ojca za klapy i zaniósł go pod drzewo.

– Jezu, Danny! – To Connor, który stał na ganku.

Danny usłyszał człapanie Quentina Finna, oddalającego się środkiem ulicy. Spojrzał ojcu w twarz, delikatnie przyciskając go do pnia.

– Pozwól jej się spakować – powiedział.

– Aidenie, musisz się uspokoić.

– Pozwól jej zabrać wszystko, czego potrzebuje. To nie są negocjacje, ojcze. Czy to jasne?

Ojciec długo patrzył mu w oczy. Jego powieki drgnęły lekko, co Danny uznał za zgodę.

Postawił ojca na ziemi. W drzwiach stanęła Nora. Twarz miała podrapaną przez Quentina Finna. Danny odwrócił się, gdy spojrzała mu w oczy.

Z gardła wydarł mu się śmiech, który zaskoczył nawet jego samego. Rzucił się biegiem przez K Street. Quentin był już dwie przecznice dalej, ale Danny pobiegł na skróty przez podwórka sąsiednich ulic, przeskakując przez płoty, jakby znowu był chłopcem. Wiedział, że Quentin może zmierzać tylko w stronę przystanku tramwajowego.

Wypadł z zaułka między J i H i uderzył Quentina Finna w plecy, aż ten pośliznął się na zaśnieżonej East Fifth Street.

Nad ulicą wisiały girlandy świątecznych lampek, a w połowie domów przy ulicy płonęły świece. Quentin usiłował stoczyć z Dannym walkę bokserską, którą Danny zakończył szeregiem lekkich prawych prostych w głowę, by następnie obsypać przeciwnika gradem ciosów, od których Finnowi pękły dwa żebra. Usiłował uciekać, ale Danny chwycił go za płaszcz i parę razy zatoczył z nim kółko, po czym pchnął prosto na latarnię. Usiadł na nim i złamał mu parę kości twarzy, nos i jeszcze kilka żeber.

Quentin płakał, błagał o litość, powtarzał: „Już nie, już nie". Przy każdej sylabie pluł krwią, której drobne kropelki osiadały mu na twarzy.

Danny przestał, gdy rozbolały go ręce. Usiadł na brzuchu przeciwnika i wytarł ręce o jego płaszcz. Zaczął trzeć śniegiem twarz Quentina, dopóki tamten nie uniósł powiek.

Danny odetchnął parę razy mroźnym powietrzem.

– Nie straciłem panowania nad sobą, odkąd skończyłem osiemnaście lat. Uwierzysz? To prawda. Osiem lat. Prawie dziewięć... – Westchnął i spojrzał na ulicę, śnieg, światła.

– Nie... będę... was... niepokoić... – wykrztusił Quentin.

Danny parsknął śmiechem.

– Co ty powiesz?

Złapał go za uszy i jakby od niechcenia przez chwilę tłukł jego głową o bruk.

– Jak tylko wypuszczą cię ze szpitala, wsiadaj na statek i opuść mój kraj – powiedział. – Możesz oczywiście zostać, a ja powiem, że napadłeś na funkcjonariusza policji. Widzisz te okna? Połowa należy do gliniarzy. Chcesz zadrzeć z wydziałem bostońskiej policji? Spędzić dziesięć lat w amerykańskim więzieniu?

Oczy mężczyzny uciekły w lewo.

– Patrz na mnie.

Quentin z wysiłkiem skupił na nim wzrok. Zwymiotował na własny płaszcz.

Danny rozpędził dłonią smród.

– Tak czy nie? Mam cię oskarżyć?

– Nie.

– Wrócisz do domu, jak tylko wypuszczą cię ze szpitala?

– Tak, tak.
– Grzeczny chłopak. – Danny wstał. – Bo jeśli nie, Bóg mi świadkiem, Quentinie... – Pochylił się nad nim. – Odeślę cię do Starego Kraju jako kalekę.

Thomas czekał na ganku. Tył samochodu ojca zabłysł czerwienią; szofer, Marty Kenneally, właśnie hamował na skrzyżowaniu dwie przecznice dalej.
– Więc Marty gdzieś ją odwiózł?
Ojciec skinął głową.
– Powiedziałem, że nie chcę wiedzieć, dokąd.
Danny spojrzał na okna domu.
– Jak tam jest?
– Widziałeś krajobraz po bitwie?
– Aż tak?
– Aż tak. – Ojciec przyjrzał się zakrwawionej koszuli Danny'ego i jego pokaleczonym kostkom u rąk. – Zostawiłeś coś dla sanitariuszy?
Danny oparł się o czarną żelazną balustradę.
– Sporo. Już zadzwoniłem z budki na pogotowie.
– Natchnąłeś go bojaźnią bożą.
– Będzie się bać nie tylko Boga. – Danny pogrzebał w kieszeniach, znalazł murady i wytrząsnął jednego z paczki. Poczęstował ojca, przypalił oba zapalniczką i znowu wsparł się na balustradzie.
– Nie widziałem cię w takim stanie, odkąd byłeś nastolatkiem i musiałem cię zamknąć.
Danny wydmuchnął strumień dymu w mroźne powietrze. Pot na jego piersi i karku zaczął wysychać.
– Tak, minęło sporo czasu.
– Naprawdę byś mnie uderzył? – spytał ojciec. – Wtedy, pod drzewem?
Danny wzruszył ramionami.
– Może. Nigdy się nie dowiemy.
– Własnego ojca.
Danny roześmiał się cicho.
– Ty biłeś mnie bez zmrużenia oka.
– To była dyscyplina.

– To też. – Danny spojrzał na niego nieruchomo.

Ojciec pokręcił lekko głową i wydmuchnął błękitny dym.

– Nie wiedziałem, że zostawiła dziecko. Nie miałem pojęcia.

Ojciec pokiwał głową.

– Ale ty wiedziałeś – dodał Danny.

Ojciec spojrzał na niego; z ust sączyła mu się smużka dymu.

– To ty tu sprowadziłeś Quentina. Zostawiłeś mu ślady, żeby trafił do drzwi.

– Za wysoko mnie cenisz – odrzekł Thomas Coughlin.

Danny postanowił zagrać *va banque*.

– On mi to powiedział.

Ojciec wciągnął przez nos zimne powietrze i podniósł wzrok ku niebu.

– Nigdy byś jej nie przestał kochać. Connor też.

– A Joe? Co z nim będzie po tym, co tu zobaczył?

– Wszyscy musimy kiedyś dorosnąć. – Ojciec wzruszył ramionami. – Nie martwię się o dojrzewanie Joego, tylko o twoje, ty dzieciuchu. Tylko o to.

Danny skinął głową i rzucił niedopałek na ulicę.

– Możesz już się nie martwić.

ROZDZIAŁ DWUDZIESTY TRZECI

Późnym popołudniem w Boże Narodzenie, zanim Coughlinowie usiedli do obiadu, Luther pojechał na South End. Dzień początkowo był pogodny i słoneczny, lecz kiedy Luther wsiadł do tramwaju, niebo się zachmurzyło i zaczęło ciążyć ku ziemi. Ale choć ulice były tak szare i ciche, miasto ogarnęła świąteczna atmosfera. Wkrótce z nieba zaczęły się sypać płatki śniegu, początkowo małe i leciutkie jak latawce, ale kiedy tramwaj dotarł na most, stały się wielkie jak kwiaty, niesione przez porywisty wiatr. Luther, jedyny pasażer w części dla kolorowych, przypadkiem podchwycił spojrzenie białego mężczyzny siedzącego ze swoją przyjaciółką o dwa rzędy od niego. Biały wydawał się zmęczony, lecz zadowolony, a tanią wełnianą myckę miał nasuniętą na prawe oko dla fasonu. Skinął głową, jakby usłyszał myśli Luthera. Kobieta tuliła się z zamkniętymi oczami do jego piersi.

– Dokładnie tak powinno wyglądać Boże Narodzenie, co? – Mężczyzna oparł brodę na głowie swojej towarzyszki. Nozdrza mu się rozdęły od zapachu jej włosów.

– A pewnie – odpowiedział Luther zdziwiony, że w tramwaju pełnym białych w jego głosie nie zabrzmiał wyraźniejszy akcent.

– Do domu?

– Tak.

– Do rodziny? – Biały przysunął papierosa do ust kobiety, która się zaciągnęła.

– Do żony i dziecka.

Mężczyzny przymknął na chwilę oczy i skinął głową.

– To dobrze.

– Tak, proszę pana. – Luther stłumił poczucie osamotnienia.

– Wesołych świąt – powiedział mężczyzna, zabrał kobiecie papierosa i włożył do ust.

– I wzajemnie, proszę pana.

W holu domu państwa Giddreaux zdjął płaszcz i szalik i powiesił je, mokre i buchające parą, na grzejniku. Z jadalni dobiegały głosy. Obiema rękami starł śnieg z włosów, a potem wytarł je o płaszcz.

Kiedy otworzył drzwi do dalszej części domu, usłyszał śmiech i gwar. Sztućce i szklanki brzęczały, pachniało pieczonym indykiem i może także indykiem smażonym w głębokim tłuszczu oraz jakąś cynamonową mieszanką, która mogła zapowiadać grzany cydr. Po schodach zbiegło czworo dzieci. Parsknęły mu w twarz śmiechem i uciekły do kuchni.

Luther otworzył drzwi do jadalni; goście odwrócili się w jego stronę. Były to głównie kobiety, paru starszych mężczyzn i dwóch w wieku Luthera, jak sądził, synowie pani Grouse, gospodyni. W sumie ponad tuzin osób, przy czym połowa białych. Luther rozpoznał kobiety pomagające w Stowarzyszeniu i uznał, że ci mężczyźni to ich mężowie.

– Franklin Grouse – przedstawił się młodszy czarny mężczyzna i uścisnął dłoń Lutherowi. Wyciągnął do niego kieliszek ajerkoniaku.

– Ty pewnie jesteś Luther. Matka mi o tobie opowiadała.

– Miło cię poznać. Wesołych świąt. – Luther uniósł swój kieliszek i upił łyk.

To była wspaniała kolacja. Poprzedniego wieczoru Isaiah wrócił z Waszyngtonu i obiecał, że nie będzie mówił o polityce aż do deseru, więc jedli, pili i uspokajali dzieci, kiedy się zanadto rozbrykały, a rozmowy dotyczyły najnowszych filmów, popularnych książek, piosenek i plotek, że wojenne radiostacje staną się komercyjnymi firmami, które będą nadawać wiadomości, audycje, sztuki i piosenki z całego świata. Luther nie potrafił sobie wyobrazić, w jaki sposób można przedstawić sztukę w takim pudełku, ale Isaiah zapewniał, że tego właśnie należy się spodziewać. Przyszłością świata jest powietrze, z liniami telefonicznymi i telegraficznymi oraz samolotami. Powietrzne podróże, powietrzna komunikacja, powietrzne wynalazki. Ziemia już została wyeksploatowana, morza także, ale powietrze jest jak tory, które nigdzie nie napotykają przeszkód. Wkrótce my będziemy mówić po hiszpańsku, a oni po angielsku.

– I to dobrze? – spytał Franklin Grouse.

Isaiah przechylił głowę z boku na bok.

– Tak postąpi człowiek.

– Biały czy czarny? – spytał Luther i wszyscy wybuchnęli śmiechem.

Im bardziej się stawał wesoły i odprężony, tym większy ogarniał go smutek. Tak mogło – powinno – wyglądać jego życie z Lilą. Nie siedziałby jako gość przy stole, lecz u jego szczytu, a może niektóre z tych dzieci byłyby jego. Zauważył, że pani Giddreaux się do niego uśmiecha, a gdy się jej odwzajemnił, mrugnęła do niego i znowu dostrzegł jej duszę w całej wspaniałej okazałości, oświetloną błękitnym blaskiem.

Pod koniec tego wieczoru, gdy niemal wszyscy goście wyszli, a Isaiah i Yvette pili brandy z Parthanami, dwójką starych przyjaciół od czasów, gdy on był na studiach w Morehouse, a ona w Atlanta Baptist, Luther przeprosił towarzystwo i poszedł z drinkiem na taras na dachu. Śnieg już nie padał, ale na dachu leżała gruba biała pierzynka. Od portu dolatywał ryk syren, a poniżej rozpościerała się rozmigotana panorama miasta. Zamknął oczy i odetchnął zapachem nocy, śniegu, mrozu, dymu, sadzy i ceglanego pyłu. Miał wrażenie, że widzi ścieżkę do nieba, tę smużkę tuż nad horyzontem. Zacisnął powieki i odciął się od wspomnienia o śmierci Jessiego, od tego skamieniałego bólu w piersi, który miał jedno imię: Lila. Chciał poczuć tylko to, co się łączy z tą chwilą, to powietrze w płucach, które wypełniało jego ciało i odurzało głowę.

Ale nie udało się – Jessie wdarł się w jego myśli, odwrócił się do niego, jakby mówiąc „Nawet fajnie, nie?", a zaraz potem jego głowa eksplodowała i osunął się na ziemię. Diakon też, akurat wypłynął na fali, która wyniosła Jessiego i Luther zobaczył, jak tamten wczepia się w niego, mówiąc „Napraw to". W jego oczach było błaganie, które nie wygasło aż do dziś, a Luther wcisnął mu lufę w podgardle, a te wytrzeszczone oczy wyrażały jedno: Nie jestem gotowy. Zaczekaj.

Ale on nie zaczekał. I teraz Diakon był gdzieś tam z Jessiem, a Luther tutaj, nad ziemią. Wystarczy sekunda, żeby ktoś zmienił twoje życie tak, że już nigdy nie będzie takie samo. Jedna sekunda.

– Dlaczego do mnie nie piszesz, kobieto? – szepnął Luther w bezgwiezdne niebo. – Nosisz moje dziecko, a ja nie chcę, żeby dorastało beze mnie. Nie chcę, żeby znało to uczucie. Nie, nie, dziewczyno – szepnął. – Jesteś tylko ty. Tylko ty.

Wziął kieliszek z murku otaczającego taras i przełknął palący łyk, który napełnił jego pierś ciepłem, a oczy łzami.

– Lila – szepnął i znowu się napił. – Lila – powiedział do żółtego rogalika księżyca, do czarnego nieba, do zapachu tej nocy i dachów przykrytych pierzynką śniegu. – Lila. – Rzucił to słowo na wiatr, jak muchę, której nie ma serca zabić. Miał nadzieję, że doleci aż do Tulsy.

Lutherze Laurence, poznaj Helen Grady.

Luther ujął dłoń starszej kobiety. Helen Grady miała uścisk równie mocny, jak kapitan Coughlin i podobną budowę, włosy szare jak metal i nieustraszone spojrzenie.

– Od tej pory będzie z tobą pracowała – oznajmił kapitan.

Luther skinął głową, zauważywszy, że Helen Grady wytarła rękę o nieskazitelny fartuch.

– Kapitanie, gdzie...?

– Nora nas opuściła, Lutherze. Zauważyłem, że się polubiliście, więc informuję cię o jej odejściu ze współczuciem, ale w tym domu nigdy więcej nie będziemy o niej wspominać. – Kapitan położył ciężką rękę na jego ramieniu i zmierzył go równie ciężkim spojrzeniem. – Jasne?

– Jasne – odpowiedział Luther.

Gdy Danny pewnego wieczoru wracał do swojego wynajętego mieszkania, czekał na niego Luther. Oderwał się od budynku, o który się opierał, i spytał:

– I coś ty, kurwa, narobił?

Danny uniósł prawą rękę, a potem rozpoznał Luthera. Opuścił dłoń.

– Żadnego „serwus”? „Szczęśliwego Nowego Roku”? Nic?

Luther nie odpowiedział.

– Dobra. – Danny wzruszył ramionami. – Po pierwsze, to nie jest najlepsza okolica dla kolorowych. Nie zauważyłeś?

– Jestem tu od godziny. Zauważyłem.

– Po drugie... sfiksowałeś, że zwracasz się tak do białego? I w dodatku do gliniarza?

Luther cofnął się o krok.

– Miała rację.

– Co? Kto?

– Nora. Powiedziała, że udajesz. Bawisz się w buntownika. Grasz człowieka, który nie lubi, jak się do niego mówi „panie", ale teraz mi mówisz, że taki czarnuch, jak ja, nie powinien się pokazywać w pewnych dzielnicach, uczysz mnie, jak powinienem rozmawiać z waszą najjaśniejszą białością. Gdzie Nora?

Danny rozłożył ręce.

– Skąd mam wiedzieć? Może poszukasz jej w fabryce butów? Chyba wiesz, gdzie to jest?

– Pracuję w tych samych godzinach, co ona. – Luther podszedł do Danny'ego. Zdał sobie sprawę, że ludzie zaczynają im się przyglądać. Mogłoby się tak zdarzyć, że ktoś nagle walnąłby go w łeb pałką albo po prostu zastrzeliłby za taką rozmowę z białym w dzielnicy pełnej Włochów. Albo w jakiejkolwiek innej.

– Dlaczego myślisz, że miałem coś wspólnego z odejściem Nory?

– Bo cię kochała i nie mogłeś tego znieść.

– Luther, cofnij się.

– Sam się cofnij.

– Luther!

Luther przechylił głowę.

– Mówię poważnie – warknął Danny.

– Poważnie? Gdyby ktokolwiek spojrzał na tę dziewczynę, zobaczyłby w jej oczach, że zwaliły się na nią wszystkie możliwe nieszczęścia. A ty, ty... co? Jeszcze ich jej dołożyłeś! Ty i twoja rodzina!

– Moja rodzina?

– Tak.

– Jak ci się nie podoba moja rodzina, odejdź z roboty.

– Nie mogę.

– Dlaczego?

– Bo potrzebuję tej zasranej posady.

– Więc lepiej idź do domu. Obyś rano ją jeszcze miał.

Luther cofnął się o krok.

– Jak tam sprawy związku?

– Co?

– Twoje marzenie o braterstwie robotników? Jak tam?

Twarz Danny'ego skamieniała.

– Idź do domu.

Luther skinął głową. Odetchnął głośno, odwrócił się i ruszył przed siebie.

– Hej! – zawołał za nim Danny.

Odwrócił się; Danny stał na tle budynku.

– Dlaczego przyszedłeś aż tutaj? Żeby publicznie zwymyślać białego?

Luther pokręcił głową i znowu się odwrócił.

– Hej! Zadałem ci pytanie.

– Bo jest lepsza od całej twojej cholernej rodziny! – Luther ukłonił się na środku chodnika. – Łapiesz, biały chłopczyku? Chwytaj za sznur, powieś mnie, czy co tu robicie z czarnymi. I wiesz, co? Umrę, wiedząc, że powiedziałem prawdę. Ona jest lepsza od całej twojej rodziny! – Wskazał Danny'ego palcem. – A zwłaszcza od ciebie.

Danny poruszył ustami.

Luther zrobił krok w jego stronę.

– Co? Co?

Danny położył rękę na klamce drzwi.

– Powiedziałem, że pewnie masz rację.

Wszedł do kamienicy. A Luther został sam na mroczniejącej z wolna ulicy, na której obdarci Włosi przeszywali go złymi spojrzeniami migdałowych oczu.

Zachichotał.

– Cholera. Trafiłem go w punkt. – Uśmiechnął się do rozzłoszczonej staruszki, która usiłowała przemknąć obok niego. – Czy to nie szczyt wszystkiego, proszę pani?

Yvette zawołała go, gdy tylko wszedł do domu. Ruszył do salonu, nie zdejmując płaszcza, bo jej głos wydał mu się przerażony.

Ale kiedy wszedł, zobaczył jej uśmiech, jakby zdjęty niebiańską radością.

– Lutherze!

– Tak? – Jedną ręką zaczął rozpinać guziki.

Stała, jakby promieniejąc. Isaiah wszedł do salonu przez jadalnię.

– Dobry wieczór, Lutherze.

– Dobry wieczór, proszę pana.

Isaiah uśmiechał się nieznacznie i serdecznie. Usiadł w fotelu koło stolika z filiżanką herbaty.

– Co? – spytał Luther. – Co?

– Dobry był dla ciebie rok tysiąc dziewięćset osiemnasty? – spytał Isaiah.

Luther oderwał wzrok od promiennej twarzy Yvette i spojrzał na uśmieszek Isaiaha.

– Eee... właściwie nie. Trochę przykry, jeśli chce pan znać prawdę.

Isaiah pokiwał głową.

– Ale już się skończył. – Zerknął na zegar na kominku: za piętnaście jedenasta. – Prawie dwadzieścia cztery godziny temu. – Spojrzał na żonę. – Och, przestań się droczyć, Yvette. Już nawet ja zaczynam cierpieć. – Rzucił Lutherowi spojrzenie, mówiące „Kobiety!" i dodał: – No, już. Daj to chłopakowi.

Yvette podeszła do niego i Luther dopiero teraz zauważył, że od chwili gdy wszedł do pokoju, trzymała ręce za plecami. Cała aż się trzęsła z niecierpliwości.

– To dla ciebie. – Pocałowała go w policzek i położyła mu na dłoni kopertę. Odsunęła się o krok.

Luther spojrzał na list – zwykły, kremowy, pod każdym względem standardowy. Zobaczył swoje nazwisko. I adres. Rozpoznał charakter pisma – jednocześnie ścisły i pełen zawijasów. Rozpoznał pieczątkę na znaczku: Tulsa. Ręce mu zadygotały.

– A jeśli to pożegnanie? – Wargi mimo woli mu się zacisnęły.

– Nie, nie – zapewniła Yvette. – Ona już się z tobą pożegnała. Powiedziała, że zamknęła serce. Te, co mają zamknięte serca, nie piszą do kochających ich mężczyzn. Nie robią tego i już.

Luther pokiwał głową, trzęsącą się tak samo, jak reszta jego ciała. Pomyślał o tej nocy Bożego Narodzenia, jak rzucił jej imię na wiatr.

– E...

Wpatrywali się w niego oboje.

– Przeczytam na górze – powiedział.

Yvette poklepała go po ręce.

– Tylko obiecaj, że nie wyskoczysz z okna.

Parsknął dziwnie piskliwym śmiechem.

– Do... dobrze.

Wchodząc po schodach, znowu się przestraszył. Bał się, że Yvette się myli. Wiele kobiet pisze listy pożegnalne. Pomyślał, czy by nie schować tego listu do kieszeni i przez jakiś czas go nie czytać. Do chwili, gdy poczuje się silniejszy. Ale jednocześnie zrozumiał, że prędzej jutro obudzi się biały, niż nie przeczyta tego listu od razu.

Wyszedł na dach i przez chwilę stał ze spuszczoną głową. Nie modlił się, choć właściwie trochę się modlił. Stał z zamkniętymi oczami i czuł, jak ogarnia go przerażenie, że spędzi resztę życia bez niej.

Proszę, nie rób mi krzywdy, pomyślał i ostrożnie otworzył kopertę. Równie ostrożnie wyjął list. Proszę. Ujął kartkę w dwa palce, zaczekał, aż wiatr osuszy mu oczy i dopiero wtedy ją rozłożył.

Drogi Lutherze,

u nas jest zimno. Piorę teraz ubrania, które ludzie przysyłają mi z Detroit Avenue w dużych szarych workach. To uprzejmość, za którą mogę podziękować cioci Marcie, ponieważ wiem, że tamtejsi mogą prać, gdzie tylko chcą. Ciocia Marta i wujek James byli moimi dobroczyńcami i wiem, że przemawia przez nich Pan. Kazali ci powtórzyć, że dobrze ci życzą...

Luther uśmiechnął się pod nosem. Cholernie nie chciało mu się w to wierzyć.

...I liczą, że masz się dobrze. Mój brzuch stał się wielki. Ciocia Marta mówi, że to chłopiec, bo brzuch jest przechylony na prawo. Ja też to czuję. Nogi ma wielkie i ciągle kopie. Będzie wyglądać jak ty, będzie potrzebować tatusia. Musisz znaleźć drogę do domu.

Lila. Twoja żona.

Luther przeczytał list jeszcze sześć razy, zanim zdołał normalnie odetchnąć. Choćby nie wiadomo ile razy otwierał oczy i zamykał je, mając nadzieję, że Lila zakończyła list słowami „Kocham cię", te słowa nie pojawiały się na kartce.

A jednak... „Musisz znaleźć drogę do domu" i „Będzie potrzebować tatusia", i „Drogi Lutherze" i, najważniejsze, „Twoja żona".

Twoja żona.

Spojrzał ponownie na list. Raz jeszcze go rozłożył, mocno napiął kartkę w palcach.

Musisz znaleźć drogę do domu.

O, tak.

Drogi Lutherze.

Droga Lilu.

Twoja żona.

Twój mąż.

BABE RUTH I BIAŁA PIŁKA

ROZDZIAŁ DWUDZIESTY CZWARTY

Piętnastego stycznia 1919 roku w samo południe w North Endzie eksplodował zbiornik melasy, należący do Amerykańskiej Wytwórni Alkoholu Przemysłowego. Ciała dziecka, które stało tuż pod nim, nigdy nie znaleziono, a melasa zalała slumsy, sięgając drugiego piętra. Budynki przechyliły się na boki, jakby roztrąciła je potężna ręka. Kawał żelaza, wielkości furgonetki, uderzył w biegnący wzdłuż Commercial wiadukt z torami, który zawalił się na samym środku. Wybuch przesunął remizę na drugą stronę rynku i obrócił ją. Jeden strażak zginął, dwunastu odniosło rany. Przyczyna eksplozji nie była całkiem jasna, ale burmistrz Andrew Peters, pierwszy polityk, który przybył na miejsce wypadku, obwieścił, że bez wątpienia należy oskarżyć o to terrorystów.

Babe Ruth przeczytał na ten temat wszystkie artykuły, które mu wpadły w rękawicę. Omijał długie zdania z wyrazami w rodzaju „municypalny" i „infrastruktura", ale poza tym historia wstrząsnęła nim do głębi. Melasa! Dwa miliony galonów! Fale sięgające piętnastu metrów! Ulice North Endu, zamknięte dla ruchu kołowego i konnego, buty grzęznące w melasie. Chmary much nad chodnikami, czarne i okrągłe jak kandyzowane jabłka. Konie stojące na placu za miejskimi stajniami zostały okaleczone, bo fragmenty rozerwanego zbiornika raniły jak pociski. Znaleziono je unurzane w mazi, rżące przeraźliwie, gdy nie mogły się podnieść z lepkiego grzęzawiska. Czterdzieści pięć egzekucyjnych strzałów z policyjnych rewolwerów brzmiało jak eksplozje sztucznych ogni. Martwe konie wydźwignięto podnośnikami i złożono na tyłach furgonetek, a następnie przewieziono do fabryki kleju w Somerville. Czwartego dnia melasa stwardniała na czarny, śliski marmur, a mieszkańcy dzielnicy chodzili, przytrzymując się ścian i latarni.

Wiadomo było o siedemnastu ofiarach śmiertelnych i setkach rannych. Dobry Boże – jakie musieli zrobić miny ludzie, kiedy się odwrócili i ujrzeli na niebie czarną falę melasy! Babe siedział przy ladzie w delikatesach i cukierni Igoe na Codman Square, czekając na swojego agenta, Johnny'ego Igoe. Johnny był na zapleczu, szykował się do spotkania z A. L. Ulmertonem, pewnie zbyt obficie zlewając się brylantyną, wodą kolońską i toaletową. A. L. Ulmerton był wielką szychą z firmy produkującej papierosy Old Gold („Po całym kartonie nawet nie kaszlniesz!") i chciał pogadać z Babe'em o ewentualnej reklamie. A teraz się spóźnią, przez Johnny'ego, który guzdrał się jak dziewczyna.

Babe nie miał właściwie nic przeciwko, bo dzięki temu miał czas przejrzeć więcej artykułów o powodzi i reakcji władz: ataku na wszystkich radykałów i wywrotowców, którzy mogli mieć związek z tym zajściem. Agenci BI i funkcjonariusze bostońskiego wydziału policji uderzyli na wszystkie siedziby Stowarzyszenia Robotników Litewskich, bostońskiej filii IWW oraz Lewicowego Skrzydła Partii Socjalistycznej Reeda i Larkina. Cele w całym mieście zapełniły się, a ci, którzy się nie zmieścili, zostali wysłani do więzienia na Charles Street.

W Sądzie Najwyższym hrabstwa Suffolk przed oblicze sędziego Wendella Trouta doprowadzono sześćdziesięciu pięciu podejrzanych wywrotowców. Trout rozkazał wypuścić wszystkich, którzy nie zostali oficjalnie oskarżeni o przestępstwo, ale podpisał osiemnaście nakazów deportacji dla tych, którzy nie potrafili się wykazać obywatelstwem amerykańskim. Dziesiątki innych czekało dochodzenie w sprawie ich statusu imigracyjnego i niekaralności, co Babe uważał za całkiem zrozumiałe, choć inni nie podzielali jego zdania. Kiedy prawnik robotników, James Vahey, dwukrotny kandydat demokratów na gubernatora stanu, zwrócił uwagę federalnego sędziego pokoju, że zatrzymanie osób, którym nie postawiono żadnych zarzutów, jest obrazą konstytucji, został ukarany za ostry ton i sprawa ciągnęła się aż do lutego.

W dzisiejszym „Travelerze" zamieszczono ilustrowany zdjęciami artykuł, który ciągnął się od czwartej do siódmej strony. Władze jeszcze nie potwierdziły, czy zarzucona przez policję sieć wyłowiła odpowiedzialnych za wybuch terrorystów. To rozwścieczyło Babe'a, ale jego gniew trwał tylko chwilę, po czym zagłuszył go rozkoszny, drażniący dreszcz, który przebiegł mu po kręgosłupie na myśl o straszliwych zniszczeniach: w całej dzielnicy ruiny, bałagan, czarna jak węgiel skorupa melasy. Obok zdjęć zdruzgotanej remizy znajdowały się także fotografie ciał, ułożonych na Commercial jak bochenki razowego chleba, a także dwóch pracowników Czerwonego Krzyża opierających się o ambulans. Jeden zasłaniał twarz ręką, a w ustach trzymał papierosa. Było też ujęcie strażaków, którzy stojąc rzędem, oczyszczali rumowisko, by dostać się do kolegów. I martwa świnia na środku placu. Stary człowiek na ganku opierał głowę na ociekającej mazią ręce. Pokazano także zaułek, w którym brązowe fale sięgały klamek, kamienie, drewno i szkło unoszące się na powierzchni. I ludzi – policjantów, strażaków, Czerwony Krzyż, lekarzy i imigrantów w szalach i melonikach. Wszyscy oni mieli taki sam wyraz twarzy: jak to się mogło wydarzyć, do kurwy nędzy?

Babe ostatnio często widywał ten wyraz twarzy. Właściwie bez konkretnego powodu. Tak w ogóle. Jakby wszyscy chodzili po tym szalonym świecie, usiłując mu dotrzymać kroku, ale wiedząc, że to niemożliwe, po prostu niemożliwe. I podświadomie licząc, że świat zajdzie ich od tyłu i po prostu stratuje, wyśle ich – wreszcie – na ten drugi, lepszy.

Tydzień później odbyła się kolejna runda negocjacji z Harrym Frazeem.

W gabinecie Frazeego śmierdziało perfumami jak w burdelu. Czuć było także starą fortunę. Perfumy należały do Kat Lawson, aktorki grającej w jednym z pół tuzina przedstawień, które Frazee wystawiał w Bostonie. Nazywało się „Uśmiechnij się, tygrysie" i jak wszystkie produkcje Harry'ego Frazeego była lekką romantyczną farsą, która co wieczór ściągała tłumy. Ruth też był na tym przedstawieniu, Helen zaciągnęła go tuż po Nowym Roku, choć Frazee, jak twierdziły plotki, z pochodzenia Żyd, nie zapewnił im darmowych biletów. Ruth musiał ścierpieć nieprzyjemną sytuację, kiedy siedząc w piątym rzędzie wraz z żoną, patrzył na kobietę, z którą się przespał (nawet trzy razy), pląsającą po scenie w roli niewinnej pokojówki, która marzy o zostaniu baletniczką. Przeszkodą w tym marzeniu był jej mąż, irlandzki nicpoń Seamus, tytułowy „tygrys". Pod koniec pokojówka zadowala się rolą baletniczki w Nowej Anglii, a „tygrys" godzi się z jej marzeniami, byle się z nią nie rozstawać, a nawet sam podejmuje pracę w rozrywce. Helen oklaskiwała ostatni numer na stojąco – zbiorówkę „Wypoleruję ci posadzkę, jeśli wyczyścisz moją gwiazdkę", a Ruth także bił brawo, choć był pewien, że w zeszłym roku złapał od Kat Rawson mendy. Wydawało się dziwnie nie na miejscu, że kobieta tak czysta, jak Helen, oklaskuje kogoś tak zepsutego jak Kat, no i był też urażony, że nie dostał biletów za darmo.

Kat Lawson siedziała na skórzanej kanapie pod wielkim obrazem przedstawiającym psy myśliwskie. Trzymała na kolanach pismo ilustrowane, a w dłoni puderniczkę i szminkę, którą poprawiała makijaż. Harry Frazee sądził, że żona o niczym nie wie, że Kat jest zdobyczą, której zazdrości mu Babe Ruth i reszta Soksów (Kat przespała się z każdym z nich co najmniej raz). Harry Frazee był idiotą, o czym Ruth upewnił się ostatecznie, widząc, że pozwolił swojej kochance zostać w pokoju podczas negocjacji.

Ruth i Johnny Igoe usiedli przed biurkiem Frazeego i zaczekali, aż przepędzi Kat, ale Harry dał im do zrozumienia, że Kat zostanie, pytając:

– Czy mogę ci coś zamówić, kochanie, zanim porozmawiam z panami o interesach?

– Nie. – Kat wydęła usta i zamknęła puderniczkę.

Frazee skinął głową i usiadł za biurkiem. Spojrzał na Rutha i Johnny'ego Igoe, obciągnął mankiety, gotowy do rozmowy.

– Więc, jak rozumiem…

– Och, słonko? – przerwała Kat. – Możesz mi zamówić lemoniadę? Dzięki, jesteś boski.

Lemoniada. Był początek lutego, najzimniejszy dzień najzimniejszego tygodnia tej zimy. Zrobiło się tak zimno, że dzieci z North Endu podobno ślizgały się na zamarzniętej melasie. A ta chce lemoniadę!

Harry Frazee pochylił się z kamienną twarzą do interkomu i powiedział:

– Doris, wyślij Chappy'ego po lemoniadę, dobrze?

Kat odczekała, aż Harry zdejmie palec z przycisku.

– Aha, i jeszcze kanapkę z jajkiem i cebulą.

Harry Frazee znowu się pochylił.

– Doris? I niech kupi też kanapkę z jajkiem i cebulą. – Spojrzał na Kat, która zajęła się pismem. Odczekał parę sekund, a potem puścił guzik.

– Więc... – zaczął.

– Więc – powiedział Johnny Igoe.

Frazee uniósł jedną brew jak znak zapytania.

– Zastanowiłeś się nad naszą ofertą? – spytał Johnny.

Frazee wziął umowę Rutha i przyjrzał się jej.

– Rozumiem, że już ją znacie. Podpisał pan w tym sezonie umowę na siedem tysięcy dolarów. Tak. Spodziewam się, że pan jej dotrzyma.

– Biorąc pod uwagę wyniki Gidge'a w poprzednim sezonie, jego występ w rozgrywkach, i, jeśli wolno mi wspomnieć, gwałtowny wzrost kosztów utrzymania od zakończenia wojny, uważamy, że ponowne rozważenie naszych warunków jest jak najbardziej usprawiedliwione. Innymi słowy, siedem tysięcy to trochę mało.

Frazee westchnął i odłożył umowę.

– Dałem panu premię pod koniec sezonu, panie Ruth. Nie musiałem tego zrobić, a jednak zrobiłem. I jeszcze panu mało?

Igoe zaczął odliczać na palcach.

– Sprzedał pan Lewisa i Shore'a Jankesom. Rzucił pan Dutcha Leonarda do Cleveland. Wypuścił pan Whitemana.

Babe wyprostował się gwałtownie.

– Whiteman odszedł?

Johnny przytaknął.

– Ma pan mnóstwo pieniędzy. Wszystkie pańskie przedstawienia są przebojami...

– I dlatego mam renegocjować podpisany już kontrakt, zawarty w dobrej wierze przez dorosłych mężczyzn? Co to za porządki? Co to za etyka? Jeśli nie czyta pan gazet, toczę walkę z komisarzem Johnsonem. Walczę, by oddano nam medale z World Series, które się nam sprawiedliwie należą. Nie oddano nam ich, ponieważ obecny tu pański przyjaciel musiał zastrajkować.

– Nie miałem z tym nic wspólnego – odezwał się Babe. – Nawet nie wiedziałem, co się dzieje.

Johnny uciszył go, kładąc mu rękę na kolanie.

– Kochanie, może byś poprosił Cappy'ego, żeby mi przyniósł... – odezwała się Kat z kanapy.

– Cicho – rzucił Frazee. – Rozmawiamy o interesach, głuptasie. – Odwrócił się do Rutha, a Kat zapaliła papierosa i wydmuchnęła gwałtownie dym przez grube wargi. – Ma pan kontrakt na siedem tysięcy. To znaczy, że jest pan jednym z najlepiej opłacanych graczy. I czego to pan się domaga? – Frazee uniósł ręce w geście desperacji, wskazując okno, widniejące za nim miasto, ruchliwą Tremont Street i dzielnicę teatralną.

– Tego, czego jestem wart – odpowiedział Babe, nie chcąc się ukorzyć przed wyzyskiwaczem, tym rzekomym królem teatru.

W czwartek w Seattle trzydzieści pięć tysięcy robotników ze stoczni zaczęło strajk. W chwili gdy miasto usiłowało się zająć tą sprawą, dwadzieścia pięć tysięcy innych robotników porzuciło pracę w ramach strajku solidarnościowego. Seattle stanęło w miejscu – nie było tramwajów, lodziarzy, mleczarzy, nikt nie zabierał śmieci, nie sprzątał biur, nie obsługiwał wind.

Babe podejrzewał, że to dopiero przedbiegi. Dzisiejsze gazety doniosły, że sędzia prowadzący przesłuchania w sprawie zbiornika z melasą doszedł do wniosku, iż winni eksplozji są nie anarchiści, lecz zaniedbania ze strony firmy i niedopatrzenia podczas inspekcji. Wytwórnia Alkoholu Przemysłowego, gorączkowo usiłując przestawić produkcję z przemysłowej na spożywczą, przepełniła źle skonstruowany zbiornik, nie przewidziawszy, że nietypowo wysoka temperatura w środku stycznia spowoduje napęcznienie melasy. Oczywiście przedstawiciele wytwórni żarliwie negowali wyniki raportu wstępnego, oskarżając terrorystów i w ten sposób przerzucając koszty sprzątania na władze miasta i podatników. Ooo, Babe aż poczerwieniał. Ci szefowie, ci wyzyskiwacze. Może tamci goście, którzy parę miesięcy temu wdali się w bójkę w barze hotelu Castle Square, mieli jednak rację – robotnicy tego świata mieli już dość powtarzania „Tak, proszę pana" i „Nie, proszę pana". Ruth spojrzał na Harry'ego Frazeego, czując, że ogarnia go fala poczucia solidarności z tymi robotnikami całego świata, z jego towarzyszami w biedzie. Pora, żeby postawić wyzyskiwaczy pod ścianą.

– Chcę dostawać tyle, ile jestem wart – powtórzył.

– Czyli dokładnie ile?

Teraz to Babe położył rękę na nodze Johnny'ego.

– Piętnaście za jeden albo trzydzieści za trzy.

Frazee parsknął śmiechem.
– Piętnaście tysięcy dolarów za rok?
– Albo trzydzieści za trzy – dodał Babe.
– A może i pana sprzedam?
To wstrząsnęło Babe'em. Transfer? Jezu Chryste. Wszyscy wiedzieli, jak bardzo zaprzyjaźnił się Frazee z pułkownikiem Ruppertem i pułkownikiem Hustonem, właścicielami Jankesów, ale Jankesi byli nędzną drużyną, która nigdy nie została dopuszczona do Series. A jeśli nie Jankesi, to kto? Cleveland? Znowu Baltimore? Filadelfia? Babe nie chciał się przeprowadzać. Dopiero co wynajął apartament na Governor's Square. Dobrze mu się wiodło – Helen była w Sudbury, on w mieście. Był tu kimś, kiedy szedł ulicą, ludzie za nim wołali, dzieci go goniły, kobiety trzepotały rzęsami. A Nowy Jork? Zginie w tym oceanie. Ale potem znowu pomyślał o braciach robotnikach, o Seattle, o tych nieszczęsnych zabitych, utopionych w melasie i zrozumiał, że tu chodzi o coś ważniejszego od jego lęku.
– To niech mnie pan sprzeda – rąbnął.
Zaskoczył sam siebie. A już na pewno Johnny'ego i Harry'ego Frazeego. Babe wbił wzrok w twarz tego drugiego, pokazał mu swoje zdecydowanie (miał nadzieję), tym większe, że ukrywało strach.
– Albo wie pan co? – dodał. – Może przejdę na emeryturę.
– I co? – Frazee pokręcił głową i przewrócił oczami.
– Johnny – rzucił Babe.
Johnny Igoe znowu odchrząknął.
– Gidge prowadzi rozmowy z różnymi osobami, które wróżą mu wielką karierę na scenie lub w filmach.
– Aktor – prychnął Frazee.
– Albo bokser – oznajmił Johnny Igoe. – Mamy wiele ofert i z tej strony.
Frazee parsknął śmiechem. Autentycznym śmiechem, krótkim, oślim rykiem. Przewrócił oczami.
– Gdybym dostawał dziesiątaka za każdą rozmowę z aktorem, który zjawia się w środku sezonu z opowieścią o tym, jakie też ma inne oferty, rządziłbym już własnym krajem. – Jego ciemne oczy zalśniły. – Dotrzyma pan warunków umowy. – Wyjął cygaro, obciął czubek i skinął ręką wkierunku Rutha. – Będzie pan pracował dla mnie.
– Nie za takie grosze. – Babe wstał i zdjął swoje bobrowe futro

z wieszaka na ścianie koło Kat Lawson. Zdjął także okrycie Johnny'ego i rzucił mu je przez pokój. Frazee zapalił cygaro, mierząc go spojrzeniem. Babe włożył futro. Zapiął je. Potem pochylił się nad Kat i głośno pocałował ją w usta.

– Zawsze miło cię widzieć, laleczko.

Zrobiła oburzoną minę, jakby złapał ją za tyłek albo i co innego.

– Chodźmy, Johnny.

Johnny ruszył do drzwi, tak samo wstrząśnięty jak Kat.

– Jak wyjdziesz – rzucił za nim Frazee – spotkamy się w sądzie, Gidge.

– Więc do zobaczenia. – Babe wzruszył ramionami. – A wiesz, gdzie mnie nie zobaczysz, Harry? W cholernym uniformie Red Soksów.

Drugiego lutego na Manhattanie funkcjonariusze oddziału saperskiego nowojorskiej policji oraz agenci tajnych służb zrobili nalot na mieszkanie na Lexington Avenue, gdzie aresztowali czternastu hiszpańskich radykałów z Groupa Pro Pensa i oskarżyli ich o planowanie zabójstwa prezydenta Stanów Zjednoczonych. Zamierzali go zamordować następnego dnia w Bostonie, do którego prezydent Wilson miał przybyć z Paryża.

Burmistrz Peters zarządził dzień wolny, by całe miasto mogło świętować wizytę prezydenta i podjął konieczne kroki, by zorganizować paradę, choć przejazd prezydenta z przystani do hotelu Copley Plaza był objęty klauzulą tajności. Po aresztowaniach w Nowym Jorku rozkazano, by wszystkie okna w mieście były zamknięte, a uzbrojeni w karabiny agenci federalni stali na dachach budynków na Summer Street, Beacon, Charles, Arilington, Commonwealth Avenue i Darmouth.

Różne źródła donosiły, że „tajna" parada Petersa ma się odbyć pod ratuszem, na Pemberton Square, Sudbury Square i Washington Street, ale Ruth ruszył do State House, bo tam szli wszyscy. Nie co dzień ma się okazję zobaczyć prezydenta. Miał nadzieję, że jeśli ktoś będzie chciał dziś zabić Wilsona, odpowiednie służby dobrze się nim zajmą. Prezydencka kolumna samochodów ruszyła przez Park Street równo z wybiciem dwunastej i skręciła w lewo na Beacon do State House. Na trawniku naprzeciwko banda szalonych sufrażystek paliła swoje podwiązki, gorsety i nawet parę staników, krzycząc: „Nie głosujesz, nie jesteś obywatelem!". Ze stosu ubrań buchał dym, a Wilson nawet nie rzucił okiem w tamtą stronę. Był niższy, niż spodziewał się Ruth, i szczuplejszy, a jadąc na tylnym siedzeniu sedana z otwartym dachem, machał sztywno tłumowi – jeden ruch ręki na lewą stronę ulicy, drugi na prawą i znowu na lewą. Jego oczy nie nawiązywały kontaktu z nikim, spoglądały na wysokie okna i czubki drzew. I pewnie dobrze, bo Ruth zauważył tłum ponurych, brudnych mężczyzn, powstrzymywanych przez policjantów koło wejścia do budynku od strony Joy Street. Były ich chyba tysiące. Mieli transparenty, na których przedstawili się jako Strajkowa Parada Lawrence'a i wykrzykiwali obelgi pod adresem prezydenta i policji. Gliniarze usiłowali ich odepchnąć. Ruth zachichotał, kiedy sufrażystki zaczęły biec za samochodami, nadal krzycząc o prawie do głosowania. Nogi miały gołe i zziębnięte, bo pończochy też spaliły. Ruth przeszedł przez ulicę i minął stertę palących się ubrań, w chwili gdy sznur samochodów ruszył przez Beacon. W połowie drogi usłyszał wrzaski i odwrócił się; strajkujący zaczęli się bić z gliniarzami, popychali się, szarpali i krzyczeli z wściekłości.

Niech mnie diabli, pomyślał Ruth. Cały świat strajkuje.

Kolumna samochodów pojawiła się tuż przed nim. Z wolna jechała przez Charles Street. Babe szedł spokojnym krokiem, podążając przez tłum za kolumną, która sunęła przez ogrody miejskie, a potem przez Commonwealth. Po drodze rozdał parę autografów, uścisnął parę rąk, ale z przyjemnością zauważył, że jego gwiazda przybladła wobec prezydenckiego blasku. Ludzie mniej się mu dziś naprzykrzali, jakby w porównaniu z Wilsonem stał się podobniejszy do nich. Może był sławny, ale nie z jego powodu mierzono do nich z karabinów. To była mroczna sława. Jego była dobra, zwyczajna.

Zanim Wilson stanął na podium na Copley Square, Babe zdążył się już znudzić. Może prezydent miał władzę, był bardzo mądry i tak dalej, ale nie znał się na publicznych przemówieniach. Ludzi trzeba porwać, chwycić za pyski i nie puszczać, opowiedzieć parę kawałów, robić wrażenie, jakby się cieszyło ich towarzystwem. Ale Wilson wydawał się zmęczony, stary, głos miał załamujący się i piskliwy, i ględził coś o Lidze Narodów i nowym porządku świata, i jakichś innych wielkich obowiązkach, które łączą się z wielką władzą i wielką wolnością.

Mimo tych wszystkich pełnych godności słów cuchnęło od niego klęską, stęchlizną i starzyzną, czymś nie do naprawienia. Ruth przepchnął się przez tłum do wyjścia, na koniec dał jeszcze dwa autografy i ruszył przez Tremont, żeby zjeść jakiś stek.

Wrócił do swojego apartamentu parę godzin później i natknął się w holu na czekającego na niego Harry'ego Frazeego. Odźwierny wyszedł przed budynek, a Ruth przycisnął guzik i stanął obok mosiężnych drzwi windy.

– Widziałem pana na przemówieniu prezydenta – odezwał się Frazee. – Ale nie mogłem się do pana dopchać.

– Tak, był tłum – zgodził się Ruth.

– Gdyby tylko nasz kochany prezydent umiał tak pogrywać z dziennikarzami, jak pan.

Babe stłumił uśmieszek, który cisnął mu się na usta. Musiał to przyznać Johnny'emu Igoe – agent wysyłał go do sierocińców, szpitali i domów starości, a gazety się tym zachłystywały. Z Los Angeles przyjeżdżali faceci, żeby mu robić zdjęcia próbne, Johnny rozważał oferty, które Babe dostawał od przemysłu filmowego. W tej chwili tylko Wilson mógł zepchnąć Babe'a z pierwszych stron gazet. Nawet zastrzelenie bawarskiego premiera znalazło się na drugiej stronie, kiedy ogłoszono, że Babe podpisał umowę na występ w krótkim filmie „The Dough Kiss". Kiedy dziennikarze spytali, czy rzuci treningi, Ruth powtarzał to samo: „Jeśli pan Frazee uzna, że jestem wart przyzwoitej płacy, stawię się".

Wiosenne treningi zaczęły się trzy tygodnie temu.

Frazee odchrząknął.

– Zgodzę się na pańskie żądanie.

Babe odwrócił się i spojrzał mu w oczy. Frazee kiwnął głową.

– Dokumenty są już gotowe. Może je pan podpisać w moim gabinecie jutro rano. – Frazee uśmiechnął się blado. – Tę rundę pan wygrał. Proszę się nią cieszyć.

– Dobrze, Harry.

Frazee podszedł do niego. Pachniał ładnie, była to woń, którą Ruth kojarzył z ludźmi bardzo bogatymi, znających się na rzeczach, jakich on nigdy nie zrozumie. To oni rządzili światem, ludzie tacy, jak Frazee, ponieważ znali się na czymś, co zawsze umykało Babe'owi i jemu podobnym: na pieniądzach. To oni sterowali ich przepływem. Potrafili przewidzieć moment ich przejścia z ręki do ręki. Znali się też na innych rzeczach, których Babe nie rozumiał, na książkach, sztuce i historii Ziemi. Ale najbardziej na pieniądzach – jak na niczym innym.

A jednak od czasu do czasu przegrywali.

– Miłych treningów – powiedział Harry Frazee, kiedy drzwi windy się otworzyły. – Miłego pobytu w Tampie.

– Taki będzie – zapewnił go Babe, już sobie wyobrażając te fale upału i gorące kobiety.

Windziarz znieruchomiał w wyczekującej postawie.

Harry Frazee wyjął z kieszeni zwitek pieniędzy, spięty złotym klipsem. Wyjął kilka dwudziestek, gdy windziarz otworzył drzwi, a kobieta z szóstego piętra, ładna i dość oblegana przez zalotników, ruszyła ku nim po marmurowej posadzce, stukając obcasami.

– Rozumiem, że potrzebuje pan pieniędzy.

– Mogę zaczekać do podpisania kontraktu – powiedział Babe.

– Nie chcę o tym słyszeć, synu. Jeśli jeden z moich ludzi jest w kłopotach, muszę mu pomóc.

Babe uniósł rękę.

– Mam dużo pieniędzy.

Usiłował się cofnąć, ale był za powolny. Harry Frazee wsunął mu pieniądze do wewnętrznej kieszeni płaszcza. Widział to windziarz i ładna z szóstego też.

– Jest pan wart każdego centa – oznajmił Harry Frazee – i nie chciałbym, aby musiał pan sobie odejmować od ust.

Babe poczuł, ze palą go policzki. Sięgnął do kieszeni, by oddać Harry'emu pieniądze.

Frazee wyszedł. Odźwierny pobiegł, by otworzyć mu drzwi. Frazee uniósł kapelusz i wyszedł z hotelu.

Ruth poczuł na sobie spojrzenie kobiety. Spuściła głowę i wsiadła do windy.

– Żart – wyjaśnił Ruth. Windziarz zamknął drzwi i poruszył korbą. – Po prostu żart.

Uśmiechnęła się i skinęła głową, ale widział w jej oczach litość.

Kiedy dotarł do swojego apartamentu, zadzwonił do Kat Lawson. Namówił ją na drinka w hotelu Buckminster, a po czwartej kolejce zabrał ją do pokoju na górze i zerżnął na całego. Pół godziny później znowu ją zerżnął, na pieska, i szeptał jej do ucha najgorsze świństwa. Potem zasnęła, leżąc na brzuchu, delikatnie poruszając ustami, jakby z kimś rozmawiała. Wstał i ubrał się. Za oknem widać było rzekę Charles i światła Cambridge, mrugające i czujne. Kat zachrapała cicho, gdy włożył płaszcz. Sięgnął do kieszeni, wyjął pieniądze Harry'ego Frazeego, położył na szafce i wyszedł z pokoju.

West Camden Street. Baltimore.

Ruth stał na chodniku przed knajpą, którą kiedyś prowadził jego ojciec. Teraz była zamknięta, zapieczętowana. Za zakurzonym oknem wisiał krzywo blaszany szyld piwa Pabst. Nad knajpą znajdowało się mieszkanie, które dawniej zajmował z rodzicami i siostrą Mamie. W dniach, gdy wysłano go do Świętej Marii, ledwie raczkowała.

Dom. Powiedzmy.

Wspomnienia Babe'a były niewyraźne. Przypomniał sobie, że na murku przed knajpą nauczył się grać w kości. I że w knajpie i mieszkaniu wiecznie śmierdziało piwem; ten smród bił z toalety i zlewu, gnieździł się w szparach podłogi i w ścianie.

Domem był mu właściwie poprawczak. West Camden Street to idea domu. Symbol.

Wróciłem tu, pomyślał Babe, żeby ci powiedzieć, że mi się udało. Jestem grubą rybą. W tym roku zarobię dziesięć tysięcy dolarów, a Johnny twierdzi, że za reklamy dostanę drugie tyle. Moja twarz będzie na takim samym blaszanym szyldzie, jak ten, który powiesiłeś na wystawie. Ale ty byś go nie powiesił, co? Duma by ci nie pozwoliła. Nie pozwoliłaby ci przyznać, że masz syna, który w ciągu roku zarobi więcej niż ty przez dziesięć lat. To ten syn, którego odesłałeś z domu i o którym chciałeś zapomnieć. George Junior. Pamiętasz go?

Nie, nie pamiętam. Nie żyję. Matka też. Daj nam spokój.

Babe skinął głową.

Jadę do Tampy, George'u Seniorze. Na trening. Pomyślałem, że wstąpię i pokażę ci, że do czegoś doszedłem.

Do czegoś doszedłeś? Ledwie umiesz czytać. Rżniesz kurwy. Dostajesz pieniądze jak kurwa, żeby grać w kurewską grę. Grę! To nie jest zajęcie godne mężczyzny. To gra.

Jestem Babe Ruth.

Jesteś George Herman Ruth Junior i nadal nie powierzyłbym ci pracy za barem. Przepiłbyś dzienny utarg, zapomniałbyś zamknąć drzwi. Nikt nie chce słuchać twoich przechwałek, twoich opowieści. Wracaj do swojej zabawy. To już nie jest twój dom.

A kiedyś był?

Babe spojrzał na budynek. Zastanowił się, czy nie splunąć na chodnik, ten sam, na którym umarł jego ojciec z pękniętym łbem. Ale nie zrobił tego. Wziął ich wszystkich – ojca, matkę, siostrę, z którą nie rozmawiał od pół roku, zmarłych braci, swoje życie – zwinął jak dywan i zarzucił na ramię.

Do widzenia.

Tylko nie przytrzaśnij sobie drzwiami tego tłustego tyłka.

Odchodzę.

To idź.

Naprawdę.

Zacznij ruszać nogami.

Zaczął. Włożył ręce do kieszeni i pomaszerował ulicą ku taksówce, którą zostawił na rogu. Miał wrażenie, że nie idzie West Camden Street ani nawet przez Baltimore. Zostawiał cały kraj, ojczyznę, która dała mu nazwisko i naturę, ale teraz była mu całkiem obca, jak wystygłe popioły.

Wokół Plant Field w Tampie znajdował się tor wyścigowy, nieużywany od lat, choć nadal zalatywał końskim nawozem. Smród bił aż pod niebiosa, gdy Giganci przybyli do miasta, żeby zagrać mecz pokazowy z Red Soksami. Po raz pierwszy zastosowano zasadę białej piłki.

Wprowadzenie zasady białej piłki zaskoczyło wszystkich. Nawet trener Barrow nie wiedział, że stanie się to tak szybko. Wśród zawodników krążyły plotki, że wejdzie w życie dopiero w Opening Day, ale sędzia Xavier Long zajrzał do szatni przed meczem i oznajmił, że to już.

– Z zarządzenia pana Bana Johnsona, nikogo innego. Nawet dostarczył pierwszą torbę.

Kiedy sędziowie wysypali piłki na boisko, połowa graczy, w tym Babe, wyszła, żeby podziwiać kremową jasną skórę i kontrastowy czerwony szew. Rany boskie, jakby spojrzeli na nie nowymi oczami. Były takie czyste, białe, nieskazitelne.

Do tej pory zgodnie z zasadami drużyna gospodarzy zapewniała piłki na każdy mecz, ale żadne zarządzenie nie określało stanu tych piłek. O ile nie były rozprute, mogły być używane i były, dopóki nie wyleciały poza boisko albo ktoś ich nie zniszczył.

Dlatego białe piłki stanowiły widok, który Ruthowi zdarzyło się podziwiać w pierwszym dniu rozgrywek przez parę pierwszych inningów. Pod koniec pierwszego meczu zwykle robiły się brązowe. Pod koniec serii złożonej z trzech meczów szarzały.

Ale w zeszłym roku te szare piłki omal nie doprowadziły do śmierci dwóch graczy. Honus Sukalowski oberwał jedną w skroń i od tej pory miał kłopoty z mówieniem. Bobby Kestler także dostał jedną w łeb i od tej pory ani razu nie zamachnął się pałką. Whit Owens, miotacz, który uderzył Sukalowskiego, z powodu wyrzutów sumienia zupełnie zrezygnował z gry. Trzech graczy w ciągu roku, a w dodatku był to rok wojny.

Ruth, stojąc na lewo od bazy, przyglądał się, jak trzeci out meczu opada ku niemu niczym fajerwerk, ofiara własnej efektowności. Złapał piłkę, pogwizdując. A kiedy biegł ku ławkom, poczuł, że Bóg wyciąga ku niemu rękę.

To nowa gra.

No, pewnie.

To twoja gra, Babe. Tylko twoja.

Wiem. Widziałeś, jaka jest biała? Taka... biała.

Nawet ślepiec by ją uderzył, Babe.

No, wiem. Ślepe dziecko. Ślepa dziewczynka.

To już nie jest gra Cobba. To gra pałkarza

Pałkarz. Ładne słowo, szefie. Zawsze je lubiłem.

Zmień tę grę, Babe. Zmień ją i uwolnij się.

Od czego?

Wiesz.

Babe nie wiedział, ale trochę jakby wiedział, więc mruknął: „w porządku".

– Z kim rozmawiasz? – spytał Stuffy McInnis, zaglądając do niego.

– Z Bogiem.

Stuffy splunął przeżutą prymką w piach.

– Powiedz mu, że chcę mieć Mary Pickford w Belleview Hotel.

Babe podniósł kij.

– Zobaczę, co da się zrobić.

– We wtorek.

Babe wytarł kij.

– Dzień wolny, wiadomo.

Stuffy pokiwał głową.

– Tak jakoś koło szóstej.

Babe ruszył ku stanowisku pałkarza.

– Gidge.

Babe odwrócił się do niego.

– Mów mi „Babe", dobra?

– Jasne, jasne. Powiedz Bogu, żeby Mary przyprowadziła koleżankę.

Babe dotarł na miejsce.

– I przyniosła piwo! – zawołał za nim Stuffy.

Columbia George Smith stał na stanowisku miotacza Gigantów. Jego pierwszy narzut był niski; Babe stłumił chichot, kiedy piłka przeleciała mu nad lewym palcem u nogi. Jezu, można było policzyć te szwy! Lew McCarty odrzucił ją do swojego miotacza, a Columbia George wysłał podkręconą piłkę, która śmignęła koło ud Babe'a. Babe spodziewał się tego, bo to znaczyło, że Columbia George w następnej kolejności rzuci piłkę na wysokości jego pasa i Babe będzie musiał się zamachnąć, ale spudłuje, jeśli chce, żeby Columbia George rzucił prostą piłkę. Więc zamachnął się i starając się nie trafić, posłał piłkę nad głową McCarty'ego. Zszedł na chwilę ze stanowiska, a Xavier Long przejął piłkę od McCarty'ego, przyjrzał się jej. Wytarł ją ręką, potem rękawem i jednak dostrzegł coś, co mu się nie spodobało, bo włożył ją do worka u pasa, a wyjął zupełnie nową, bielutką. Podał ją McCarty'emu, który odrzucił ją do Columbia George'a.

Co za kraj!

Babe wrócił na stanowisko. Usiłował nie okazywać po sobie wesołości. Columbia George wziął zamach i – aha! – twarz mu zastygła w tym wymownym grymasie, co zawsze, kiedy miał rzucić prostą. Babe uśmiechnął się sennie.

To nie oklaski usłyszał, gdy posłał pierwszą białą, świeżutką piłkę ku słońcu Tampy. Nie okrzyki, nie ochy i achy.

Milczenie. Milczenie tak głębokie, że słychać było tylko echo uderzenia kija o piłkę. Wszystkie głowy na Plant Field uniosły się, śledząc tę cudowną piłkę, która frunęła tak szybko i daleko, że nie miała czasu nawet rzucić cienia.

Kiedy wylądowała po drugiej stronie ogrodzenia, sto pięćdziesiąt metrów od bazy domowej, odbiła się od toru wyścigowego i potoczyła dalej.

Po meczu jeden z dziennikarzy sportowych powiedział Babe'owi i trenerowi Barrowowi, że zrobili pomiary i ostateczny wynik to sto siedemdziesiąt trzy metry, zanim piłka w końcu zatrzymała się w trawie. Sto siedemdziesiąt trzy. Prawie dwa boiska futbolowe.

Ale w tej chwili, gdy piłka unosiła się w błękitne niebo, nie rzucając cienia, a Babe rzucił kij i powoli potruchtał wzdłuż linii do pierwszej bazy, śledząc piłkę wzrokiem, zmuszając ją siłą woli, by pofrunęła szybciej i dalej niż jakakolwiek dotąd lub nawet potem, dostrzegł najdziwniejszą rzecz na świecie – swojego ojca, siedzącego na tej piłce. Jechał na niej jak na koniu, zaciskając ręce na szwach, wciskając kolana w skórę. Jego ojciec, śmigający na piłce przez niebo. A jak wył! Twarz wykrzywiał mu strach, z oczu płynęły łzy, wielkie i gorące, uznał Babe. Aż, tak jak piłka, zniknął mu z oczu.

Sto siedemdziesiąt trzy metry, powiedzieli mu.

Ruth uśmiechnął się, widząc ojca, nie piłkę. Już po nim. Spoczął pod trawą. Pogrzebany na Plant Field w Tampie.

Już nie wróci.

ROZDZIAŁ DWUDZIESTY PIĄTY

Chociaż Danny nie mógł powiedzieć o nowym komisarzu nic pozytywnego, trzeba było przyznać, że słowa dotrzymywał. Po melasowej powodzi, która przeszła przez środek jego dzielnicy, Danny przez tydzień zaprowadzał porządek sześćdziesiąt kilometrów dalej, podczas strajku w fabryce w Haverhill. Gdy robotnicy zostali poskromieni, przez dziesięć dni zajmował się strajkiem w przetwórni ryb w Charlestown. Akurat ten zgasł, gdy SFP odmówiła mu poparcia, ponieważ nie uważała, żeby w wytwórni pracowali wykwalifikowani robotnicy. Następnie Danny został wypożyczony policji w Lawrence z powodu strajku robotników z tkalni, który trwał już od trzech miesięcy i doprowadził do śmierci dwóch osób, w tym głównego organizatora, któremu strzelono prosto w usta w chwili, gdy wychodził od fryzjera.

Podczas tych i innych strajków, które nastąpiły u schyłku zimy i na przedwiośniu – w fabryce zegarów w Waltham, wśród maszynistów w Roslindale, w stalowni we Framingham – pluto na Danny'ego i krzyczano, wymyślano mu od morderców, skurwieli, sługusów i gangren. Drapano go, bito, obrzucano jajkami, walono kijami, a raz, we Framingham, oberwał w ramię cegłą. W Roslindale maszyniści wywalczyli sobie podwyżkę, ale nie opiekę zdrowotną. W Everett robotnicy z fabryki butów dostali połowę podwyżki, ale nie pensję. Strajk we Framingham został stłumiony po przybyciu ciężarówek z nowymi robotnikami i ataku policji. Po ostatnim starciu, gdy na teren fabryki weszły łamistrajki, Danny spojrzał na robotników: niektórzy leżeli na ziemi, inni siedzieli, kilku wznosiło bezsensowne okrzyki, potrząsając pięściami w jałowej groźbie. Okazało się, że w nowej sytuacji mają znacznie mniej, niż prosili i o wiele mniej, niż mieli. Przyszło im wrócić do domu i zastanowić się, co dalej.

Danny zobaczył nieznanego mu gliniarza z Framingham, który kopał bezbronnego robotnika. Nie przykładał się już do tego, a robotnik pewnie stracił przytomność. Danny położył rękę na ramieniu policjanta, który uniósł pałkę, zanim rozpoznał jego mundur.

– Co?

– On już rozumie – powiedział Danny. – Dość.

– Nigdy nie jest dość – odparł policjant i odszedł.

Danny wrócił do Bostonu z innymi policjantami z miasta. Chmury były niskie i szare. Płaty zamarzniętego śniegu zamarzły na ziemi jak strupy.

– Dziś na zebraniu? – rzucił Kenny Trescott.

Danny prawie zapomniał. Teraz, gdy Mark Denton rzadko mógł uczestniczyć w zebraniach BKS, Danny stał się de facto przywódcą związku. Ale nie był to już prawdziwy związek. Raczej, zgodnie z nazwą, klub.

– Jasne – powiedział Danny ze świadomością, że to strata czasu. Znowu przestali się liczyć i wiedzieli o tym, ale jakaś dziecinna nadzieja kazała im ciągle wracać, rozmawiać, działać, jakby ich głos miał jakieś znaczenie.

Nie było innego wyjścia.

Danny spojrzał Trescottowi w oczy i poklepał go po ramieniu.

– Jasne – powtórzył.

Pewnego dnia zaziębiony kapitan Coughlin wrócił do domu wcześniej i dał Lutherowi wychodne.

– Przejmuję dowodzenie – powiedział. – Idź, ciesz się resztą tego dnia.

Był to jeden z tych późnozimowych dni, kiedy wiosna podstępnie przejmuje panowanie nad ziemią. W rynsztokach bulgotała woda z roztopionego śniegu, w oknach i na rozlanej benzynie lśniły małe tęcze. Ale Luther nie pozwolił sobie na przechadzkę dla przyjemności. Ruszył zdecydowanym krokiem na South End i zdążył stanąć pod fabryką butów, w której pracowała Nora, zanim skończyła się zmiana. Nora wyszła, dzieląc się papierosem z inną robotnicą, a Luther zauważył, jaka jest szara. Szara i chuda.

– Sam spójrz na siebie – odpowiedziała z szerokim uśmiechem. – Molly, to Luther, ten z poprzedniej pracy.

Molly pomachała Lutherowi ręką i zaciągnęła się papierosem.

– Jak się miewasz? – spytała Nora.

– Świetnie, dziewczyno. – Luther czuł potrzebę, żeby ją przeprosić. – Nie mogłem się tu zjawić wcześniej, naprawdę nie mogłem. Te zmiany, wiesz? Nie...

– Luther.

– A nie wiedziałem, gdzie mieszkasz. I...

– Luther. – Tym razem dotknęła jego ramienia. – Nie szkodzi. Rozumiem. Naprawdę. – Wzięła papierosa od Molly wprawnym i wyćwiczonym ruchem, i zaciągnęła się szybko, po czym go oddała. – Odprowadzi mnie pan do domu, szanowny panie?

Luther skłonił jej się lekko.

– To będzie dla mnie przyjemność, panienko.

Nie mieszkała w najgorszej części miasta, ale prawie. Jej kamienica znajdowała się na Green Street w West Endzie, tuż koło Scollay Square, w dzielnicy, którą odwiedzali głównie marynarze, a pokoje można było wynajmować na pół godziny.

Kiedy dotarli do kamienicy, Nora powiedziała:

– Obejdź budynek. Na tyłach są zielone drzwi. Tam się spotkamy.

Wbiegła do domu, a Luther wszedł w zaułek, czujny i z napiętymi zmysłami. Była dopiero czwarta po południu, ale na Scollay Square krzyki już biły w niebo, słychać było brzęk tłuczonych butelek, nagły rechot, a po nim dźwięki rozstrojonego pianina. Luther dotarł do zielonych drzwi, gdzie czekała już na niego Nora. Wślizgnął się szybko; zamknęła je za nim i zaprowadziła go do swojego pokoju.

Chyba przerobili go ze ściennej szafy. Bez przesady. Mieściło się tu tylko małe łóżko i stolik, który wyglądał raczej jak kwietnik z miejscem na jedną doniczkę. Zamiast doniczki stała stara lampa naftowa; Nora zapaliła ją, zanim zamknęła drzwi. Usiadła w głowach łóżka, a Luther w nogach. Jej ubrania leżały schludnie poskładane na podłodze. Musiał je ostrożnie obejść.

– Ach... – westchnęła i objęła pokoik szerokim gestem. – Tarzam się w luksusie, nie sądzisz?

Luther usiłował się uśmiechnąć, ale nie mógł. Dorastał w biedzie, ale to? To był jakiś zasrany koszmar.

– Słyszałem, że kobiety nie zarabiają w fabrykach tyle, żeby mogły się utrzymać.

– Nie zarabiają – przyznała. – I wkrótce obetną nam godziny.

– Kiedy?

Wzruszyła ramionami.

– Wkrótce.

– I co zrobisz?

Zaczęła obgryzać paznokieć kciuka. Znowu wzruszyła ramionami. Oczy miała dziwnie wesołe, jakby obmyślała jakiś figiel.

– Nie wiem.

Luther rozejrzał się, szukając kuchenki.

– Gdzie gotujesz?

Pokręciła głową.

– Co wieczór zbieramy się przy stole u gospodyni, bardzo gorliwie, mogę cię zapewnić, dokładnie o piątej. Zwykle daje buraczki. Czasem ziemniaki. W zeszły wtorek było nawet mięso. Nie wiem jakie, ale na pewno mięso.

Na ulicy ktoś wrzasnął. Trudno było określić, z bólu czy radości.

– Nie dopuszczę do tego – oznajmił Luther.

– Co?

– Nie dopuszczę do tego. Ty i Clayton jesteście w tym mieście jedynymi moimi przyjaciółmi. Nie dopuszczę do tego. – Pokręcił głową.

– Nie możesz...

– Wiesz, że zabiłem człowieka?

Przestała skubać paznokieć i spojrzała na niego wielkimi oczami.

– Dlatego tu przyjechałem, ty ledwie-panno. Strzeliłem mu prosto w łeb. Musiałem zostawić żonę, która jest w ciąży. Więc znam trudne życie i zrobiłem parę złych rzeczy, zanim tu trafiłem. I niech mnie diabli, nikt – nawet ty – nie będzie mi mówił, co mogę, a czego nie mogę. Mogę ci skombinować jakieś żarcie. Odkarmić cię jakoś. Tyle mogę.

Wpatrywała się w niego jak ogłuszona. Na ulicy ryczały klaksony.

– Ledwie-panno? – powtórzyła, wybuchając śmiechem i płaczem jednocześnie, a Luther przytulił pierwszą białą kobietę w swoim życiu. Pachnie bielą, pomyślał, jak wykrochmalona. Czuł jej kości, gdy płakała mu w koszulę, i nienawidził Coughlinów. Nienawidził ich do szczętu. Nienawidził ich hurtowo.

Wczesną wiosną Danny poszedł za Norą, gdy wracała z pracy. Przez całą drogę podążał za nią, oddalony o przecznicę. Ani razu się nie obejrzała. Widział, jak wchodziła do czynszowej kamienicy koło Scollay Square, być może w najgorszej dzielnicy miasta, w której może zamieszkać kobieta. Także najtańszej.

Wrócił na North End. To nie jego wina. Owszem, skończyła jako nędzarka i cień dawnej siebie, ale po co kłamała?

W marcu Luther dostał list od Lili. Przyszedł w większej kopercie. W środku znajdowała się inna, mała i biała, już otwarta, oraz wycinki z gazety.

Drogi Lutherze,

ciocia Marta mówi, że jak kobieta jest w ciąży, to przez tę ciążę traci rozum i widzi i czuje rzeczy, co nie mają ani trochę sensu. A jednak zbyt często widuję ostatnio pewnego człowieka. Ma szatański uśmiech i jeździ czarnym oaklandem 8. Widziałam go koło domu, w mieście i dwa razy na poczcie. Dlatego przez jakiś czas nie pisałam, bo przyłapałam go, jak usiłuje odczytać adres na kopercie. Nigdy nie zamienił ze mną ani słowa z wyjątkiem „dzień dobry" i „witam", ale myślę, że wiemy, kto to jest, Lutherze. Myślę, że to on zostawił ten artykuł z gazety pod moimi drzwiami. Ten drugi sama wycięłam. Zrozumiesz, dlaczego. Jeśli musisz się ze mną skontaktować, wyślij list na adres cioci Marty. Brzuch mam wielki, stopy mnie ciągle bolą, a wchodzenie po schodach to wielki wysiłek, ale jestem szczęśliwa. Proszę, uważaj na siebie.

Kocham cię,
Lila

Choć list i wycinki, jeszcze złożone, przeraziły go, Luther zapatrzył się w to jedno, jedyne słowo – „kocham".

Zamknął oczy. Dziękuję, Lila. Dziękuję, Panie.

Rozłożył pierwszy wycinek, mały artykuł z „Gwiazdy Tulsy".

PROKURATOR OKRĘGOWY WYCOFUJE OSKARŻENIE PRZECIWKO MURZYNOWI

Richard Poulson, czarny barman z klubu Wszechmogący w Greenwood, został wypuszczony z aresztu, kiedy prokurator okręgowy Honus Stroudt zgodził się nie stawiać go w stan oskarżenia w zamian za jego dobrowolne przyznanie się do nielegalnego posiadania broni. Murzyn Poulson jest jedynym ocalałym ze strzelaniny w klubie Wszechmogący w listopadową noc zeszłego roku. Od strzałów Clarence'a Tella zginęli wtedy Jackson Broscious i Munroe Dandiford, obaj Murzyni z Greenwood, znani z handlu narkotykami i ciągnięcia zysków z prostytucji. Clarence Tell, także Murzyn, zginął z ręki Poulsona, który bronił się przed jego ostrzałem. Prokurator Stroudt powiedział: „Jest jasne, że Murzyn Poulson strzelał w samoobronie, z obawy o swoje życie. Niemal zginął z powodu ran, zadanych mu przez Murzyna Tella. Wymiar sprawiedliwości jest zadowolony." Murzyn Poulson otrzymał wyrok trzech lat w zawieszeniu za posiadanie broni.

Więc Dym wyszedł na wolność. W świetnym zdrowiu. Luther po raz kolejny zobaczył tę scenę – Dym leżący na scenie, w rozlewającej się kałuży krwi. Z wyciągniętymi rękami, odwrócony od Luthera. Nawet teraz, wiedząc, co będzie, wątpił, żeby mógł pociągnąć za spust. Diakon Broscious to co innego, inne okoliczności – patrzył Lutherowi w oczy i usiłował go zbajerować Ale czy Luther mógłby strzelić umierającemu, jak sądził, człowiekowi w tył głowy? Nie. Choć pewnie powinien. Obrócił w dłoni kopertę i zobaczył swoje nazwisko, nic więcej, wypisane męskim, kanciastym pismem. Otworzył ją, spojrzał na drugi wycinek gazety i uznał, że słowo „chyba" jest zbędne. Powinien strzelić. Bez wątpliwości i żalu.

W kopercie znajdował się wycinek z „Gwiazdy Tulsy" z dwudziestego drugiego stycznia: artykuł o wielkiej melasowej powodzi, zatytułowany „Katastrofa w bostońskich slumsach".

W artykule nie było nic szczególnego – kolejna katastrofa w North Endzie, która rozbawiła resztę kraju. Jedyne, co wyróżniało ten wycinek, to fakt, że wszystkie występujące w nim słowa „Boston" – w sumie dziewięć – obwiedziono czerwonymi kółkami.

Rayme Finch niósł właśnie pudło do samochodu, kiedy natknął się na Thomasa Coughlina, który na niego czekał. Rządowy samochód, jak przystało na niedofinansowany, niedoceniany departament, był kupą złomu. Finch zostawił gruchota na jałowym biegu, nie tylko dlatego, że czasem miewał problemy z zapłonem, ale ponieważ po cichu liczył, że ktoś mu go w końcu ukradnie. Jednak gdyby to marzenie spełniło się akurat dzisiaj, miałby kłopot – samochód, rzęch czy nie, był jego jedynym sposobem na powrót do Waszyngtonu.

Ale nikt by go nie ukradł, bo o maskę opierał się kapitan policji. Finch skinął mu lekko głową, kładąc pudło z akcesoriami biurowymi w bagażniku.

– Odwrót?

Finch zamknął bagażnik.

– Chyba tak.

– Szkoda – powiedział Thomas Coughlin.

Finch wzruszył ramionami.

– Bostońscy radykałowie okazali się bardziej niemrawi, niż nam mówiono.

– Z wyjątkiem tego, którego zabił mój syn.

– Federico, tak. Był fanatykiem. A pan?

– Słucham?

– Co z pańskim dochodzeniem? Wydział policji nas nie informuje.

– Nie ma o czym. Trudno wniknąć do tych komórek.

Finch pokiwał głową.

– Parę miesięcy temu mówił pan, że łatwo.

– Czas pokazał, że byłem zbyt pewny siebie, przyznaję.

– Żaden z pańskich ludzi nie znalazł dowodów?

– Żadnego istotnego.

– Aż trudno uwierzyć.

– Nie wiem, dlaczego. Nie jest tajemnicą, że nasz wydział padł ofiarą zmiany rządów. Gdyby O'Meara, Panie świeć nad jego duszą, nie umarł, co byśmy teraz robili, Rayme? Toczylibyśmy tę piękną rozmowę, obserwując statek, w którego ładowni odpływałby sam Galleani w kajdanach.

Finch uśmiechnął się wbrew własnej woli.

– Słyszałem, że jest pan najbardziej podstępnym szeryfem w tym podstępnym mieście. Widzę, że mój informator nie przesadził.

Thomas Coughlin przechylił głowę i zmrużył oczy.

– Chyba padł pan ofiarą dezinformacji. W tym mieście są inni, równie podstępni szeryfowie. Dziesiątki. – Uniósł kapelusza. – Szczęśliwej podróży.

Finch odprowadził go wzrokiem. Doszedł do wniosku, że to jeden z tych ludzi, których myśli nie sposób odgadnąć. Oczywiście dlatego był niebezpieczny, ale także bezcenny.

Spotkamy się jeszcze, kapitanie. Finch wszedł do budynku i ruszył po schodach po ostatnie pudło z opuszczonego gabinetu. Nie mam najmniejszej wątpliwości, że spotkamy się znowu.

W połowie kwietnia Danny, Mark Denton i Kevin McCrae zostali wezwani do komisarza. Do pustego gabinetu wprowadził ich sekretarz Stuart Nichols, który niezwłocznie zostawił ich samych.

Usiedli na twardych krzesłach przed ogromnym biurkiem komisarza Curtisa i czekali. Była dziewiąta wieczorem.

Po dziesięciu minutach wstali. McCrae podszedł do okna, Mark przeciągnął się i ziewnął, Danny zaczął krążyć po gabinecie.

Dwadzieścia po dziewiątej Danny i Mark stanęli przy oknie, a krążyć zaczął Kevin. Od czasu do czasu wymieniali spojrzenia pełne hamowanej irytacji, ale nie odzywali się ani słowem.

Dwadzieścia pięć po dziewiątej znowu usiedli. Wtedy otworzyły się drzwi po lewej stronie i do środka wszedł Edwin Upton Curtis, a za nim Herbert Parker, jego główny doradca. Komisarz zajął miejsce za biurkiem, Herbert Parker szybko podszedł do trzech policjantów i położył każdemu na kolanach arkusz papieru.

Danny spojrzał na dokument.

– Podpisać – rzucił Curtis.

– Co to jest? – spytał Kevin McCrae.

– To chyba jasne. – Herbert Parker stanął za Curtisem i założył ręce na piersi.

– To wasza podwyżka – oznajmił Curtis, siadając. – Jak sobie życzyliście.

Danny powiódł wzrokiem po kartce.

– Dwieście rocznie?

Curtis skinął głową.

– Co do pozostałych postulatów, rozważymy je, ale nie robiłbym sobie wielkiej nadziei. Większość dotyczy zbytków, nie rzeczy pierwszej potrzeby.

Mark Denton przez chwilę stracił mowę. Podniósł kartkę, a potem powoli położył ją na kolanie.

– To już nie wystarczy.

– Słucham?

– To za mało – powiedział Mark. – Pan o tym wie. Dwieście rocznie to suma z roku tysiąc dziewięćset trzynastego.

– O tyle prosiliście – odparł Parker.

Danny pokręcił głową.

– O tyle prosili członkowie klubu w tysiąc dziewięćset szesnastym roku. Koszta utrzymania poszły w górę...

– Ooo, koszta utrzymania, akurat! – rzucił Curtis.

– ...o siedemdziesiąt trzy procent – dokończył Danny. – Przez siedem miesięcy. Więc dwieście rocznie, bez świadczeń zdrowotnych, bez zmiany warunków sanitarnych na posterunkach...

– Jak dobrze wiecie, utworzyłem komisje, które zajmą się tymi sprawami. Dlatego...

– Te komisje – przerwał Danny – składają się z kapitanów.

– I co?

– A to, że w ich interesach leży niedoszukanie się niczego złego w dowodzonych przez nich posterunkach.

– Podaje pan w wątpliwość honor swoich zwierzchników?

– Nie.

– Podaje pan w wątpliwość honor dowódców tego wydziału?

Mark uprzedził Danny'ego.

– Ta propozycja jest niewystarczająca.

– Jest zupełnie wystarczająca.

– Nie. Myślę, że musimy się zająć...

– Ta oferta – oznajmił Herbert Parker – obowiązuje tylko dziś. Jeśli z niej nie skorzystacie, zostaniecie z niczym.

– Nie możemy się zgodzić. – Danny poruszył kartką. – To o wiele za mało i o wiele za późno.

Curtis pokręcił głową.

– Ja tak nie uważam ani pan Parker. Więc tak nie jest.

– Bo wy tak mówicie?

– Właśnie.

Curtis przesunął dłonią po blacie biurka.

– Rozniesiemy was w gazetach na strzępy.

Parker przytaknął.

– Daliśmy wam, o co prosiliście, a wy odrzuciliście nasz dar.

– To nie tak – odparł Danny.

– Ale tak to będzie wyglądać, synu.

Teraz to Danny, Kevin i Mark wymienili spojrzenia.

– Nie ma mowy – oznajmił Mark.

Curtis rozparł się na krześle.

– Żegnam panów.

Luther zszedł po schodkach domu Coughlinów, zmierzając na przystanek tramwajowy. Jakieś dziesięć metrów dalej zauważył Eddiego McKennę, który opierał się o maskę hudsona.

– I jak tam remont waszego pięknego budynku? Posuwa się naprzód? – McKenna oderwał się od samochodu i ruszył ku niemu.

Luther uśmiechnął się z przymusem.

– Posuwa się, panie poruczniku. Bardzo dobrze.

Tak było naprawdę. Ostatnio wraz z Claytonem pracowali w szalonym tempie. Parę razy wspomogli ich ludzie z innych filii stowarzyszenia z Nowej Anglii, których pani Giddreaux jakoś ściągnęła na weekendy do Bostonu. Rozbiórka zakończyła się już dawno temu, zdążyli założyć przewody elektryczne w całym domu, a teraz pracowali nad rurami kanalizacyjnymi, które z kuchni i łazienek biegły do głównej rury, przeciągniętej miesiąc temu z piwnicy aż po dach.

– Kiedy skończycie?

Luther sam się nad tym zastanawiał. Nadal mieli mnóstwo rur do położenia i czekali na transport tynku, żeby móc pokryć nim ściany.

– Trudno powiedzieć, proszę pana.

– Nie „panie”? Zwykle traktujesz mnie z południową kurtuazją. Zauważyłem to wczesną zimą.

– Dziś to chyba będzie „proszę pana” – oznajmił Luther, wyczuwając, że McKenna jest jakiś inny niż dotąd.

Porucznik wzruszył ramionami.

– Więc kiedy, jak myślisz?

– Do końca? Parę miesięcy. To zależy od wielu rzeczy.

– Na pewno. Ale chyba zaplanowali jakieś przecięcie wstęgi, takie tam, zebranie waszych.

– Mam nadzieję, że nastąpi to pod koniec lata, mniej więcej.

McKenna położył rękę na żelaznej balustradzie na ganku Coughlinów.

– Chcę, żebyś wykopał dziurę.

– Dziurę?

McKenna pokiwał głową. Poły jego płaszcza łopotały na ciepłym wiosennym wietrze.

– Właściwie piwniczkę. I żeby była szczelna. Zalecam wylanie ją betonem, jeśli mogę posłużyć radą.

– A gdzie mam zrobić tę piwnicę? W pańskim domu?

McKenna uniósł rękę, odżegnując się od tej myśli. Uśmiechnął się dziwnie.

– Nigdy nie wpuściłbym żadnego z was do mojego domu, Lutherze. Dobry Boże! – Prychnął cicho na samą myśl o tym. Luther poczuł, że porucznik chce porzucić brzemię udawania przed nim kogoś innego. Wreszcie postanowił pokazać mu swoje wnętrze. Z dumą. – Czarnuch na Telegraph Hill? Ha. Więc nie, Lutherze, ta piwnica ma się znajdować nie w moim domu, lecz w tej „filii”, którą tak szlachetnie postanowiliście zbudować.

– Chce pan, żebym zrobił piwnicę w domu stowarzyszenia?

– Tak. Pod podłogą. Kiedy tam byłem ostatnio, mieliście położyć podłogę w pokoju narożnym, od wschodu. Tam była chyba kuchnia?

Kiedy był tam ostatnio?

– Więc? – spytał Luther.

– Wykop tam dziurę. Wielkości, powiedzmy, człowieka. Uszczelnij ją, a potem przykryj jakąś klapą, ale upewnij się, że będzie ją można łatwo podnieść. Nie zamierzam ci tłumaczyć, jak masz wykonać swoją robotę, ale możesz rozważyć zastosowanie zawiasów czy jakiejś niewidocznej klamki.

Luther, który już stanął na chodniku, czekał na puentę.

– Nie rozumiem, panie poruczniku.

– Wiesz, kto przez parę ostatnich lat okazał się moim najbardziej skutecznym informatorem?

– Nie.

– Edison. Są świetni w określaniu ruchów danej osoby. – McKenna zapalił wypalone w połowie cygaro i machnął nim w powietrzu. – Ty, na przykład, zerwałeś umowę z elektrownią w Columbus we wrześniu. Moi przyjaciele z Edisona nie od razu odkryli, gdzie ją podpisałeś na nowo, ale w końcu się dowiedzieliśmy. W Tulsie, w stanie Oklahoma, w październiku. Prąd jest nadal dostarczany na twój adres w Tulsie, więc mogę założyć, że zostawiłeś tam kobietę. Może rodzinę? Ukrywasz się, Lutherze. Wiedziałem od pierwszej chwili, ale miło to potwierdzić. Kiedy spytałem policjantów z Tulsy, czy mają jakieś nierozwiązane sprawy, wspomnieli o nocnym klubie w mieście czarnuchów, gdzie ktoś zastrzelił trzech bambusów. Napracował się, że no.

– Nie wiem, o czym pan mówi.

– Oczywiście, oczywiście. – McKenna pokiwał głową. – Policjanci z Tulsy mówią, że nie bardzo się przejmują, kiedy ich czarnuchy się strzelają, zwłaszcza kiedy można zwalić winę na jednego z martwych. Dla nich to sprawa zamknięta. Więc pod tym względem jesteś bezpieczny. – McKenna uniósł palec wskazujący. – Chyba, że zadzwoniłbym do nich i poprosił, by w ramach zawodowej uprzejmości pozwolili mi przesłuchać jedynego ocalałego z tej krwawej łaźni. W trakcie przesłuchania mógłbym wspomnieć, że niejaki Luther Laurence, niegdyś mieszkaniec Tulsy, mieszka w Bostonie. – Oczy mu zabłysły. – Ciekawe, gdzie znalazłbyś wówczas kryjówkę.

Luther poczuł, że cała jego wola walki umiera. Usycha. Więdnie.

– Czego pan chce?

– Piwnicy. – Oczy McKenna zamigotały. – A, i listy prenumeratorów „Crises".

– Co?

– „Crises". Gazety Narodowego Stowarzyszenia dla Postępu Szympansów.

– Wiem, co to jest. Skąd mam wziąć taką listę?

– Isaiah Giddreaux na pewno ją posiada. Musi mieć jej kopię w tym bambusokratycznym pałacu, który ten czarnuch nazywa domem. Znajdź ją.

– A jeśli zrobię panu tę piwnicę i zdobędę listę?

– Nie mów do mnie takim tonem, jakbyś miał inne wyjście.

– Świetnie. Co będzie w tej piwnicy?

– Jak dalej tak będziesz pytać – McKenna zarzucił Lutherowi rękę na ramiona – to może będziesz tam ty.

Zmęczony Danny wyszedł z kolejnego jałowego zebrania BKS i ruszył na przystanek kolejki na Roxbury Crossing. Tuż obok niego znalazł się Steve Coyle, tak jak spodziewał się Danny. Steve nadal przychodził na zebrania, wciąż budząc w innych zażenowanie, wciąż rozprawiając o coraz wspanialszych i wydumanych projektach. Danny musiał się zgłosić na służbę za cztery godziny, a w tej chwili marzył tylko o tym, żeby przyłożyć głowę do poduszki i przespać cały dzień albo i więcej.

– Ona wciąż tu jest – odezwał się Steve, gdy obaj weszli na przystanek.

– Kto?

– Tessa Ficara. Nie udawaj, że o niej zapomniałeś.

– Niczego nie udaję – rzucił Danny, trochę za ostro.

– Rozmawiałem z różnymi – powiedział szybko Steve. – Z takimi, co są mi coś winni od czasów, kiedy pracowałem na ulicy.

Danny zaciekawił się, kto by to mógł być. Policjanci ciągle żyli złudzeniami, że ludzie czują do nich wdzięczność. Nic dalszego od prawdy. Jeśli nie chodziło o uratowanie życia albo portfela, ludzie na ogół nienawidzą glin. Nie chcą ich znać.

– Rozmowy z ludźmi mogą być niebezpieczne – zauważył. – Zwłaszcza na North Endzie.

– Mówiłem ci, mój informator wobec mnie ma dług. Ufa mi. W każdym razie, nie ma jej na North Endzie. Jest tutaj, w Roxbury.

Kolejka wjechała z piskiem na przystanek. Wsiedli do pustego wagonu i zajęli miejsca.

– W Roxbury, tak?

– Tak. Gdzieś między Columbus i Warrens. Pracuje z samym Galleanim nad jakąś wielką sprawą.

– Większą niż teren między Columbus i Warren?

– Słuchaj – rzucił Steve, gdy kolejka wyjechała z tunelu i światła miasta nagle uciekły w dół, bo tory zaczęły się wznosić. – Ten gość powiedział, że da mi jej adres za pięćdziesiąt dolców.

– Pięćdziesiąt?

– Czemu ciągle powtarzasz wszystko, co powiem?

Danny uniósł rękę.

– Jestem zmęczony, Steve, przepraszam. Nie mam pięćdziesięciu dolców.

– Wiem, wiem.

– To płaca za więcej niż dwa tygodnie.

– Powiedziałem, że wiem. Jezu.

– Mogę dać trzy. Może cztery?

– Tak, jasne. No wiesz, ile masz, to daj. Chcemy dopaść tę sukę, nie?

Prawda wyglądała tak, że od zastrzelenia Federica Danny ani razu nie pomyślał o Tessie. Nie potrafił wyjaśnić dlaczego, ale tak było.

– Jeśli jej nie dopadniemy, zrobi to ktoś inny. To problem federalnych, zrozum.

– Będę ostrożny. Nic się nie martw.

Nie o to chodziło, ale Danny przyzwyczaił się, że Steve ostatnio nie wszystko rozumie. Zamknął oczy, oparł głowę o szybę, a kolejka jechała, zgrzytając i dygocząc.

– Szybko dasz mi te cztery dolce? – spytał Steve.

Danny nie otwierał oczu, bo bał się, że Steve dostrzeże w nich pogardę. Skinął głową.

Na przystanku Batterymarch Danny podziękował Steve'owi za drinka i rozeszli się w różne strony. Na Salem Street zaczął widzieć tańczące punkty przed oczami. Wyobrażał sobie łóżko, białe prześcieradło, chłodną poduszkę.

– Jak ci leci, Danny?

Nora przeszła przez ulicę między konnym wozem i warkoczącym fordem T, z którego rury wydechowej buchały wielkie kłęby czarnego jak węgiel dymu. Kiedy dotarła na chodnik, Danny stanął i odwrócił się do niej. Oczy miała fałszywie wesołe, była ubrana w jasnoszarą bluzkę, którą zawsze lubił i błękitną spódnicę nad kostki. Jej płaszcz wydawał się zbyt cienki, nawet przy dzisiejszym ociepleniu. Oczy miała zapadnięte, a kości policzkowe rysowały się zbyt ostro.

– Nora.

Wyciągnęła do niego rękę komicznie oficjalnym gestem. Uścisnął ją jak dłoń mężczyzny.

– Więc? – spytała, nadal z tą fałszywą wesołością.

– Więc?

– Jak się trzymasz?

– Nieźle. A ty?

– Świetnie.

– Cudownie.

– Aha.

Nawet o ósmej wieczorem na North Endzie roiło się od przechodniów. Danny, który miał już dość popychania, wziął Norę pod rękę i zaprowadził do niemal pustej kawiarni. Usiedli przy oknie wychodzącym na ulicę.

Nora zdjęła płaszcz. Z zaplecza wyłonił się właściciel, zawiązując po drodze fartuch.

– *Due caffe, per favore* – powiedział Danny.

– *Si, signore. Venire a destra in su.*

– *Grazie.*

Nora uśmiechnęła się z wahaniem.

– Zapomniałam, jakie to przyjemne.

– Co?

– Kiedy mówisz po włosku. Ten dźwięk. – Powiodła wzrokiem po kawiarni i ulicy. – Czujesz się tu jak u siebie.

– Bo jestem. – Danny stłumił ziewnięcie. – Zawsze byłem.

– Co tam z melasową powodzią? – Zdjęła kapelusz i położyła na krześle. Poprawiła włosy. – Mówią, że to jednak wina firmy?

Danny skinął głową.

– Na to wygląda.

– Smród nadal jest straszny.

Tak było. Cegły, rynsztoki i bruk North Endu przesiąkły melasową mazią. Im ciepłej się robiło, tym przeraźliwiej śmierdziało. Robactwo i gryzonie zaczęły się pojawiać w trzykrotnie większych ilościach. Wybuchła fala chorób u dzieci.

Właściciel wrócił z zaplecza i postawił przed nimi kawę.

– *Qui andate, signore, signora.*

– *Grazie cosi tanto, signore.*

– *Siete benvenuti. Siete per avere cosi bello furtunato una moglie, signore.* – Klasnął w dłonie, uśmiechnął się szeroko i wrócił za ladę.

– Co powiedział? – spytała Nora.

– Że noc jest ładna. – Danny posłodził kawę. – Co cię tu sprowadza?

– Wyszłam na spacer.

– Długi spacer – zauważył.

Sięgnęła do cukiernicy stojącej między nimi.

– Skąd wiesz, czy długi? Musiałbyś wiedzieć, gdzie mieszkam.

Danny położył na stole paczkę muradów. O Jezu, ale był drańsko zmęczony.

– Przestańmy.

– Co?

– Robić to od nowa.

Wrzuciła do kawy dwa kawałki cukru i dolała śmietanki.

– Co u Joego?

– Dobrze – powiedział Danny, choć nie był tego pewien. Bardzo dawno nie zaglądał do domu. Przeważnie z powodu pracy i zebrań w klubie, ale nie tylko dlatego. Nie chciał się nad tym zastanawiać.

Nora upiła łyk kawy i spojrzała na niego tymi zbyt wesołymi, zapadniętymi oczami.

– A myślałam, że mnie odwiedzisz.

– Naprawdę?

Przytaknęła. Jej twarz pod maską udawanej wesołości zaczęła łagodnieć.

– Dlaczego?

Sztuczna radość powróciła.

– No, nie wiem. Pewnie nadzieja.

– Nadzieja. – Pokiwał głową. – Nawiasem mówiąc, jak ma na imię twój syn?

Obróciła w palcach łyżeczkę i przesunęła dłonią po kraciastym obrusie.

– Gabriel – powiedziała cicho – i nie jest moim synem. Mówiłam ci już.

– Mówiłaś mi wiele rzeczy, ale nigdy nie wspomniałaś o synu, który nie jest synem, dopóki Quentin Finn nie poruszył tego tematu.

Podniosła na niego oczy, już nierozświetlone śmiechem. Nie były też złe ani zbolałe. Wydawało się, że osiągnęła stan, w którym niczego się już nie spodziewała.

– Nie wiem, czyim dzieckiem jest Gabriel. Kiedy Quentin przyprowadził mnie do rudery, którą nazywa domem, chłopiec już tam był. Miał wtedy jakieś osiem lat i wilk byłby lepiej ułożony. Bezmyślne, nieczułe dziecko. Jak sam widziałeś, Quentin nie dorównuje innym mężczyznom, ale Gabriel? To chyba szatański pomiot. Godzinami siedział przy kominku, gapiąc się w płomienie, jakby do niego gadały, a potem wychodził z domu bez słowa. Tak było, gdy miał dziewięć lat. Chcesz posłuchać, jaki był jako dwunastolatek?

Danny nie chciał słuchać o Gabrielu, Quentinie ani przeszłości Nory. O jej brudnej, żenującej (przecież taka była, prawda?) przeszłości. Była dla niego skalana – kobieta, której nigdy nie uznałby za swoją, bo nie potrafiłby spojrzeć ludziom w oczy.

Nora piła kawę, patrząc na niego, a on czuł, jak wszystko to, co było między nimi, umiera. Jesteśmy dla siebie straceni, zrozumiał, oboje dryfujemy w stronę nowego, osobnego życia. Pewnego dnia miną się w tłumie i będą udawać, że się nie zauważyli.

W końcu włożyła płaszcz. Żadne z nich się nie odezwało, ale oboje wiedzieli, co między nimi zaszło. Podniosła z krzesła kapelusz, który był wytarty prawie do osnowy, podobnie jak płaszcz. Danny zauważył, jak ostro rysują się pod skórą jej obojczyki.

– Potrzebujesz pieniędzy? – spytał ze wzrokiem wbitym w blat stołu.

– Co? – rzuciła ostrym, piskliwym szeptem.

Podniósł głowę. Nora miała łzy w oczach. Powoli kręciła głową, zaciskając mocno wargi.

– Czy...

– Nie powiedziałeś tego – przerwała. – Nie. Nie mógłbyś.

– Chciałem tylko...

– Ty... Danny? Mój Boże. Nie.

Wyciągnął do niej rękę, ale się cofnęła. Nadal kręcąc głową, wypadła z kawiarni na zatłoczoną ulicę.

Nie pobiegł za nią. Pozwolił jej odejść. Kiedy pobił Quentina Finna, powiedział ojcu, że jest gotów dojrzeć. I tak wyglądała prawda. Miał już dość buntowania się przeciwko rzeczywistości. Świat zbudowali i kontrolowali ludzie tacy, jak ojciec i jego kumple. Danny patrzył przez okno na ulice North Endu i pomyślał, że pod wieloma względami jest to dobry świat. Funkcjonował, pomimo wszystko. Niech inni toczą małe, zaciekłe bitwy przeciwko niemu. On miał już dość. Nora ze swoimi kłamstwami i smutną historią była tylko niemądrą dziecinną mrzonką. Odejdzie, będzie okłamywać innego mężczyznę i może trafi jej się jakiś bogacz. Będzie żyła ze swoich kłamstw, aż zbledną, a wtedy zastąpi je szacownością matrony.

A on znajdzie sobie kobietę bez przeszłości. Kobietę, z którą można się pokazywać publicznie. To dobry świat. On będzie go godzien. Dojrzały obywatel.

Sięgnął do kieszeni po oczko misia, ale go nie znalazł. Przez chwilę ogarnęła go panika tak gwałtowna, że musiał jakoś zareagować. Wyprostował się i mocno oparł nogi o podłogę, jakby przygotowywał się do skoku. Potem przypomniał sobie, że widział dziś rano szklany paciorek wśród drobnych monet na komodzie. Więc go nie zgubił. Był bezpieczny.

Uspokoił się i pociągnął łyk kawy, choć całkiem wystygła.

Dwudziestego dziewiątego kwietnia w dziale przesyłek na poczcie w Baltimore urzędnik zauważył, że z kartonowego pudełka zaadresowanego do sędziego Wilfreda Ennistona z piątego okręgu Sądu Apelacyjnego wycieka jakiś płyn. Po bliższych oględzinach okazało się, że ciecz wypaliła dziurę w pudełku. Inspektor powiadomił policję, która wysłała oddział saperów i skontaktowała się z Departamentem Sprawiedliwości.

Późnym wieczorem policjanci znaleźli trzydzieści cztery bomby. Znajdowały się w paczkach zaadresowanych do prokuratora generalnego Mitchella Palmera, sędziego Kenesawa Mountaina Landisa, Johna Rockefellera i trzydziestu jeden innych. Trzydzieści cztery niedoszłe ofiary zajmowały się pracą w przemyśle lub agencjach rządowych, których działalność miała wpływ na problemy imigracyjne.

Tego samego wieczoru w Bostonie Luis Frania – w imieniu Stowarzyszenia Robotników Litewskich – zwrócił się o pozwolenie na przemarsz pochodu pierwszomajowego od opery na Dudley Square po Franklin Park.

Prośba została odrzucona.

CZERWONE LATO

ROZDZIAŁ DWUDZIESTY SZÓSTY

Rankiem pierwszego maja Luther zjadł śniadanie w Solomon's Diner, po czym poszedł do pracy u Coughlinów. Wyszedł o wpół do szóstej. Zdążył dotrzeć do Columbus Square, kiedy czarny hudson porucznika McKenny oderwał się od krawężnika po drugiej stronie ulicy i z wolna zakręciwszy, stanął przed nim. Luther nie był zaskoczony. Ani zaniepokojony. Właściwie niewiele czuł.

W Solomon's Diner przeczytał „Standard". Jego wzrok natychmiast przyciągnął nagłówek – SPISEK CZERWONYCH W DNIU PIERWSZEGO MAJA. Jedząc jajecznicę, przeczytał o trzydziestu czterech bombach znalezionych w przesyłkach pocztowych. Na drugiej stronie zamieszczono pełną listę niedoszłych ofiar i Luther, choć nie był miłośnikiem białych sędziów ani urzędników, nadal czuł, jak krew ścina mu się w żyłach. Obudził się w nim poryw patriotycznej wściekłości – choć nie spodziewał się, że coś takiego może poczuć do kraju, który nigdy nie traktował jemu podobnych życzliwie ani sprawiedliwie. A jednak wyobraził sobie tych czerwonych, przeważnie obcokrajowców mówiących z akcentem równie brzydkim, jak ich brody, którzy chcą zniszczyć i osłabić jego kraj, a wtedy zapragnął dołączyć do tłumu, który się z nimi rozprawi, chciał powiedzieć komuś, komukolwiek: tylko dajcie mi karabin.

W gazecie napisali, że czerwoni planują rozpętać w tym dniu ogólnonarodową rewoltę. Sugerowano, że te trzydzieści cztery bomby to zapowiedź stu dalszych, które pewnie są już na miejscu, gotowe wybuchnąć. W zeszłym tygodniu na latarniach w całym mieście zawisły ulotki z takim samym tekstem:

Deportujcie nas. Śmiało. Wy stetryczali starcy u steru Stanów Zjednoczonych, ujrzycie czerwoną powódź! Już nadeszła i wkrótce zaleje was i zniszczy we krwi i ogniu. Wysadzimy was w powietrze!

We wczorajszym „Travelerze", jeszcze zanim zrobiło się głośno o tych trzydziestu czterech bombach, zamieszczono spis najnowszych, podburzających komentarzy amerykańskich wywrotowców, w tym Jacka Reeda, który nawoływał do „obalenia kapitalizmu i zaprowadzenia socjalizmu poprzez dyktaturę proletariatu", oraz przemówienie Emmy Goldman protestującej przeciwko poborowi do wojska i wzywającej robotników do „pójścia za przykładem Rosji".

Przykład Rosji, pomyślał Luther. Jak tak kochacie Rosję, to się tam przeprowadźcie. Razem z waszymi bombami i cuchnącym cebulą oddechem. Przez parę dziwnie radosnych godzin Luther nie czuł się kolorowym, nie czuł nawet, że istnieje takie zagadnienie, jak kolor skóry, czuł tylko jedno: był Amerykaninem.

To, oczywiście, zmieniło się natychmiast, gdy ujrzał McKennę. Grubas wysiadł z hudsona i uśmiechnął się szeroko. W ręku trzymał egzemplarz „Standarda".

– Czytałeś?

– Czytałem.

– Mamy przed sobą bardzo poważny dzień. – McKenna parę razy uderzył gazetą w pierś Luthera. – Gdzie moja lista?

– Moi ludzie to nie czerwoni – powiedział Luther.

– A, teraz to twoi ludzie?

Cholera, chciał powiedzieć Luther, zawsze byli moi.

– Skończyłeś moją piwniczkę? – spytał McKenna niemal śpiewnie.

– Pracuję nad nią.

Porucznik pokiwał głową.

– Chyba byś mnie nie okłamał?

Luther zaprzeczył.

– Gdzie moja lista, do cholery?

– W sejfie.

– Prosiłem cię tylko o jedną głupią listę. Dlaczego to takie trudne?

Luther wzruszył ramionami.
– Nie wiem, jak się włamać do sejfu.
Tamten pokiwał głową, jakby to było całkiem zrozumiałe.
– Przyniesiesz mi ją po pracy u Coughlinów. Przed knajpę Costello. W porcie. O szóstej.
– Nie wiem, jak mam to zrobić – powiedział dobitnie Luther. – Nie umiem się włamać do sejfu.
Tak naprawdę nie było żadnego sejfu. Pani Giddreaux trzymała listę w szufladzie biurka. Nie zamykała jej na klucz.
McKenna lekko trzepnął się gazetą w udo, jakby w zamyśleniu.
– Rozumiem, potrzebujesz natchnienia. Nie szkodzi. Każdy twórca ma swoją muzę.
Luther nie miał pojęcia, co się kroi, ale nie podobał mu się ten ton – lekki, pewny siebie.
Porucznik objął go za ramiona.
– Gratulacje.
– Z powodu?
W oczach Eddiego zapaliło się radosne światełko.
– Twojego ślubu. Rozumiem, że na jesieni zeszłego roku ożeniłeś się w Tulsie w stanie Oklahoma z niejaką Lilą Waters, niegdyś zamieszkałą w Columbus w stanie Ohio. Wspaniała instytucja, to małżeństwo.
Luther nie odpowiedział, choć był pewien, że w jego oczach błysnęła nienawiść. Najpierw Diakon, teraz porucznik Eddie McKenna z bostońskiej policji – gdziekolwiek poszedł, Bóg z jakiegoś powodu stawiał mu na drodze demony.
– Zabawne, kiedy zacząłem się rozglądać w Columbus, okazało się, że wystawiono tam nakaz aresztowania i twojej żonki.
Luther parsknął śmiechem.
– To cię śmieszy?
– Gdyby pan znał moją żonę, McKenna, też by się pan śmiał.
– Na pewno, Lutherze. – McKenna kilka razy pokiwał głową. – Problem w tym, że ten nakaz jest całkiem realny. Twoja żona i chłopak nazwiskiem Jefferson Reese – brzmi znajomo? – okradali swoich pracodawców, rodzinę Hammondów. Najwyraźniej robili to od lat, po czym twoja ukochana uciekła do Tulsy. Ale pan Reese dał się aresztować z jakimiś srebrnymi ramkami i gotówką, a wtedy zwalił całą winę

na twoją żonę. Najwyraźniej sądził, że jeśli podzieli się z kimś odpowiedzialnością za ten interes, kara będzie łagodniejsza. Jednak sąd nie miał litości i gość trafił do więzienia. A nakaz aresztowania twojej żony nadal jest prawomocny. Żonka jest, jak słyszę, w ciąży. Więc mieszka sobie – sprawdźmy, czy pamiętam – na Elwood Street siedemnaście w Tulsie i wątpię, żeby z tym brzuchem mogła się chyżo rzucić do ucieczki. – McKenna uśmiechnął się i poklepał Luthera po twarzy. – Widziałeś, jakie akuszerki sprowadzają do wiejskich więzień?

Luther nie odważył się odezwać.

McKenna uderzył go w twarz, nadal z uśmiechem.

– Nie są to najłagodniejsze z duszyczek, zapewniam cię. Pokazują matce dziecko i od razu zabierają je – oczywiście, jeśli jest czarne – do sierocińca. Naturalnie nie byłoby tak, gdyby ojciec znajdował się w okolicy, ale ciebie przecież tam nie ma, prawda? Jesteś tutaj.

– Więc co mam zrobić...

– Już ci, kurwa, powiedziałem. Powiedziałem ci, kurwa, raz i drugi. – McKenna zacisnął dłoń na szczęce Luthera i spojrzał mu z bliska w twarz. – Zdobądź tę listę i przynieś ją do Costella o szóstej. Żadnych gównianych wymówek. Zrozumiano?

Luther zamknął oczy i skinął głową. McKenna puścił jego twarz i cofnął się o krok.

– Nienawidzisz mnie w tej chwili, to widać. Ale dziś wyrównamy rachunki w tym naszym miasteczku. Dziś czerwoni – wszyscy, nawet kolorowi – dostaną nakaz eksmisji z tego pięknego miejsca. – Rozłożył ręce i wzruszył ramionami. – A jutro mi podziękujesz, bo znowu będziemy żyć w pięknej okolicy.

Raz jeszcze trzepnął gazetą o udo i skinął Lutherowi poważnie głową, po czym ruszył do samochodu.

– Popełnia pan błąd – rzucił Luther.

McKenna obejrzał się przez ramię.

– Co?

– Popełnia pan błąd.

Tamten wrócił i uderzył go w brzuch. Powietrze uszło z płuc Luthera i wydawało się, że już do nich nie wróci. Padł na kolana i otworzył usta, ale gardło mu się zacisnęło tak samo, jak płuca i przerażająco długo nie potrafił złapać tchu. Był pewien, że umrze w tej chwili, na klęczkach, z twarzą posiniałą jak od grypy.

Kiedy wreszcie powietrze wpadło mu do krtani, przeszyło ją boleśnie jak szpada. Pierwszy oddech zabrzmiał jak zgrzyt kół pociągu, po nim nastąpił drugi i kolejny, aż wróciły do normy, choć były trochę zduszone.

McKenna stał nad nim cierpliwie.

– Co powiedziałeś? – spytał cicho.

– Stowarzyszenie to nie czerwoni – powiedział Luther. – A jeśli nawet jacyś w nim są, to nie ci, którzy wysadzają wszystko w powietrze albo strzelają.

Policjant uderzył go w skroń.

– Chyba cię nie dosłyszałem.

Luther zobaczył własne odbicie w oczach tamtego.

– A jak myślisz? Że banda kolorowych będzie biegać po tych ulicach z bronią? Że damy tobie i wszystkim innym durnym wsiokom powód, żebyście nas zabili? Myślisz, że chcemy zostać zmasakrowani? – Spojrzał na grubasa, który zaciskał pięści. – Masz tu, McKenna, bandę zagranicznych sukinsynów, co chcą rozpętać rewolucję, więc ich łap. Wytłucz jak psy. Nie mam dla nich żadnej sympatii. Podobnie jak inni kolorowi. To także nasz kraj.

McKenna cofnął się o krok i zastanowił się z krzywym uśmiechem.

– Coś powiedział?

Luther splunął na ziemię i nabrał tchu.

– To także nasz kraj.

– Nie jest wasz, synu. – Porucznik pokręcił dużą głową. – I nigdy nie będzie.

Zostawił Luthera, wsiadł do samochodu i odjechał. Luther podniósł się z klęczek i parę razy odetchnął. Mdłości prawie ustąpiły.

– Będzie – szepnął i powtarzał to raz po raz, aż tylne światła wozu McKenny znikły na Massachusetts Avenue. – Będzie – szepnął po raz ostatni i splunął do rynsztoka.

Tego ranka z posterunku dziewiątego w Roxbury zaczęły dochodzić meldunki, że przed operą na Dudley gromadzi się tłum. Wszystkie posterunki poproszono o przysłanie wsparcia, a ludzie z oddziału policji konnej spotkali się w stajniach i zaczęli przygotowywać konie.

Policjanci ze wszystkich posterunków zostali oddani pod rozkazy porucznika McKenny. Zebrali się na parterze przestronnego holu przed stanowiskiem oficera dyżurnego, a Eddie przemówił do nich z podestu schodów, biegnących łukiem na piętro.

– Jesteśmy szczęśliwymi wybrańcami – oznajmił, obdarzając wszystkich łagodnym uśmiechem. – Panowie, przed operą Lettsi organizują nielegalną demonstrację. Co o tym sądzicie?

Nikt nie wiedział, czy to pytanie retoryczne, więc nikt nie odpowiedział.

– Watson?

– Tak?

– Co sądzisz o tym nielegalnym zgromadzeniu?

Watson, którego polscy przodkowie zastąpili tym nazwiskiem własne, długie i niewymawialne, wyprężył się na baczność.

– Powiedziałbym, że wybrali zły dzień.

McKenna uniósł rękę.

– Przysięgliśmy chronić i służyć Amerykanom w ogólności, a bostończykom szczególnie. Lettsi... – Zaśmiał się cicho. – Lettsi, panowie, nie są ani jednym, ani drugim. Bezbożnicy i wywrotowcy, oto, kim są. Postanowili zignorować wyraźny zakaz władz miasta i zaplanowali manifestację od Opera House przez Dudley Street po Upham's Corner w Dorchester. Stamtąd zamierzają skręcić na Columbia Road i iść dalej aż do Franklin Park, gdzie będą demonstrować dla poparcia swoich towarzyszy – tak, towarzyszy – z Węgier, Bawarii, Grecji i, oczywiście Rosji. Czy są między nami jacyś Rosjanie?

Ktoś krzyknął: „Nie, do cholery!", a wszyscy powtórzyli to ze śmiechem.

– Bolszewicy?

– Nie, do cholery!

– Tchórzliwe, niewierzące, wywrotowe, parszywe, garbatonose, antyamerykańskie psojeby?

Wszyscy zaśmiewali się, krzycząc:

– Nie, do cholery!

McKenna oparł się o balustradę i wytarł czoło chusteczką.

– Trzy dni temu burmistrz Seattle dostał w poczcie bombę. Na szczęście dla niego paczkę odebrała gosposia. Biedna kobieta leży w szpitalu. Nie ma rąk. Wczoraj, na pewno wiecie, poczta przejęła trzydzieści cztery bomby, mające zabić prokuratora generalnego tego wielkiego kraju, a także kilku wykształconych sędziów i kapitanów. Dziś radykałowie wszelkiej maści – ale przeważnie bezbożni bolszewicy – poprzysięgli rozpocząć ogólnonarodową rewoltę we wszystkich największych miastach tego pięknego kraju. Panowie, pytam was: czy w takim kraju chcemy żyć?

– Nie, do cholery!

Mężczyźni wokół Danny'ego zaczęli się kręcić, przestępować z nogi na nogę.

– Czy chcielibyście wyjść teraz tylnymi drzwiami, oddać ten kraj hordzie wywrotowców i poprosić, żeby łaskawie nie zapomnieli zgasić światła wieczorem?

– Nie, do cholery!

Ramiona obijały się o siebie, Danny czuł pot, przepite oddechy i dziwny odór spalonych włosów, gryzący zapach furii i strachu.

– A może – krzyknął McKenna – wolelibyście odebrać ten kraj z ich rąk?

Wszyscy tak się przyzwyczaili do krzyczenia „Nie, do cholery", że paru znowu tak zawołało.

McKenna uniósł brew.

– Pytałem: chcecie odebrać ten kraj z ich rąk?

– Tak, do cholery!

Obok Danny'ego stały dziesiątki policjantów, którzy przychodzili na zebrania BKS. Jeszcze wczoraj narzekali na to, jak są traktowani w policji i wyrażali solidarność ze wszystkimi robotnikami świata, walczącymi z bogaczami. Ale teraz, w tej chwili, dali się porwać uczuciu jedności i wspólnego celu.

– Wszyscy idziemy do Dudley Opera House – oznajmił McKenna. – Mamy nakazać tym wywrotowcom, tym komunistom i anarchistom, żeby się wycofali!

Odpowiedział mu nieartykułowany, zbiorowy ryk.

– Powiemy im prosto: „Nie na mojej zmianie!" – McKenna oparł się o balustradę, wyciągnął szyję i wysunął szczękę. – Czy powiecie to razem ze mną, panowie?

– Nie na mojej zmianie! – ryknęli.

– Jeszcze raz.

– Nie na mojej zmianie!

– Jesteście ze mną?

– Tak!

– Boicie się?

– Nie, do cholery!

– Jesteście z bostońskiej policji!

– Tak, do cholery!

– Najlepszej, najbardziej cenionej policji w czterdziestu ośmiu stanach?

– Tak, do cholery!

McKenna przesuwał po nich powolnym spojrzeniem. Danny nie dostrzegł w jego oczach dawnego poczucia humoru, ironicznego błysku. Tylko niezłomną pewność. Zrobił pauzę dla zbudowania napięcia, a zebrani przestępowali z nogi na nogę, wycierając ręce o spodnie.

– W takim razie – syknął – chodźmy zarobić na pensję!

Wszyscy ruszyli w kilku kierunkach jednocześnie, wpadając na siebie. Potem ktoś znalazł wyjście i pomaszerowali ławą przez korytarz. Wyszli na tyły budynku; niektórzy już zaczęli walić pałkami o ściany i pokrywy metalowych kubłów na śmieci.

Mark Denton odnalazł Danny'ego.

– Tak się zastanawiam...

– Nad czym?

– Utrzymujemy pokój czy go kończymy?

Danny spojrzał na niego.

– Dobre pytanie.

Kiedy wyszli zza zakrętu na Dudley Square, Luis Frania stał na schodach opery i przemawiał przez megafon do tłumu liczącego kilka setek ludzi.

– ...mówią, że mamy prawo...

Na ich widok opuścił megafon, a potem znowu go podniósł.

– A oto oni, prywatna armia klasy rządzącej. – Wskazał palcem i tłum odwrócił się w stronę zmierzających ku nim oddziałów w granatowych mundurach.

– Towarzysze, nacieszcie wasze oczy widokiem tego, do czego jest zdolne przegniłe społeczeństwo, by zachować złudzenia co do siebie. Nazywają ten kraj Ziemią Wolności, ale nie ma tu wolności słowa, prawda? Ani prawa do zgromadzeń. Nie dziś, nie dla nas. Postąpiliśmy zgodnie z procedurą. Złożyliśmy wniosek o prawo do zorganizowania manifestacji, ale nam go odmówiono. A dlaczego? – Frania rozejrzał się po tłumie. – Bo się nas boją.

Lettsi odwrócili się ku policjantom. Na schodach obok Frani Danny zobaczył Nathana Bishopa. Wydawał się drobniejszy, niż go zapamiętał. Bishop spojrzał na niego i zrobił dziwny ruch głową. Danny nie odwrócił oczu. Chciał się zmusić do dumnego spojrzenia, choć nie czuł dumy. Nathan Bishop go rozpoznał, przez jego twarz przebiegł błysk zrozumienia, goryczy, a potem – najdziwniejsze – okropna rozpacz.

Danny spuścił oczy.

– Spójrzcie na nich, w tych hełmach. Z tymi pałkami i bronią. To nie są siły prawa. To siły ucisku. I boją się – są przerażeni, towarzysze – bo słuszność moralna jest po naszej stronie. To my mamy rację. My jesteśmy ludźmi pracy i nie damy się odesłać do swoich pokojów!

McKenna także podniósł megafon.

– Łamiecie przepisy, gromadząc się bez zezwolenia!

– Wasze przepisy to fałsz! – odkrzyknął Frania przez megafon. – Wasze władze kłamią!

– Rozkazuję wam się rozejść. – Głos McKenny rozlegał się echem w ciszy poranka. – Jeśli odmówicie, zostaną podjęte środki przymusowe.

Dzieliło ich tylko piętnaście metrów. Twarze Lettsów były wynędzniałe i zdeterminowane. Danny zajrzał im w oczy, szukając strachu i znalazł go bardzo niewiele.

– Mają tylko przemoc! – krzyknął Frania. – Przemoc to broń wszystkich tyranów, od zarania dziejów. Przemoc to nierozsądna reakcja na rozsądne działanie. Nie złamaliśmy żadnego prawa!

Lettsi ruszyli ku policjantom.

– Złamaliście rozporządzenie jedenaście myślnik cztery…

– Gwałci pan nasze konstytucyjne prawa.

– Jeśli się nie rozejdziecie, zostaniecie aresztowani. Zejdźcie ze schodów.

– Nie pozwolę się usunąć stąd inaczej niż…

– To jest rozkaz!

– Nie uznaję pańskiej władzy.

– Łamie pan prawo!

Dwa tłumy stanęły naprzeciwko siebie.

Przez chwilę wydawało się, że nikt nie wie, co teraz robić. Policjanci stali wśród Lettsów, Lettsi wśród policjantów, a nikt nie miał pojęcia, jak to się stało, że są tak blisko siebie. Jakiś gołąb gruchał na parapecie okna, w powietrzu nadal pachniało wilgocią. Z dachów wokół Dudley Square unosiły się ostatnie smużki porannej mgły. Z tak bliska Danny nie rozróżniał, kto jest policjantem, a kto uczestnikiem manifestacji. Potem od strony opery nadeszła grupa brodatych Lettsów z trzonkami od siekier. Wielkie chłopy, Rosjanie, sądząc z wyglądu, o oczach nieskażonych wątpliwościami.

Pierwsi dotarli do tłumu i unieśli trzonki.

– Nie! – krzyknął Frania, ale jego głos został zagłuszony trzaskiem drewna, uderzającego o hełm Jamesa Hinmana z czternastki. Hełm wyprysnął w górę i zawisł na tle nieba. Potem runął z brzękiem na bruk, a Hinman zniknął.

Demonstrant stojący najbliżej Danny'ego był chudym Włochem z sumiastymi wąsami i w tweedowym kaszkiecie. W chwili, gdy się zorientował, że stoi blisko gliniarza, Danny wbił mu łokieć w usta, a tamten spojrzał na niego takim wzrokiem, jakby złamał mu serce, a nie wybił zęby. Runął na chodnik. Następny Letts zaatakował Danny'ego, tratując swojego towarzysza. Danny wyjął pałkę, ale nagle za wielkim Lettsem wyrósł Kevin McCrae i chwycił go za włosy. Rzucił Danny'emu dziki uśmiech, powlókł Lettsa przez tłum i cisnął go o ścianę.

Danny przez chwilę boksował się z małym, łysiejącym Rosjaninem. Drań był drobny, ale miał dobry prawy prosty, a na ręce włożył kastety. Danny tak bardzo skoncentrował się na atakach na jego twarz, że odsłonił ciało. Walczyli na lewym skrzydle tłumu. Danny usiłował zadać nokautujący cios, tamten robił uniki, ale nagle stopa mu uwięzła między kamieniami bruku i stracił równowagę. Zachwiał się i padł na plecy; usiłował natychmiast się poderwać, ale Danny postawił mu nogę na piersi i kopnął go w twarz. Rosjanin zwinął się i zwymiotował.

Rozległy się gwizdki; oddział konny usiłował wtargnąć w tłum, ale konie się płoszyły. Lettsi i policjanci walczyli spleceni ze sobą, Lettsi wywijali kijami, rurami i łomami, oraz, o Jezu, szpikulcami do lodu!

Rzucali kamieniami, tłukli pięściami kogo popadło. Policjantów też zaczynało już ponosić, sięgali palcami do oczu, gryźli w uszy i nosy, tłukli głowami przeciwników o chodnik. Ktoś strzelił, jeden z koni stanął dęba i zrzucił jeźdźca, przechylił się w prawo i upadł, młócąc kopytami wszystkich, którzy znaleźli się dookoła.

Dwaj Lettsi chwycili Danny'ego pod pachy; jeden uderzył go w skroń. Powlekli go po bruku i cisnęli nim o metalową kratę chroniącą wystawę sklepu. Pałka wypadła mu z ręki. Jeden walnął go w prawe oko. Danny wierzgnął na oślep, trafił w czyjąś kostkę, wbił komuś kolano w lędźwie. Tamten stęknął, a Danny cisnął nim o kratę i wyszarpnął jedną rękę; drugi napastnik zatopił zęby w jego ramieniu. Danny obrócił się wraz z nim i uderzył ciałem przeciwnika o ceglaną ścianę. Poczuł, że tamten go puszcza. Zrobił parę kroków naprzód i jeszcze raz walnął tamtym w mur, z dwa razy większym rozpędem. Kiedy gość oderwał się od niego, Danny odwrócił się, podniósł pałkę i uderzył go w twarz. Trzasnęła kość policzkowa.

Danny dodał jeszcze kopniaka w żebra i wrócił na ulicę. Jakiś Letts szarżował na policjanta na koniu, zamierzając się rurą na wszystkie hełmy, jakie dostrzegł. Kilka koni biegało już bez jeźdźców. Po drugiej stronie ulicy dwóch policjantów układało Francie Stoddarda, sierżanta z dziesiątki, w karetce. Stoddard miał rozdziawione usta, kołnierzyk rozpięty, jedną rękę przyciskał do piersi.

Rozległy się strzały; Paul Welch, sierżant z szóstki, obrócił się gwałtownie, trzymając się za biodro. Zniknął w tłumie. Danny usłyszał kroki i odwrócił się w samą porę, by uskoczyć przed Lettsem, który szarżował na niego ze szpikulcem do lodu. Walnął go pałką w splot słoneczny. Tamten spojrzał na niego żałośnie i ze wstydem. Z ust trysnęła mu ślina. Kiedy upadł na chodnik, Danny chwycił szpikulec i wrzucił na najbliższy dach.

Ktoś chwycił za nogę Lettsa, jadącego na koniu, a ten spadł w tłum. Koń pognał galopem przez Dudley Street ku torom kolejki. Danny'emu krew płynęła po plecach, prawym okiem widział coraz gorzej i czuł, że powieka mu puchnie. Głowa bolała go, jakby mu w nią wbijał gwoździe. Lettsi przegrają, Danny nie miał wątpliwości, ale policjanci zwyciężali dzięki przewadze liczebnej. Gliniarze byli już teraz na całej ulicy. Ogromni Lettsi w kozackich strojach krzyczeli tryumfalnie, górując nad tłumem.

Danny wdarł się w ciżbę, tłukąc pałką na prawo i lewo. Usiłował sobie wmówić, że to mu się nie podoba, że serce mu nie rośnie, bo jest wyższy, silniejszy i szybszy od większości tu obecnych i może powalić mężczyznę jednym ciosem, czy to pięści, czy pałki. Sześcioma uderzeniami znokautował czterech Lettsów; a wtedy poczuł, że ktoś bierze go na cel. Zobaczył wymierzony w siebie rewolwer, zobaczył ziejącą czerń lufy i oczu młodego Lettsa, właściwie chłopca, góra dziewiętnastoletniego. Rewolwer dygotał, ale to nie było żadne pocieszenie, bo chłopak stał niespełna pięć metrów dalej, a tłum rozstąpił się, by miał dobry strzał. Danny nawet nie sięgnął po broń, nie zdążyłby strzelić.

Palec chłopaka pobielał na spuście. Bębenek się obrócił. Danny zastanowił się, czy nie zamknąć oczu, ale potem ramię chłopaka podskoczyło w górę. Rewolwer poszybował pod niebo.

Obok chłopca stał Nathan Bishop, rozcierając przegub, którym podbił łokieć chłopaka. Wyglądał, jakby prawie nie brał udziału w bójce, ubranie miał wymięte, lecz niemal czyste, a to było coś, bo nosił kremowy garnitur, a otaczało go morze czarnych i błękitnych ubrań. Miał pęknięte jedno szkło okularów. Spojrzał na Danny'ego przez drugie. Obaj byli zdyszani. Danny poczuł, oczywiście, ulgę. I wdzięczność. Ale przede wszystkim wstyd. Większy niż kiedykolwiek.

Między nich wpadł koń, wielki, czarny, drżący kształt, gładki bok. Następny koń wtargnął w tłum, za nim dwa inne, wszystkie z jeźdźcami na grzbietach. Za nimi nadciągała armia granatowych mundurów, jeszcze świeżych, czystych. Mur ludzi wokół Danny'ego i Nathana Bishopa oraz chłopca z rewolwerem rozproszył się szybko. Kilku Lettsów walczyło w ojczyźnie w partyzantce i znało zalety zorganizowanego odwrotu. W zamieszaniu Danny stracił z oczu Nathana Bishopa. W ciągu minuty większość Lettsów uciekała już w stronę opery, a na Dudley Square zaroiło się od granatowych mundurów. Danny i inni gliniarze spojrzeli na siebie, jakby pytali: czy to się wydarzyło naprawdę?

Ale na ulicy i pod ścianami leżały ciała, a nowo przybyli policjanci tłukli pałkami tych nielicznych przeciwników, którzy nie uciekli – czy się ruszali, czy nie. W oddali mała grupka demonstrantów, chyba najbardziej opieszałych, została oddzielona od reszty przez funkcjonariuszy na koniach. Gliniarze mieli poranione głowy, kolana i krwawiące szramy na ramionach i udach, jak również opuchnięcia, podbite oczy, złamane ręce i obrzmiałe wargi. Danny dostrzegł usiłującego wstać Marka Dentona i podszedł, żeby mu pomóc. Mark wstał, oparł ciężar ciała na prawej nodze i skrzywił się.

– Złamana? – spytał Danny.

– Chyba naciągnięta. – Mark zarzucił mu rękę na ramię i ruszyli na drugą stronę ulicy. Denton sykał przy każdym oddechu.

– Na pewno?

– Może skręcona. Cholera, Dan, zgubiłem hełm.

Miał ranę, biegnącą wzdłuż linii włosów. Zaschła na niej czarna krew. Wolną ręką trzymał się za bok. Danny oparł go o furgonetkę policyjną. Nad sierżantem Franciem Stoddardem klęczało dwóch policjantów. Jeden spojrzał na nich i pokręcił głową.

– Co? – spytał Danny.

– Nie żyje – odpowiedział tamten.

– Co? – poderwał się Mark. – Nie! Jak, do cholery...

– Złapał się za pierś. W samym środku tego wszystkiego. Złapał się za pierś, poczerwieniał i zaczął łapać powietrze. Doprowadziliśmy go tutaj, ale... – Gliniarz wzruszył ramionami. – Zasrany zawał. Uwierzycie? Tutaj? Teraz? – Powiódł wzrokiem po ulicy.

Jego partner nadal trzymał Stoddarda za rękę.

– Cholernik jeszcze nie miał trzydziestki i tak skończył? – Zaczął płakać. – I tak skończył, przez nich?

– Jezu Chryste! – szepnął Mark i dotknął dłonią czubka buta Stoddarda. Pracowali razem przez pięć lat w dziesiątce na Roxbury Crossing.

– Welcha trafili w udo – dodał pierwszy policjant. – A Armstronga w rękę. Skurwiele walczyli szpikulcami do lodu.

– Zapłacą za to, jak diabli – powiedział Mark.

– Jak cholera – odparł ten, który płakał. – Możesz być tego pewien jak diabli.

Danny odwrócił wzrok od ciała Stoddarda. Na Dudley Street wjechały karetki. Po drugiej stronie placu z chodnika podniósł się chwiejnie policjant, otarł krew z oczu i znowu się pochylił. Wytrząsnął na leżącego Lettsa śmieci z kubła, którym na koniec go zdzielił. Danny dostrzegł kremowy garnitur i ruszył z miejsca. Szedł w ich stronę, gdy policjant kopnął tamtego tak mocno, że ciało przeciwnika uniosło się z ziemi.

Twarz Nathana Bishopa wyglądała jak rozgnieciona śliwka. Jego zęby leżały na ziemi wokół głowy. Jedno ucho było do połowy oderwane. Palce obu rąk odstawały w dziwnych kierunkach.

Danny położył rękę na ramieniu gliniarza. Był to Henry Temple, bandzior z oddziału specjalnego.

– Już go załatwiłeś – powiedział Danny.

Temple gapił się na niego przez chwilę, jakby szukał właściwej odpowiedzi. Potem wzruszył ramionami i odszedł.

Kilku sanitariuszy przemknęło obok z noszami.

– Mamy tu jednego – powiedział Danny.

Sanitariusz skrzywił się.

– Nie ma odznaki? Niech się cieszy, jak go zgarniemy przed zachodem słońca.

I odszedł.

Nathan Bishop otworzył lewe oko. Wydawało się uderzająco białe w zmasakrowanej twarzy.

Danny rozchylił wargi. Chciał coś powiedzieć. Przeprosić. Poprosić o wybaczenie. Ale milczał.

Nathan miał porozrywane wargi, ale zdołał się gorzko uśmiechnąć.

– Nazywam się Nathan Bishop – wymamrotał. – A ty?

Znowu zamknął oczy, a Danny spuścił głowę.

Luther miał godzinę do obiadu. Pobiegł przez most na Dover Street do domu państwa Giddreaux, który ostatnio stał się kwaterą główną bostońskiej filii stowarzyszenia. Pani Giddreaux niemal codziennie pracowała z tuzinem kobiet w piwnicy, gdzie drukowano „Crises" i wysyłano do prenumeratorów w kraju. Luther wszedł do pustego domu, tak jak się spodziewał – w ładne dni panie jadły obiad w Union Park o parę przecznic dalej, a był to najpiękniejszy dzień tej dość surowej wiosny. Luther wszedł do gabinetu pani Giddreaux. Usiadł za jej biurkiem i otworzył szufladę. Wyjął księgę i położył ją na biurku. Siedział tak przez pół godziny, aż pani Giddreaux weszła do domu.

Powiesiła płaszcz i szalik.

– Lutherze, kochany, co ty tu robisz?
Luther puknął palcem w księgę.
– Jeśli nie dam tej listy policjantowi, każe aresztować moją żonę, a zaraz po porodzie odbiorą jej dziecko.
Uśmiech pani Giddreaux zbladł i zniknął.
– Słucham?
Luther powtórzył.
Kobieta usiadła na krześle naprzeciwko.
– Opowiedz od początku.
Luther opowiedział jej o wszystkim, nie wspomniał tylko o tej piwniczce, którą zbudował pod kuchenną podłogą domu na Shawmut Avenue. Dopóki się nie dowie, na co ona McKennie, nie zamierzał o niej mówić. A kiedy opowiadał, życzliwa, stara twarz pani Giddreaux straciła wyraz życzliwości i starości. Stała się gładka i nieruchoma jak nagrobek.
Kiedy skończył, spytała:
– Nie dałeś mu żadnego argumentu przeciwko nam? Ani razu nie zabawiłeś się w donosiciela?
Luther spojrzał na nią z otwartymi ustami.
– Odpowiedz na pytanie. To nie jest zabawa.
– Nie. Nigdy mu nic nie powiedziałem.
– To bez sensu.
Luther nie odpowiedział.
– Nie mógł cię zastraszyć, nie wciągając w to bagno. Policjanci tak nie działają. Kazałby ci coś podłożyć tutaj albo w tym nowym budynku, coś nielegalnego.
Luther pokręcił głową.
Staruszka patrzyła na niego surowo, oddychając cicho i spokojnie.
– Lutherze.
Opowiedział jej o piwniczce.
Spojrzała na niego z tak bolesnym zdziwieniem, że miał ochotę wyskoczyć przez okno.
– Dlaczego nie przyszedłeś do nas od razu, gdy cię dopadł?
– Nie wiem.
Pokręciła głową.
– Nie ufasz nikomu, synu? Nikomu?

Luther zacisnął usta.

Pani Giddreaux sięgnęła do telefonu, stuknęła w widełki, założyła pasmo włosów za uszy.

– Edna? Kochana, przyślij wszystkie maszynistki na górę. Niech usiądą w salonie i jadalni. Słyszysz? Natychmiast. I niech wezmą ze sobą maszyny do pisania. Aha, i jeszcze jedno. Masz tam książki telefoniczne, co? Nie, nie Bostonu. Masz Filadelfię? Dobrze. Też mi przyślij.

Odłożyła słuchawkę i lekko zabębniła palcami o wargi. Kiedy znowu spojrzała na Luthera, gniew zniknął z jej oczu, a jego miejsce zajęło ożywienie. Potem znowu spochmurniała, a jej palce znieruchomiały.

– Co? – spytał Luther.

– Niezależnie od tego, co mu dziś przyniesiesz, może cię aresztować albo zastrzelić.

– Dlaczego?

Spojrzała na niego poważnie.

– Bo mu wolno. Zacznijmy od początku. – Lekko pokręciła głową. – Zrobi to, ponieważ dałeś mu listę. Mógłbyś o tym opowiedzieć komuś w więzieniu.

– A jeśli jej nie przyniosę?

– Wtedy po prostu cię zabije – powiedziała łagodnie. – Strzeli ci w plecy. Nie, musisz mu ją przynieść. – Westchnęła.

Luther skupił się na tym, co powiedziała o zabijaniu.

– Zadzwonię do paru osób. Na początek do doktora Du Bois. – Jej palce stukały teraz w podbródek. – Do departamentu prawnego w Nowym Jorku, to na pewno. I w Tulsie.

– W Tulsie?

Zerknęła na niego, jakby zapomniała o jego obecności.

– Jeśli się nie uda i jakiś policjant zjawi się, żeby aresztować twoją żonę... Zanim dotrą na miejsce, na schodach więzienia będzie czekać na nią adwokat. Jak sądzisz, z czym masz tu do czynienia?

– Ja, ja, ja... – zająknął się Luther.

– Ty, ty, ty – mruknęła pani Giddreaux i uśmiechnęła się blado. – Lutherze, masz dobre serce. Nigdy nie sprzedasz swojego ludu. Czekałeś tu na mnie, podczas gdy człowiek podlejszego ducha wyszedłby z tą księgą. I, synu, doceniam to. Ale jesteś jeszcze chłopcem. Dzieckiem. Gdybyś zaufał nam przed czterema miesiącami, nie znalazłbyś się w takich tarapatach. I my też nie. – Poklepała go po ręce. – Nie szkodzi. Każdy niedźwiedź był kiedyś niedźwiedziątkiem.

Zaprowadziła go z gabinetu do salonu, do którego weszło tuzin kobiet, uginających się pod ciężarem z maszyn do pisania. Połowa z nich była kolorowa, połowa biała, głównie studentki, głównie bogate. Te zerknęły na Luthera z odrobiną obawy i czegoś jeszcze, nad czym nie chciało mu się zastanawiać.

– Dziewczęta, połowa zostanie tutaj, połowa przejdzie do tamtego pokoju. Która ma książkę telefoniczną?

Jedna z dziewcząt niosła ją na maszynie do pisania. Odwróciła się do pani Giddreaux.

– Weź ją ze sobą, Carol.

– Ale na co, bo nie idzie zrozumieć?

Pani Giddreaux spojrzała ostro na dziewczynę.

– Ale po co, Regino, bo nie mogę zrozumieć, Regino.

– Ale po co? – wymamrotała Regina.

Pani Giddreaux uśmiechnęła się do Luthera.

– Podrzemy ją na kawałki, a potem napiszemy od nowa.

Policjanci zdolni do poruszania się o własnych siłach wrócili do dziewiątki i tam w piwnicy zajęli się nimi sanitariusze. Danny, zanim odszedł, zobaczył, jak gliniarze wrzucają Nathana Bishopa i pięciu innych radykałów na tył samochodu, tak jak się wrzuca ryby na lód. Potem zatrzasnęli drzwi i odjechali. W piwnicy oczyszczono i zszyto mu ramię, dano worek lodu na oko, choć było już za późno, żeby powstrzymać opuchliznę. Pół tuzina policjantów, którym się wydawało, że nic im nie jest, było w błędzie. Koledzy pomogli im wyjść po schodach na ulicę, skąd karetki zabrały ich do szpitala. Zjawiła się grupa z wydziału zaopatrzenia, która przyniosła nowe mundury. Kapitan Vance przypomniał z pewnym zażenowaniem, że za mundury, jak zawsze, potrącą im z pensji, ale zrobi, co można, żeby uzyskać wyjątkową redukcję kosztów ze względu na okoliczności.

Kiedy wszyscy zebrali się w piwnicy, porucznik Eddie McKenna wszedł na podium. Miał ranę na karku, oczyszczoną, lecz niezabandażowaną, a biały kołnierzyk pociemniał mu od krwi. Mówił niemal szeptem, więc wszyscy pochylali się ku niemu.

– Dziś straciliśmy jednego z nas. Prawdziwego policjanta, gliniarza z krwi i kości. Teraz jesteśmy gorsi, a świat jest gorszym miejscem. – Na chwilę spuścił głowę. – Dziś odebrali nam jednego z naszych, ale nie zabrali nam honoru. – Przeszył ich spojrzeniem zimnych, przejrzystych oczu. – Nie zabrali nam odwagi. Nie zabrali nam męstwa. Zabrali tylko jednego z naszych braci.

Dziś w nocy wrócimy na ich terytorium. Poprowadzimy was ja i kapitan Vance. Naszym celem jest ta czwórka: Luis Frania, Wychek Olafski, Piota Rastorov i Luigi Broncona. Mamy zdjęcia Frani i Olafskiego i portrety pamięciowe dwóch pozostałych. Ale nie poprzestaniemy na nich. Pokonamy naszego wspólnego wroga. Wszyscy wiecie, jak wygląda. Nosi mundur, tak jak my. Nasz jest granatowy, a ich to robocze ubranie i wełniana czapka. Mają w oczach fanatyczny blask. Wyjdziemy na te ulice i przepędzimy ich. Co do tego – powiódł wzrokiem po zebranych – nie ma wątpliwości. Istnieje tylko jedno wyjście. – Oparł ręce na mównicy, z wolna przesuwając spojrzeniem z lewa na prawo. – Dziś, moi bracia, nie ma rang. Nie ma różnicy między pierwszorocznym młokosem i policjantem z dwudziestoletnim stażem i złotą odznaką. Bo dziś wszystkich nas zjednoczyły czerwień krwi i błękit naszych mundurów. Nie zapominajcie, jesteśmy żołnierzami. A jak napisał poeta, „Przechodniu, powiedz Sparcie, tu leżym, jej syny, prawom jej do ostatniej posłuszni godziny". Niech to będzie waszym mottem. Niech to będzie wam wezwaniem do boju.

Zasalutował i zszedł z mównicy, a wszyscy wstali jak na komendę i odpowiedzieli salutem. Danny przypomniał sobie poranny chaos wściekłości i gniewu i nie znalazł tych uczuć. Za sprawą McKenny policjanci stali się Spartanami, walecznymi i tak posłusznymi obowiązkom, że stracili własną osobowość.

ROZDZIAŁ DWUDZIESTY SIÓDMY

Kiedy pod drzwiami „The Revolutionary Age" pojawili się pierwsi policjanci, Luis Frania już na nich czekał w towarzystwie dwóch prawników. Został skuty kajdankami i wyprowadzony do więźniarki na Humboldt Avenue. Prawnicy pojechali wraz z nim.

Pojawiły się już wieczorne wydania gazet i gdy zapaliły się latarnie, wiedziano o oburzającym porannym ataku na policję. Danny z dziewiętnastoma innymi funkcjonariuszami został wysadzony na rogu Warren i St James. Stan Billups, sierżant dyżurny, kazał im się rozproszyć i iść grupkami po cztery osoby. Danny przeszedł parę przecznic z Mattem Marchem, Billem Hardym i facetem z dwunastki, którego dotąd nie znał, a który nazywał się Dan Jeffries. Jeffries nie wiadomo dlaczego strasznie się ucieszył, że poznał swojego imiennika, jakby to był dobry znak. Na chodniku stało pół tuzina mężczyzn w roboczych ubraniach, mężczyzn w tweedowych kaszkietach i wytartych szelkach, prawdopodobnie robotników portowych, którzy najwyraźniej przeczytali popołudniówki i akurat pili w barze.

– Dajcie tym bolszewikom popalić! – krzyknął jeden, a pozostali zaczęli krzyczeć.

Milczenie, które zapadło potem, było niezręczne, jak na przyjęciu między obcymi, którzy wcale nie chcieli na nie przyjść. Potem z kawiarni parę budynków dalej wyszło trzech mężczyzn. Dwóch miało okulary i niosło książki. Wszyscy nosili nędzne odzienie słowiańskich emigrantów. Danny zrozumiał, co się stanie, zanim jeszcze się zaczęło.

Jeden z nich obejrzał się przez ramię. Dwaj mężczyźni z grupy na chodniku wskazali ich palcami.

– Hej, wy tam! – krzyknął Matt March.

I to wystarczyło.

Trzej emigranci rzucili się do ucieczki, robotnicy ruszyli za nimi, Hardy i Jeffries – za wszystkimi. Pół przecznicy dalej Słowianie zostali przewróceni na chodnik.

Hardy i Jeffries dotarli do sterty ludzkich ciał. Hardy odepchnął jednego robotnika, a potem światło latarni zalśniło na pałce, którą opuścił na głowę emigranta.

– Hej! – zawołał Danny, ale Matt March złapał go za ramię.

– Dan, czekaj.

– Co?

March spojrzał na niego spokojnie.

– To za Stoddarda.

Danny wyszarpnął ramię.

– Nie wiemy, czy to bolszewicy.

– Nie wiemy, czy nie. – March zakręcił pałką i uśmiechnął się do Danny'ego.

Danny pokręcił głową i ruszył ku tamtym.

– To krótkowzroczność!

Kiedy Danny dotarł do robotników, już zaczęli się zbierać do odejścia. Dwóch napadniętych czołgało się po ulicy, trzeci leżał z włosami zlepionymi krwią, przyciskając złamany przegub do piersi.

– Jezu – odezwał się Danny.

– Ups – powiedział Hardy.

– Co wy wyprawiacie, do cholery? Sprowadźcie karetkę.

– Niech się wali – rzucił Jeffries i splunął na leżącego. – I jego przyjaciele też. Chcesz karetkę? Znajdź skrzynkę telefoniczną i wezwij.

Na ulicy pojawił się sierżant Billups. Porozmawiał z Marchem, spojrzał na Danny'ego i ruszył w jego stronę. Robotnicy znikli. Z sąsiedniej ulicy zaczęły dobiegać krzyki i brzęk tłuczonego szkła.

Billups spojrzał na leżącego, a potem na Danny'ego.

– Masz jakiś problem, Dan?

– Chcę sprowadzić karetkę dla tego gościa.

Billups przyjrzał się rannemu.

– Na moje oko wygląda zdrowo.

– Nieprawda.

Billups stanął nad leżącym.

– Boli cię, skarbie?

Mężczyzna nie odpowiedział. Mocniej przycisnął do piersi złamany nadgarstek.

Billups przydepnął mu kostkę. Leżący drgnął i jęknął przez zaciśnięte zęby.

– Nie słyszę, Borys – powiedział Billups. – Co mówisz?

Danny wyciągnął rękę; Billups odepchnął go.

Rozległ się trzask kości. Leżący mężczyzna westchnął spazmatyczne, z niedowierzaniem.

– Już ci lepiej, skarbie? – Billups podniósł stopę. Mężczyzna przetoczył się i wtulił twarzą w bruk. Billups objął Danny'ego i odszedł z nim o parę kroków.

– Sierżancie, ja wszystko rozumiem. Chcemy porozbijać parę głów. Ja też. Ale tych głów, co trzeba, nie sądzi pan? Nawet nie…

– Słyszałem, że dziś chciałeś pocieszać wroga. Więc słuchaj – powiedział Billups z uśmiechem. – Może i jesteś synem Tommy'ego Coughlina, a to ci daje fory, jasne? Ale jeśli dalej będziesz się zachowywać jak dupa, uznam to za osobistą zniewagę. – Lekko uderzył Danny'ego pałką. – Daję ci jasny rozkaz – wracaj na ulicę i bij wywrotowców albo zejdź mi z oczu.

Danny odwrócił się; Jeffries stał, chichocząc cicho. Danny minął go, a potem Hardy'ego. Kiedy dotarł do Marcha, ten wzruszył ramionami. Danny szedł dalej. Skręcił za róg domu i zobaczył trzy więźniarki i funkcjonariuszy ciągnących do nich wszystkich, którzy mieli wąsy albo wełnianą czapkę.

Przeszedł parę przecznic i natknął się na policjantów i ich nowych braci z klasy pracującej, bijących się z tuzinem mężczyzn, którzy wyszli z siedziby Socjalistycznej Organizacji Braterskiej Dolnego Roxbury. Tłum przycisnął ich do drzwi. Tamci walczyli, ale potem połówka drzwi ustąpiła i niektórzy wpadli do wnętrza. Inni usiłowali bronić się przed tłumem gołymi rękami. Druga połowa drzwi została wyważona z zawiasów, tłum stratował mężczyzn i wdarł się do budynku. Danny przyglądał się bijatyce zdrowym okiem i zrozumiał, że nie zdoła tego zatrzymać. W żaden sposób. Straszliwa ludzka małość przerastała go, przerastała wszystko.

Luther poszedł do knajpy Costello w porcie i czekał przed drzwiami, ponieważ była tylko dla białych. Stał długo. Godzinę.

McKenny nie było.

Luther w prawej ręce trzymał papierową torbę z owocami, które wykradł z domu Coughlinów, by dać je Norze, o ile porucznik nie zechce go dziś zastrzelić ani aresztować. Pod lewą pachą trzymał „listę" pięćdziesięciu tysięcy posiadaczy telefonów w Filadelfii.

Minęły dwie godziny.

McKenny nie było.

Luther ruszył w stronę Scollay Square. Może tamten został ranny podczas wykonywania obowiązków służbowych. Może miał zawał. Może zastrzelił go jakiś żądny zemsty bandyta.

Luther zaczął pogwizdywać z nadzieją.

Danny włóczył się po ulicach i nagle się zorientował, że idzie Eustis Street w stronę Washington. Pomyślał, że za Washington skręci w prawo i przejdzie przez miasto aż do North Endu. Nie zamierzał wstępować na posterunek, żeby się odmeldować. Nie przebrał się w cywilne ubranie. Szedł przez Roxbury w wonnym nocnym powietrzu, które pachniało już bardziej latem niż wiosną. Wszędzie wokół niego zaprowadzano porządki, a każdy, kto przypominał bolszewika, anarchistę, Słowianina, Włocha lub Żyda, uczył się, że to błąd. Ciała leżały na chodnikach, schodkach kamienic, opierały się o latarnie. Na cemencie i asfalcie połyskiwała krew, poniewierały się zęby. Na skrzyżowaniu jakiś mężczyzna wybiegł przed policyjny samochód. Wyrzucony w powietrze, zamachał rozpaczliwie ramionami. Upadł na ziemię, a trzej policjanci, którzy wysiedli z auta, przytrzymali jego rękę, a kierowca przejechał mu po dłoni.

Danny zastanowił się, czy nie wrócić do swojego pokoju na Salem Street, aby nie usiąść tam ze służbowym rewolwerem w ustach. Na wojnie ludzie umierali milionami. Z powodu ziemi. A teraz ta walka toczyła się dalej na ulicach całego świata. Dziś w Bostonie. Jutro gdzie indziej. Biedni walczyli z biednymi. Jak zawsze. Podjudzano ich do tego. To się nigdy nie zmieni. Wreszcie zrozumiał. Nic się nie zmieni.

Spojrzał w czarne niebo, na gwiazdy świecące jak kryształki soli. Oto, czym są. Tym i niczym więcej. Tak, jakby Bóg ich skusił, a potem oszukał. Obiecał pokornym, że odziedziczą ziemię. To nieprawda. Przypadnie im tylko ten spłachetek, który użyźnią własnym ciałem.

Co za kpina.

Znowu zobaczył Nathana Bishopa patrzącego na niego oczami w zmasakrowanej twarzy i pytającego go o nazwisko. Znowu poczuł tamten wstyd i odrazę do samego siebie. Oparł się o latarnię. Nie mogę już tego robić, powiedział w stronę nieba. Ten człowiek był moim bratem, może nie jednej krwi, lecz jednego serca i filozofii. Ocalił mi życie, a ja nie zdołałem mu nawet zapewnić opieki lekarskiej. Nie potrafię zrobić cholernego kroku naprzód.

Po drugiej stronie ulicy kolejni policjanci i robotnicy dręczyli małą grupkę imigrantów. Przynajmniej okazali nieco litości, bo pozwolili odejść ciężarnej kobiecie. Pobiegła chodnikiem, skulona, z włosami przykrytymi ciemnym szalem. Danny znowu pomyślał o swoim pokoju na Salem Street, o broni w kaburze, butelce szkockiej.

Kobieta minęła go i skręciła za róg budynku. Zauważył, że z tyłu nikt by nie zauważył jej stanu. Miała ruchy dziewczyny, jeszcze nieobciążonej troskami, brzemieniem pracy, dzieci czy rozwianych marzeń. Była...

Tessą.

Danny ruszył przez ulicę, zanim to imię pojawiło się w jego głowie.

Tessa.

Nie wiedział, skąd wie, ale wiedział. Szedł po drugiej stronie ulicy, o dobrą przecznicę za nią, a im dłużej przyglądał się jej pewnym siebie, płynnym ruchom, tym większą zyskiwał pewność. Minął skrzynkę z telefonem, potem drugą, ale nie przyszło mu do głowy, żeby którąś otworzyć i wezwać pomoc. Zresztą i tak na posterunkach nikogo nie było. Wszyscy wylegli na ulice, wyrównując rachunki. Danny zdjął hełm i płaszcz, wcisnął je pod prawą rękę, pod którą nosił broń i znowu ruszył ulicą. Kobieta dotarła do Shawmut Avenue, obejrzała się, ale już zniknął, więc go nie zauważyła, a on potwierdził swoje podejrzenia. To była Tessa. Ta sama śniada skóra, te same pięknie ukształtowane usta.

Skręciła w prawo na Shawmut; ociągał się przez parę chwil wiedząc, że ulica jest szeroka i jeśli zbyt wcześnie wyłoni się zza zakrętu, nawet ślepy go zauważy. Odliczył do pięciu, a potem znowu zaczął iść. Dotarł do zakrętu. Zobaczył ją o przecznicę dalej. Skręcała już w Hammond Street.

Trzej mężczyźni na tylnym siedzeniu automobilu z otwieranym dachem oglądali się za nią, a mężczyźni z przodu patrzyli na niego, obejmując spojrzeniem jego niebieskie spodnie i niebieski płaszcz pod pachą. Wszyscy mieli gęste brody, nosili wełniane czapki. Ci z tylnego siedzenia trzymali laski. Pasażer z przodu zmrużył oczy i Danny go rozpoznał: Piotr Glaviach, ogromny Estończyk, który potrafił pokonać wszystkich w piciu i pewnie także w walce. Piotr Glaviach, weteran najokrutniejszych walk na rodzinnej ziemi. Mężczyzna, który uważał Danny'ego za swego towarzysza broni w walce przeciwko kapitalistycznemu wyzyskowi.

Danny przekonał się, że czasami niebezpieczeństwo lub jego zapowiedź zwalniają obroty świata i wszystko dociera do człowieka jak przez wodę. Ale równie często w chwili zagrożenia czas pędzi szybciej i to była właśnie jedna z takich chwil. Ledwie rozpoznał Glaviacha, a on jego, samochód stanął i mężczyźni wyskoczyli na chodnik. Płaszcz oplątał kolbę rewolweru, utrudniając Danny'emu wyciągnięcie broni. Glaviach chwycił go w objęcia i unieruchomił. Uniósł go i przeciągnął przez chodnik do ściany, do której go przycisnął.

Ktoś uderzył go laską w podbite oko.

– Powiedz coś – rzucił mu w twarz Estończyk, jeszcze mocniej ściskając.

Danny nie miał dość powietrza w płucach, by się odezwać, więc tylko splunął mu w twarz. Zauważył krew w ślinie, która trafiła Glaviacha między oczy.

Tamten trzasnął go głową w nos. Przez oczami Danny'ego eksplodowało żółte światło, a na otaczających go mężczyzn padł cień, jakby niebo spadło na ziemię. Ktoś znowu uderzył go pałką w głowę.

– Nasz towarzysz Nathan! Wiesz, co go dziś spotkało? – Olbrzym potrząsnął Dannym jak dzieckiem. – Stracił ucho. I może oślepł na jedno oko. A ty co straciłeś?

Ktoś zabrał mu broń, a on nie mógł zaprotestować, bo ręce mu zdrętwiały. Pięści bębniły o jego pierś, plecy, szyję, ale on był zupełnie spokojny. Czuł na ulicy obecność Śmierci, która przemawiała do niego cichym głosem. Powiedziała: nie martw się. Już czas. Trzasnęła rozerwana kieszeń spodni, drobne posypały się na chodnik. Szklane oczko też. Danny patrzył z irracjonalną rozpaczą, jak toczy się po ulicy i znika w rynsztoku.

Nora, pomyślał. Do diabła. Nora.

Kiedy skończyli, Piotr Glaviach znalazł w rynsztoku służbowy rewolwer. Podniósł go i rzucił na pierś nieprzytomnego Danny'ego. Pamiętał wszystkich czternastu mężczyzn, których zabił, patrząc im w oczy. Nie doliczył do tej grupy całego oddziału carskich gwardzistów, których otoczyli na środku płonącego pola pszenicy. Czuł ten smród jeszcze teraz, po siedmiu latach, słyszał, jak płaczą niczym dzieci, gdy płomienie sięgnęły do ich włosów i oczu. Nigdy nie zapomni tego zapachu, tych głosów. Nie można cofnąć czasu. Nie można tego z siebie zmyć. Miał już dość zabijania. Dlatego przyjechał do Ameryki. Przez to zmęczenie. Zabijaniu nie ma końca.

Splunął parę razy na zdrajcę, a potem wraz z towarzyszami wrócił do automobilu i odjechali.

Luther nabrał wprawy w zakradaniu się do pokoju Nory. Przekonał się, że najwięcej hałasu robi, starając się nie hałasować, więc z największą uwagą nasłuchiwał przez drzwi, czy nikogo nie ma na korytarzu, ale kiedy już się upewnił, szybko i pewnie naciskał klamkę i wychodził. Zamykał za sobą drzwi, a zanim dotknęły framugi, on już otwierał drzwi wyjściowe. Potem miał już łatwo – czarny mężczyzna wychodzący z budynku na Scollay Square nikogo nie oburzał. Natomiast czarny mężczyzna wychodzący z pokoju białej kobiety prosił się o śmierć.

W nocy pierwszego maja zostawił jej torbę owoców, przesiedział u niej pół godziny, a jej powieki coraz częściej opadały, aż w końcu zasnęła. To go zmartwiło; odkąd ograniczyli jej godziny pracy, była bardziej, nie mniej zmęczona. Wiedział, że to z powodu niedożywienia. Czegoś miała za mało, a on nie był lekarzem, więc nie wiedział, co to mogło być. Teraz bez przerwy chodziła zmęczona. Zrobiła się taka szara, a zęby zaczęły się jej chwiać. Właśnie dlatego tym razem przyniósł jej owoce. Przypomniał sobie, że owoce są dobre na zęby i cerę. Nie miał pojęcia, skąd to wie, ale wydawało się, że to prawda.

Zostawił ją śpiącą i wyszedł z budynku. Na końcu zaułka zobaczył Danny'ego, idącego chwiejnie przez Green Street w tę stronę. Ale właściwie to nie był Danny, tylko jego skatowana wersja. Danny, którym wystrzelono z armaty w skalną ścianę. Danny, który szedł, brocząc krwią. Właściwie to zataczał się, brocząc krwią.

Luther podszedł do niego w chwili, gdy Danny osunął się na jedno kolano.

– Hej, hej – odezwał się Luther cicho. – To ja, Luther.

Danny spojrzał na niego. Jego twarz wyglądała, jakby ktoś wypróbował na niej młotek. Jedno oko miał podbite. To ucierpiało mniej. To drugie było zapuchnięte tak, że nie mogło się otworzyć. Wargi zrobiły się dwa razy większe. Luther miał ochotę z tego zażartować, ale pora wydawała się wyjątkowo niesprzyjająca.

– No. – Danny uniósł rękę, jakby dając znak do rozpoczęcia meczu. – Czy nadal się na mnie wściekasz?

Ha. Tego mu nikt nie odebrał – tej swobody. Danny czuł się tak dobrze w swojej skórze, jak zaledwie czterech czy pięciu znanych Lutherowi ludzi. Najlepszym przykładem był Lepki Joe Beam. A ten gość, stłuczony na kwaśne jabłko, klęczący na środku zasranego zaułka w zasranej dzielnicy Scollay Square, gawędził z nim tak swobodnie, jakby coś takiego spotykało go co tydzień.

– Może nie w tej chwili – odpowiedział Luther. – Ale zasadniczo tak.

– Stań w kolejce – mruknął Danny i zwymiotował krwią.

Widok i odgłosy wydały się Lutherowi niepokojące. Chwycił Danny'ego za rękę i zaczął go podnosić.

– O, nie, nie – zaprotestował Danny. – Nie chcę. Pozwól mi trochę poklęczeć. Albo popełznąć. Chcę dopełznąć do tego krawężnika. Tak mi się podoba.

I rzeczywiście, dopełzł na chodnik. Kiedy tam dotarł, przeczołgał się na środek i znieruchomiał. Luther przycupnął obok niego. Danny w końcu usiadł. Mocno trzymał się za kolana, jakby tylko dzięki nim nie spadł z powierzchni ziemi.

– Kurwa – rzucił w końcu. – Ale mnie załatwili. – Uśmiechnął się przez opuchnięte usta. Każdemu jego oddechowi towarzyszył świst. – Nie masz przypadkiem chusteczki?

Luther sięgnął do kieszeni i podał mu chustkę.

– Dzięki.

– Nie ma za co – odpowiedział i coś w tym zdaniu rozbawiło nagle obu jednocześnie. Roześmiali się w ciszy zaułka.

Danny ocierał krew z twarzy tak długo, aż chusteczka całkiem przemokła.

– Przyszedłem zobaczyć się z Norą. Muszę jej coś powiedzieć.

Luther objął go za ramiona – nigdy nie ośmieliłby się tak postąpić z białym, ale w tych okolicznościach wydawało się to zupełnie naturalne.

– Musi się wyspać, a ty musisz iść do szpitala.

– Muszę ją zobaczyć.

– Rzygnij jeszcze krwią, to mnie całkiem przekonasz.

– Nie, naprawdę.

Luther pochylił się ku niemu.

– Wiesz, jak brzmi twój oddech?

Danny pokręcił głową.

– Świergoczesz jak zasrany kanarek. Kanarek z postrzałem klatki piersiowej. Ty umierasz.

Danny znowu pokręcił głową. Potem pochylił się i kaszlnął. Nie rozległ się żaden dźwięk. Kaszlnął znowu. Tym razem rozległo się coś w rodzaju zbolałego kwilenia przerażonego ptaka.

– Daleko stąd do szpitala? – Danny pochylił się i zwymiotował krwią do rynsztoka. – Tak mi przywalili, że nie pamiętam.

– Jakieś sześć przecznic.

– Prawda. Długich. – Danny skrzywił się i jednocześnie roześmiał. Splunął krwią na chodnik. – Chyba mam połamane żebra.

– Które?

– Wszystkie. Jestem załatwiony na perłowo.

– Fakt. – Luther stanął za nim. – Pomogę ci wstać.

– Doceniam.

– Na trzy?

– Dobra.

– Raz, dwa, trzy. – Luther objął potężne bary Danny'ego, mocno go podparł, a Danny parę razy głośno jęknął, a raz przeraźliwie zaskowyczał, ale wstał. Chwiejnie, ale jednak.

Luther zarzucił sobie jego rękę na ramiona.

– W szpitalu będzie nadkomplet – powiedział Danny. – Kurwa. W każdym. Moi granatowi bracia zapełnili pogotowia w całym mieście.

– Kim?

– Głównie Rosjanami. Żydami.

– Na rogu Barton i Chambers jest klinika dla kolorowych. Masz coś przeciwko kolorowemu doktorowi?

– Może być nawet jednooka Chinka, byle tylko mnie nie bolało.

– Na pewno będzie boleć. – Zaczęli iść. – Będziesz mógł wszystkich prosić, żeby nie mówili ci „panie". I zapewniać, że jesteś takim samym człowiekiem, jak oni.

– Ale z ciebie fiut – zachichotał Danny, plując krwią. – To co tu robisz?

– Nie przejmuj się tym.

Danny zachwiał się tak, że obaj omal nie runęli na chodnik.

– Ale się przejmuję. – Podniósł rękę i obaj stanęli. Danny nabrał tchu. – Wszystko z nią dobrze?

– Nie. Nie jest z nią dobrze. Cokolwiek wam zrobiła, już za to zapłaciła.

– Och... – Danny przechylił głowę. – Lubisz ją?

Luther podchwycił jego spojrzenie.

– W tym sensie?

– W tym.

– Nie, cholera. Na pewno nie.

Zakrwawiony uśmiech.

– Na pewno?

– Mam cię puścić? Tak, na pewno. Ty masz swój gust, ja swój.

– A Nora nie jest w twoim guście?

– Jak wszystkie białe kobiety. Te piegi, małe tyłki, drobne kości i dziwne włosy... – Luther skrzywił się i pokręcił głową. – Nie dla mnie. O, nie.

Danny łypnął na niego podbitym okiem.

– Więc?

– Więc – powiedział Luther z nagłą desperacją – to moja przyjaciółka. Opiekuję się nią.

– Dlaczego?

Luther zmierzył Danny'ego przeciągłym, uważnym spojrzeniem.

– Nie było innych chętnych.

Uśmiech rozciągnął posiniałe, popękane usta Danny'ego.

– Więc w porządku.

– Kto cię dopadł? – spytał Luther. – Przy twojej posturze musiało ich byś kilku.

– Bolszewicy. W Roxbury, daleko stąd. Długa droga. Pewnie sam się prosiłem. – Danny odetchnął ostrożnie, pochylił się i zwymiotował.

Luther odsunął się, żeby nie pobrudził mu butów i spodni. Było mu trochę niewygodnie, prawie leżał Danny'emu na plecach. Ale w wymiocinach nie było tyle krwi, ile się obawiał zobaczyć. Kiedy Danny skończył, wytarł usta rękawem.

– W porządku.

Razem przykuśtykali kolejną przecznicą. Potem Danny musiał odpocząć. Luther oparł go o latarnię. Danny zamknął oczy. Twarz ociekała mu potem.

W końcu otworzył zdrowe oko i spojrzał w niebo, jakby czegoś szukał.

– Powiem ci, to był cholerny rok.

Luther zastanowił się nad własnym rokiem i parsknął śmiechem. Aż się zgiął wpół. Rok temu – cholera. Wydawało się, że to było cudze życie.

– Co? – spytał Danny.

Luther uniósł rękę.

– Dla mnie też.

– Co można zrobić, kiedy okazuje się, że zbudowałeś życie na zasranym kłamstwie?

– Pewnie trzeba zbudować nowe.

Danny uniósł brew.

– Aha, chcesz żeby ci współczuć, bo krwawisz jak wieprzek? – Luther podszedł do niego. Danny leżał, oparty plecami o latarnię, jakby został zupełnie sam na tym świecie. – Nie ja cię w to wrobiłem. Jak cię coś męczy, cholera, to się tego pozbądź. Boga to nie obchodzi. Ani nikogo. Jeśli możesz coś zrobić, żeby było jak należy, żeby ból zniknął, to zrób, cholera.

Danny uśmiechnął się. Wargi miał prawie czarne.

– Bardzo to łatwe, co?

– Nic nie jest łatwe. Ale proste.

– Chciałbym.

– Przeszedłeś dwadzieścia przecznic, rzygając krwią, żeby dotrzeć do konkretnej osoby. Potrzebujesz jeszcze innych dowodów, biały chłopczyku? – Luther roześmiał się brutalnie i szybko. – Nie na tym padole łez.

Danny nie odpowiedział. Patrzył na Luthera zdrowym okiem. Luther patrzył na niego. Potem Danny wyprostował się i wyciągnął rękę. Luther pomógł mu wstać i ruszyli do kliniki.

ROZDZIAŁ DWUDZIESTY ÓSMY

Danny został w klinice na noc. Prawie nie pamiętał, kiedy Luther wyszedł. Ale zapamiętał, że zostawił plik kartek na stoliku przy łóżku.

– Miałem to dać twojemu wujkowi. Nie pojawił się na spotkaniu.

– Był dziś bardzo zajęty.

– Aha, no cóż. Dasz mu to? I może znajdziesz sposób, żeby się ode mnie odczepił, tak jak kiedyś obiecałeś?

– Jasne. – Wyciągnął rękę, a Luther ją uścisnął.

Danny odpłynął do czarno-białego świata, gdzie wszystko było pokryte pyłem po wybuchu bomby. W pewnej chwili obudził się i zobaczył czarnego lekarza. Łagodny młodzieniec o szczupłych palcach pianisty powiedział mu, że ma siedem złamanych żeber i kilka pękniętych. Jedno ze złamanych żeber przecięło naczynie krwionośne, więc musieli go zoperować, żeby je zaszyć. To tłumaczyło, dlaczego wymiotował krwią i oznaczało, że Luther zapewne uratował mu życie. Owinęli tors Danny'ego taśmą klejącą i powiedzieli, że doznał wstrząsu mózgu, a po tych kopniakach w nerki będzie przez parę dni sikał krwią. Danny podziękował doktorowi, trochę rozwlekle z powodu tego czegoś, co mu podali w kroplówce, po czym stracił przytomność.

Rankiem obudził się i ujrzał ojca i Connora, siedzących przy jego łóżku. Ojciec trzymał go za rękę i uśmiechał się łagodnie.

– Patrzcie, kto się budzi.

Con złożył gazetę, uśmiechnął się do Danny'ego i pokręcił głową.

– Kto ci to zrobił?

Danny podniósł się lekko; przeszył go ból w żebrach.

– Jak mnie znaleźliście?

– Ten kolorowy – twierdzi, że jest lekarzem – zadzwonił na posterunek, podał numer z twojej odznaki i powiedział, że przyprowadził cię tu jeden czarny, sponiewieranego jak diabli. Ach, co za widok. Ty tutaj!

W łóżku po drugiej stronie leżał stary człowiek z nogą w gipsie. Wpatrywał się w sufit.

– Co się stało?

– Napadła mnie banda Lettsów – powiedział Danny. – Tym czarnym był Luther. Prawdopodobnie ocalił mi życie.

Stary podrapał się pod gipsem.

– Mamy cele pełne Lettsów i komuchów – powiedział ojciec. – Później się rozejrzysz. Rozpoznasz tych, którzy cię załatwili, a my znajdziemy sobie ciemny zaułek, zanim ich spiszemy.

– Wody – poprosił Danny.

Con zobaczył na parapecie dzbanek, nalał wody do szklanki i podał mu.

– Nie będziemy musieli nawet ich spisywać, jeśli mnie rozumiesz.

– Nietrudno zrozumieć. – Danny napił się wody. – Nie widziałem ich.

– Co?

– Zaszli mnie od tyłu, zarzucili mi płaszcz na głowę i zabrali się do pracy.

– Jak mogłeś ich nie zauważyć?

– Śledziłem Tessę Ficara.

– Jest tu?

– Wczoraj była.

– Jezus, chłopcze, czemu nie wezwałeś posiłków?

– Urządziliście bal w Roxbury, nie pamiętasz?

Ojciec przesunął ręką po brodzie.

– Zgubiłeś ją?

– Dzięki za wodę, Con. – Danny uśmiechnął się do brata.

Connor zachichotał.

– Ale z ciebie numer. Naprawdę.

– Tak zgubiłem ją. Skręciła w Hammond Street, a potem pojawili się Rosjanie. To co chcesz zrobić, tato?

– Porozmawiam z Finchem i BI. Poślę chłopaków na Hammond i w okolicę, może coś z tego wyjdzie. Ale wątpię, żeby jeszcze tam była. – Ojciec pokazał mu „Morning Standard". – Wiadomości z pierwszej strony.

Danny usiadł prosto, krzywiąc się z bólu. Przeczekał najgorsze i przeczytał nagłówek: POLICJA WYPOWIADA WOJNĘ CZERWONYM.

– Gdzie mama?

– W domu. Nie możemy jej na to narażać. Najpierw Salutation, teraz to. Jej serce tego nie wytrzyma.

– A co z Norą? Wie?

Ojciec przechylił głowę.

– Dlaczego miałaby wiedzieć? Nie mamy z nią już kontaktu.

– Chciałbym, żeby wiedziała.

Thomas Coughlin spojrzał na Connora, a potem na Danny'ego.

– Aidenie, nie wymawiaj jej imienia. Nie mów o niej w mojej obecności.

– Nie mogę.

– Co? – Connor stanął za plecami ojca. – Ona nas okłamała. Upokorzyła mnie. Jezu!

Danny westchnął.

– Jak długo była w naszej rodzinie?

– Traktowaliśmy ją jak członka rodziny – oznajmił ojciec – i patrz, jak nam odpłaciła. Koniec tematu, Aidenie.

Danny pokręcił głową.

– Może dla ciebie. A dla mnie... – Zsunął kołdrę i spuścił nogi na podłogę, modląc się, żeby ojciec i Connor nie zauważyli, ile go to kosztuje. O Jezu. Ból omal go nie rozerwał. – Con, podaj mi spodnie, dobrze?

Con usłuchał, zaczerwieniony i zaskoczony.

Danny wsunął nogi w nogawki. Zdjął koszulę zawieszoną w nogach łóżka. Zarzucił ją i ostrożnie włożył ręce w rękawy. Spojrzał na ojca i brata.

– Słuchajcie, dostosowałem się do was, ale już nie mogę. Po prostu.

– Czego nie możesz? – rzucił ojciec. – Bzdury wygadujesz. – Spojrzał na czarnego mężczyznę ze złamaną nogą, jakby szukał u niego potwierdzenia, ale starzec miał zamknięte oczy.

Danny wzruszył ramionami.
– Więc wygaduję. Wiecie, co do mnie wczoraj dotarło? Wreszcie? Przez całe moje życie niczego, kurwa, nie osiągnąłem...
– Co za język!
– ...z wyjątkiem jej.
Ojciec pobladł.
– Podasz mi buty, Con?
Connor pokręcił głową.
– Sam sobie weź.
Wyciągnął ręce w geście tak bezradnego cierpienia i zawodu, że Danny poczuł ból w sercu.
– Con.
Brat pokręcił głową.
– Nie.
– Con, słuchaj...
– Do dupy ze słuchaniem. Zrobiłbyś mi to? Mnie?
Connor opuścił ręce i w oczach stanęły mu łzy. Znowu pokręcił głową. Odwrócił się na pięcie i wyszedł.
Danny z milczeniu odszukał buty i postawił je na podłodze.
– Chcesz złamać serce swojemu bratu? Matce? – spytał ojciec. – Mnie?
Danny spojrzał na niego, wsuwając stopy w buty.
– Tu nie chodzi o ciebie, tato. Nie mogę przeżyć życia tak, jak ty chcesz.
– Och. – Ojciec położył rękę na sercu. – Nie chciałbym ci skąpić ziemskich przyjemności. Bóg mi świadkiem.
Danny uśmiechnął się pod nosem.
Ojciec był poważny.
– Więc sprzeciwiłeś się rodzinie. Jesteś indywidualistą, Aidenie. Chodzisz własnymi ścieżkami. Dobrze ci z tym?
Danny nie odpowiedział.
Ojciec wstał i włożył czapkę kapitana. Wygładził jej boki.
– Wielkie romantyczne mrzonki o pójściu własną drogą, którymi łudzi się twoje pokolenie. Myślisz, że jesteś pierwszy?
– Nie. I nie ostatni.
– Pewnie nie. Ale będziesz sam.
– Więc będę.

Ojciec wydął usta i skinął głową.
– Do widzenia, Aidenie.
– Do widzenia, ojcze. – Wyciągnął rękę, ale Thomas ją zignorował.
Danny wzruszył ramionami. Sięgnął za siebie po kartki, które zostawił mu Luther. Rzucił nimi w ojca, trafiając go w pierś. Ojciec złapał je i spojrzał na nie.
– Lista ze Stowarzyszenia dla Postępu Kolorowych, której chciał McKenna.
Ojciec drgnął nieznacznie.
– Na co mi ona?
– To oddaj.
Thomas pozwolił sobie na nieznaczny uśmieszek i zabrał kartki.
– Zawsze chodzi o te listy prenumeratorów, co? – rzucił Danny.
Ojciec nie odpowiedział.
– Sprzedajesz je – dodał Danny. – Pewnie firmom?
Ojciec spojrzał mu w oczy.
– Ludzie mają prawo znać tych, którzy u nich pracują.
– Żeby ich wyrzucić, zanim się zorganizują w związku? – Danny pokiwał głową. – Sprzedajesz swoich.
– Założyłbym się o wszystko, że na tej liście nie ma ani jednego irlandzkiego nazwiska.
– Nie mówiłem o Irlandczykach.
Ojciec spojrzał w sufit, jakby dostrzegł na nim pajęczyny, które trzeba zmieść. Wydął usta i spojrzał na syna. Broda mu lekko zadrżała. Milczał.
– Kto dostarczył ci listę Lettsów, kiedy zrezygnowałem?
– Tak się szczęśliwie złożyło – odrzekł bardzo cichym szeptem – że zajęliśmy się tym wczoraj podczas nalotu.
Danny pokiwał głową.
– Aha.
– Coś jeszcze, synu?
– Właściwie tak. Luther ocalił mi życie.
– Więc mam mu dać podwyżkę?
– Nie. Odwołać swego psa.
– Psa?
– Wujka Eddiego.

– Nic mi o tym nie wiadomo.
– Ale go odwołaj. Ten człowiek ocalił mi życie.
Ojciec spojrzał na sąsiada Danny'ego. Dotknął jego gipsu i mrugnął, gdy starzec otworzył oczy.
– Wydobrzejesz, Bóg mi świadkiem.
– Tak, panie.
– Tak będzie. – Thomas rzucił mu serdeczny uśmiech, omijając wzrokiem Danny'ego. Skinął głową i wyszedł, podobnie, jak Connor.
Danny znalazł swój płaszcz na wieszaku na ścianie. Włożył go.
– To twój papcio? – spytał stary.
Danny przytaknął.
– Omijałbym go przez jakiś czas.
– Chyba nie mam większego wyboru.
– Och, on wróci. Tacy zawsze wracają. Pewne jak śmierć – odpowiedział starzec. – I zawsze wygrywają.
Danny dopiął płaszcz.
– Nie ma już o co grać.
– On tak nie uważa. – Stary uśmiechnął się ze smutkiem. Zamknął oczy. – I dlatego będzie ciągle wygrywać.

Po wyjściu ze szpitala Danny odwiedził cztery inne, zanim znalazł ten, w którym leżał Nathan Bishop. Bishop, podobnie jak on, odmówił dalszego leczenia, choć w tym celu musiał uciec dwóm uzbrojonym policjantom.
Lekarz, który się nim zajmował, spojrzał na podarty mundur Danny'ego i ciemne plamy krwi.
– Jeśli przyszedł pan po dogrywkę, powinni panu powiedzieć…
– Odszedł, wiem.
– Stracił ucho.
– To też słyszałem. A co z okiem?
– Nie wiem. Wyszedł, zanim zdołałem postawić diagnozę.
– Dokąd?
Lekarz spojrzał na zegarek i wsunął go do kieszeni.
– Mam innych pacjentów.
– Dokąd poszedł?

Westchnienie.

– Pewnie daleko stąd. Powiedziałem to już dwóm funkcjonariuszom, którzy mieli go pilnować. Kiedy wyśliznął się przez okno łazienki, mógł uciec dokądkolwiek. O ile zdołałem go poznać, nie widział sensu w zmarnowaniu pięciu lub sześciu lat w bostońskim więzieniu.

Doktor włożył ręce do kieszeni, odwrócił się bez słowa i odszedł.

Danny opuścił szpital. Ból nadal dawał mu w kość. Droga na przystanek na Huntigton Avenue była bardzo długa.

Tego wieczoru spotkał się z Norą, gdy wróciła do pokoju po pracy. Stanął pod jej domem; nie dlatego, że pozycja siedząca sprawiała mu ból, ale ponieważ bardziej cierpiał, stojąc. Nora pojawiła się na ulicy w mroku rozjaśnionym żółtym blaskiem ulicznych latarni. Kiedy Danny zobaczył jej twarz, wstrzymał oddech.

Nagle go zobaczyła.

– Święta Mario, Matko Boża, co ci się stało?

– Z którą częścią? – Głowę miał obandażowaną na grubość palca, a oczy podbite.

– Z całością. – Objęła go spojrzeniem, trochę rozbawionym, trochę przerażonym.

– Nie słyszałaś? – Przechylił głowę. Zauważył, że Nora też nie wygląda za dobrze. Twarz miała jednocześnie ściągniętą i obwisłą, a oczy zbyt wielkie i puste.

– Podobno była bójka między policjantami i bolszewikami, ale... – Zatrzymała się przed nim i uniosła rękę, jakby chciała dotknąć jego opuchniętego oka, ale zrezygnowała. Jej dłoń zawisła w powietrzu.

– Zgubiłem oczko – powiedział.

– Co?

– Oczko misia.

Przechyliła głowę, nie rozumiejąc.

– Z Nantasket. Pamiętasz?

– Tego pluszowego? Z pokoju?

Przytaknął.

– Zachowałeś jego oko?

– No, właściwie to był szklany guzik, ale tak, zatrzymałem. Zawsze nosiłem go w kieszeni.

Najwyraźniej nie miała pojęcia, co zrobić z tą informacją.
– Tej nocy, kiedy przyszłaś się ze mną spotkać…
Zaplotła ręce na piersi.
– Pozwoliłem ci odejść, bo…
Milczała.
– Bo byłem słaby.
– I to ci nie pozwoliło zająć się przyjaciółką?
– Nie jesteśmy przyjaciółmi.
– Więc kim? – Nora stała na ulicy, nie patrząc na niego, tak spięta, że widział jej gęsią skórkę i ścięgna na szyi.
– Spójrz na mnie – poprosił.
Nie podniosła głowy.
– Spójrz na mnie – powtórzył.
Ich spojrzenia się spotkały.
– Kiedy tak na siebie patrzymy, nie wiem, co to jest, ale przyjaźń wydaje się przy tym dość blada, nie sądzisz?
– Ach, ty – westchnęła i pokręciła głową. – Zawsze miałeś gadane.
– Nie umniejszaj tego. To nic małego.
– Co ty tu robisz? – szepnęła. – Jezu. Co tu robisz? Już mam jednego męża. Nie słyszałeś? A ty zawsze byłeś chłopcem w ciele mężczyzny. Fruwasz z kwiatka na kwiatek.
– Masz męża? – Roześmiał się cicho.
– On się śmieje! – obwieściła światu.
– Tak. – Wstał i położył rękę tuż pod jej gardłem. Nie cofnął dłoni, choć widział, że to ją gniewa. – Ja tylko… Noro, ja tylko… No wiesz, my… żeby się silić na szacowność? Czy to dla nas?
– Kiedy ze mną zerwałeś – powiedziała, nadal z kamienną twarzą, ale w jej oczach coś zaczęło jaśnieć – potrzebowałam stabilności. Potrzebowałam…
Ryknął śmiechem. Nie potrafił się powstrzymać; ten śmiech eksplodował ze środka jego ciała, a choć Danny'ego przeszył ból, i tak od dawna nie czuł się lepiej.
– Stabilność?
– Tak. – Uderzyła go pięścią w pierś. – Chciałam być dobrą amerykańską dziewczyną, szacowną obywatelką.
– Ale ci poszło!
– Przestań się śmiać.

– Nie mogę.

– Dlaczego? – W jej glosie wreszcie także rozbrzmiał śmiech.

– Bo, bo... – Wziął ją za ramiona. Rozbawienie wreszcie go opuściło. Przesunął dłońmi po rękach Nory, ujął jej twarz, a ona mu na to pozwoliła. – Bo przez cały czas, gdy byłaś z Connorem, chciałaś być ze mną.

– Zarozumialec z ciebie, Danny Coughlin!

Pociągnął ją za ręce, aż stanęli twarzą w twarz.

– A ja chciałem być z tobą. I oboje zmarnowaliśmy wiele czasu, usiłując być... – Spojrzał bezradnie w niebo. – ...tym, czym chcieliśmy się stać.

– Jestem mężatką.

– Mam to gdzieś. Teraz wszystko mam gdzieś, z wyjątkiem tego. Tutaj. Teraz.

Pokręciła głową.

– Rodzina się od ciebie odetnie, tak jak ode mnie.

– I co?

– To, że ich kochasz.

– Tak. Tak, kocham. – Danny wzruszył ramionami. – Ale ciebie pragnę. – Dotknął czołem jej czoła. – Pragnę cię. – Powtórzył szeptem.

– Odrzucasz cały swój świat – odszepnęła głosem, w którym słychać było łzy.

– I tak już z nim skończyłem.

Roześmiała się zduszonym głosem.

– Kościół nie da nam ślubu.

– Z tym też już skończyłem.

Stali długo naprzeciw siebie. Ulice pachniały deszczem.

– Płaczesz – odezwała się Nora. – Czuję to.

Odsunął się od niej i chciał coś powiedział, ale nie mógł. Z brody skapywały mu łzy.

Złapała jedną na palec.

– To nie z bólu? – spytała i włożyła palec do ust.

– Nie. – Danny znowu oparł się o nią czołem. – To nie z bólu.

Luther wrócił do domu po dniu pracy u Coughlinów. Dzisiaj kapitan – po raz drugi od jego pojawienia się – zaprosił go do gabinetu.

– Proszę siadać, proszę – powiedział, zdejmując płaszcz i wieszając go na wieszaku za biurkiem.

Luther usiadł.

Kapitan obszedł biurko, niosąc dwie szklanki whisky. Podał jedną Lutherowi.

– Słyszałem, co pan zrobił dla Aidena. Chciałbym panu podziękować za uratowanie mu życia. – Stuknął grubą szklanką w szklankę Luthera.

– To nic takiego.

– Scollay Square.

– Tak?

– Scollay Square. Tam spotkał pan Aidena?

– Eee... tak.

– A mieszka pan na South Endzie. Pracuje pan tutaj, więc...

Kapitan znieruchomiał.

– No, wie pan, dlaczego mężczyźni chodzą na Scollay Square – powiedział Luther. Zaryzykował konspiracyjny uśmiech.

– Wiem. Wiem, Lutherze, Ale nawet na Scollay Square obowiązuje podział rasowy. Zakładam, że był pan u Mamy Henningan, tak? To jedyne miejsce, gdzie przyjmują kolorowych.

– Tak – powiedział Luther ze świadomością, że wchodzi w pułapkę. Kapitan wyciągnął rękę po humidor. Wyjął dwa cygara, obciął ich czubki i wręczył jedno Lutherowi. Zapalił mu je, a potem sobie.

– Rozumiem, że mój przyjaciel Eddie trochę pana naciska.

– Nie wiem, co mógłbym... – zaczął Luther.

– Wiem to od Aidena – rzucił kapitan.

– Ach.

– Wstawiłem się za panem u Eddiego. Jestem to panu winien za uratowanie mojego syna.

– Dziękuję panu.

– Gwarantuję, że nie będzie pana dłużej niepokoił.

– Bardzo to doceniam. Jeszcze raz dziękuję.

Kapitan uniósł szklankę. Luther zrobił to samo. Obaj upili łyk doskonałej irlandzkiej whisky.

Kapitan znowu sięgnął za siebie i wziął do ręki białą kopertę, którą uderzył o udo.

– A co do Helen Grady... naszej służącej.

– Tak, proszę pana.
– Nie powątpiewa pan w jej kompetencje ani etykę zawodową?
– Ależ skąd.

Helen traktowała Luthera zimno i dystansem od pierwszej chwili, ale, o rany, jak ona pracowała...!

– Miło mi to słyszeć. – Kapitan podał Lutherowi kopertę. – Bo teraz będzie wykonywać prace za dwoje.

Luther otworzył kopertę i ujrzał mały plik banknotów.

– Jest tam zapłata za parę tygodni z góry. Zamknęliśmy lokal Mamy Henningan tydzień temu z powodu złamania przepisów. Jedyną osobą, którą może pan znać na Scollay Square, jest ta, która niegdyś pracowała dla mnie. To wyjaśnia, dlaczego ze spiżarki znika jedzenie, o czym Helen Grady zaczęła mnie powiadamiać wiele tygodni temu. – Kapitan przyjrzał się Lutherowi znad szklanki szkockiej. – Kradzież jedzenia? Jest pan świadomy, że mogę pana zastrzelić na miejscu?

Luther nie odpowiedział. Odstawił szklankę na biurko. Wstał. Wyciągnął rękę. Kapitan zastanawiał się przez chwilę, po czym odłożył cygaro do popielniczki i uścisnął mu dłoń.

– Do widzenia, Lutherze – powiedział uprzejmie.
– Do widzenia, kapitanie.

Luther wrócił do domu na St. Botolph i nie zastał nikogo. Na stole kuchennym czekał list.

Lutherze
Wyszliśmy działać w dobrej sprawie (oby). To przyszło do ciebie. Jedzenie w lodówce.

Isaiah

Pod wiadomością znajdowała się wąska żółta koperta z jego nazwiskiem, skreślonym ręką żony. Pamiętając, co się stało ostatnio, kiedy otworzył list, nie spieszył się, by go wziąć. Potem rzucił „A, pieprzyć" i przekonał się, że przeklinanie w kuchni Yvette powoduje dziwne wyrzuty sumienia.

Otworzył kopertę ostrożnie i wyjął dwie tekturki, ściśnięte razem i związane sznurkiem. Pod sznurkiem znajdowała się kartka. Luther przeczytał ją i ręce mu zadrżały. Odłożył kartkę na stół, rozwiązał sznurek i zdjął tekturkę z góry.

Bardzo długo siedział bez ruchu. Przez chwilę nawet płakał, choć jeszcze nigdy w życiu nie czuł takiej radości.

Na Scollay Square wślizgnął się w zaułek biegnący wzdłuż kamienicy Nory i wszedł przez zielone drzwi od tyłu, zamknięte w dwudziestu pięciu procentach przypadków, czyli akurat nie teraz. Szybko stanął pod drzwiami Nory. Zapukał i usłyszał coś, czego nigdy by się nie spodziewał – chichot.

Potem rozległy się szepty i jakieś szuranie. Zapukał znowu.

– Kto tam?

– Luther – odpowiedział, odkaszlnąwszy.

Drzwi się otworzyły. W progu stanął Danny. Ciemne włosy opadały mu falami na czoło, jedną podwiązkę miał rozpiętą, podobnie jak parę guzików koszuli. Za nim ukazała się Nora, poprawiając włosy i sukienkę. Policzki miała zarumienione.

Danny uśmiechał się szeroko. Luther nie musiał się domyślać, co właśnie przerwał.

– Wrócę później – powiedział.

– Co? Nie, nie. – Danny zerknął do tyłu, upewniając się, że Nora okryła się wystarczająco, i otworzył drzwi szerzej. – Wejdź.

Luther wszedł do maleńkiego pokoiku. Nagle zrobiło mu się głupio. Nie potrafił wyjaśnić, co tu robi, dlaczego wstał od kuchennego stołu na South Endzie i przybiegł aż tutaj, z tą grubą kopertą pod pachą.

Nora podeszła do niego z wyciągniętą ręką, boso. Była zarumieniona od przerwanego seksu, ale nie tylko, także z miłości.

– Dziękuję – powiedziała, biorąc jego dłoń. Potem przytuliła policzek do jego twarzy. – Dziękuję, że go uratowałeś. Dziękuję, że uratowałeś mnie.

W tej chwili poczuł się jak w domu – po raz pierwszy, odkąd go opuścił.

– Drinka? – spytał Danny.

– Jasne, jasne – odpowiedział Luther.

Danny podszedł do malutkiego stoliczka, na którym wczoraj Luther zostawił owoce. Dziś stała tam butelka i cztery tanie szklanki. Danny nalał trzy porcje whisky i podał jedną Lutherowi.

– Właśnie się zakochaliśmy – oznajmił, unosząc swoją szklankę.

– Tak? – Luther się roześmiał. – W końcu do ciebie dotarło?

– Byliśmy zakochani – powiedziała Nora do Danny'ego, nie Luthera. – Ale wreszcie się z tym pogodziliśmy.

– No, no – odezwał się Luther. – Rewelacja, nie?

Nora też się roześmiała, Danny uśmiechnął się szeroko. Unieśli szklanki i wypili.

– Co tam trzymasz pod pachą? – spytał Danny.

– A, a, to, prawda. – Luther odstawił szklankę na stoliczek i otworzył kopertę. Ledwie wyciągnął tekturkę, a ręce znowu mu zadrżały. Pokazał ją Norze. – Nie potrafię wyjaśnić, dlaczego tu przyszedłem. Dlaczego chciałem, żebyś to zobaczyła. Po prostu... – Wzruszył ramionami.

Nora ścisnęła jego ramię.

– W porządku.

– Wydawało mi się, że muszę to komuś pokazać. Tobie.

Danny odstawił drinka i stanął za Norą, która uniosła tekturkę. Oczy się jej rozszerzyły. Wzięła Danny'ego pod ramię i przytuliła policzek do jego ręki.

– Piękny – powiedział Danny cicho.

Luther pokiwał głową.

– Mój syn – oznajmił, oblewając się ciepłym rumieńcem. – Mój syneczek.

ROZDZIAŁ DWUDZIESTY DZIEWIĄTY

Steve Cole, pijany, lecz świeżo wykąpany, jako sędzia pokoju potwierdził, że trzeciego czerwca 1919 roku Danny Coughlin i Nora O'Shea zawarli związek małżeński.

Poprzedniej nocy przed domem prokuratora generalnego Palmera w Waszyngtonie wybuchła bomba. Detonacja zaskoczyła samego zamachowca, który nie dotarł do drzwi Palmera. Jego głowę po jakimś czasie zlokalizowano na dachu cztery przecznice dalej, ale rąk i nóg nigdy nie znaleziono. Próby zidentyfikowania sprawcy na podstawie głowy zakończyły się niepowodzeniem. Eksplozja zniszczyła fasadę domu Palmera. Wyleciały szyby w oknach wychodzących na ulicę. Salon, bawialnia, hol i jadalnie zostały zniszczone. Palmer przebywał w kuchni na tyłach domu i został odnaleziony pod gruzami, właściwie bez jednego draśnięcia, przez zastępcę sekretarza marynarki wojennej, Franklina Roosevelta, który mieszkał naprzeciwko. Choć zwęglona głowa zamachowca nie wystarczyła, by go zidentyfikować, wydawało się jasne, że to anarchista, ponieważ ulotki, które miał przy sobie, wyfrunęły nad R Street w chwili wybuchu i posypały się na okoliczne ulice i budynki w promieniu trzech przecznic. Pod nagłówkiem „Proste słowa" znajdował się tekst identyczny z tym, który siedem tygodni wcześniej pojawił się na bostońskich latarniach.

Nie dajecie nam wyboru. Musi dojść do rozlewu krwi.
Zniszczymy i usuniemy świat waszych tyrańskich instytucji.
Niech żyje rewolucja społeczna. Precz z tyranią.
Wojownicy Anarchii.

Prokurator generalny Palmer, który, jak napisano w „Washington Post", był „wstrząśnięty, lecz niezrażony", obiecał, że podwoi wysiłki w dążeniu do celu. Powiadomił wszystkich komunistów, mieszkających w granicach USA, by uważali się za ostrzeżonych.

– To będzie przykre lato – zapowiedział – ale nie dla tego kraju. Jedynie dla jego wrogów.

Przyjęcie weselne Danny'ego i Nory odbyło się na dachu wynajętego mieszkania Danny'ego. Policjanci, którzy się na nim zjawili, byli niżsi stopniami. Na ogół byli to członkowie BKS. Niektórzy przyszli z żonami, inni z dziewczynami. Danny przedstawiał im Luthera jako „człowieka, który uratował mu życie". Większość się tym zadowoliła, choć Luther zauważył, że paru białych bardzo pilnowało portfeli i żon, kiedy znajdował się blisko nich. Ale zabawa i tak była świetna. Jeden z lokatorów, młody Włoch, grał na skrzypcach, tak że mało nie urwał sobie ręki. Później zastąpił go gliniarz z akordeonem. Było mnóstwo jedzenia, wina, whisky i kubły zimnego piwa. Biali tańczyli, śmiali się i wznosili toasty, aż w końcu zaczęli pić za niebo i ziemię, spowite błękitem zmierzchu.

Około północy Danny usiadł koło Luthera na murku, pijany i uśmiechnięty.

– Panna młoda trochę się dąsa, że nie poprosiłeś jej o taniec.

Luther parsknął śmiechem.

– No, co?

– Czarny mężczyzna tańczący z białą kobietą na dachu! Oczywiście.

– Nic nie jest oczywiste – powiedział Danny, trochę niewyraźnie. – Nora sama mnie o to poprosiła. Chcesz, żeby panna młoda była smutna na własnym weselu? Proszę bardzo.

Luther spojrzał na niego.

– Danny, są pewne granice. Nie wolno ich przekraczać nawet tutaj.

– Pieprzyć granice.

– Łatwo ci powiedzieć. Bardzo łatwo.

– Jasne, jasne.

Przez jakiś czas patrzyli na siebie.

W końcu Danny spytał:

– Co?

– Prosisz o wiele – odpowiedział Luther.

Danny wyjął paczkę muradów i podał jednego Lutherowi. Przypalił mu go zapalniczką, a potem zajął się swoim. Wydmuchnął z wolna strumień błękitnego dymu.

– Słyszałem, że wiele funkcji w Stowarzyszeniu dla Postępu Kolorowych zajmują białe kobiety.

Luther nie wiedział, w czym rzecz.

– Jest w tym trochę prawdy, owszem, ale doktor Du Bois chce to zmienić. Zmiany zachodzą powoli.

– Aha – mruknął Danny. Pociągnął łyk whisky i podał butelkę Lutherowi. – Myślisz, że jestem jak te białe kobiety?

Luther zauważył, że jeden z kolegów Danny'ego patrzył z uwagą, kiedy podnosił butelkę do ust. Facet zapamiętywał, której butelki nie tykać.

– Myślisz? – spytał Danny. – Myślisz, że chcę coś udowodnić? Pokazać, jakim jestem postępowym białym człowiekiem?

– Nie wiem, co chcesz. – Luther oddał mu butelkę. Danny pociągnął z niej łyk.

– Nie zrobiłem nic, oprócz tego, że poprosiłem przyjaciela o taniec z moją żoną na weselu – o co z kolei ona mnie poprosiła.

– Słuchaj. – Luther czuł ciepło alkoholu we krwi. – Jest tak.

– Jest jak? – Danny uniósł brew.

Luther pokiwał głową.

– Jak zawsze. I nie zmieni się dlatego, że ty tak chcesz.

Podeszła do nich Nora, także trochę pijana, sądząc po jej ruchach, z kieliszkiem szampana w jednej ręce i papierosem w drugiej.

– Nie chce zatańczyć – oznajmił Danny, zanim Luther zdążył coś powiedzieć.

Naburmuszyła się jak dziecko. Miała na sobie suknię z perłowego, przetykanego srebrem połyskliwego jedwabiu. Spódnica była pomięta, a całość prezentowała się dość niedbale, ale oczy Nory pozostały te same, a na widok jej twarzy Luther myślał o spokoju i domu.

– Zaraz się rozpłaczę. – Oczy miała wesołe, lśniące od alkoholu. – Uuuuu.

Luther roześmiał się cicho. Goście zaczęli im się przyglądać, tak jak się obawiał.

Przewrócił oczami, wziął dłoń Nory, która pomogła mu wstać; skrzypek i akordeonista zaczęli grać, a Nora zaprowadziła go na środek dachu, pod księżyc przypominający rogalik. Drugą rękę położył jej na plecach i poczuł ciepło promieniujące przez materiał. Widział pulsowanie żyłki na jej szyi. Pachniała alkoholem, jaśminem i tą niezaprzeczalną białością, którą zauważył, gdy ją objął po raz pierwszy. Jakby jej ciała nigdy nie dotknęła rosa. Papierowy, wykrochmalony zapach.

– Dziwny świat, nie? – spytała.

– Z całą pewnością.

Po alkoholu jej akcent był mocniejszy.

– Przykro mi, że straciłeś pracę.

– A mnie nie. Mam nową.

– Naprawdę?

Skinął głową.

– W magazynie bydła. Zaczynam pojutrze.

Podniósł rękę, a Nora zawirowała pod nią, po czym znowu do niego wróciła.

– Jesteś najlepszym przyjacielem mojego życia – powiedziała.

Parsknął śmiechem.

– Upiłaś się, dziewczyno.

– Tak – zgodziła się radośnie. – Ale i tak jesteś dla mnie jak rodzina. – Skinęła głową w stronę Danny'ego. – Dla niego też. A my jesteśmy już twoją rodziną?

Luther spojrzał jej w twarz i przestał widzieć resztę ludzi zgromadzonych na dachu. Dziwna kobieta. Dziwny mężczyzna. Dziwny świat.

– Jasne, siostro – powiedział. – Jasne.

Nazajutrz po ślubie starszego syna Thomas przyszedł do pracy i spotkał agenta Rayme'a Fincha, czekającego na niego w przedpokoju przed stanowiskiem oficera dyżurnego.

– Co, składamy zażalenie?

Finch wstał. W ręce trzymał słomkowy kapelusz.

– Jeśli możemy zamienić słówko…

Thomas zaprowadził go do swojego gabinetu. Zdjął płaszcz i czapkę, powiesił je na wieszaku i spytał Fincha, czy życzy sobie kawy.

– Dziękuję.

Przycisnął guzik interkomu.

– Stan, proszę dwie kawy. – Spojrzał na agenta. – Witamy w Bostonie. Pan na długo?

Finch wzruszył ramionami.

Thomas zdjął szalik i powiesił obok płaszcza. Odsunął ostatnią stertę najnowszych raportów. Stan Beck przyniósł kawę i wyszedł. Thomas przysunął Finchowi filiżankę.

– Ze śmietanką czy cukrem?

– Czarną i gorzką. – Finch wziął filiżankę i skinął głową.

Thomas dodał sobie śmietanki.

– Co pana sprowadza?

– Rozumiem, że ma pan siatkę pracowników uczęszczających na zebrania różnych radykalnych organizacji w pańskim mieście. Niektórzy nawet wniknęli do nich w przebraniu. – Finch dmuchnął na kawę i upił malutki łyczek, po czym oblizał oparzone wargi. – Jak rozumiem, w przeciwieństwie do tego, co pan sugerował, gromadzi pan listy.

Thomas usiadł i też wypił nieco kawy.

– Twoja ambicja może zakłócać osąd sytuacji, chłopcze.

Finch uśmiechnął się do niego.

– Chciałbym prosić o dostęp do tych list.

– O dostęp?

– Kopie.

– Ach.

– Czy to problem?

Thomas odchylił się i oparł nogi na biurku.

– W tej chwili nie rozumiem, dlaczego współpraca między naszymi organizacjami miałaby być korzystna dla wydziału bostońskiej policji.

– Może ma pan zbyt ograniczony punkt widzenia.

– Nie sądzę – uśmiechnął się Thomas. – Ale zawsze chętnie poznaję nową perspektywę.

Finch potarł zapałkę o kant biurka i zapalił papierosa.

– Rozważmy reakcję świata, gdyby przeciekła do niego informacja, iż niesforny oddział bostońskiej policji sprzedaje listy członków znanych radykalnych organizacji przemysłowcom, zamiast udostępniać je rządowi federalnemu.

– Pozwolę sobie skorygować jeden drobny błąd.
– Mój informator jest godny zaufania.
Thomas złożył ręce na brzuchu.
– Popełniłeś błąd, synu, używając słowa „niesforny". Nie jesteśmy tacy. Czy chciałbyś wysunąć jakiś zarzut przeciwko mnie lub znanej mi osobie? Z pewnością przekonałbyś się, że dziesiątki osób oskarży ciebie, pana Hoovera, prokuratora generalnego Palmera i tę twoją raczkującą, zabiedzoną agencję. – Thomas sięgnął po filiżankę. – Dlatego doradzam ostrożność w kwestii grożenia mi w moim pięknym mieście.
Finch skrzyżował nogi i strzepnął popiół do popielniczki.
– Rozumiem.
– Odetchnąłem z ulgą.
– Pański syn – ten, który zabił terrorystę – jest, jak rozumiem, stracony dla mojej sprawy.
Thomas skinął głową.
– Jest teraz związkowcem z krwi i kości.
– Ale ma pan też drugiego syna. Prawnika, jak rozumiem.
– Proszę ostrożnie rozmawiać o mojej rodzinie. – Thomas potarł kark. – Stąpa pan po cienkim lodzie.
Finch uniósł rękę.
– Proszę mnie wysłuchać. Udostępnijcie nam te listy. Nie twierdzę, że nie może pan zarabiać na nich na boku. Ale jeśli pan mi je pokaże, dopilnuję, żeby pański syn, ten prawnik, dostał w najbliższych miesiącach świetną posadę.
Thomas pokręcił głową.
– Jest podwładnym prokuratora okręgowego.
– Silasa Pendergasta? – Finch pokręcił głową. – Wszyscy wiedzą, że pan nim rządzi, kapitanie.
Thomas rozłożył ręce.
– Więc o co panu chodzi?
– Wstępne podejrzenia, że wybuch zbiornika melasy to zamach terrorystyczny, były dla nas darem niebios. Mówiąc wprost, ten kraj ma dość strachu.
– Wybuch nie był dziełem terrorystów.
– Ale ludzie są nadal wściekli. – Finch się roześmiał. – Nikt nie zdziwił się bardziej od nas. Myśleliśmy, że pochopne oskarżenie ter-

rorystów nam zaszkodzi. Jest jednak dokładnie odwrotnie. Ludzie nie chcą prawdy, tylko stabilności. – Wzruszył ramionami. – Albo jej złudzenia.

– A pan wraz z panem Palmerem z radością spełnicie to pragnienie.

Finch zgasił papierosa.

– Moim obecnym zadaniem jest deportacja każdego radykała, który spiskuje na szkodę mojego kraju. Powszechnie wiadomo, że pomysł deportacji upada ze względu na jurysdykcję federalną. Jednak prokurator generalny Palmer, pan Hoover i ja zrozumieliśmy ostatnio, że państwo i miejscowe władze mogą wziąć bardziej czynny udział w deportacjach. Czy chce się pan dowiedzieć, w jaki sposób?

Thomas spojrzał w sufit.

– Zakładam, że na mocy państwowych ustaw antysyndykalistycznych.

Finch wytrzeszczył oczy.

– Jak pan doszedł do tego wniosku?

– Donikąd nie dochodziłem. Zdrowy rozsądek, człowieku. Ustawy są w książkach, od lat.

– Nie zastanowiłby się pan nad pracą w Waszyngtonie?

Thomas stuknął palcami w okno.

– Widzisz pan? Tę ulicę? Tych ludzi?

– Tak.

– Musiałem spędzić piętnaście lat w Irlandii i miesiąc na morzu, żeby ich znaleźć. To mój dom. A człowiek, który opuszcza swój dom, zostawia wszystko.

Finch uderzył kapeluszem o kolano.

– Dziwny z pana gość.

– Otóż to. – Kapitan wyciągnął do Finach otwartą dłoń. – Więc ustawy antysyndykalistyczne?

– Otworzyły w procesie deportacji drzwi, które od dawna uważaliśmy za zamknięte.

– Miejscowe.

– I stanowe.

– Więc zbiera pan siły.

Finch pokiwał głową.

– I chcielibyśmy, żeby pański syn do nich należał.

– Connor?
– Tak.
Thomas pociągnął kawy.
– Do jakiego stopnia?
– No, damy mu posadę prawnika w Departamencie Sprawiedliwości lub lokalnym...
– Nie. Albo będzie najważniejszym prawnikiem w Bostonie, albo wcale nie będzie dla was pracował.
– Jest młody.
– Starszy od waszego pana Hoovera.
Finch rozejrzał się z rozterką po gabinecie.
– Jeśli pański syn wsiądzie do tego pociągu, obiecuję, że będzie nim jechać do końca życia.
– Tak, ale chciałbym, żeby jechał od frontu, nie od tyłu. Widok będzie o wiele lepszy, nie zgodzi się pan?
– Coś jeszcze?
– Tak. Wezwie go pan do Waszyngtonu, żeby go mianować. I zrobi to w obecności fotografa.
– A w zamian zespół prokuratora generalnego Palmera będzie miał dostęp do list, które zbierają pańscy ludzie?
– Po specjalnej prośbie, którą rozpatrzę.
Finch zastanowił się, jakby miał jakiś wybór.
– Mogę się na to zgodzić.
Thomas wstał i wyciągnął rękę.
Finch natychmiast podał mu swoją.
– Zatem ubiliśmy interes.
– Zawarliśmy umowę. – Thomas mocno uścisnął jego dłoń. – Proszę uważać ją za nienaruszalną.

Luther zauważył, że Boston może się pod wieloma względami różnić od miast środkowego zachodu – na przykład ludzie mówili ze śmiesznym akcentem i wszyscy się tu stroili, jakby codziennie szli na bal albo do kina, nawet dzieci – ale magazyny bydła są wszędzie takie same. To samo błoto, smród i hałas. I ta sama praca dla kolorowych – najpodlejsza. Przyjaciel Isaiaha, Walter Grange, pracował tu od piętnastu lat i awansował na zarządcę zagród, tylko że każdy biały człowiek z piętnastoletnim stażem pracy byłby już kierownikiem magazynu.

Walter wyszedł po Luthera na przystanek tramwaju na Marker Street w Brighton. Był drobnym mężczyzną o wielkich białych bokobrodach, które miały chyba rekompensować mu łysinę na czubku głowy. Miał pękaty tors i krótkie krzywe nogi, a kiedy prowadził Luthera przez Market Street, jego grube ramiona kołysały się do taktu wraz z biodrami.

– Pan Giddreaux twierdzi, że pochodzisz ze środkowego zachodu?

Luther przytaknął.

– Więc już widziałeś coś takiego.

– Pracowałem w magazynie w Cincinnati.

– No, nie wiem, jak jest w Cincinnati, ale Brighton to jeden wielki magazyn. Wszystko, co widzisz koło Market, wiąże się z handlem bydłem.

Wskazał hotel poganiaczy bydła na rogu Market i Washington, oraz drugi magazyn trzody, machnął ręką w kierunku fabryk konserw, trzech rzeźni i różnych pensjonatów dla robotników i handlarzy.

– Przywykniesz do tego smrodu – powiedział. – Ja już go nie czuję.

W Cincinnati Luther także przestał go zauważać, ale teraz trudno mu było sobie przypomnieć, jak to osiągnął. Z kominów buchał w niebo czarny dym, który zaraz opadał ku ziemi wraz z ciężkim zapachem krwi, tłuszczu i zwęglonego mięsa. A także z wonią środków chemicznych, nawozu, siana i błota. Market Street robiła się płaska w okolicach Fanuiel Street i tam właśnie zaczynały się magazyny. Ciągnęły się daleko po obu stronach ulicy, przecięte torami kolejowymi. Smród nawozu gęstniał, wznosił się wezbraną falą, pojawiały się wysokie ogrodzenia z drutu kolczastego i świat nagle wypełniał się kurzem, gwizdami, rżeniem, beczeniem i rykiem zwierząt. Walter Grange otworzył drewnianą bramę i Luther ruszył za nim po ciemnej, grząskiej ziemi.

– Wiele osób ma swój udział w pracy magazynów – powiedział Walter. – Mali hodowcy i wielcy posiadacze stad bydła. Detaliści, hurtownicy, agenci na prowizji, przedstawiciele banków. Kolejarze, telegrafiści, analitycy rynku, poganiacze i woźnice, którzy przewożą sprzedane bydło. Są kupcy, którzy rano nabywają bydło i odprowadzają je do rzeźni, żeby następnego dnia sprzedać mięso na steki. Są ludzie zbierający dane dla agencji informacji rynkowej, odźwierni, sprzątacze klatek, ludzie pracujący przy wagach i dla różnych innych firm. A jeszcze nie doszliśmy do robotników niewykwalifikowanych. – Uniósł brew. – Na przykład ciebie.

Luther rozejrzał się. To samo, co w Cincinnati, ale musiał sporo zapomnieć, wyprzeć z pamięci. Ogromny teren, mnóstwo błotnistych korytarzy między drewnianymi zagrodami, pełnymi hałaśliwych zwierząt. Krowy, wieprze, owce, jagnięta. Wszędzie kręcili się ludzie, niektórzy w gumiakach i ceratowych płaszczach, inni w garniturach, muszkach i panamach, a jeszcze inni w kraciastych koszulach i kowbojskich kapeluszach. Kowbojskie kapelusze w Bostonie! Luther minął wagę, wysoką jak jego dom w Columbus i prawie tak szeroką. Jakiś mężczyzna wprowadził na nią oszołomioną jałówkę i uniósł rękę do mężczyzny, który stał koło wagi z ołówkiem i kartką.

– Ważę całą partię, George.

– Przepraszam, Lionel. Proszę.

Mężczyzna wprowadził na wagę drugą krowę, potem trzecią i jeszcze jedną, a Luther zaczął się zastanawiać, jaki ciężar może wytrzymać taka waga, czy można na niej na przykład postawić statek z pasażerami.

Walter był już daleko; Luther dogonił go w chwili, gdy ten skręcił w prawo w korytarz między zagrodami.

– Nadzorca jest odpowiedzialny za całą trzodę, która na jego zmianie zejdzie z pociągów. Nadzorca to ja. Prowadzę zwierzęta do zagród i tam je karmimy, sprzątamy po nich, dopóki nie zostaną sprzedane, a wtedy nabywca pokazuje nam dowód zakupu, a my mu wydajemy towar.

Zatrzymał się na następnym zakręcie i podał Lutherowi łopatę.

Luther uśmiechnął się krzywo.

– Aha. To pamiętam.

– Więc mogę odetchnąć. Podlegają nam zagrody od dziewiętnastej do pięćdziesiątej siódmej. Jasne?

Luther skinął głową.

– Za każdym razem, jak któraś się zwolni, wysprzątasz ją, wyścielisz nowym sianem i zaopatrzysz w wodę. Pod koniec dnia, trzy razy w tygodniu pójdziesz tam – machnął ręką – i też tam posprzątasz.

Luther spojrzał w stronę, którą wskazywał Walter. Zobaczył niski brązowy budynek na zachodnim końcu magazynu. Nie trzeba było wiedzieć, co to jest, żeby wyczuć jego złowrogie przeznaczenie. Coś tak ponurego, pozbawionego ozdób i funkcjonalnego nie mogło wywołać uśmiechu na niczyjej twarzy.

– Rzeźnia – powiedział Luther.

– Masz z tym jakiś problem?

Luther pokręcił głową.

– Taka praca.

Walter Grange westchnął i poklepał go po plecach.

– Taka praca.

Dwa dni po ślubie Danny'ego i Nory Connor spotkał się z prokuratorem generalnym Palmerem w jego domu w Waszyngtonie. Okna były zabite deskami, pomieszczenia od frontu zniszczone, sufity zapadnięte, schody zburzone do połowy, przy czym dolna część leżała na stercie gruzu, a górna wisiała nad zrujnowanym holem. Policja i agenci federalni urządzili sobie centrum dowodzenia w dawnym salonie i krążyli swobodnie po domu, gdy kamerdyner Mitchella Palmera prowadził Connora do gabinetu na tyłach domu.

Tam czekali na niego trzej mężczyźni. W najstarszym i najbardziej masywnym Connor natychmiast rozpoznał Mitchella Palmera. Palmer był zaokrąglony, choć nie otyły, nawet wargi miał pulchne, wystające z twarzy jak pączek róży. Uścisnął dłoń Connora, podziękował mu za przyjście i przedstawił go chudemu agentowi BI Rayme'owi Finchowi oraz ciemnookiemu i ciemnowłosemu prawnikowi z Departamentu Sprawiedliwości, Johnowi Hooverowi.

Connor musiał obejść stertę książek, żeby zająć miejsce. Wybuch zrzucił je z półek, na których widniały wielkie pęknięcia. Tynk i farba odpadły z sufitu, a na szybach za Mitchellem Palmerem znajdowały się dwie małe rysy.

Palmer pochwycił spojrzenie Connora.

– Widzi pan, do czego są zdolni ci radykałowie.

– Tak.

– Ale nie dam im tej satysfakcji i nie wyprowadzę się stąd, zapewniam pana.

– Jest pan bardzo odważny.

Palmer zakołysał się lekko w fotelu. Hoover i Finch usiedli po obu stronach prokuratora.

– Czy jest pan zadowolony z kierunku, w jakim zmierza nasz kraj?

Connor pomyślał o Dannym tańczącym ze swoją dziwką na weselu, śpiącym z nią w ich plugawym łóżku.

– Nie.

– A to dlaczego?

– Wydaje mi się, że rozdajemy do niego klucze.

– Dobrze powiedziane, młodzieńcze. Czy chciałbyś nam pomóc w położeniu temu kresu?

– Z przyjemnością.

Palmer obrócił fotel w stronę pękniętej szyby w oknie.

– W zwykłych czasach stosuje się zwykłe przepisy. Czy nazwałby pan te czasy zwykłymi?

Connor pokręcił głową.

– A zatem niezwykłe czasy...?

– ...domagają się nadzwyczajnych środków.

– Otóż to. Panie Hoover...

John Hoover podciągnął nogawki spodni i pochylił się ku Connorowi.

– Prokurator generalny jest zdecydowany wykorzenić zło z naszego kraju. W tym celu poprosił mnie, bym stanął na czele nowej sekcji Bureau of Investigation, która od tej pory będzie znana jako General Intelligence Division lub GID. Naszym zadaniem, jak nazwa wskazuje, będzie gromadzenie wiadomości wywiadowczych na temat radykałów, komunistów i bolszewików, anarchistów i galleanistów. Krótko mówiąc, wrogów wolnego i sprawiedliwego społeczeństwa. A pan?

– Słucham?

– Pan? – Oczy Hoovera niemal wychodziły z orbit. – Pan?

– Nie jestem pewien, czy...

– Pan, Coughlin? Kim pan jest?

– Nikim z wymienionych – odpowiedział Connor i aż się zdziwił, jak twardo zabrzmiał jego głos.

– Więc proszę do nas dołączyć. – Mitchell Palmer odwrócił się od okna i wyciągnął rękę.

Connor wstał i uścisnął ją.
– Będę zaszczycony.
– Witaj w naszym gronie, synu.

Luther i Clayton Tomes kładli gips na ściany na parterze domu przy Shawmut Avenue, kiedy usłyszeli trzaśnięcie drzwi trzech samochodów i po schodach wszedł McKenna oraz dwaj policjanci w cywilu.

W oczach McKenny Luther od progu zobaczył coś daleko wykraczającego poza zwykły wyraz arogancji i pogardy. Zobaczył coś tak szalonego, że kwalifikowało się do skucia w łańcuchy i zamknięcia w klatce.

Dwaj policjanci, których przyprowadził, weszli do pokoju. Jeden z nich niósł skrzynkę z narzędziami. Sądząc po tym, jak napinały mu się mięśnie ręki, była ciężka. Policjant postawił ją na podłodze koło drzwi kuchennych.

McKenna zdjął kapelusz i machnął nim ku Claytonowi.

– Miło cię znowu zobaczyć, synu.

– Dzień dobry.

Potem zatrzymał się przy Lutherze i spojrzał na wiadro z gipsem.

– Lutherze, czy się obrazisz, jeśli zadam ci dość trudne pytanie?

Luther pomyślał: „Tyle na temat pomocy Danny'ego i kapitana".

– Nie, panie.

– Ciekawi mnie, skąd się wywodzisz. Z Afryki? Haiti? Czy Australii? Z tych ludów pierwotnych, nie? Wiesz, synu?

– Co, panie?

– Skąd pochodzisz?

– Z Ameryki. Z tych oto Stanów Zjednoczonych.

McKenna pokręcił głową.

– Ty tu tylko mieszkasz. Ale skąd pochodzi twój lud? Pytam, czy wiesz?

Luther skapitulował.

– Nie wiem, panie.

– A ja wiem. – McKenna ścisnął ramię Luthera. – Kiedy człowiek wie, czego szuka, zawsze znajdzie. Twój pradziadek, Lutherze – wnioskując na podstawie tego nochala, kręconych włosów i wielkich ust –

pochodził z Afryki. Prawdopodobnie z Rodezji. Ale twoja dość jasna skóra i piegi na kościach policzkowych wskazują, Bóg mi świadkiem, na Indie Zachodnie. Więc twój pradziadek wywodził się spomiędzy małp, a twoja prababka z wyspy, i razem spotkali się jako niewolnicy w Nowym Świecie i spłodzili twojego dziadka, który spłodził twojego ojca, który spłodził ciebie. Ale Nowy Świat nie jest współczesną Ameryką, zgadza się? Jesteście jak naród w łonie narodu, owszem, ale nie macie własnego kraju. Jesteś nie-Amerykaninem, który urodził się w Ameryce i nigdy, przenigdy nie zostanie Amerykaninem.

– Dlaczego? – Luther spojrzał w bezduszne oczy McKenny.

– Bo jesteś asfaltem. Bambusem. Czekoladą w krainie białego mleka. Innymi słowy, Lutherze, powinieneś zostać w domu.

– Nikt mnie nie pytał o zdanie.

– Więc powinieneś bardziej się starać. Bo gdzie jest twoje miejsce w tym świecie? Tam, skąd pochodzisz.

– Pan Marcus Garvey mówi to samo.

– Porównujesz mnie z Garveyem? – McKenna uśmiechnął się sennie i wzruszył ramionami. – Nie szkodzi. Podoba ci się praca u Coughlinów?

– Podobała mi się.

Jeden z gliniarzy niepostrzeżenie stanął za Lutherem.

– A, prawda – powiedział McKenna. – Zapomniałem. Zostałeś zwolniony. Zabiłeś parę ludzi w Tulsie, zostawiłeś żonę i dzieciaka, uciekłeś tutaj, żeby pracować u kapitana policji, a potem i to spieprzyłeś. Gdybyś był kotem, rzekłbym, że zostało ci ostatnie życie.

Luther czuł na sobie spojrzenie Claytona. Clayton mógł się dowiedzieć o Tulsie dzięki poczcie pantoflowej. Ale nigdy by nie zgadł, że jego nowy przyjaciel był w to zamieszany. Luther chciał mu to wyjaśnić, ale mógł tylko stać przed McKenną i patrzyć na niego.

– Co mam teraz zrobić? – spytał. – O co chodzi? Mam coś zrobić?

Porucznik wyjął piersiówkę.

– Posuwa się?

– Co?

– Ten budynek. Przebudowa. – Podniósł łom z podłogi.

– Chyba tak.

– Moim zdaniem prawie skończyliście. Przynajmniej na tym piętrze. – Wybił łomem dwie szyby. – Pomogłem?

Szkło brzęknęło o podłogę. Luther zastanowił się, co takiego jest w niektórych ludziach, że pielęgnowanie w sobie nienawiści sprawia im taką przyjemność.

Policjant za plecami Luthera roześmiał się cicho. Stanął obok niego i przesunął mu pałką po piersi. Policzki miał ogorzałe; jego twarz skojarzyła się Lutherowi ze zbyt długo pozostawioną na polu rzepą. Cuchnął whisky.

Drugi policjant przyniósł skrzynkę z narzędziami i postawił ją między Lutherem i McKenną.

– Zawarliśmy męską umowę. Męską – powtórzył McKenna, stając tak blisko, że Luther poczuł jego przesycony whisky oddech i tanią wodę po goleniu. – A ty pobiegłeś do Tommy'ego Coughlina i jego rozpieszczonego synalka? Myślałeś, że to cię uratuje, ale – Boże – jeszcze bardziej się pogrążyłeś.

Uderzył Luthera tak mocno, że ten upadł.

– Wstań!

Luther usłuchał.

– Myślałeś, że mi się sprzeciwisz? – McKenna kopnął go w goleń tak mocno, że Luther musiał stanąć na drugiej nodze, żeby się nie przewrócić. – Prosiłeś najjaśniejszych Coughlinów o dyspensę ode mnie?

McKenna wyjął rewolwer i przyłożył go do czoła Luthera.

– Jestem Edward McKenna z bostońskiego wydziału policji, nie kto inny. Nie jakiś fagas! Jestem Edward McKenna, porucznik, a ty masz przesrane!

Luther spojrzał w górę. Czarna lufa wyrastała mu z czoła jak guz.

– Tak, panie.

– Nie kadź mi tu żadnym „tak, panie".

McKenna uderzył go w głowę kolbą pistoletu.

Pod Lutherem ugięły się kolana, ale wyprostował się, zanim dotknął nimi podłogi.

– Tak, panie – powtórzył.

McKenna znowu wbił mu lufę między oczy. Odbezpieczył broń. Zabezpieczył. Znowu odbezpieczył. Uśmiechnął się szeroko, szczerząc żółte zęby.

Luther był śmiertelnie zmęczony, do szpiku kości, do głębi serca. Widział przerażoną, lśniącą od potu twarz Claytona, rozumiał go, potrafił się z nim zidentyfikować, ale sam nic nie czuł. Nie w tej chwili. Strach mu nie dokuczał. Dokuczało mu znudzenie. Znudziło go uciekanie, znudziła go ta cała gra, w której uczestniczył, odkąd nauczył się chodzić. Znudziło go użeranie się z policją, z władzą, z całym światem.

– Rób, co masz robić, McKenna, cholera, i nie zawracaj gitary.

McKenna skinął głową. McKenna uśmiechnął się. McKenna schował broń.

Po uderzeniu kolby na czole Luthera został ślad, wyraźne wgniecenie. Swędziało. Luther cofnął się o krok i poczuł, że ma ochotę dotknąć tego miejsca.

– Cóż, synu... Upokorzyłeś mnie wobec Coughlinów, a człowiek mojego pokroju nie toleruje upokorzenia. – Rozłożył bezradnie ręce. – To po prostu niemożliwe.

– W porządku.

– Ach, gdyby to było takie łatwe, ale nie jest. Musisz to odpokutować. – McKenna wskazał skrzynkę na narzędzia. – Włożysz to łaskawie do tej piwniczki, którą zbudowałeś.

Luther wyobraził sobie, że matka patrzy na niego z góry, z bólem serca przyglądając się życiu, które wiódł jej jedyny syn.

– Co tam jest?

– Coś złego. Bardzo, bardzo złego. Chcę, żebyś to wiedział. Chcę, żebyś wiedział, że to, co zrobisz, wyrządzi nieoszacowaną szkodę ludziom, na których ci zależy. Chcę, żebyś sobie uświadomił, iż sam do tego doprowadziłeś i że, zapewniam cię, ani ty, ani twoja żona nie macie wyjścia.

Kiedy McKenna przyłożył mu broń do głowy, Luther zrozumiał jedną, najważniejszą prawdę: ten człowiek postanowił go zabić. Zabije go i zapomni o wszystkim. Nie tknie Lili z tego prostego powodu, że wmieszanie się w dochodzenie w sprawie czarnucha zamieszkałego tysiąc pięćset kilometrów dalej jest bezzasadne, skoro obiekt nienawiści już nie żyje. Więc Luther zrozumiał jeszcze jedno: kiedy umrze, jego ukochani nie ucierpią.

– Nie sprzedam moich ludzi – powiedział McKennie. – Nie podłożę niczego w stowarzyszeniu. Pieprzę to. Pieprzę ciebie.

Clayton westchnął cicho, z niedowierzaniem.

Ale porucznik zareagował, jakby tego się spodziewał.

– Naprawdę?

– Naprawdę. – Luther spojrzał na skrzynkę i na swojego dręczyciela. – Nie…

McKenna przyłożył rękę do ucha, jakby po to, by lepiej słyszeć, wyciągnął rewolwer i strzelił Claytonowi Tomesowi w pierś.

Clayton uniósł dłoń. Spojrzał na dym, unoszący się z dziury w jego kombinezonie. Dym zmienił się w strugę gęstego, ciemnego płynu. Clayton przyłożył w to miejsce rękę, odwrócił się i ostrożnie podszedł do jednej z puszek z gipsem, na których siadywał z Lutherem, jedząc, paląc i gadając. Dotknął puszki ręką, zanim na niej usiadł.

– Co, do…? – odezwał się i oparł o ścianę.

McKenna przesunął rękami po kroczu i klepnął się po udzie kolbą broni.

– Coś mówiłeś, Lutherze?

Usta Luthera drżały, po twarzy spływały mu gorące łzy. W powietrzu unosił się zapach kordytu. Ściany drżały od zimnego wichru.

– Co ci odwaliło? – szepnął Luther. – Co z tobą…

McKenna znowu strzelił. Clayton szeroko otworzył oczy, a z jego ust wydobyło się ciche, niedowierzające stęknięcie. Tuż poniżej jego jabłka Adama ukazała się rana. Clayton skrzywił się, jakby zjadł coś niesmacznego i wyciągnął rękę do Luthera. Potem oczy wywróciły mu się białkami do góry z wysiłku, a ręka opadła na kolana. Zamknął oczy. Zaczerpnął parę płytkich łyków powietrza i nagle znieruchomiał.

McKenna pociągnął łyk z piersiówki.

– Lutherze, spójrz na mnie.

Luther wpatrywał się w Claytona. Przed chwilą rozmawiali, co jeszcze muszą zrobić. Jedli kanapki. Poczuł smak łez.

– Dlaczego to zrobiłeś? Nie wadził nikomu. Nigdy…

– Bo to nie twój cyrk, tylko mój. – McKenna przechylił głowę i spojrzał Lutherowi w oczy. – A ty jesteś małpą. Jasne?

Wsunął Lutherowi lufę do ust. Była tak rozgrzana, że oparzyła go w język. Zakrztusił się. Tamten odbezpieczył rewolwer.

– Nie był Amerykaninem. Nie był przedstawicielem żadnej akceptowalnej ludzkiej rasy. Jedynie siłą roboczą. Podnóżkiem. Zwierzęciem pociągowym, niczym więcej. Pozbyłem się go, by coś udowodnić: prędzej zacznę opłakiwać utratę podnóżka niż jednego z twoich. Myślisz, że będę stał bezczynnie, kiedy Isaiah Giddreaux i ten wystrojony orangutan Du Bois chcą skundlić moją rasę? Oszalałeś, chłopcze? – Wyciągnął lufę rewolweru z ust Luthera i skierował ją w stronę ściany. – Ten budynek jest obrazą dla wszelkich ideałów, za jakie warto umierać. Za dwadzieścia lat Amerykanie będą ze zdumieniem słuchać opowieści o tym, że pozwoliliśmy wam żyć jako wolnym ludziom. Że płaciliśmy wam pensję! Że pozwalaliśmy wam z nami rozmawiać albo dotykać naszego jedzenia. – Schował broń i chwycił Luthera mocno za ramiona. – Chętnie umrę za moje ideały. A ty?

Luther nie odpowiedział. Nic nie przychodziło mu do głowy. Chciał podejść do Claytona i przytulić jego głowę. Tak, był martwy, ale może dzięki temu poczułby się mniej samotny.

– Jeśli komuś o tym opowiesz, zabiję Yvette Giddreaux, kiedy pewnego popołudnia wyjdzie na obiad do Union Park. Jeśli nie zrobisz dokładnie tego, co ci każę – cokolwiek i kiedykolwiek ci każę – będę zabijać co tydzień jednego czarnucha z tego miasta. Zorientujesz się, że to ja, bo będę im strzelać w lewe oko, żeby poszli do swojego czarnego boga na wpół ślepi. A ich śmierć spadnie na twoją głowę. Lutherze Laurence. Tylko ty będziesz za to odpowiadać. Rozumiemy się?

Puścił go i odstąpił o krok.

– No?

Luther skinął głową.

– Dobry bambus. – McKenna pokiwał głową. – Teraz wraz z funkcjonariuszami Hamiltonem i Temple'em zostaniemy z tobą, dopóki... słuchasz?

Ciało Claytona spadło z puszki. Legł na podłodze, ręką wskazując drzwi. Luther odwrócił głowę.

– Zostaniemy z tobą aż do zmierzchu. Żebyś zrozumiał.

– Rozumiem.

– Czy to nie słodkie? – McKenna objął go za ramiona. – Czy to nie cudne?

Poprowadził Luthera do ciała Claytona.

– Zakopiemy go na podwórku, a potem wstawimy skrzynkę do piwnicy. I ułożymy prawdopodobną historię, którą opowiesz pani Amy Wagenfeld, gdy wyśle do ciebie posłańca, ponieważ jesteś ostatnią osobą, która widziała pana Tomesa, zanim uciekł z naszego pięknego miasta, prawdopodobnie z białą nieletnią. A kiedy już się z tym uporamy, zaczekamy na ceremonię przecięcia wstęgi. I powiadomisz mnie o tej dacie w chwili, gdy ją poznasz, albo...

– Albo...

– Zabiję jakiegoś czarnucha – oznajmił McKenna i poruszył głową Luthera w geście potakiwania. – Czy mam coś powtórzyć?

Luther spojrzał mu w oczy.

– Nie.

– Wspaniale. – McKenna puścił go i zdjął płaszcz. – Chłopcy, zrzucajcie okrycia, obaj! Pomóżmy Lutherowi z tymi ścianami, dobrze? Nie powinien pracować całkiem sam, no nie?

ROZDZIAŁ TRZYDZIESTY

Dom na K Street jakby się skurczył. Pokoje stały się ciaśniejsze, sufity niższe, a cisza, jaka nastąpiła po odejściu Nory, była nie do zniesienia. Tak było przez całą wiosnę, a kiedy okazało się, że Danny pojął Norę za żonę, zrobiło się jeszcze gorzej. Matka Joego leżała z migreną w swoim pokoju, a Connor w te parę nielicznych wieczorów, gdy nie pracował – choć ostatnio pracował całymi dniami i nocami – zjawiał się cuchnący alkoholem i tak wściekły, że Joe omijał go szerokim łukiem, jeśli przypadkiem znaleźli się w tym samym pokoju. Z ojcem było jeszcze gorzej – Joe często zauważał, jak wpatrywał się w niego zaszklonymi oczami. Wszystko wskazywało na to, że robił to od dawna. Za trzecim razem, w kuchni, Joe spytał:

– Co?

Ojciec drgnął.

– Słucham, chłopcze?

– Gapisz się na mnie, ojcze.

– Nie bądź bezczelny, synu.

Joe spuścił oczy. Jeszcze nigdy nie odważył się tak długo wytrzymać spojrzenia ojca.

– Przepraszam.

– Och, jesteś zupełnie jak on – rzucił ojciec i otworzył poranną gazetę, głośno szeleszcząc stronami.

Joe nie wygłupiał się z pytaniem, o kim mówił ojciec. Od ślubu imię Danny'ego wpisano – wraz z Norą – na listę tematów, o których nie mówi się głośno. Joe, choć miał dopiero trzynaście lat, rozumiał, że ta lista, istniejąca jeszcze przed jego narodzeniem, zawiera najważniejsze tajemnice rodu Coughlinów. Nigdy o niej nie rozmawiano, ponieważ jednym z punktów tej listy było mówienie o niej. Joe rozumiał, że pierwszym i najważniejszym jej punktem jest to wszystko, co mogło skompromitować ich rodzinę – krewni, którzy dopuszczali się notorycznego, ostentacyjnego pijaństwa (wujek Mike), którzy poślubili wyznawczynie innej wiary (kuzyn Ed), którzy popełnili przestępstwo (kuzyn Eoin z Kalifornii), popełnili samobójstwo (znowu kuzyn Eoin) lub urodzili nieślubne dziecko (ciotka Jakaś z Vancouver; została tak doszczętnie wyklęta, że Joe nie znał nawet jej imienia, była ulotna jak wątła smużka dymu, która unosiła się w pokoju, zanim ktoś przypomniał sobie, żeby zamknąć drzwi). Joe rozumiał, że seks znajduje się na samym szczycie listy. Wszystko, co się z nim wiąże. Jakakolwiek aluzja, że ludzie w ogóle o nim myślą, nie wspominając już o jego uprawianiu.

Nigdy nie rozmawiano o pieniądzach. Ani o sprawach bulwersujących opinię publiczną, a nawet o nowoczesnych obyczajach. Oba tematy zostały uznane za antykatolickie i antyirlandzkie. Na liście znajdowały się dziesiątki innych punktów, ale nigdy się ich nie znało, dopóki się o którymś nie wspomniało. Wtedy po jednym spojrzeniu można się było zorientować, że weszło się na pole minowe.

Joe najbardziej tęsknił za Dannym dlatego, że Danny miał tę listę w głębokim poważaniu. Nie szanował jej. Rozmawiał przy stole o sufrażystkach, o najnowszej debacie na temat długości kobiecych spódnic, pytał ojca o zdanie w sprawie fali linczów na czarnych na Południu, głośno zastanawiał się, dlaczego Kościół katolicki dopiero po ośmiu setkach lat zdecydował, że Maria była dziewicą.

– Dość! – krzyknęła na to matka z oczami pełnymi łez.

– Widzisz, czego narobiłeś – powiedział ojciec.

To było dopiero mistrzostwo – poruszyć jednocześnie dwa najważniejsze, najwstydliwsze punkty listy: seks i porażki Kościoła.

– Przepraszam, mamo – powiedział Danny i mrugnął do Joego.

Chryste, jak Joe tęsknił za tym jego mruganiem.

Dwa dni po swoim ślubie Danny pojawił się pod szkołą pod wezwaniem Bram Niebios. Joe zobaczył go, wychodząc z budynku z kolegami. Brat był bez munduru, opierał się o żelazne ogrodzenie. Joe nie stracił spokoju, choć fala gorąca przesunęła się po nim od gardła po kostki. Wyszedł za bramę z kolegami i odwrócił się jak najobojętniej w stronę Danny'ego.

– Kupić ci frankfurterkę, bracie?

Danny jeszcze nigdy nie nazwał go bratem. Zawsze mówił do niego „braciszku". To wszystko zmieniło, Joe poczuł się, jakby urósł o głowę, a jednak trochę zatęsknił za dawnymi czasami.

– Jasne.

Ruszyli przez West Broadway do Sol's Dining Car na końcu C Street. Sol niedawno dodał do menu frankfurterki. Nie chciał tego robić podczas wojny, bo nazwa brzmiała za bardzo z niemiecka. Ale teraz Niemcy zostali pokonani, w południowej części Bostonu nikt już nie miał złych skojarzeń z frankfurterkami i w większości restauracji właściciele usiłowali nadążyć za nową modą, którą rozpropagowali Joe & Nemos, nawet jeśli to stawiało ich patriotyzm pod dużym znakiem zapytania.

Danny kupił po dwie kiełbaski i usiedli na kamiennej ławie przed restauracją. Zjedli, popijając piwem korzennym. Przyglądali się samochodom jadącym za konnymi powozami i wozom jadącym za samochodami. W powietrzu czuć było woń nadchodzącego lata.

– Słyszałeś – odezwał się Danny.

Joe przytaknął.

– Ożeniłeś się z Norą.

– A jak. – Danny ugryzł kiełbaskę i uniósł brwi. Nagle parsknął śmiechem. – Szkoda, że cię nie było.

– Tak?

– Oboje żałowaliśmy.

– Aha.

– Ale rodzice by na to nie pozwolili.

– Wiem.

– Wiesz?

Joe wzruszył ramionami.

– Pogodzą się z tym.

Danny pokręcił głową.

– Nic z tego, bracie. Nic z tego.

Joemu zachciało się płakać, ale uśmiechnął się, przełknął kęs jedzenia i popił korzennym piwem.

– Pogodzą się. Zobaczysz.

Danny położył mu rękę na policzku. Joe nie wiedział, jak zareagować, bo jeszcze nigdy go to nie spotkało ze strony brata. Palnięcie w ramię – tak, kuksaniec w żebra – proszę bardzo, ale coś takiego...? Danny spojrzał na niego łagodnie.

– Przez jakiś czas będziesz w tym domu zdany na własne siły, bracie.

– Mogę was odwiedzać? – Joe usłyszał, że głos mu się łamie. Spojrzał na frankfurterkę. Na szczęście nie oblał jej łzami. – Ciebie i Norę?

– Oczywiście. Ale gdyby rodzice się dowiedzieli, wsadziliby cię do budy.

– Już siedziałem w budzie – odpowiedział Joe. – Wiele razy. Niedługo zacznę szczekać.

Danny parsknął krótkim, gardłowym śmiechem.

– Świetny z ciebie chłopak.

Joe pokiwał głową. Poczuł żar na policzkach.

– Więc dlaczego mnie zostawiłeś?

Danny lekko podniósł palcem jego brodę.

– Nie zostawiłem. Co ci powiedziałem? Możesz przychodzić, kiedy zechcesz.

– Jasne.

– Joe, Joe, mówię cholernie poważnie. Jesteś moim bratem. Nie porzuciłem rodziny. Rodzina porzuciła mnie. Przez Norę.

– Tata i Con mówią, że bratasz się z miejscowymi.

– Co? Tak ci powiedzieli?

Joe pokręcił głową.

– Słyszałem, jak rozmawiają. – Uśmiechnął się. – W tym domu wszystko słychać. Jest stary. Powiedzieli, że stałeś się bolszewikiem. Że kochasz makaroniarzy i czarnuchów i że się pogubiłeś. Byli bardzo pijani.

– Skąd wiesz?

– Bo pod koniec zaczęli śpiewać.

– Nie zalewasz? „Danny Boy"?

Joe pokiwał głową.

– I „Cliffs of Dineen" i „She Moved Through the Fair".

– Klasyka gatunku.

– Tata to śpiewa, jak jest napruty jak stodoła.

Danny parsknął śmiechem i przytulił Joego.

– Bratasz się z miejscowymi?

Danny pocałował go w czoło. Dosłownie pocałował! Joe przestraszył się, że brat też jest pijany.

– Tak, chyba tak – odpowiedział.
– Kochasz Włochów?
– Nie mam nic przeciwko nim. A ty?
– Lubię ich. Lubię North End. Tak, jak ty.
Danny lekko uderzył pięścią o kolano.
– No, to dobrze.
– Ale Con ich nienawidzi.
– No, tak. Con ma w sobie sporo nienawiści.
Joe dojadł drugą frankfurterkę.
– Dlaczego?
Danny wzruszył ramionami.
– Może dlatego, że kiedy widzi coś, co go niepokoi, wydaje mu się, że musi natychmiast poznać odpowiedź. A jeśli nie znajdzie jej natychmiast, czepia się czegokolwiek i uznaje to za tę swoją odpowiedź. – Znowu wzruszył ramionami. – Ale tak naprawdę to nie wiem. Con od zawsze miał w sobie coś, co go gryzło.
Przez chwilę siedzieli w milczeniu. Joe machał nogami. Przy krawężniku zatrzymał się uliczny sprzedawca, powracający po dniu na Haymarket. Zszedł z wózka, sapiąc ze zmęczenia, podszedł do konia od przodu i podniósł jego lewe kopyto. Koń zarżał cicho, strzepnął ogonem, a sprzedawca wydłubał mu kamyk spod podkowy i rzucił na ziemię. Postawił końskie kopyto na ziemi, podrapał konia za uchem i coś do niego szepnął. Gdy wspiął się na wózek, koń znowu parsknął. Oczy miał mroczne i senne. Spod ogona spadła mu pecyna nawozu. Dumnie zadarł łeb, jakby zadowolony z osiągnięcia. Joe uśmiechnął się, choć nie wiedział dlaczego.
Danny, również na to patrząc, rzucił:
– Cholera. Wielki jak kapelusz.
– Jak koszyk na chleb! – dodał Joe.
– No już prędzej – zgodził się Danny i obaj parsknęli śmiechem.
Siedzieli razem, dopóki światło za kamienicami wzdłuż Fort Point Channel nie stało się rdzawe. Czuło się tu woń morza i duszący smród z cukrowni, a także wyziewy z Bostońskiej Kompanii Browarniczej. Po moście przechodziły grupy mężczyzn, inni opuszczali fabrykę Gilette, Bostońską Lodziarnię i fabrykę pakuł. Większość wchodziła do knajp. Wkrótce z tych samych knajp zaczęli wybiegać chłopcy – kurierzy niosący pieniądze za zakłady. Od strony kanału rozległ się

gwizd, który sygnalizował koniec kolejnego dnia pracy. Joe żałował, że nie mogą tu siedzieć już zawsze, nawet w tych szkolnych ciuchach, on i brat na tej kamiennej ławeczce na West Broadway, w zapadającym zmroku.

– Można mieć dwie rodziny, Joe. Tę, w której się urodziłeś i tę, którą stworzysz.

– Dwie rodziny – powtórzył Joe, przyglądając mu się uważnie.

Danny przytaknął.

– Z tą pierwszą jesteś spokrewniony i zawsze będziesz z nią związany. To coś znaczy. Ale jest też druga rodzina, ta, którą sobie znajdujesz. Czasem może nawet przypadkiem. I z nią jesteś tak samo związany, jak z tą pierwszą. Może nawet bardziej, bo ta druga nie opiekuje się tobą z obowiązku i nie musi cię kochać. Robi to z własnej woli.

– Więc ty i Luther wybraliście się nawzajem?

Danny przechylił głowę.

– Myślałem raczej o mnie i Norze, ale skoro o tym wspomniałeś, to chyba masz rację.

– Dwie rodziny.

– Jeśli masz szczęście.

Joe pomyślał o tym przez chwilę. Poczuł się jakiś rozmiękczony i niezakotwiczony, jakby lada chwila miał odlecieć.

– A my jesteśmy którą rodziną? – spytał.

– Najlepszą – uśmiechnął się Danny. – Bo nasza należy do obu tych rodzajów.

W domu zrobiło się jeszcze gorzej. Connor, o ile się odzywał, to perorował o anarchistach, bolszewikach, galleanistach i wyścigach w błocie, które oddawały charakter tamtych. Finansują ich Żydzi, mówił, a Słowianie i makaroniarze robią za nich brudną robotę. Podburzają czarnuchów na południu i zatruwają umysły białych robotników na wschodzie. Chcieli zabić jego szefa, prokuratora generalnego Stanów Zjednoczonych Ameryki Północnej – i to dwa razy! Mówią o związkach i prawach ludzi pracy, ale tak naprawdę chcą szerzyć okrucieństwa w całym kraju i zaprowadzić despotyczne rządy. Kiedy już raz wsiadł na swojego konika, nie dawał się z niego zsadzić, a gdy rozmowa zboczyła na możliwość policyjnego strajku, był bliski wybuchu.

W domu Coughlinów ta sprawa powracała przez całe lato, a choć nikt nie wymieniał imienia Danny'ego, Joe wiedział, że brat ma z tym coś wspólnego. Bostoński Klub Społeczny, powiedział ojciec Connorowi, prowadzi rozmowy z Amerykańską Federacją Pracy i z Samuelem Gompersem o ewentualnej fuzji. Byłoby to pierwsze w kraju przymierze klubu policyjnego ze związkiem zawodowym. Mogą zmienić historię, powiedział ojciec i przesunął dłonią po oczach.

Ojciec postarzał się tego lata o pięć lat. Nagle zmizerniał. Pod oczami pojawiły mu się sińce, czarne jak atrament. Jasne włosy posiwiały.

Joe wiedział, że ograniczono mu władzę i że odpowiada za to komisarz Curtis, którego nazwisko ojciec wymieniał z niewypowiedzianym jadem. Wiedział też, że ojciec ma dość walki i że odejście Danny'ego kosztowało go więcej, niż chciałby przyznać.

Ostatniego dnia szkoły chłopiec przyszedł do domu i zastał ojca z Connorem w kuchni. Connor, który właśnie wrócił z Waszyngtonu, był już nieźle podchmielony. Butelka whisky stała na stole, obok niej leżał korek.

– Jeśli to zrobią, to będzie działalność wywrotowa.

– Daj spokój, nie dramatyzuj.

– To przedstawiciele prawa, tato, pierwszy szereg narodowej obrony. Jeśli choćby mówią o porzuceniu pracy, to już zdrada stanu. To samo, co dezercja z pola bitwy.

– To coś trochę innego. – Ojciec miał zmęczony głos.

Connor podniósł wzrok na Joego, który wszedł do kuchni. Zwykle w tym momencie milkli, ale tym razem Connor podjął temat. Oczy miał błędne i mroczne.

– Powinno się ich aresztować. Z miejsca. Trzeba iść na następne spotkanie BKS i zabarykadować drzwi od zewnątrz.

– A potem co? Rozstrzelać wszystkich? – Uśmiech ojca, ostatnio tak rzadki, na chwilę powrócił, ale wyglądał jak własny cień.

Connor wzruszył ramionami i nalał sobie whisky.

– Chyba nie mówisz całkiem poważnie.

Ojciec dopiero teraz zauważył Joego, który położył tornister na stole.

– Rozstrzeliwujemy dezerterów – zauważył Connor.

Ojciec przyjrzał się butelce, ale jej nie uniósł.

– Mogę się nie zgadzać z ich decyzją, ale mają uzasadnione powody. Są zbyt nisko opłacani...

– Więc niech się zwolnią i idą do innej pracy.

– ...stan posterunków przeczy zasadom higieny, mówiąc bardzo oględnie, i ludzie są przepracowani do tego stopnia, że grozi to wypadkiem.

– Litujesz się nad nimi.

– Współczuję im. Potrafię zrozumieć ich punkt widzenia.

– To nie są robotnicy z fabryki tekstyliów. To siły porządkowe.

– On jest twoim bratem.

– Już nie. Jest bolszewikiem i zdrajcą.

– Jezusie – zniecierpliwił się ojciec. – Chrzanisz.

– A jeśli Danny jest jednym z przywódców i naprawdę dojdzie do strajku? Zasłuży sobie na wszystko, co go spotka.

Connor spojrzał na Joego i poruszył szklanką; Joe dostrzegł w jego oczach pogardę, strach i rozgoryczoną dumę.

– Masz coś do powiedzenia, mały twardzielu? – Connor pociągnął łyk ze szklanki.

Joe zastanowił się. Chciał powiedzieć coś błyskotliwego w obronie Danny'ego. Coś godnego zapamiętania. Ale właściwe słowa nie przychodziły, więc powiedział to, co samo mu się nasunęło.

– Gówniarz jesteś.

Nikt się nie poruszył. Jakby ojciec i Connor zmienili się w figurki z porcelany i cała kuchnia też się w nią obróciła.

Potem brat rzucił szklanką i skoczył na niego. Ojciec oparł mu rękę na piersi, lecz tamten go wyminął i sięgnął ku włosom Joego. Joe wyrwał się mu, ale upadł, a Connor zdążył go kopnąć, zanim ojciec go odciągnął.

– Nie! – krzyknął Connor. – Nie! Słyszałeś, jak mnie nazwał?

Leżący na podłodze Joe czuł pulsujący ból skóry na głowie tam, gdzie brat szarpnął go za włosy.

Connor wycelował w niego palcem.

– Ty smarku, on pójdzie kiedyś do pracy, a ty musisz tu sypiać!

Joe wstał i spojrzał na wściekłego brata, spojrzał mu prosto w oczy i poczuł, że jego gniew nie robi na nim wrażenia.

– Uważasz, że Danny'ego trzeba rozstrzelać? – spytał.

Ojciec obejrzał się na niego.

– Milcz, Joe.

– Naprawdę tak uważasz?

– Milcz!

– Słuchaj ojca. – Connor zaczął się uśmiechać.

– Wal się – powiedział Joe.

Zdążył jeszcze zobaczyć, że oczy Connora się rozszerzają, ale nie zauważył, jak ojciec się obraca, a ojciec był zawsze zadziwiająco szybki, szybszy od Danny'ego, szybszy od Cona i o wiele szybszy od Joego, ponieważ Joe nie zdążył się nawet odchylić. Ojciec uderzył go wierzchem ręki w usta, a cios wyrzucił chłopca w powietrze. Kiedy upadł, ojciec go dopadł i chwycił obiema rękami za ramiona. Podniósł go z podłogi, przyparł go do ściany i podniósł tak, że spojrzeli sobie prosto w oczy. Stopy Joego dyndały dobre pół metra nad podłogą.

Oczy ojca niemal wyszły z orbit. Joe zauważył, że są bardzo zaczerwienione. Ojciec zacisnął zęby, odetchnął przez nos; na czoło opadło mu pasmo siwych od niedawna włosów. Trzymał mocno Joego za ramiona i przyciskał go do ściany, jakby chciał go przepchnąć na drugą stronę.

– Powiedziałeś to słowo w moim domu? W moim domu?!

Joe wiedział, że lepiej nie odpowiadać.

– W moim domu? – powtórzył ojciec ochrypłym szeptem. – Karmię cię, ubieram, wysyłam do dobrej szkoły, a ty tak się odzywasz? Jakbyś pochodził z marginesu? – Uderzył nim o ścianę. – Jakbyś był prostakiem? – Otworzył palce na tyle, że Joe rozluźnił spięte mięśnie, a wtedy ojciec znowu uderzył nim o ścianę. – Powinienem ci uciąć język.

– Tato – odezwał się Connor. – Tato.

– W domu twojej matki?

– Tato – powtórzył Connor.

Ojciec przechylił głowę i łypnął na Joego tymi przekrwionymi oczami. Jedną ręką chwycił go za gardło.

– O Jezu, tato.

Uniósł go wyżej, tak, że Joe musiał spoglądać na niego z góry.

– Do końca tego dnia będziesz ssać szare mydło – zapowiedział – ale przedtem coś ci wyjaśnię, Josephie. To ja ci dałem życie i ja ci je mogę odebrać. Powiedz: „Tak, ojcze".

Trudno było coś powiedzieć przez zaciśnięte gardło, ale Joe wychrypiał:

– Tak, ojcze.

Connor wyciągnął rękę ku ramieniu ojca, lecz zatrzymał ją w powietrzu. Joe, patrząc w oczy ojca, zrozumiał, że tata wie o tej ręce i że w myślach rozkazuje Connorowi się cofnąć. Nie wiadomo, co by zrobił, gdyby ta ręka dotknęła jego ramienia.

Connor opuścił rękę. Schował ją do kieszeni i zrobił krok w tył.

Ojciec zamrugał i odetchnął przez nos.

– A ty – rzucił, oglądając się na Connora – nigdy więcej nie każ mi słuchać tych bzdur o zdradzie i moim wydziale policji. Nigdy więcej. Czy wyrażam się jasno?

– Tak, ojcze. – Connor spojrzał na swoje buty.

– Ty... prawniku. – Znowu spojrzał na Joego. – Jak ci się oddycha, chłopcze?

Joe czuł, jak łzy płyną mu strumieniem po twarzy.

– Świetnie, ojcze – wychrypiał.

Ojciec opuścił go w końcu, aż znaleźli się twarzą w twarz.

– Jeśli jeszcze raz wypowiesz to słowo w tym domu, nie będę taki dobry. Na pewno nie. Czy dobrze mnie rozumiesz, synu?

– Tak, ojcze.

Kapitan podniósł wolną rękę i zacisnął ją w pięść; Joe zobaczył ją z bardzo bliska. Ojciec pozwolił mu na nią przez chwilę popatrzeć, na sygnet, na białe blizny, na kciuk, który nie zagoił się dobrze i był dwa razy większy od pozostałych palców. Thomas skinął głową i opuścił go na podłogę.

– Rzygać mi się chce, kiedy na was patrzę. – Podszedł do stołu, wbił korek w butelkę i wyszedł, trzymając ją pod pachą.

Joe – czując jeszcze smak mydła w ustach i z tyłkiem obolałym po zimnej, pozbawionej emocji chłoście, którą ojciec wymierzył mu pół godziny później, wróciwszy z gabinetu – wykradł się z domu przez okno swego pokoju z paroma rzeczami w poszewce poduszki i ruszył w bostońską noc. Było ciepło, czuł zapach morza, które szumiało na końcu ulicy, a latarnie lśniły żółtym światłem. Joe jeszcze nigdy nie był sam na ulicy o tej porze. Panowała taka cisza, że słyszał echo własnych kroków i wyobraził sobie, że to echo jest żywe, że to ostatnie, co wszyscy zapamiętają, zanim stanie się legendą.

Jak to zniknął? – spytał Danny. – Kiedy?

– Wczoraj w nocy – powiedział jego ojciec. – Uciekł... nie wiem, o której.

Kiedy Danny wrócił do domu, ojciec czekał na niego na ganku. Danny najpierw zauważył, że ojciec schudł. Potem – że posiwiał.

– Nie meldujesz się już w swoim posterunku, chłopcze?

– Właściwie ostatnio nie mam posterunku. Curtis wysyła mnie do tłumienia każdego gównianego strajku w okolicy. Spędziłem dzień w Malden.

– Szewcy?

Danny skinął głową.

Ojciec uśmiechnął się niewesoło.

– Czy w tym kraju jest ktoś, kto nie strajkuje?

– Nie masz podstaw podejrzewać, że go porwano.

– Nie, nie.

– Więc musiał mieć jakiś powód.

Ojciec wzruszył ramionami.

– Może wydumany.

Danny postawił stopę na ganku i rozpiął płaszcz. Smażył się w nim przez cały dzień.

– Niech zgadnę. Nie oszczędzałeś rózgi.

Ojciec spojrzał na niego, mrużąc oczy przed blaskiem zachodzącego słońca.

– Nie oszczędzałem jej na tobie, a na dobre ci to wyszło.

Danny nie odpowiedział.

Ojciec uniósł rękę.

– Przyznaję, że tym razem byłem trochę ostrzejszy.

– Co zrobił?

– Powiedział „wal się".

– W obecności mamy?

Ojciec pokręcił głową.

– W mojej obecności.

Danny pokręcił głową.

– To tylko słowo.
– Ale TAKIE słowo. Słowo z ulicy, z rynsztoka. Język nędznych prostaków. Człowiek tworzy dom, który ma być świątynią. A do świątyni nie zaprasza się rynsztoka.
Danny westchnął.
– Co zrobiłeś?
Teraz to ojciec pokręcił głową.
– Twój brat tuła się gdzieś po ulicach. Wysłałem już ludzi, dobrych ludzi, którzy pracują wśród uciekinierów i włóczęgów, ale latem jest trudniej, tylu chłopców się włóczy, jeden podobny do drugiego.
– Dlaczego przyszedłeś do mnie?
– Cholernie dobrze wiesz, dlaczego. Ten chłopak cię uwielbia. Podejrzewam, że do ciebie przyszedł.
Danny pokręcił głową.
– Nawet jeśli, nie było mnie tutaj. Pracuję od siedemdziesięciu dwóch godzin. To moja pierwsza wolna.
– A może ona...? – Ojciec zadarł głowę i spojrzał na budynek.
– Kto?
– Wiesz.
– Powiedz jej imię.
– Nie bądź dzieckiem.
– Powiedz.
Ojciec przewrócił oczami.
– Nora. Zadowolony? Czy Nora go widziała?
– Chodźmy i spytajmy.
Thomas zesztywniał i nie ruszył się z miejsca. Danny wszedł po schodach, włożył klucz do zamka i obejrzał się na ojca.
– Chcesz znaleźć Joego, czy nie?
Ojciec otrzepał spodnie i wygładził na nich zagniecenia. Odwrócił się, trzymając pod pachą czapkę kapitana.
– To niczego między nami nie zmienia – uprzedził.
– Boże uchowaj. – Danny chwycił się za serce – na co ojciec zareagował grymasem – i otworzył drzwi na korytarz. Schody lepiły się od brudu, panowała na nich duchota; wchodzili po nich powoli. Po trzech dniach tłumienia strajku Danny chętnie by się położył na podeście i zdrzemnął. – Masz kontakt z Finchem? – spytał.
– Czasem dzwoni. Wrócił do Waszyngtonu.

– Powiesz mu, że widziałem Tessę?

– Wspomniałem mu o tym. Nie był szczególnie zainteresowany. Chce dopaść Galleaniego, ale ten stara wyga jest tak cwany, że szkoli swoich ludzi tutaj, a na rozróby wysyła ich w głąb stanu.

Danny uśmiechnął się z goryczą.

– Ona jest terrorystką. Konstruuje bomby w naszym mieście. Kto wie, co jeszcze robi. A oni mają ważniejsze sprawy?

Ojciec wzruszył ramionami.

– Tak to już jest, chłopcze. Gdyby nie zaczęli od razu wrzeszczeć, że za wybuch zbiornika z melasą odpowiadają terroryści, może byłoby inaczej. Ale zaczęli, a ta melasa wybuchła im prosto w twarz. Boston się upokorzył, a ty i twoi koledzy z BKS mu nie pomagacie.

– No pewnie. To nasza wina.

– Nie pozuj na męczennika. Nie mówię, że to wszystko przez was. Powiedziałem tylko, że w korytarzach agencji federalnych szydzi się z naszego ukochanego wydziału policji. Częściowo z powodu tej bezmyślnej histerii wokół wybuchu zbiornika. A teraz jeszcze narobicie wstydu narodowi, rozpoczynając strajk.

– Nikt na razie nie mówi o strajku, tato.

– Na razie. – Ojciec stanął na podeście drugiego piętra. – Boże, goręcej niż w dupie bagiennego szczura. – Wyjrzał przez okno na korytarzu. Grube szkło było usmarowane sadzą i tłustym osadem. – Jestem na drugim piętrze i dalej nie widzę swojego miasta.

– Twojego miasta. – Danny prychnął.

Ojciec uśmiechnął się do niego łagodnie.

– To moje miasto, Aidenie. To ludzie tacy, jak ja i Eddie zbudowali ten wydział. Nie komisarz, nie O'Meara, choć go szanowałem i na pewno nie Curtis. Ja. A to, co dotyczy policji, dotyczy miasta. – Wytarł czoło chusteczką. – O, twój staruszek może ostatnio troszkę podupadł na zdrowiu, ale odzyska fason. Bez wątpienia.

W milczeniu pokonali dwa ostatnie piętra. Pod drzwiami Danny'ego ojciec przez chwilę łapał oddech, a Danny włożył klucz w zamek.

Nora otworzyła, zanim zdążył go przekręcić. Była rozpromieniona. Potem zobaczyła, kto stoi za nim i jej jasne oczy stały się szare jak popiół.

– Co to znaczy? – spytała.

– Szukam Joego – powiedział Thomas Coughlin.

Nora patrzyła na Danny'ego, jakby nie usłyszała.

– Przyprowadziłeś go tutaj?

– Sam przyszedł.

– Tak samo mi to nie na rękę – odezwał się kapitan – jak tobie...

– ...ty kurwo – rzuciła Nora do Danny'ego. – Zdaje się, że to ostatnie, co usłyszałam z ust tego człowieka. O ile pamiętam, splunął na własną podłogę, żeby podkreślić swoje oburzenie.

– Joe zaginął – powiedział Danny.

Początkowo jej to nie wzruszyło. Wpatrywała się w Danny'ego z zimną wściekłością, która – choć skierowana przeciw jego ojcu – obejmowała i jego za to, że go tu przyprowadził. Rzuciła na niego okiem, a potem znowu spojrzała na kapitana.

– Jak go nazwałeś, że musiał uciekać?

– Chcę wiedzieć, czy chłopiec tu przyszedł.

– A ja chcę wiedzieć, dlaczego uciekł.

– Mieliśmy chwilowe nieporozumienie.

– Ach... – Przechyliła głowę. – Wiem dobrze, jak rozwiązujesz nieporozumienia z Joem. Czy w grę wchodziła szpicruta?

Ojciec odwrócił się do Danny'ego.

– Istnieje granica tego, co mogę znieść w sytuacji, którą uważam za poniżającą.

– O Jezu, przestańcie – westchnął Danny. – Joe uciekł. Nora?

Zacisnęła zęby, a jej oczy nadal były szare, ale cofnęła się i pozwoliła kapitanowi wejść do pokoju.

Danny zdjął natychmiast płaszcz i zsunął z ramion szelki. Thomas rozejrzał się po pokoju, zauważył nowe firanki i narzutę, świeże kwiaty w wazonie pod oknem.

Nora stała przy łóżku w stroju robotnicy – prążkowanym kombinezonie i beżowej bluzce. Prawą ręką obejmowała przegub lewej. Danny nalał trzy porcje whisky i podał im szklanki. Kapitan lekko uniósł brwi na widok Nory, pijącej mocny alkohol.

– Również palę – oznajmiła. Danny dostrzegł, że wargi ojca zaciskają się w powstrzymywanym uśmiechu.

Oboje pili, jakby brali udział w wyścigu. Ojciec Danny'ego wygrał o kroplę. Potem oboje znowu wyciągnęli szklanki, a Danny je napełnił. Thomas poszedł ze swoją do stolika przy oknie. Położył na nim kapelusz, usiadł, a Nora powiedziała:

– Pani DiMassi powiedziała, że chłopiec wpadł tu po południu.
– Co? – rzucił ojciec.
– Nie podał swojego nazwiska. Twierdziła, że dzwonił do nas i patrzył w nasze okno, a kiedy wyszła na ganek, uciekł.
– Coś jeszcze?
Nora napiła się whisky.
– Powiedziała, że był uderzająco podobny do Danny'ego.
Kapitan odprężył się i pociągnął łyk alkoholu.
W końcu odkaszlnął.
– Dziękuję, Noro.
– Nie ma mi pan za co dziękować. Kocham tego chłopca. Ale mógłby mi pan w zamian wyświadczyć przysługę.
– Oczywiście. Co tylko chcesz.
– Proszę łaskawie dopić drinka i wyjść.

ROZDZIAŁ TRZYDZIESTY PIERWSZY

W tę czerwcową sobotę Thomas Coughlin wyszedł ze swojego domu na K Street. Wybierał się na Carson Beach na zebranie dotyczące przyszłości miasta. Choć był ubrany w swój najlżejszy garnitur z błękitno-białej serży, a rękawy koszuli miał krótkie, żar wypalał mu szpik z kości. Kapitan niósł teczkę z brązowej skóry, która z każdą setką kroków wydawała mu się coraz cięższa. Był trochę za stary na zabawę w tragarza, ale akurat tego bagażu nie powierzyłby nikomu. W okręgach wyborczych ostatnio źle się działo, sytuacja mogła się zmienić z dnia na dzień. Jego ukochany stan był obecnie pod rządami republikańskiego gubernatora, przybysza z Vermontu, niemającego sympatii ani uznania dla miejscowych zwyczajów i historii. W dodatku komisarz policji był rozgoryczonym człowieczkiem o malutkim móżdżku. Nienawidził Irlandczyków, nienawidził katolików, a zatem nienawidził okręgów, wielkich demokratycznych okręgów, które stworzyły to miasto. Znał się tylko na swojej nienawiści; nie miał zrozumienia dla kompromisu, patronatu, obyczajów ustalonych w tym mieście ponad siedemdziesiąt lat temu. Burmistrz Peters był wcieleniem nieskuteczności – wygrał w wyborach tyko dlatego, że szefowie okręgów zasnęli za kierownicą, a rywalizacja między dwoma prawdziwymi kandydatami, Curleyem i Gallivanem, stała się tak zaciekła, że wygrała trzecia strona. Od czasów wyborów Peters nie zdziałał nic, absolutnie nic godnego uwagi, podczas gdy członkowie rady łupili miasto tak bezczelnie, że pozostawało tylko czekać, kiedy sprawa znajdzie się na pierwszych stronach gazet i zaowocuje śmiertelnym zagrożeniem dla polityków od zarania dziejów: demaskacją.

Thomas zdjął marynarkę, rozluźnił krawat i postawił teczkę na chodniku w cieniu wielkiego wiązu na końcu K Street. Morze znajdowało się zaledwie kilkanaście metrów dalej, na plażach panował tłok, ale było duszno i lepko. Kapitan czuł na sobie spojrzenia; ludzie go rozpoznawali, choć nie mieli odwagi podejść. Poczuł satysfakcję, na tyle dużą, że na chwilę przymknął oczy, stojąc w cieniu wiązu i wyobrażając sobie, że wiatr stał się chłodniejszy. Wiele lat temu dał tu wszystkim wyraźnie do zrozumienia, że jest ich dobroczyńcą, przyjacielem, opiekunem. Jeśli czegoś potrzebujecie, przyjdźcie do Tommy'ego Coughlina, a on się tym zajmie, spokojna głowa. Ale nigdy, przenigdy w sobotę. W sobotę trzeba zostawić Tommy'ego Coughlina w spokoju, żeby mógł się zająć swoją rodziną, ukochanymi synami i żoną.

Nazywali go wtedy Tommy Czteroręki, co według niektórych oznaczało, że wyciąga ręce w stronę wielu kieszeni. Tak naprawdę to przezwisko narodziło się po jego bójce z Boxym Russo i trzema innymi oprychami z gangu Tipsa Morana, których przyłapał, gdy wychodzili z sejfem ze sklepu żydowskiego kuśnierza koło Washington Street. Był wtedy zwykłym krawężnikiem, a pokonał ich („Trzeba mieć chyba cztery ręce, żeby spuścić łomot czterem chłopom", powiedział Butter O'Malley, gdy ich już spisał), związał i zaczekał na przyjazd karetek. Nie stawiali się za bardzo, kiedy walnął pałką Boxy'ego Russo w potylicę. Gość upuścił sejf, więc inni musieli zrobić to samo, a to doprowadziło do finału z czterema zmiażdżonymi stopami i dwoma złamanymi kostkami.

Uśmiechnął się do tych wspomnień. Dawniej żyło się prościej. Lepiej. Był młody, silny i, no pewnie, najszybszy w całej policji, może nie? Razem z Eddiem McKenną pracował w porcie Charlestown, na North Endzie, w południowym Bostonie, a nie ma bardziej niebezpiecznych miejsc w tym mieście. I dających lepszy zarobek, kiedy chłopcy z mafii zorientowali się, że tych dwóch nie da się zastraszyć, trzeba więc ich szczodrze powitać. Boston był przecież miastem portowym, a wszystko, co zakłóca statkom wpływanie do portu, szkodzi interesom. Zaś szczodrość, o czym Thomas Coughlin wiedział od czasów dzieciństwa w Clonakilty, jest duszą interesów.

Otworzył oczy; wypełniło je błękitne migotanie morza. Znowu ruszył wzdłuż falochronu ku Carson Beach. Nawet gdy nie było gorąco, to lato zaczęło się zmieniać w koszmar. Niesnaski, które mogły doprowadzić do strajku jego ukochanej organizacji. W ich centrum zaś Danny. Danny, stracony dla niego jako syn. Odszedł do ladacznicy, którą Thomas z łaski przyjął do swojego domu, gdy była jedynie dygoczącym szarym stworzeniem z rozchwianymi zębami. Oczywiście pochodziła z Donegal, co powinien uznać za ostrzeżenie; nie wolno ufać donegalczykom, to znani kłamcy, wichrzyciele, siewcy zamętu. A teraz Joe, który nie wracał już drugi dzień, włócząc się gdzieś po mieście i unikając pościgu. Miał w sobie zbyt wiele cech Danny'ego, to było widoczne, zbyt wiele cech brata Thomasa, Liama, który usiłował wypatroszyć świat, a okazał się, że to świat wypatroszył jego. Umarł, biedny Liam, dwadzieścia osiem lat temu, wykrwawił się w zaułku za pubem w Cork City, zamordowany przez nieznanego sprawcę, okradziony do ostatniego grosza. Podobno chodziło o kobietę lub dług hazardowy, co według Thomasa było tym samym pod względem stosunku ryzyka do korzyści. Kochał Liama, swojego brata bliźniaka, tak jak kochał Danny'ego i Joego – zbity z tropu, z podziwem, w poczuciu daremności własnych wysiłków. Byli błędnymi rycerzami, którzy kpią z rozsądku i kierują się głosem serca. Taki był Liam, taki był ojciec Thomasa, który obalał butelkę za butelką, aż któraś obaliła jego.

Thomas zobaczył Patricka Donnegana i Claude'a Mesplede'a, siedzących w małej altance z widokiem na morze. O krok dalej widać było zieloną przystań rybacką, w połowie dnia dość pustą. Kapitan uniósł rękę, tamci pozdrowili go, a on ruszył przez plażę między rodzinami, które porzuciły rozprażone domy, by spocząć na rozprażonym piasku. Nigdy nie rozumiał tego zjawiska: wylegiwać się nad wodą, z całą rodziną oddawać się lenistwu. To dobre dla Rzymian, wyznających swoje słoneczne bóstwa. Człowiek nie jest stworzony do lenistwa, tak samo jak koń. Lenistwo rodzi niespokojne myśli, akceptację amoralnych dróg i relatywistyczną filozofię. Thomas kopnąłby tych leni, gdyby mógł, wykopałby ich z piasku i pognał do roboty.

Patrick Donnegan i Claude Mesplede przyglądali mu się z uśmiechem. Ci dwaj zawsze się uśmiechali, dobrana para. Donnegan był szefem szóstego okręgu, a Mesplede kierownikiem; piastowali te pozycje od osiemnastu lat, przeczekując kolejnych burmistrzów, gubernatorów, kapitanów policji, komisarzy i prezydentów. Zagnieździli się głęboko w łonie miasta, gdzie nikomu nie przychodziło do głowy zaglądać i rządzili nim wraz z paroma innymi szefami okręgów, kierownikami, kongresmenami i prawnikami, na tyle inteligentnymi, by zapewnić sobie pozycje w najważniejszych komitetach. To oni zarządzali nabrzeżami, restauracjami, kontraktami na budowy i zezwoleniami na modyfikację funkcji nieruchomości. Jeśli miało się kontrolę nad tymi dziedzinami, miało się ją też nad grupami przestępczymi i wymiarem sprawiedliwości, a zatem miało się kontrolę nad tym wszystkim, dzięki czemu miasto funkcjonowało – nad sądami, posterunkami policji, okręgami, hazardem, kobietami, biznesem, związkami zawodowymi, wyborami. To ostatnie oczywiście było kołem zamachowym, jajkiem, z którego wykluwała się kura, składała kolejne jajka, z których wykluwały się kolejne kury i tak dalej w nieskończoność.

Aczkolwiek ten proces był dziecinnie prosty, wielu ludzi nie potrafiło go zrozumieć, ponieważ na ogół tego nie chciało.

Thomas wszedł do altanki i oparł się o ścianę. Drewno było rozgrzane, promień rozżarzonego do białości słońca trafił go w środek czoła jak kula.

– Jak rodzina, Thomasie?

Podał Donneganowi teczkę.

– Świetnie, Patricku. Po prostu świetnie. A twoja żona?

– Jak najlepiej. Wybiera architektów, którzy zaprojektują nam ten dom, co to go budujemy w Marblehead. – Donnegan otworzył teczkę i zajrzał do środka.

– A twoja, Claude?

– Mój najstarszy, Andre, ukończył prawo.

– Gratulacje. Tutaj?

– W Nowym Jorku. Na Columbii.

– Musisz być dumny jak cholera.

– Jestem, dziękuję.

Donnegan przestał grzebać w teczce.

– To wszystkie listy, o które cię prosiliśmy?

– I więcej. Dorzuciliśmy jako bonus Narodowe Stowarzyszenie dla Postępu Kolorowych.

– Ach, ty cudotwórco.

Thomas wzruszył ramionami.

– To głównie dzieło Eddiego.

Claude podał Thomasowi walizeczkę. Thomas otworzył ją i spojrzał na dwa grube jak cegły pliki banknotów, owinięte w papier i zaklejone taśmą. Miał oko wyćwiczone przy takich transakcjach i na podstawie grubości ocenił, że wypłata dla niego i Eddiego będzie większa, niż zapowiedziano. Uniósł brew.

– Dołączyła do nas następna firma – wyjaśnił Claude. – Dlatego wzrosły udziały w zyskach.

– Możemy się przejść? – spytał Patrick. – Diabelny upał.

– Słuszna uwaga.

Zdjęli marynarki i ruszyli na przystań. W połowie dnia nie było w niej rybaków, z wyjątkiem paru, którzy wydawali się bardziej zainteresowani skrzynką piwa u ich stóp niż rybami.

Oparli się o balustradę i spojrzeli na Atlantyk. Claude Mesplede zwinął sobie papierosa i zapalił, osłaniając zapałkę stuloną dłonią. Wyrzucił zapałkę do wody.

– Zrobiliśmy listę knajp, które będą przerobione na pensjonaty.

Thomas Coughlin pokiwał głową.

– Nie ma żadnego słabego ogniwa?

– Ani jednego.

– Żadnych zatargów z policją?

– Żadnych.

Thomas sięgnął do kieszeni marynarki i wyjął cygaro. Odłamał koniec i przyłożył do niego zapałkę.

– Wszystkie mają piwnice?

– Tak.

– Więc nie widzę problemu. – Powoli zaciągnął się cygarem.

– Istnieje problem na nabrzeżu.

– Nie w moim okręgu.

– Na kanadyjskim.

– Na kanadyjskim wybrzeżu?

Kapitan spojrzał na Donnegana, a potem na Mesplede'a.

– Pracujemy nad tym – oznajmił Donnegan.

– Pracujcie szybciej.

– Thomasie.

Spojrzał na Mesplede'a.

– Wiesz, co się stanie, jeśli nie będziemy kontrolować naszych punktów załadunkowych i miejsc spotkań?

– Wiem.

– Naprawdę?

– Powiedziałem.

– Ci walnięci Irlandczycy i makaroniarze będą się łączyć. Nie będą już wściekłymi bezpańskimi psami. Staną się organizacjami. Będą kontrolować robotników portowych i woźniców, a to znaczy, że będą kontrolować środki transportu. Mogą stawiać warunki.

– Nigdy do tego nie dojdzie.

Thomas przyjrzał się popiołowi na końcu cygara. Uniósł je pod wiatr i obserwował, jak popiół się rozwiewa, a żar czerwienieje.

– Jeśli będą mieli nad tym kontrolę, zakłócą równowagę. Będą kontrolować nas. Będziemy od nich zależni, nie oni od nas. Ty masz znajomych w Kanadzie, Claude.

– A ty jesteś naszym człowiekiem w wydziale policji, a słyszę plotki o strajku.

– Nie zmieniaj tematu.

– Rozmawiamy na temat.

Thomas zmierzył Claude'a wzrokiem. Ten strzepnął popiół do wody i znowu zaciągnął się zachłannie. Pokręcił głową, dziwiąc się własnemu gniewowi i odwrócił się tyłem do oceanu.

– Twierdzisz, że nie będzie strajku? Możesz to zagwarantować? Bo z tego, co widziałem pierwszego maja, macie dość niesfornych policjantów. Wdają się w bójki, a ty twierdzisz, że nad nimi panujesz?

– W zeszłym roku błagałem was, żebyście pogadali o tym z burmistrzem i co?

– Nie zrzucaj winy na mnie.

– Nie zrzucam. Pytam o burmistrza.

Claude spojrzał na Donnegana, westchnął i wyrzucił niedopałek do oceanu.

– Z Petersa jest żaden burmistrz, przecież wiesz. Zajmuje się głównie dymaniem swojej czternastoletniej konkubiny. W dodatku, dodam, kuzynki. Tymczasem od jego pracowników nawet skorumpowany rząd Ulyssesa Granta mógłby się nauczyć tego i owego. Los policjantów mógłby budzić współczucie, ale sami spieprzyli sprawę.

– Kiedy?

– W kwietniu. Zaproponowano im podwyżkę o dwieście rocznie, a oni odmówili.

– Jezu – wściekł się Thomas. – Koszta utrzymania wzrosły o siedemdziesiąt trzy procent. Siedemdziesiąt trzy!

– Wiem.

– Dwieście rocznie to była przedwojenna propozycja. Głodowe wynagrodzenie to tysiąc pięćset rocznie, a większość policjantów zarabia o wiele mniej. To policjanci, a pracują za niższe płace niż czarnuchy i kobiety.

Claude przytaknął i położył rękę na ramieniu Thomasa.

– Nie mogę się z tobą spierać. Ale w ratuszu i gabinecie komisarza uważa się, że policjantów można zlekceważyć, bo są funkcjonariuszami państwowymi. Nie mogą zorganizować związku i na pewno nie mogą strajkować.

– Przecież mogą.

– Nie, Thomasie. – Oczy Claude'a były przejrzyste i zimne. – Nie mogą. Patrick był w okręgach, zrobił oficjalną ankietę. Patricku...

Patrick rozłożył ręce.

– Jest tak: rozmawialiśmy z naszymi wyborcami i jeśli policjanci odważą się zastrajkować, to miasto wyładuje na nich całą wściekłość – na bezrobocie, drożyznę, wojnę, na czarnuchów, które przyjeżdżają z południa i odbierają nam pracę, na koszta utrzymania.

– W mieście wybuchną zamieszki – dodał Claude. – Jak w Montrealu. A wiesz, co się dzieje, kiedy ludzie muszą patrzyć na zło, które panoszy się pośród nich? Są niezadowoleni. Chcą, żeby ktoś za to zapłacił. Podczas wyborów, Tom. Jak zawsze.

Thomas westchnął i zaciągnął się cygarem. Na oceanie pojawił się mały jacht. Widać było trzy osoby na pokładzie. Na południu pojawiły się ciemne, kłębiaste chmury. Sunęły ku słońcu.

– Jeśli twoi chłopcy zastrajkują – podjął Patrick Donnegan – wygra wielki biznes. Tamci wykorzystają ten strajk jako pałkę, którą zmasakrują związki zawodowe, Irlandczyków, demokratów, każdego, komu się marzy przyzwoita dniówka za przyzwoitą pracę. Jeśli im na to pozwolisz, klasa robotnicza cofnie się o trzydzieści lat.

Thomas tylko się uśmiechnął.

– Nie wszystko zależy ode mnie, chłopaki. Może gdyby O'Meara, świeć Panie nad jego duszą, nadal był z nami, miałbym większy wpływ na sytuację. Ale z tym Curtisem? Ten lizus zburzyłby miasto do fundamentów, żeby się przypodobać okręgom i ludziom, którzy nimi rządzą.

– Twój syn – odezwał się Claude.

Thomas odwrócił się; jego cygaro mierzyło w nos Claude'a.

– Co?

– Twój syn sprzymierzył się z BKS. Jak słyszymy, niezły z niego mówca. Wdał się w ojca.

Thomas wyjął cygaro z ust.

– Nie tykamy rodziny, Claude. To nasza zasada.

– Może w lepszych czasach. Ale twój syn w tym siedzi. Głęboko. A z tego, co słyszę, zyskuje coraz większą popularność, a jego przemowy stają się coraz bardziej płomienne. Może gdybyś z nim pogadał... – Claude wzruszył ramionami.

– Między nami nie jest już jak dawniej. Powstał rozdźwięk.

Claude przyjął fakt do wiadomości. Jego oczy zerknęły w bok, wargi się wydęły.

– Więc będziesz musiał go usunąć. Ktoś musi wyperswadować tym chłopcom zrobienie głupoty. Ja popracuję nad burmistrzem i jego świtą. Patrick nad opinią publiczną. Sprawdzę nawet, czy w prasie zamieszczą o nas parę przychylnych artykułów. Ale, Thomasie, musisz się zająć swoim synem.

Thomas spojrzał na Patricka. Ten skinął głową.

– Nie chcemy zdejmować rękawiczek, prawda?

Thomas nie odpowiedział. Włożył cygaro do ust, wszyscy trzej znowu podeszli do balustrady i spojrzeli na ocean.

Patrick Donnegan spojrzał na jacht; chmury dopłynęły nad niego i spowiły go cieniem.

– Myślałem, żeby sobie taki kupić. Oczywiście mniejszy.

Claude parsknął śmiechem.

– Co?

– Budujesz dom nad wodą. Na co ci łódź?

– Żeby sobie z niej na niego popatrzeć.

Thomas uśmiechnął się, choć nie było mu wesoło. Claude zachichotał.

– Niestety, jest przyspawany do żłobu.

Patrick wzruszył ramionami.

– Lubię żłób. Przyznaję. Ale to mały żłób, wielkości dużego domu. A oni? Chcą żłobów wielkości całego kraju. Nie znają umiaru.

Trzy postaci na jachcie nagle zaczęły się poruszać gwałtowniej. Z chmury nad nimi lunął deszcz.

Claude klasnął w dłonie.

– Nie chcemy zmoknąć – oznajmił. – Nadchodzi deszcz, panowie.

– Święta prawda – powiedział Patrick, opuszczając nabrzeże. – Czuć go w powietrzu.

Zanim dotarł do domu, już lało – potężne oberwanie chmury. Thomas, który nigdy nie przepadał za gorącym słońcem, poczuł przypływ wigoru, choć krople były ciepłe jak pot i tylko potęgowały duchotę. Przez parę przecznic szedł spacerowym krokiem, unosząc twarz ku niebu. Dotarł do domu, obszedł ogród, by sprawdzić, jak tam jego kwiaty. Wydawały się równie zadowolone z deszczu, jak on. Tylne drzwi prowadziły do kuchni; Ellen drgnęła, gdy wszedł, ociekając wodą jak uciekinier z arki Noego.

– Thomasie, na litość!

– W rzeczy samej, ukochana. – Uśmiechnął się do niej. Nie pamiętał, kiedy mu się to ostatnio zdarzyło. Odwzajemniła uśmiech i to też nie spotkało go już dawno.

– Przemokłeś do suchej nitki!

– To mi było potrzebne.

– Przyniosę ci ręcznik.

– Nic mi nie jest, ukochana.

Wróciła z ręcznikiem.

– Mam wiadomość o Joem – powiedziała z oczami błyszczącymi od łez.

– Tam, do kata, Ellen, mów!

Zarzuciła mu ręcznik na głowę i zaczęła ją energicznie wycierać.

– Znalazł się u Aidena – rzuciła takim tonem, jakby chodziło o zaginionego kota.

Zanim Joe uciekł, siedziała zamknięta w pokoju, złamana wiadomością o ślubie Danny'ego. Po ucieczce chłopca wyszła i rzuciła się do szaleńczych porządków. Powiedziała Thomasowi, że wróciła do siebie i czy byłby tak uprzejmy, by odnaleźć jej syna? Kiedy nie sprzątała, krążyła po domu albo robiła na drutach. I ciągle pytała, bez końca, co zrobił w sprawie Joego. Mówiła to tak, jak zmartwiona matka, ale jak zmartwiona matka do sublokatora. Przez te lata stracił z nią kontakt, zadowolił się ciepłem, które czasami brzmiało w jej głosie, choć rzadko pojawiało się w oczach, bo te oczy nigdy nie rozbłyskiwały, były lekko uniesione w górę, jakby rozmawiała wyłącznie z własnymi myślami. Nie znał tej kobiety. Miał uzasadnioną pewność, że ją kocha – ze względu na wspólne lata i wspólne przeżycia, ale czas odebrał im siebie nawzajem, uwięził ich w związku, w którym najważniejsze było to, że istnieje i niczym nie różnił się od tego, który łączy bufetową z najwierniejszym gościem. Kochała go z nawyku i braku lepszych opcji.

Ale jeśli chodzi o ich małżeństwo, nie był bez winy. Miał co do tego uzasadnioną pewność. Była tylko dziewczyną, kiedy się pobrali, a on traktował ją jak dziewczynę, lecz pewnego ranka – kto by to policzył, ile lat temu – obudził się żałując, że ta dziewczyna nie jest kobietą. Ale na to było już za późno. O wiele za późno. Więc kochał ją we wspomnieniach. Kochał ją jako człowiek, którym już od dawna nie był, ponieważ ona się nie zmieniła. A ona kochała jego, jak przypuszczał (choć teraz nie był tego już taki pewien), ponieważ pozwalał jej zachować złudzenia.

Jestem bardzo zmęczony, pomyślał, kiedy przestała mu wycierać głowę, ale spytał tylko:

– Jest u Aidena?

– Tak. Aiden telefonował.

– Kiedy?

– Niedawno. – Pocałowała go w czoło, kolejny ewenement. – Jest bezpieczny. – Wstała. – Herbaty?

– Czy Aiden go przyprowadzi? Naszego syna?

– Powiedział, że Joe chce spędzić u nich noc, a Aiden musiał iść na zebranie.

– Zebranie.

Otworzyła szafkę z filiżankami.

– Powiedział, że przyprowadzi go rano.

Thomas poszedł do telefonu w korytarzu i wybrał numer Marty'ego Kenneally'ego na West Fourth. Położył walizeczkę pod stolikiem. Marty odebrał po trzecim sygnale, jak zwykle krzycząc w słuchawkę:

– Halo? Halo? Halo?

– Marty, tu kapitan Coughlin.

– To pan, kapitanie? – krzyknął Marty, choć o ile Thomas się orientował, nie dzwonił do niego nikt inny.

– To ja, Marty. Chciałbym, żebyś przyprowadził samochód.
– Będzie się ślizgać w tym deszczu.
– Nie pytałem, czy się będzie ślizgać, prawda? Przyprowadź go za dziesięć minut.
– Tak jest! – krzyknął Marty i Thomas odłożył słuchawkę.
Kiedy wrócił do kuchni, woda już prawie się gotowała. Zdjął koszulę i wytarł nią ramiona i tors. Zauważył, że włosy na piersi też mu posiwiały i przed oczami stanęła mu wizja własnego nagrobka, ale natychmiast spłoszył tę myśl, zauważając, że brzuch ma płaski, a bicepsy jak wyrzeźbione. Pominąwszy swego najstarszego syna, nie potrafił sobie wyobrazić mężczyzny, z którym bałby się stanąć do walki wręcz, nawet dziś, w tym szacownym wieku.
Leżysz w grobie, Liamie, od niemal trzech dekad, a ja nadal miewam się dobrze.
Ellen odwróciła się od kuchenki i spojrzała na jego nagą pierś. Spuściła oczy. Thomas westchnął.
– Jezu, kobieto, to ja. Twój mąż.
– Okryj się, Thomasie. Sąsiedzi!
Sąsiedzi? Prawie ich nie znała. A ci, których znała, na ogół nie dorastali do jej wymagań.
Chryste, pomyślał, wchodząc do sypialni i przebierając się w świeżą koszulę i spodnie, jak to możliwe, że dwoje ludzi żyjących razem w tym samym domu może tak się stracić z oczu?
Raz miał kochankę. Przez jakieś sześć lat. Mieszkała w Parker House i szastała jego pieniędzmi na prawo i lewo, ale zawsze witała go drinkiem, ledwie przekroczył próg, i spoglądała mu w oczy, kiedy rozmawiali, a nawet, kiedy się kochali. Potem, na jesieni tysiąc dziewięćset dziewiątego roku zakochała się w chłopcu hotelowym i wyjechali z miasta, by zacząć nowe życie w Baltimore. Nazywała się Dee Dee Goodwin, a kiedy kładł głowę na jej nagich piersiach, czuł, że mógł powiedzieć, co chce, zamknąć oczy i być, kim chce.
Kiedy wrócił do kuchni, żona podała mu herbatę. Wypił ją na stojąco.
– Znowu wychodzisz? W sobotę?
Skinął głową.
– Myślałam, że zostaniesz w domu. Że będziemy razem.

I co będziemy robili? – miał ochotę spytać. Ty będziesz mi opowiadać, czego dowiedziałaś się od krewnych w kraju, których nie widziałaś od lat, a kiedy zacznę mówić, zerwiesz się i zaczniesz sprzątać. Potem zjemy w milczeniu kolację, a ty znikniesz w swoim pokoju.

– Jadę po Joego – oznajmił.

– Ale Aiden powiedział...

– Nie obchodzi mnie, co mówi Aiden. To mój syn. Sprowadzę go do domu.

– Upiorę mu pościel.

Skinął głową i zawiązał krawat. Deszcz już nie padał. W domu unosił się jego zapach, krople skapywały z liści na drzewach, ale niebo już się rozpogadzało.

Pochylił się i pocałował żonę w policzek.

– Wrócę z naszym chłopcem.

Pokiwała głową.

– Nie wypiłeś herbaty.

Uniósł filiżankę i opróżnił ją. Odstawił ją na stół. Wziął słomkowy kapelusz z wieszaka i włożył.

– Jesteś taki przystojny – powiedziała.

– A ty nadal jesteś najładniejszą dziewczyną, jaka kiedykolwiek narodziła się w Kerry.

Uśmiechnęła się i skinęła głową ze smutkiem.

Prawie już wyszedł, kiedy znowu zawołała:

– Thomasie!

Odwrócił się.

– Hmmm?

– Nie traktuj go zbyt surowo.

Poczuł, że spojrzał na nią ostro, więc wynagrodził jej to uśmiechem.

– Cieszę się tylko, że nic mu nie jest.

Skinęła głową i zobaczył w jej oczach błysk nagłego olśnienia, jakby go rozpoznała, jakby mogli ocaleć. Podtrzymał to spojrzenie, uśmiechnął się szerzej i poczuł budzącą się nadzieję.

– Tylko go nie skrzywdź – powiedziała wesoło i zajęła się swoją filiżanką.

Nora mu odmówiła. Podniosła okno na czwartym piętrze i zawołała do niego, gdy stanął na ganku.

– On chce tu zostać na noc.

Thomas poczuł się idiotycznie. Wołał, stojąc na ganku, a makaroniarze gapili się na niego. Cuchnęło gównem, zgniłymi owocami i ściekami.

– Przyszedłem po swojego syna.

– A ja panu powiedziałam, że chce tu spędzić noc.

– Chcę z nim porozmawiać.

Pokręciła głową. Wyobraził sobie, jak ją wywleka z tego okna za włosy.

– Noro.

– Zamykam okno.

– Jestem kapitanem policji.

– Wiem, kim pan jest.

– Mogę wejść na górę.

– Piękny to będzie widok – odparła. – Wszyscy będą gadać, jakiego pan narobił zamieszania.

A to zarozumiała pinda.

– Gdzie Aiden?

– Na zebraniu.

– Jakim?

– A jak pan sądzi? Dobrego dnia, panie Coughlin.

Zatrzasnęła okno.

Thomas zszedł po schodach w tłumie śmierdzących makaroniarzy. Marty otworzył przed nim drzwi samochodu, obszedł auto i usiadł za kierownicą.

– Dokąd, kapitanie? Do domu, prawda?

Thomas pokręcił głową.

– Roxbury.

– Tak jest. Do dziewiątki?

Thomas znowu zaprzeczył.

– Do Intercolonial Hall.

Marty zwolnił sprzęgło, samochód drgnął i zgasł. Marty znowu uruchomił silnik.

– To siedziba BKS.

– Wiem, co tam jest, Marty. Teraz milcz i jedź.

Niech rękę podniesie ten – powiedział Danny – kto kiedykolwiek słyszał, jak dyskutujemy o strajku albo choćby wypowiadamy to słowo.

W sali znajdowało się ponad tysiąc osób, a nikt nie podniósł ręki.

– Więc skąd się wzięła ta plotka? Dlaczego gazety nagle sugerują, że mamy taki plan? – Spojrzał na otaczające go morze ludzi i zauważył ojca stojącego w głębi sali. – Komu zależało na tym, by całe miasto uważało, że zastrajkujemy?

Kilka osób spojrzało na Thomasa Coughlina. Uśmiechnął się i pomachał ręką. W sali rozbrzmiał zbiorowy wybuch śmiechu.

Danny się nie śmiał. Danny płonął. Kapitan mimo woli poczuł przypływ dumy, kiedy patrzył na swojego syna. Danny, o czym Thomas wiedział od zawsze, odnalazł swoje miejsce w świecie jako przywódca. Ale walczył nie na tym polu, które wybrał mu ojciec.

– Nie chcą nam płacić – mówił dalej. – Nie chcą karmić naszych rodzin. Nie chcą, żebyśmy mogli zapewnić naszym dzieciom odpowiednie mieszkanie i wykształcenie. A kiedy się skarżymy, czy traktują nas poważnie? Czy z nami negocjują? Nie. Rozpoczynają szeptaną kampanię, by przedstawić nas jako komunistów i wywrotowców. Straszą ludzi, że zastrajkujemy, żeby mogli powiedzieć, jeśli do tego dojdzie: „A nie mówiliśmy?". Chcą, żebyśmy przelewali za nich krew, a kiedy to robimy, dają nam tanie bandaże i podwyżkę o dziesięć centów.

W sali zerwał się ryk; Thomas zauważył, że nikt już się nie śmieje.

Spojrzał na syna i pomyślał: trafiłeś.

– Wygrają tylko wtedy – ciągnął Danny – jeśli wpadniemy w ich pułapkę. Jeśli uwierzymy, choćby przez sekundę, w ich kłamstwa. Że się mylimy. Że domaganie się podstawowych ludzkich praw jest, nie wiadomo dlaczego, działalnością wywrotową. Nasze płace są poniżej głodowych. Nie głodowe, poniżej głodowych. Mówią, że nie wolno nam utworzyć związku ani sprzymierzyć się z AFP, ponieważ jesteśmy „niezastąpionymi" funkcjonariuszami miejskimi, ale skoro jesteśmy tacy niezastąpieni, dlaczego traktują nas tak, jakby nas można było zastąpić? Motorniczy tramwaju musi być chyba dwa razy bardziej niezastąpiony, bo zarabia dwa razy więcej od nas. Może wykarmić rodzinę i nie pracuje piętnaście dni z rzędu. Nie pracuje na zmianach trwających siedemdziesiąt dwie godziny. I nie strzelają do niego albo bardzo się mylę.

Teraz zebrani się roześmieli, a Danny także pozwolił sobie na uśmiech.

– Nie rzucają się na niego z nożem ani z pięściami, jak na Carla McClary'ego w zeszłym tygodniu na Fields Corner, czyż nie? Nie strzelają do niego, jak do Paula Welcha podczas zamieszek pierwszomajowych. Nie ryzykuje życia w każdej minucie jak my podczas epidemii grypy. Prawda?

– Tak! – krzyknęli wszyscy, unosząc pięści.

– Wykonujemy w tym mieście każdą brudną robotę i nie prosimy, żeby nas traktowano w jakiś szczególny sposób. Nie prosimy o nic z wyjątkiem sprawiedliwości i równości. – Danny rozejrzał się po sali. – Przyzwoitości. Chcemy być traktowani jak ludzie. Nie konie, nie psy. Ludzie.

Wszyscy ucichli, nie było słychać ani jednego dźwięku, ani kaszlnięcia.

– Jak wszyscy wiecie, Amerykańska Federacja Pracy z zasady nie zawiera porozumień z policją. Jak wiecie, nasz Mark Denton kilka razy uderzał do Samuela Gompersa z AFP i w zeszłym roku za każdy razem dostał, niestety, kosza. – Danny obejrzał się z uśmiechem na Dentona siedzącego za jego plecami. Znowu odwrócił się do zebranych. – Tak było aż do dziś.

Dopiero po chwili zrozumieli. Thomas też musiał powtórzyć w myślach te słowa parę razy, zanim dotarł do niego ogrom ich znaczenia. Zgromadzeni zaczęli spoglądać na siebie, rozmawiać. W sali zerwał się szmer.

– Słyszeliście? – Danny uśmiechnął się szeroko. – AFP zmieniła politykę wobec bostońskiej policji, panowie. Sprzymierzą się z nami. Do poniedziałku podpisane petycje znajdą się w każdym posterunku! – zagrzmiał. – Jesteśmy sprzymierzeni z największym narodowym związkiem zawodowym w Stanach Zjednoczonych!

Wszyscy wstali, parę krzeseł przewróciło się na podłogę, zerwały się oklaski.

Thomas patrzył, jak jego syn ściska Marka Dentona, jak obaj odwracają się do tłumu i usiłują uścisnąć setki wyciągniętych rąk, zobaczył wielki, śmiały uśmiech na twarzy Danny'ego, nawet dał się trochę ponieść, troszeczkę, ponieważ w tych okolicznościach zachowanie obojętności byłoby niemożliwe. I pomyślał: „Dałem życie niebezpiecznemu człowiekowi".

Znowu nadciągnął deszcz, ale łagodny, coś pomiędzy mgiełką i mżawką. Ludzie wychodzili z sali, Danny i Mark Denton przyjmowali gratulacje, uściski dłoni i poklepywanie po plecach.

Paru policjantów puściło oko do Thomasa i uchyliło kapeluszy. On także się odkłaniał, ponieważ nie chciał, żeby go uważali za wroga, a wiedział, że jest zbyt śliski, żeby dać się przyłapać po niewłaściwej stronie. Oczywiście nie ufali mu, to jasne, ale dostrzegał błysk podziwu w ich oczach, podziwu i nieco strachu, ale nie nienawiści.

Był gigantem, lecz nosił ten tytuł z wdziękiem. Pokazy ego to przecież domena mniejszych bogów.

Danny oczywiście nie zgodził się wrócić z nim w samochodzie z szoferem, więc kapitan kazał Marty'emu jechać na North End i wraz z Dannym pojechał kolejką przez całe miasto. Musieli wysiąść na Batterymarch Station, ponieważ powódź melasy zniszczyła wiadukt.

W drodze Thomas spytał:

– Co z nim? Coś ci powiedział?

– Ktoś go trochę obił. Podobno go okradli. – Danny zapalił papierosa i podał paczkę ojcu. Ten wziął jednego. Szli w łagodnej mgiełce. – Nie wiem, czy mu wierzę, ale co można zrobić? Trzyma się swojej wersji. – Danny zerknął z ukosa na ojca. – Przez parę nocy sypiał na ulicy. To by wstrząsnęło każdym dzieckiem.

Przeszli kolejną przecznicę.

– Więc jesteś prawdziwym młodym Seneką. Wyrastasz tu na wielką postać.

Danny uśmiechnął się krzywo.

– Dzięki.

– Więc się sprzymierzacie z ważnym związkiem?

– Lepiej nie.

– Co lepiej nie?

– Nie rozmawiajmy o tym.

– AFP zostawiła wiele nieopierzonych związków na lodzie, kiedy zrobiło się gorąco.

– Tato, prosiłem, żebyśmy o tym nie rozmawiali.

– Dobrze, dobrze.

– Dzięki.

– Nie chciałbym cię nakłaniać do zmiany zdania po takim tryumfie.

– Tato, daj spokój.

– A co ja takiego zrobiłem?

– Cholernie dobrze wiesz.

– Nie wiem, chłopcze. Powiedz.

Danny odwrócił głowę i spojrzał nań z dezaprobatą, która stopniowo ustąpiła miejsca rozbawieniu. On jedyny z trzech synów Thomasa podzielał jego poczucie humoru. Wszyscy trzej lubili żartować – była to rodzinna cecha, obecna we wszystkich pokoleniach – ale Joe miał cwaniackie poczucie humoru, Connor zaś – bardziej ludowe i graniczące z farsowym, w tych nielicznych przypadkach, kiedy je okazywał. Danny także, lecz oprócz tego podzielał upodobanie Thomasa do cichego absurdu. Dlatego potrafił śmiać się z siebie. Zwłaszcza w najtrudniejszych czasach. I na tym polegała więź łącząca ojca z synem, której nic nie mogło zerwać. Thomas często słyszał, jak ludzie mówią, że nie wyróżniają żadnego ze swoich dzieci. Co było obrzydliwą bzdurą. Jawnym kłamstwem. Serce jest sercem i samo wybiera, kogo kocha, choć rozum dyktuje inaczej. Nikt by się nie zdziwił, że ulubionym synem Thomasa był Aiden. To oczywiste. Ponieważ to Danny go rozumiał, do głębi serca. Nie zawsze mu to odpowiadało, ale i on zawsze rozumiał Aidena, więc było sprawiedliwie, prawda?

– Zastrzeliłbym cię, starcze, gdybym miał broń.

– Spudłowałbyś – odpowiedział Thomas. – Widziałem, jak strzelasz.

Po raz drugi w ciągu dwóch dni Thomas znalazł się w obecności wrogo doń nastawionej Nory. Nie zaproponowała mu drinka, nie poprosiła, żeby usiadł. Wraz z Dannym stanęła w kącie, a Thomas podszedł do swojego najmłodszego syna, który siedział przy stole pod oknem.

Chłopiec przyglądał mu się; Thomas z zaskoczeniem zobaczył w jego oczach niezwykłą pustkę, jakby coś z niego wyrwano. Miał podbite oko i ciemny strup nad prawym uchem. Thomas zauważył też z niemałym żalem nadal widoczny czerwony ślad na szyi po jego palcach i wargę obrzmiałą po uderzeniu jego sygnetu.

– Josephie – powiedział, podchodząc.

Joe spojrzał na niego nieruchomo.

Thomas ukląkł przed nim na jedno kolano, objął jego twarz i pocałował go w czoło, we włosy, przytulił go do piersi.

– Josephie, o Jezu – powiedział, zamknął oczy i poczuł, że cały ten strach, który tłumił w sobie od dwóch dni, nagle w nim wybucha. Przysunął usta do ucha chłopca i wyszeptał: – Kocham cię, Joe.

Joe zesztywniał.

Thomas puścił go, odsunął się i przesunął dłońmi po jego policzkach.

– Zamartwiałem się na śmierć.

– Tak, ojcze – powiedział cicho Joe.

Thomas przyjrzał się mu, szukając chłopca, którego znał od zawsze, ale zobaczył kogoś obcego.

– Co się z tobą działo, chłopcze? Jesteś zdrowy?

– Wszystko w porządku, ojcze, tylko mnie napadli. Chłopcy koło torów.

Myśl o tym, że Joe, krew z jego krwi, został pobity, na chwilę rozwścieczyła Thomasa. Omal go nie uderzył za to, że przez niego tak się bał i nie spał przez parę nocy. Ale powstrzymał się i impuls przeminął.

– Tylko tyle? Napadli na ciebie?

– Tak, ojcze.

O Jezu, co za zimno biło od tego dziecka! Zimno jego matki, kiedy miała te swoje „humory". Zimno Connora, kiedy sprawy nie układały się po jego myśli. Rodzina Thomasa na pewno nie miała czegoś takiego w genach.

– Znasz któregoś z tych chłopców?

Joe pokręcił głową.

– Przyszedłem, żeby cię zabrać do domu, Josephie.

– Tak, ojcze.

Joe wstał i minął go w drodze do drzwi. Nie okazywał dziecinnego użalania się nad sobą, gniewu, radości, żadnej emocji.

Coś w nim umarło.

Thomas znowu poczuł chłód bijący od syna i zastanowił się, czy to jego wina, czy to właśnie robił wszystkim, których kochał – chronił ich ciała, ale zabijał serca.

Rzucił Danny'emu i Norze pewny siebie uśmiech.
– No to zmykamy.
Nora patrzyła na niego z taką nienawiścią i pogardą, jakiej Thomas nie czułby nawet do najgorszego gwałciciela. Jej wzrok przepalał mu ciało.
Pogładziła Joego po twarzy i pocałowała go w czoło.
– Do widzenia, Joey.
– Bywaj.
– Chodźmy – odezwał się cicho Danny. – Odprowadzę was na dół.

Kiedy znaleźli się na ulicy, Marty Kenneally wysiadł z samochodu i otworzył drzwi. Joe wsiadł do środka. Danny zajrzał do niego, pożegnał się, a potem stanął na chodniku z Thomasem. Powietrze było łagodne. Lato na ulicach miasta pachniało popołudniowym deszczem. Thomas uwielbiał ten zapach Wyciągnął rękę.
Danny ją uścisnął.
– Przyjdą po ciebie.
– Kto?
– Ci, których się nigdy nie widzi.
– Z powodu związku?
– A czego? – Thomas skinął głową.
– Niech przyjdą. – Danny zachichotał.
Thomas spochmurniał.
– Nigdy nawet tak nie mów. Nie kuś losu. Nigdy, Aidenie. Nigdy, chłopcze.
Danny wzruszył ramionami.
– Pieprzyć ich. Co mi mogą zrobić?
Thomas postawił stopę na schodku samochodu.
– Myślisz, że skoro masz dobre serce i walczysz o dobrą sprawę, to wystarczy? Codziennie toczę walkę z ludźmi o dobrym sercu, którzy nie widzą spraw w perspektywie.
– Jakiej perspektywie?
– Właśnie udowodniłeś, że mam rację.
– Jeśli chcesz mnie przestraszyć, to...
– Chcę cię uratować, ty głupku. Jesteś tak naiwny, że nadal wie-

rzysz w uczciwą walkę? Niczego się ode mnie nie nauczyłeś? Znają twoje nazwisko. Twoja obecność zostanie odnotowana.

– Więc niech walczą. A kiedy przyjdą…

– Nie zorientujesz się, kiedy przyjdą. Nikt tego nie wie. To właśnie chcę ci powiedzieć. Chcesz walczyć z tymi chłopakami? Przygotuj się, bo dadzą ci takiego łupnia, że będziesz krwawić całą noc. – Machnął z desperacją ręką i zostawił syna na ganku.

– Dobranoc, ojcze.

Marty wysiadł, żeby otworzyć drzwi auta. Thomas obejrzał się na syna. Taki silny, taki dumny. Taki nieświadomy.

– Tessa.

– Co? – spytał Danny.

Thomas oparł się o drzwi i spojrzał na syna.

– Przyjdą po ciebie z Tessą.

Danny przez chwilę milczał.

– Z Tessą?

Thomas klepnął palcami w drzwi.

– Ja bym tak zrobił.

Uchylił kapelusza przed synem i wsiadł do samochodu obok Joego. Kazał Marty'emu zawieźć się prosto do domu.

BABE RUTH I WYBUCHOWE LATO

ROZDZIAŁ TRZYDZIESTY DRUGI

To było szalone lato. Nieprzewidywalne. Kiedy Babe myślał, że już ma je w garści, wyślizgiwało mu się i uciekało jak świniak na widok siekiery. Pod dom prokuratora generalnego podłożono bombę, gdzie się spojrzało, wybuchały strajki i protesty, najpierw w okręgu Columbia, potem w Chicago. Kolorowi z Chicago autentycznie się zbuntowali, zamieszki zmieniły się w wojnę rasową, która wystraszyła na śmierć cały kraj.

Nie działo się tylko źle. O, nie. Na przykład, kto by przewidział, co Babe potrafi zrobić z białą piłką? Nikt, ot co. W maju przeżył parę żenujących chwil, kiedy silił się na zbytnią efektowność, chciał za często być pałkarzem, a w jednej piątej przypadków kazali mu rzucać, więc jego średni wynik sięgnął dna: .180. Dobry Boże, nie miał takich wyników od czasów meczu z Baltimore! Ale potem trener Barrow pozwolił mu odłożyć rzucanie na jakiś czas i Babe zwiększył szybkość, zmusił się, żeby zaczynać uderzenia trochę wcześniej, ale odrobinę wolniej, żeby pełną siłę uderzenia osiągnąć dopiero w połowie ruchu.

I czerwiec okazał się rewelacyjny.

A lipiec? Lipiec był wybuchowy.

Zaczął się dreszczem strachu na wieść, że cholerni wywrotowcy i bolszewicy zaplanowali kolejną falę rzezi na Dzień Niepodległości. Każdy budynek rządowy w Bostonie otoczyli żołnierze, a w Nowym Jorku siły policyjne zostały skierowane do pilnowania urzędów. Jednak przez cały dzień nie wydarzyło się nic z wyjątkiem demonstracji związku rybaków z Nowej Anglii, a Babe miał ją gdzieś, bo nigdy nie jadł niczego, co porusza się o własnych siłach.

Następnego dnia zaliczył dwa home runy w jednym meczu. Aż dwa, skórkowańce, sięgające pod niebo! Jeszcze nigdy mu to nie wyszło.

Tydzień później posłał swoją jedenastą piłkę w sezonie prosto w horyzont Chicago i nawet kibice White Sox zaczęli wiwatować. W zeszłym roku przez cały sezon zdobył w sumie jedenaście home runów. W tym roku jeszcze się nawet nie rozgrzał, a fani o tym wiedzieli. W połowie miesiąca w Cleveland zdobył drugi *home run* w dziewiątym meczu. Efektowne osiągnięcie samo w sobie, a przy tym zaważyło o zwycięstwie. Miejscowi kibice go nie wygwizdali. Babe nie wierzył własnym oczom. Właśnie wbił gwóźdź w ich trumnę, ale wszyscy na trybunach wstali jak jeden radosny tłum i zaczęli skandować jego imię, kiedy okrążał bazy. Gdy dotarł do domowej, nadal stali i zaczęli rytmicznie unosić pięści, nadal wołając jego imię.

– Babe!

– Babe!

– Babe!

Trzy dni później w Detroit odbił trudnego splittera i zaliczył najdłuższy *home run* w historii tutejszych rozgrywek. Gazety, jak zwykle o krok lub dwa za kibicami, wreszcie go zauważyły. Rekord home runów w jednym sezonie, ustanowiony w 1902 roku przez Socksa Seybolda, wynosił szesnaście. Babe w trzecim tygodniu tego niesłychanego lipca zaliczył już czternaście, a wracał do Bostonu na kochany Fenway. Wybaczcie, Soksi, mam nadzieję, że ludzie was zapamiętają, bo zamierzam wam odebrać ten mizerny rekordzik, owinąć nim cygaro i podpalić!

Piętnasty *home run* zaliczył w pierwszym meczu z Jankesami po powrocie do domu. Posłał piłkę wysoko na górne rzędy ławek z prawej strony, patrzył, jak kibice z tych tanich miejsc walczą o nią jak o jedzenie albo pracę, i truchtał niespiesznie po linii pierwszej bazy. Zauważył, że wszystkie miejsca są zajęte. Kibiców pojawiło się dwa razy tyle – lekko licząc – co na World Series w zeszłym roku. Znajdowali się na trzecim miejscu i coraz bardziej spadali w rankingu. Nikt nie miał złudzeń co do tegorocznych mistrzostw, więc kibice przychodzili tylko dla Rutha i jego strzałów.

A jaką miał passę! Choć parę dni temu przegrali w Detroit, nikogo to nie obeszło, bo Babe zaliczył kolejny *home run*. Szesnasty! Biedny Socks Seybold musiał się podzielić miejscem na podium. Motorniczy tramwajów i kolejek porzucili pracę (Babe pomyślał, po raz drugi tego roku, że cały ten cholerny świat porzucił pracę), ale trybuny zapełniły się nazajutrz po tym, jak Babe zdobył magiczny numer siedemnaście w grze z cudownie wspaniałomyślnymi Tygrysami.

Czuł to, siedząc na ławce dla graczy. Ossie Vitt czekał na swoją kolej, na stanowisku stał Scott, a Babe miał uderzać trzeci i wszyscy o tym wiedzieli. Babe odważył się wychylić z ławki i zerknąć na stadion, wycierając szmatą pałkę. Połowa kibiców gapiła się na niego, mając nadzieję, że zobaczą boga. Schował się i poczuł, że robi mu się zimno. Jakby zlodowaciał. Tak bardzo, jak pewnie lodowacieje się po śmierci, ale zanim jeszcze cię włożą do trumny, gdy coś w tobie się łudzi, że nadal oddychasz. Dopiero po chwili dotarło do niego, co zobaczył. Jakie to ma dla niego znaczenie. Co odebrało mu pewność siebie tak dokładnie, że gdy patrzył, jak Ossie Vitt wraca ze swojego stanowiska i sam ruszył na jego miejsce, przestraszył się, że w tym sezonie już nie zdobędzie ani jednego punktu.

Luther.

Babe odważył się znowu zerknąć z boiska; jego spojrzenie przemknęło po pierwszym rzędzie. Rzędzie ludzi bogatych. Na tych miejscach nie widywało się kolorowych. Dotąd nigdy się to nie zdarzyło i nie było powodu się spodziewać, że zdarzy się teraz. Więc to dziwne złudzenie optyczne, figiel umysłu, może efekt napięcia, z którego Babe nie zdawał sobie sprawy. To niemądre, kiedy się pomyśli...

Jest. Jasne jak słońce, oczywiste jak dzień. Luther Laurence. Te same drobne blizny na twarzy. Te same głęboko osadzone, pochmurne oczy – wpatrujące się wprost w Rutha. Ukazał się w nich uśmiech, przelotny błysk rozpoznania. Luther uniósł palce do ronda i uchylił kapelusza.

Ruth usiłował odpowiedzieć uśmiechem, ale mięśnie twarzy go nie usłuchały. Usłyszał, że spiker wykrzykuje jego nazwisko. Podszedł na stanowisko pałkarza, czując na sobie spojrzenie Luthera. Stanął na miejscu i posłał pierwszą piłkę prosto w rękawicę łapacza.

A więc ten Clayton Tomes był twoim przyjacielem? – Danny pochwycił spojrzenie sprzedawcy orzeszków i uniósł dwa palce.

Luther przytaknął.

– Aha. Ale chyba miał w sobie coś z zająca, bo prysnął bez słowa.

– Ha. Spotkałem go parę razy. Nie wydał mi się taki. Miły facet, właściwie chłopiec.

Brązowe, zatłuszczone torebki pofrunęły ku nim w powietrzu. Danny złapał pierwszą. Druga musnęła czoło Luthera i wylądowała na jego kolanach.

– Myślałem, że jesteś baseballistą. – Danny przekazał monetę swojemu sąsiadowi, a ten następnemu, aż otrzymał go sprzedawca.

– Mam za dużo na głowie. – Luther wyjął ciepły orzeszek i strzelił nim Danny'emu w jabłko Adama. Orzeszek ześliznął się pod koszulę. – Co mówi pani Wagenfeld?

– Uznała, że miał na sumieniu jakąś ciemną sprawkę – powiedział Danny, sięgając pod koszulę. – Natychmiast zatrudniła następnego służącego.

– Kolorowego?

– Nie. Chyba po niepowodzeniu z tobą i Claytonem we wschodniej dzielnicy bardziej ceni się biały kolor.

– Jak na tym stadionie, co?

Danny roześmiał się cicho. Na Fenway przyszło dziś pewnie ze dwadzieścia pięć tysięcy osób, a oprócz Luthera żadna nie była mniej biała niż piłka, którą dziś grano. Drużyny zmieniały miejsca i okrągły Ruth pobiegł w lewo na paluszkach, jak baletnica, skulony, jakby spodziewał się ciosu z tyłu. Luther wiedział, że Ruth go zauważył i że jego widok nim wstrząsnął. Na twarzy Babe'a pojawił się wstyd. Luther niemal się nad nim użalił, ale potem przypomniał sobie ten mecz w Ohio, jak biali chłopcy skalali jego proste piękno i pomyślał: nie chcesz się wstydzić? To nie rób sobie wstydu, biały chłopcze.

– Mogę coś zrobić? – spytał Danny.

– Z czym? – spytał Luther.

– Z tym, co cię dręczy przez całe lato. Nie tylko ja to zauważyłem. Nora też się martwi.

Luther wzruszył ramionami.

– Nie ma o czym mówić.

– Jestem gliniarzem, wiesz. – Danny rzucił łupinką orzecha w Luthera.

Ten strzepnął ją z kolan.

– Na razie.

Danny roześmiał się gorzko.

– Tak to już jest, co?

Pałkarz z Detroit odbił wysoką piłkę w lewo. Odskoczyła głośno od tablicy wyników. Ruth źle ocenił tor lotu piłki, która przemknęła nad jego rękawicą. Musiał za nią pobiec. Kiedy ją złapał i rzucił w pole wewnętrzne, zwykła gra zmieniła się w potrójną i został zdobyty run.

– Naprawdę z nim grałeś? – spytał Danny

– Myślisz, że mi się przyśniło?

– Nie. Tylko ciekaw byłem, o jakich kaktusach ciągle mówisz.

Luther spojrzał w lewo. Ruth wytarł swetrem spoconą twarz.

– Tak, grałem z nim. Z nim i kilkoma innymi Cubsami.

– Wygrałeś?

Luther pokręcił głową.

– Z takimi nie można wygrać. Jeśli powiedzą, że niebo jest zielone, kolesie ich poprą i sami w to uwierzą. Jak z tym walczyć? – Wzruszył ramionami. – Od tej pory niebo będzie zielone.

– Ty chyba mówisz o komisarzu policji i burmistrzu.

– Całe miasto myśli, że będziecie strajkować. Nazywają was bolszewikami.

– Nie strajkujemy. Chcemy tylko sprawiedliwości.

Luther zachichotał.

– Na tym świecie?

– Świat się zmienia. Zwykły człowiek nie jest już taki pokorny, jak kiedyś.

– Świat się nie zmienia. I nie zmieni się nigdy. Będą ci mówić, że niebo jest zielone, aż w końcu przyznasz, że jest. Niebo jest ich własnością, Danny – i wszystko, co się pod nim znajduje.

– A myślałem, że to ja jestem cynikiem.

– Nie jestem cynikiem, tylko realistą. W Chicago ukamienowali kolorowego chłopaka, bo przepłynął na drugą stronę rzeki. Rzeki, Danny. Całe miasto spłonie, bo białym wydaje się, że rzeka jest ich własnością! I mają rację. Jest.

– Kolorowi jeszcze nie przestali walczyć.

– I co osiągną? Wczoraj sześciu kolorowych z Czarnego Pasa rozstrzelało czterech białych. Słyszałeś?

Danny skinął głową.

– Tak.

– Wszyscy mówią, że tych sześciu zmasakrowało czterech białych.

A biali mieli karabin maszynowy w wozie. Karabin maszynowy! I strzelali do kolorowych. Ale o tym się nie mówi. Mówi się tylko, że szalone czarnuchy rozlały krew białych. Rzeka jest własnością białych, a niebo jest zielone. I tak już jest.

– Nie mogę się z tym pogodzić.

– Bo jesteś dobrym człowiekiem. Ale to za mało.

– Mówisz, jak mój ojciec.

– Dobrze, że nie jak mój. – Luther spojrzał na Danny'ego, potężnie zbudowanego, silnego policjanta, który pewnie już nie pamiętał dawnych porażek. – Mówisz, że nie będziecie strajkować. Doskonale. Ale całe to miasto, w tym również kolorowi, uważa, że będziecie. Ci ludzie, których prosicie o sprawiedliwość, wyprzedzili was już o dwa kroki. I nie chodzi im o pieniądze. Chodzi o to, że zapomnieliście, gdzie wasze miejsce, i wyszliście z szeregu. A na to wam nie pozwolą.

– Nie będą mieli wyboru.

– Tu nie chodzi o wybór. Ani o prawo, sprawiedliwość czy coś w tym rodzaju. Myślisz, że blefują. Problem w tym, że nie.

Luther się wyprostował; Danny też. Zjedli resztę orzeszków. W piątym inningu wypili parę piw i zjedli kilka hot dogów. Byli ciekawi, czy Ruth pobije rekord home runów. Nie pobił. Zrobił dwa błędy. Nietypowy dla niego mecz. Niektórzy kibice zastanawiali się głośno, czy nie jest chory albo skacowany.

W drodze powrotnej z Fenway Luther czuł łomot serca. Zdarzało mu się to czasami przez całe lato, na ogół bez powodu. Gardło mu się ściskało, w piersi rozchodziło się ciepło, jakby zalewała ją woda, i słyszał bum, bum, bum, bum – serce zaczynało walić jak oszalałe.

Szli przez Mass Avenue. Spojrzał na Danny'ego, który przyglądał mu się uważnie.

– Kiedy tylko zechcesz – powiedział Danny.

Luther zatrzymał się na chwilę. Był wyczerpany, wykończony od dźwigania tego ciężaru. Spojrzał na Danny'ego.

– Musiałbym zrzucić na ciebie coś większego, niż powierzono ci kiedykolwiek w życiu.

– Opiekowałeś się Norą, kiedy nikt tego nie robił. To dla mnie znaczy więcej, niż gdybyś mi uratował życie. Kochałeś moją żonę, kiedy ja byłem za głupi, żeby to zrobić. Potrzebujesz czegoś ode mnie? – Danny dotknął piersi. – Załatwione.

Godzinę później, stojąc nad pagórkiem na tyłach budynku przy Shawmut Avenue, który krył ciało Claytona Tomesa, Danny powiedział:

– Masz rację. To coś wielkiego. Jak kurwa mać.

W domu usiedli na pustej podłodze. Roboty były już prawie skończone. Zostało bardzo niewiele, prace wykończeniowe i malowanie. Luther opowiedział Danny'emu wszystko, wszyściuteńko, włącznie z tym dniem miesiąc temu, kiedy otworzył wytrychem skrzynkę z narzędziami od McKenny. Zajęło mu to dwadzieścia minut. Spojrzał raz i wszystko stało się jasne.

Nic dziwnego, że była taka ciężka.

Pistolety.

Sprawdził je po kolei. Wszystkie były naoliwione i w dobrym stanie, choć nie nowe. Były też załadowane. Cały tuzin. Dwanaście gotowych do strzału pistoletów, które policjanci znajdą w dniu, gdy postanowią zrobić nalot na stowarzyszenie. Wtedy będzie to wyglądało, jakby armia szykowała się do wojny.

Danny siedział w milczeniu przez długi czas. Pił z piersiówki, a potem podał ją Lutherowi.

– On i tak cię zabije.

– Wiem – odpowiedział ten. – Nie martwię się o siebie. Chodzi o Yvette. Jest dla mnie jak matka. I wiem, że McKenna to zrobi, dla samej radochy. Bo Yvette należy do, jak to nazwał, „bambusokracji". Zabije ją dla zabawy. A na pewno będzie chciał ją wsadzić do więzienia. Po to ta broń.

Danny pokiwał głową.

– Wiem, że jest dla ciebie jak krewny – dodał Luther.

Danny uniósł dłoń. Zamknął oczy i lekko się zakołysał.

– Zabił tego chłopca? Bez powodu?

– Z tego powodu, że Clayton był czarny i chodził po tym świecie.

Danny otworzył oczy.
– O tym, co teraz zrobimy...
Luther przytaknął.
– Nie wspomnimy nikomu aż do śmierci.

Pierwsza wielka sprawa Connora dotyczyła ślusarza Massima Pardiego. Pardi wystąpił na zebraniu związku ślusarzy z Roslindale i oznajmił, że warunki sanitarne w hucie i walcowni Bay State powinny się natychmiast poprawić, bo „zostanie zwalcowana do fundamentów". Jego oświadczenie zostało przyjęte burzą oklasków, po czym czterej mężczyźni – Brian Sullivan, Robert Minton, Duka Skinner i Luis Ferriere – wzięli go na ramiona i obnieśli po sali. To właśnie ten gest i ci ludzie przypieczętowali los Pardiego. 1+ 4 = syndykalizm. Proste i jasne.

Connor skierował do sądu okręgowego rozkaz deportacji Massima Pardiego i uzasadnił go faktem, że Pardi pogwałcił ustawę o działalności szpiegowskiej i wywrotowej w świetle prawa antysyndykalistycznego, a zatem powinien zostać deportowany do Kalabrii, gdzie lokalny sędzia zdecyduje, czy konieczna będzie dalsza kara.

Nawet Connor się zdziwił, gdy sędzia wyraził zgodę.

Ale następnym razem już nie. A potem to już w ogóle się nie dziwił.

Connor uświadomił sobie w końcu – i miał nadzieję, że nie zapomni tego, dopóki będzie praktykować prawo – że najlepsze argumenty to te pozbawione emocji i płomiennej retoryki. Trzymać się litery prawa, unikać polemiki, popierać swoje racje precedensami i zostawić prawnikowi strony przeciwnej decyzję, czy walczyć z rozsądkiem tych praw podczas apelacji. To zrozumienie było niemal objawieniem. Podczas gdy prawnik strony przeciwnej grzmiał, toczył pianę i wygrażał pięściami przed coraz bardziej zdesperowanymi sędziami, Connor spokojnie przedstawiał logiczną strukturę praw. I widział w oczach sędziów, że to im się nie podoba, że nie chcieliby się zgodzić. Ich sentymentalne serca ujmowały się za oskarżonymi, jednak intelekt znał prawdę.

Sprawa Massima Pardiego miała się stać symboliczna. Pyskaty ślusarz został skazany na rok więzienia (minus trzy miesiące odsiedziane w areszcie). Natychmiast wypełniono rozkaz deportacji. Gdyby wydalenie z kraju nastąpiło przed zakończeniem odsiadki, Stany Zjednoczone wspaniałomyślnie zgadzały się mu darować resztę kary. W innym wypadku musiał odsiedzieć pełne dziewięć miesięcy. Oczywiście Connor nawet mu współczuł. Pardi wydawał się sympatyczny, pracował ciężko, a na jesieni miał się ożenić. Raczej nie stanowił zagrożenia dla tego kraju, ale to, co sobą reprezentował – pierwszy przystanek w drodze do terroryzmu – było nie do przyjęcia. Mitchell Palmer w imieniu Stanów Zjednoczonych uznał, że należy przekazać światu wiadomość – nie będziemy dłużej żyć w strachu przed wami, to wy będziecie się bać nas. I ta wiadomość miała zostać wyartykułowana spokojnie, zdecydowanie, konsekwentnie.

Na parę miesięcy Connor zapomniał o swoim gniewie.

White Sox przybyli do miasta z Detroit. Ruth wyszedł się napić z paroma starymi przyjaciółmi z dawnych lat. Powiedzieli mu, że w Chicago znowu panuje spokój i porządek, wojsko wreszcie pokonało czarnuchów i uspokoiło ich raz na zawsze. Myśleliśmy, że to się nigdy nie skończy, powiedzieli. Cztery dni strzelaniny, łupienia i pożarów, a wszystko dlatego, że jeden z tej bandy polazł tam, gdzie nie powinien. A biali go nie ukamienowali. Rzucali tylko kamienie w wodę, żeby go odstraszyć. Nie ich wina, że nie umiał dobrze pływać.

Piętnastu białych zabito. Uwierzysz? Piętnastu. Może czarnuchy mają jakieś uzasadnione pretensje, no dobra, w porządku, ale żeby zabijać piętnastu ludzi? Świat staje na głowie.

W przypadku Babe'a świat naprawdę stanął na głowie. Od tego meczu, na którym zobaczył Luthera, nie mógł trafić kijem w piłkę. Nie trafiłby w nią, nawet gdyby jechała do niego po sznurku piętnaście kilometrów na godzinę. Złapał największego doła w swojej karierze. A teraz, gdy kolorowi wrócili na swoje miejsce, a anarchiści jakby przycichli i kraj mógł odetchnąć, wywrotowcy ujawnili się nagle w najmniej prawdopodobnym miejscu: w policji.

W policji, na litość boską!

Codziennie Ruth dostrzegał coraz więcej oznak, że Boston niedługo rozsypie się w gruzy. Gazety donosiły o plotkach o strajku solidarnościowym, przy którym to, co się zdarzyło w Seattle, wyglądałoby jak zabawa. W Seattle zastrajkowali pracownicy publiczni, tak, ale to byli śmieciarze i ludzie z komunikacji. W Bostonie podobno policjanci sprzymierzyli się ze strażakami. Co to będzie, jak porzucą pracę? Matko kochana! Miasto obróci się w gruzy i zgliszcza.

Babe spotykał się teraz regularnie z Kat Lawson w hotelu Buckminster. Pewnego razu zostawił ją śpiącą i wstąpił do baru. Chick Gandil, pierwszy bazowy White Sox, siedział przy barze z paroma kumplami i Babe ruszył ku nim, ale zobaczył w oczach Chicka coś takiego, że natychmiast zmienił kierunek. Usiadł przy drugim końcu baru, zamówił podwójną szkocką i dopiero teraz zobaczył, z kim rozmawia Chick: ze Sportem Sullivanem i Abe Attellem, ludźmi Arnolda Rothsteina.

I pomyślał: oho, z tego nie wyjdzie nic dobrego.

Mniej więcej przy trzeciej szkockiej Sport Sullivan i Abe Attell wzięli płaszcze z oparć krzeseł i wyszli frontowymi drzwiami. Chick Gandil zabrał swoją podwójną szkocką i klapnął z głośnym westchnieniem przy Babie.

– Gidge.

– Babe.

– A tak, tak, Babe. Jak ci leci?

– Nie kumpluję się z kundlami. Tak mi leci.

– Jakimi kundlami?

Babe spojrzał na niego.

– Dobrze wiesz, jakimi. Sport Sullivan? Abe Skurwiel Attell? To kundle Rothsteina, a sam Rothstein jest kundlem nad kundlami. Co ci odbiło, że z nimi gadasz?

– Przepraszam, mamusiu, następnym razem spytam, czy mi wolno.

– Są utaplani w gorszych brudach niż świnie. Wiesz to i wszyscy inni, co mają oczy w głowie, też to wiedzą. Jak cię zobaczą z takimi typami, kto uwierzy, że nie bierzesz?

– A myślisz, że dlaczego się z nimi umówiłem akurat tutaj? To nie Chicago. Jest miło i spokojnie. I nikt się nie kapnie, Babe, mój skarbie, dopóki będziesz trzymać tę murzyńską gębę na kłódkę. – Gandil uśmiechnął się, dopił drinka i odstawił szklankę. – Popisujesz się, mój chłopcze. Grasz pod publiczkę. Ale zdobędziesz jakiś punkt w tym miesiącu, co? – Klepnął Babe'a w plecy, roześmiał się i wyszedł.

Murzyńska gęba. Kurde.

Babe zamówił następnego drinka.

Policja mówi o strajku, baseballiści gadają z typami znanymi z ustawiania meczy, jego lista home runów utknęła na szesnastym, ponieważ przypadkiem zobaczył kolorowego, którego spotkał jedyny raz w Ohio.

Czy na tym świecie istnieje jeszcze jakaś zasrana świętość?

STRAJK BOSTOŃSKIEJ POLICJI

ROZDZIAŁ TRZYDZIESTY TRZECI

W pierwszy czwartek sierpnia Danny spotkał się z Ralphem Raphelsonem w siedzibie Bostońskiego Centralnego Związku Zawodowego. Raphelson był tak wysoki, że ściskając mu rękę, Danny musiał zadrzeć głowę – co nie zdarzało się często – by spojrzeć tamtemu w oczy. Chudy jak żerdź, o wiotkich jasnych włosach, które ustępowały z wysokiego czoła, wskazał Danny'emu miejsce i usiadł za biurkiem. Za oknem z beżowych chmur padał gorący deszcz, a ulica cuchnęła jak podgrzany ściek.

– Zacznijmy od oczywistości – powiedział Ralph Raphelson. – Jeśli ma pan chęć skomentować moje nazwisko albo sobie z niego pożartować, proszę śmiało.

Danny udał, że się zastanawia.

– Nie. Wytrzymam.

– Wielce zobowiązany. – Raphelson rozłożył ręce. – Co mogę tego ranka zrobić dla wydziału policji bostońskiej?

– Reprezentuję Bostoński Klub Społeczny – oznajmił Danny. – Jesteśmy ramieniem…

– Wiem, kim jesteście. – Raphelson lekko klepnął bibułę na biurku. – Również BKS jest mi dobrze znany. Proszę pozwolić, że pana uspokoję – chcemy wam pomóc.

Danny skinął głową.

– Proszę pana…

– Ralph.

– Ralph, skoro wiesz, kim jestem, wiesz także, że rozmawiałem z kilkoma z waszych grup.

– O, tak, wiem. Słyszałem, że jesteś dość przekonujący.

Danny pomyślał: Czyżby? – i strzepnął krople deszczu z płaszcza.

– Gdybyśmy znaleźli się pod ścianą i nie mieli innego wyjścia z wyjątkiem zaprzestania pracy, czy Centralny Związek Zawodowy nas poprze?

– Werbalnie? Oczywiście.

– A fizycznie?

– Mówisz o strajku solidarnościowym?

Danny spojrzał mu w oczy.

– Tak.

Raphelson potarł brodę wierzchem dłoni.

– Rozumiesz, ile osób reprezentuje Bostoński Centralny Związek Zawodowy?

– Słyszałem, że ciut poniżej osiemdziesięciu tysięcy.

– Ciut ponad. Właśnie przyjęliśmy hydraulików z zachodniego Roxbury.

– Zatem ciut ponad.

– Widziałeś kiedyś, żeby ośmiu mężczyzn potrafiło osiągnąć jednomyślność w jakimkolwiek temacie?

– Rzadko.

– A my mamy osiemdziesiąt tysięcy członków – strażaków, hydraulików, operatorów telefonicznych, maszynistów, woźniców, pracowników komunikacji. Chcesz, żeby zgodzili się zaprotestować w imieniu ludzi, którzy bili ich pałkami, kiedy to oni strajkowali?

– Tak.

– Dlaczego?

– Dlaczego nie?

W oczach Raphelsona, choć nie na ustach, pojawił się uśmiech.

– Dlaczego nie? – powtórzył Danny. – Znasz jakichś ludzi, których pensje nadążają za podwyżkami cen? I którzy potrafią nakarmić rodziny, a jednocześnie znaleźć czas, żeby przeczytać dziecku bajkę przed snem? Policjanci nie mogą sobie na to pozwolić. Nie są traktowani jak robotnicy, tylko jak wyrobnicy.

Raphelson zaplótł ręce za głową i zastanowił się nad tymi słowami.

– Dobrze ci idzie z emocjonalną retoryką, Coughlin. Bardzo dobrze.

– Dziękuję.

– To nie był komplement. Muszę się zajmować sprawami praktycznymi. Kiedy wywietrzeją ekscytujące słowa o godności klasy pracującej, kto zapewni osiemdziesiąt tysięcy moich ludzi, że będą mogli wrócić do pracy? Widziałeś ostatnie doniesienia o stopniu bezrobocia? Dlaczego tamci, bezrobotni, nie mogliby przejąć posad moich ludzi? A jeśli strajk się przeciągnie? Kto utrzyma rodziny, jeśli moi ludzie nagle zyskają czas na czytanie dzieciom do snu? Dzieciom będzie burczeć w brzuchach, ale – gloria, gloria, alleluja! – wysłuchają bajki. Ty mówisz „Dlaczego nie". Mam osiemdziesiąt tysięcy powodów – oraz ich rodziny.

W gabinecie było zimno i ciemno. Zaledwie w połowie uchylone żaluzje wpuszczały mdły blask dnia. Jedynym źródłem światła w pokoju była mała lampka przy łokciu Raphelsona. Danny spojrzał mu w oczy i czekał, wyczuwając w nim narastające napięcie.

Raphelson westchnął.

– A jednak, zapewniam, jestem zainteresowany.

Danny pochylił się ku niemu.

– Teraz moja kolej spytać, dlaczego.

Raphelson zaczął manipulować żaluzjami, aż deszczułki uchyliły się na tyle, by wpuścić nieco więcej światła.

– Związki zawodowe znalazły się na zakręcie. Przez parę dekad zrobiliśmy tych parę nielicznych kroków, bo zaskoczyliśmy grube ryby z paru dużych miast. Ale ostatnio grube ryby zrobiły się cwane. Wygrywają debaty, bo znajdują chwytliwe nazwy. Nie jesteś już człowiekiem pracy walczącym o swoje prawa. Jesteś bolszewikiem. Jesteś wywrotowcem. Nie podoba ci się osiemdziesiąt godzin pracy w tygodniu? Jesteś anarchistą. Tylko komuchy oczekują, że będą dostawać rentę. – Machnął ręką w stronę okna. – Nie tylko dzieci lubią bajeczki, Coughlin. Wszyscy je lubimy. Żeby były proste i kojące. I dokładnie to grube ryby robią robotnikom: opowiadają im lepsze bajeczki. – Obejrzał się z uśmiechem na Danny'ego. – Może wreszcie zyskamy szansę, by je napisać od nowa.

– Byłoby miło.

Raphelson wyciągnął do niego długie ramię.

– Będziemy w kontakcie.

Danny uścisnął mu rękę.

– Dziękuję.

– Nie dziękuj na razie. Ale... jak powiedziałeś... – Raphelson zerknął na deszcz. – Dlaczego nie?

Komisarz Edwin Upton Curtis rzucił kurierowi napiwek i zaniósł pudełka na biurko. Były cztery, każde wielkości cegły. Ułożył jedno na środku bibuły na biurku, uniósł pokrywkę i zapatrzył się na zawartość. Przypominały mu zaproszenia ślubne; odsunął od siebie smutny, gorzki obraz jedynej córki, Marie, tęgiej i tępookiej od kołyski, wchodzącej w staropanieństwo z pokorą, która wydawała mu się obrzydliwa.

Uniósł leżący na wierzchu kartonik. Czcionka była dość ładna, pozbawiona ozdobników, lecz wyraźna, papier gruby, w kolorze cielistym. Curtis odłożył kartonik na wierzch stosiku i postanowił wysłać drukarzowi liścik z podziękowaniem za doskonałą pracę, zważywszy, że termin był tak krótki.

Herbert Parker wyszedł ze swojego gabinetu i nie odzywając się ani słowem, podszedł do Curtisa. Stanął obok niego przy biurku i obaj spojrzeli na stosik kartoników.

Do ______________________________

funkcjonariusza policji bostońskiej

Na mocy przysługującej mi władzy komisarza policji niniejszym zwalniam pana z wydziału policji bostońskiej. Rzeczone zwolnienie nabiera mocy z chwilą wręczenia tego powiadomienia. Poniżej znajdują się powody i przyczyny zwolnienia:

Uzasadnienie______________________________

Z poważaniem,
Edwin Upton Curtis

– Komu to zleciłeś? – spytał Parker.
– Druk?
– Tak.
– Freemanowi i Synom ze School Street.
– Freeman. Żyd?
– Chyba Szkot.
– Doskonała robota.
– Prawda?

Fay Hall. W zatłoczonej sali znaleźli się wszyscy chłopcy z wydziału, którzy nie mieli służby, a nawet paru, którzy mieli. Czuć było tu ciepły deszcz i wżarty w ściany od dziesięcioleci odór potu, ciała, cygar i papierosów, tak gęsty, że przywierał do nich jak kolejna warstwa farby.

Mark Denton siedział w kącie sceny, rozmawiając z Frankiem McCarthym, niedawno przybyłym organizatorem nowoangielskiej filii Amerykańskiej Federacji Pracy. Danny stał w drugim kącie, rozmawiając z Timem Rose'em, gliniarzem z dwójki, który patrolował teren wokół ratusza i Newspaper Row.

– Kto ci to powiedział? – spytał Danny.

– Sam Wes Freeman.

– Ojciec?

– Nie, syn. Ojciec jest pijakiem. Syn odwala całą robotę.

– Tysiąc blankietów zwolnień?

Tim potrzasnął głową.

– Pięćset zwolnień, pięćset zawieszeń.

– I już wydrukowane.

Tim skinął głową.

– I dostarczone samemu Upiornemu Curtisowi punktualnie o ósmej rano.

Danny przyłapał się na pociąganiu za brodę i kiwaniu głową – kolejne nawyki odziedziczone po ojcu. Znieruchomiał i rzucił Timowi uśmiech, miał nadzieję, że pewny siebie.

– No. Czyli zdjęli rękawiczki?

– Chyba tak. – Tim wskazał brodą Marka Dentona i Franka McCarthy'ego. – Kto tam stoi z Dentonem?

– Organizator z AFP.

Oczy Tima błysnęły.

– Będziemy się łączyć?

– Będziemy.

– Więc my też zdjęliśmy rękawiczki, co, Dan? – Tim uśmiechnął się szeroko.

– Święta prawda. – Danny klepnął go w ramię. Mark Denton podniósł z podłogi megafon i wszedł na mównicę.

Danny podszedł do niego; Mark Denton ukląkł na skraju sceny, pochylił się, a Danny opowiedział mu o blankietach zwolnień i zawieszeń.

– Jesteś pewien?

– Całkowicie. Dziś rano dostarczono je do gabinetu Curtisa. Wiarygodna informacja.

Mark uścisnął mu rękę.

– Będzie z ciebie świetny wiceprezes.

Danny cofnął się o krok.

– Co?

Denton rzucił mu chytry uśmiech i stanął na mównicy.

– Panowie, dziękujemy za stawiennictwo. Pan po mojej lewej stronie to Frank McCarthy. To nasz nowy reprezentant w Nowej Anglii z ramienia AFP i coś nam przynosi.

Gdy McCarthy zawładnął mównicą i megafonem, Kevin McCrae i kilku innych funkcjonariuszy z odchodzącego w przeszłość BKS ruszyło, zatrzymując się przy każdym rzędzie, by rozdać kartki do głosowania.

– Panowie z bostońskiego wydziału policji – odezwał się McCarthy. – Kiedy napiszecie na tych kartkach „tak" albo „nie", podejmiecie decyzję, czy chcecie pozostać Bostońskim Klubem Społecznym, czy też zgodzić się na przymierze, które wam proponuję i zostać Bostońskim Związkiem Policjantów numer szesnaście tysięcy osiemset siedem Amerykańskiej Federacji Pracy. Pożegnacie się, niewątpliwie z pewnym smutkiem, z dotychczasową nazwą, ale w zamian dołączycie do bractwa liczącego dwa miliony członków. Dwa miliony, panowie! Pomyślcie o tym. Już nigdy nie poczujecie się samotni. Nigdy nie poczujecie się słabi ani zdani na łaskę pracodawców. Nawet sam burmistrz będzie się bał wami komenderować.

– Już się boi! – krzyknął ktoś i przez salę przetoczyła się fala śmiechu.

Nerwowego śmiechu, pomyślał Danny, bo zebrani zdali sobie sprawę z wagi tego, co zamierzali zrobić. Po dzisiejszym dniu nie będzie już odwrotu. Zostawią za sobą cały stary świat, w którym nie respektowano ich praw, ale ów brak respektu był przynajmniej przewidywalny. Wiedzieli, na czym stoją. Ten nowy świat będzie zupełnie inny. Ziemia nieznana. I choć McCarthy gadał o braterstwie, była to ziemia samotności. Ponieważ wydawała się obca, a wszystko w niej było nieznajome. Każdy obecny w tej sali widział majaczącą przed nimi groźbę niełaski i katastrofy.

Kartki z głosami przekazywali sobie z rąk do rąk wzdłuż rzędu. Dan Slatterly przyjął je od mężczyzn, którzy zbierali je jak kościelni datki. Zaniósł tysiąc pięćset sztuk Danny'emu, trochę chwiejnym krokiem, z poszarzałą twarzą.

Danny przyjął kartki, a Slatterly powiedział:

– Ciężkie, co?

Danny uśmiechnął się drżącymi wargami i skinął głową.

– Panowie – zawołał Frank McCarthy – czy wszyscy zaświadczycie, że wypełniliście karty do głosowania zgodnie z prawdą i podpisaliście swoimi nazwiskami? Podnieście ręce.

W sali uniósł się las rąk.

– Więc by ten oto młody funkcjonariusz nie musiał liczyć ich tutaj, na miejscu, czy podniesiecie ręce, byśmy się mogli zorientować, ilu z was głosowało za połączeniem z AFP? Niech ci, którzy głosowali „tak", zechcą wstać.

Danny podniósł wzrok znad stosu kartek; wstało tysiąc pięciuset ludzi.

MacCarthy uniósł megafon.

– Witajcie w Amerykańskiej Federacji Pracy, panowie.

Chóralny krzyk, który zagrzmiał w Fay Hall, sprawił, że Danny poczuł ucisk w piersi, a w głowie eksplodowało mu białe światło. Mark Denton wziął od niego plik kartek i rzucił wysoko nad głowę; na chwilę zawisły w powietrzu, a potem spłynęły w dół; Mark porwał Danny'ego w ramiona, uniósł go w powietrze i pocałował w policzek. Ścisnął go tak, że omal nie pogruchotał mu kości.

– Udało się! – Po jego twarzy spływały łzy. – Udało się, kurwa!

Danny spojrzał na fruwające kartki i mężczyzn, którzy przewracali krzesła, chwytali się w objęcia, krzyczeli, płakali. Chwycił Marka za głowę, rozczochrał mu włosy, rycząc tak, jak wszyscy pozostali.

Ledwie Mark go puścił, zebrani wdarli się na podium. Niektórzy pośliznęli się na kartkach. Jeden wyrwał z ręki McCarthy'ego dokument fuzji i zaczął biegać z nim dookoła. Danny znalazł się w żelaznych objęciach, przekazywano go z rąk do rąk, roześmianego i bezradnego. Przez głowę przebiegła mu pewna myśl; nie zdołał jej powstrzymać:

A jeśli się mylimy?

Po zebraniu Steve Coyle podszedł do niego na ulicy. Pomimo euforii – niespełna godzinę temu Danny został jednogłośnie mianowany wiceprezesem Bostońskiego Związku Policjantów numer 16807 – na widok dawnego przyjaciela ogarnęła go dobrze znana irytacja. Steve nie bywał już trzeźwy i miał zwyczaj nieustannego spoglądania ludziom w oczy, jakby szukał w nich śladów swojego dawnego życia.

– Wróciła – powiedział.

– Kto?

– Tessa. Na North End. – Steve wyjął flaszkę z rozdartej kieszeni płaszcza. Nie od razu udało mu się wyjąć korek. Musiał się natężyć i nabrać tchu, żeby zmusić oporne palce do posłuszeństwa.

– Jadłeś coś dzisiaj? – spytał Danny.

– Słyszałeś, co powiedziałem? Tessa wróciła na North End.

– Słyszałem. Wiesz to od swojego informatora?

– Tak.

Danny położył rękę na ramieniu starego przyjaciela.

– Pozwól, że postawię ci jakąś zupę.

– Nie potrzebuję żadnej cholernej zupy. Wróciła z powodu strajku.

– Nie strajkujemy. Właśnie połączyliśmy się z AFP.

Steve ciągnął, jakby nie słyszał.

– Wszyscy wracają. Każdy wywrotowiec znad Atlantyku tu wraca. Kiedy zastrajkujemy...

My?

– ...pomyślą, że teraz mogą zaszaleć. Zjawią się tu, żeby szerzyć zamęt i...

– To gdzie ona jest? – spytał Danny, walcząc z rozdrażnieniem. – Dokładnie?

– Mój informator nie powiedział.

– Nie powiedział? Czy też nie powie za darmo?

– No właśnie.

– Ile chce tym razem? Ten twój informator?

Steve spuścił wzrok.

– Dwadzieścia.

– Tym razem zaledwie równowartość tygodniówki, co?

Steve przechylił głowę.

– Słuchaj, Coughlin, jak jej nie chcesz znaleźć, to nie.

Danny wzruszył ramionami.

– Na razie mam inne sprawy na głowie. Rozumiesz.

Steve kilka razy przytaknął.

– Wielka szycha – powiedział i odszedł.

Następnego ranka, dowiedziawszy się o jednogłośnej decyzji BKS o połączeniu z Amerykańską Federacją Pracy, Edwin Upton Curtis wydał rozkaz odwołujący z urlopów wszystkich dowódców oddziałów, kapitanów, poruczników i sierżantów.

Wezwał inspektora Crowleya i przez pół minuty kazał mu stać na baczność przed biurkiem, zanim odwrócił się od okna.

– Powiedziano mi, że wczoraj wybrali zarząd nowego związku.

Crowley pokiwał głową.

– Tak, o ile mi wiadomo.

– Nazwiska.

– Tak jest, natychmiast je zdobędę.

– A ci, którzy zbierali podpisy w posterunkach?

– Tak?

Curtis uniósł brwi; kiedy dawno temu był burmistrzem, to zawsze działało.

– Ci ludzie, jak rozumiem, zbierali podpisy, żeby określić, ilu policjantów będzie zainteresowanych fuzją z AFP. Zgadza się?

– Tak jest.

– Chcę mieć nazwiska ludzi, którzy przynieśli na posterunki listę.

– To może potrwać trochę dłużej.

– Inspektorze...

– Tak jest.

– Nie ma pan do nich żadnych ciepłych uczuć, jak sądzę.

Crowley wpatrywał się w punkt nad głową Edwina Uptona Curtisa.

– Nie, panie komisarzu.

– Proszę mi odpowiadać, patrząc w oczy.

Crowley usłuchał.

– Ilu się wstrzymało?

– Słucham?

– Podczas wczorajszego głosowania.

– Sądzę, że nikt.

Curtis pokiwał głową.
– Ile głosów na „nie"?
– Sądzę, że ani jednego.
Edwin Upton Curtis poczuł ściskanie w piersi. Może to zastarzała choroba, a może smutek. Nie powinno do tego dojść. Nigdy. Był przyjacielem tych ludzi. Zaproponował im godziwą podwyżkę. Wyznaczył komisje do zbadania ich zarzutów. Ale oni chcieli więcej. Zawsze więcej. Jak dzieci na przyjęciu urodzinowym, niezadowolone z prezentów.
Ani jednego. Ani jednego głosu na nie!
Kto żałuje rózeczki, ten psuje dziateczki.
Bolszewicy.
– To wszystko, inspektorze.

Nora stoczyła się z Danny'ego z głośnym jękiem i wcisnęła czoło w poduszkę tak mocno, jakby chciała się przebić na drugą stronę.
Danny przesunął dłonią po jej plecach.
– Dobrze, co?
Roześmiała się w poduszkę i spojrzała na niego.
– Czy mogę powiedzieć w twojej obecności „pieprzyć"?
– Właśnie to zrobiłaś.
– Nie jesteś urażony?
– Urażony? Pozwól, że zapalę papierosa i mogę znowu zaczynać. Spójrz na siebie. Boże.
– Co?
– Jesteś… – przesunął dłonią od jej pięty po łydce, pośladkach i znowu plecach – …jakąś pieprzoną pięknością.
– Teraz ty to powiedziałeś.
– Zawsze to mówię. – Pocałował ją w ramię, a potem w czubek ucha. – Dlaczego chcesz mówić „pieprzyć"?
Ugryzła go w kark.
– Bo chcę zauważyć, że jeszcze nigdy nie pieprzyłam się z wiceprezesem.
– Ograniczasz się do skarbników?
Uderzyła go w pierś.
– Nie jesteś z siebie dumny, chłopcze?

Danny usiadł, wziął paczkę muradów z szafki nocnej i zapalił jednego.

– Szczerze? Jestem... zaszczycony. Kiedy wyczytali moje nazwisko, zaskoczyli mnie.

– Tak? – Powiodła językiem po jego brzuchu. Wzięła z jego ręki papierosa i zaciągnęła się, po czym oddała go Danny'emu.

– Nie miałem pojęcia – wyznał – dopóki Denton mnie nie wtajemniczył. Ale, cholera, dano mi funkcję, o którą się nie ubiegałem. To szaleństwo.

Położyła się na nim. Jej ciężar był słodki.

– Więc jesteś zaszczycony, ale nie dumny?

– Przerażony.

Roześmiała się i znowu zaciągnęła jego papierosem.

– Aidenie, Aidenie – szepnęła. – Ty się niczego nie boisz.

– Oczywiście, że się boję. Nieustannie. Ciebie.

Włożyła mu papierosa do ust.

– Teraz też się boisz?

– Śmiertelnie. – Przesunął dłonią po jej policzku i włosach. – Boję się, że cię zawiodę.

Pocałowała jego dłoń.

– Nigdy mnie nie zawiedziesz.

– Chłopcy też tak myślą.

– Więc czego się właściwie boisz?

– Że wszyscy się mylicie.

Jedenastego sierpnia, gdy po oknie gabinetu spływał ciepły deszcz, komisarz Edwin Upton Curtis opracował poprawkę do przepisów obowiązujących w wydziale policji bostońskiej. Fragment poprawionej ustawy trzydziestej piątej, paragraf dziewiętnasty, brzmiał teraz:

„Żaden funkcjonariusz policji nie może należeć do jakiejkolwiek organizacji, klubu lub zgromadzenia złożonego z obecnych i dawnych funkcjonariuszy policji, którzy mają związki z jakąkolwiek organizacją, klubem lub zgromadzeniem poza wydziałem...".

Komisarz Curtis ukończył pracę nad przepisem, znanym później jako ustawa trzydziesta piąta, odwrócił się do Herberta Parkera i pokazał mu szkic.

Parker przeczytał go i w cichości ducha pożałował, że nie jest surowszy, ale sytuacja w kraju stała na głowie. Takie czasy, że trzeba się przypodobać nawet związkom, tym bolszewickim wrogom wolnego rynku. Chwilowo. Chwilowo.

– Podpisz, Edwinie.

Curtis miał nadzieję na bardziej entuzjastyczną reakcję, ale podpisał i westchnął, patrząc na szyby okna.

– Nie znoszę deszczu.

– W lecie jest najgorszy, tak.

Godzinę później Curtis przekazał podpisaną poprawkę prasie.

Thomas i siedemnastu innych kapitanów spotkało się w poczekalni biura inspektora Crowleya na Pemberton Square. Stanęli w kręgu, strzepując krople deszczu z płaszczy i kapeluszy. Kaszleli, narzekali na szoferów, ruch na ulicach i okropną pogodę.

Thomas stał koło Dona Eastmana, dowodzącego posterunkiem trzecim na Beacon Hill. Eastman starannie wygładzał mokre mankiety koszuli.

– Podobno zamieszczą ogłoszenie w gazetach – odezwał się cicho.

– Nie wierz we wszystkie plotki.

– Rekrutacyjne. Tworzą oddziały uzbrojonych ochotników.

– To plotki, mówię.

– Plotki czy nie, jeśli nasi zastrajkują, znajdą się w tak paskudnym szambie, jak jeszcze nigdy dotąd. Wszyscy obecni w tym pokoju unurzają się w gównie.

– Jeśli go nie wywiozą na taczkach – dodał Bernard King, kapitan czternastki, rozgniatając papierosa na marmurowej posadzce.

– Zachowajmy spokój – powiedział cicho Thomas.

Drzwi gabinetu Crowleya otworzyły się i sam inspektor przeszedł obok nich, dając im znak ręką, żeby ruszyli za nim. Więc ruszyli. Niektórzy nadal pociągali nosami po spacerze w deszczu. Crowley skręcił do sali konferencyjnej na końcu korytarza. Kapitanowie poszli w jego ślady i zasiedli za stołem na środku sali. Tym razem nie było dzbanków z kawą ani herbatą, ciastek ani słodyczy na tacach, żadnego poczęstunku, do którego przywykli podczas takich zebrań. Nie było też kelnerów ani funkcjonariuszy niższego stopnia. Tylko inspektor Michael Crowley i jego osiemnastu kapitanów. Nie zjawił się nawet sekretarz, by notować przebieg rozmowy.

Crowley stanął na tle wielkiego okna, zaparowanego od deszczu i wilgoci. Za mgłą rysowały się niewyraźne kształty wysokich budynków, tak rozedrgane, jakby miały się rozwiać. Crowley skrócił swój doroczny urlop na Hyannis. Twarz miał ogorzałą, a jego zęby wydawały się jeszcze bielsze.

– Ustawa trzydziesta piąta, właśnie dodana do kodeksu wydziału policji, zakazuje sprzymierzania się z jakimkolwiek narodowym związkiem. Oznacza to, że tych tysiąc pięciuset ludzi, którzy przyłączyli się do AFP, należy usunąć. – Ścisnął palcami skórę między brwiami i uniósł rękę, powstrzymując lawinę pytań. – Trzy lata temu wymieniliśmy długie pałki na krótkie, ale prawie wszyscy policjanci zachowali te pierwsze. Dziś kapitanowie posterunków skonfiskują te pałki. Oczekuję, że pod koniec tygodnia wszystkie znajdą się w waszym posiadaniu.

Jezu, pomyślał Thomas. Przygotowuje się do wyposażenia oddziałów ochotniczych!

– W każdym z osiemnastu posterunków rozprowadzono listę poparcia dla AFP. Macie odnaleźć funkcjonariusza odpowiedzialnego za zbieranie podpisów. – Crowley odwrócił się plecami do kapitanów i spojrzał w okno, już zamglone od pary. – Komisarz wyśle mi listę funkcjonariuszy, których przesłucham osobiście na okoliczność zaniedbania obowiązków. Powiedziano mi, że na liście powinno być dwadzieścia nazwisk.

Odwrócił się do nich i oparł ręce na krześle. O Michaelu Crowleyu, potężnym mężczyźnie o łagodnej zmęczonej teraz twarzy, mówiono, że to krawężnik, którego przez pomyłkę awansowano. Ten typowy gliniarz powoli piął się w górę i znał nazwiska nie tylko policjantów z osiemnastu posterunków, ale nawet sprzątaczy, opróżniających kosze na śmieci i myjących podłogi. Jako młody sierżant rozwiązał sprawę morderstwa Trunka, budzącą w mieście wielkie emocje. Sława, którą wówczas zyskał, wyniosła go – wbrew jego zamiarom, jak uważano – na górne szczeble wydziału. Nawet Thomas, choć dość cyniczny, jeśli chodzi o motywy postępowania ludzkiego zwierzęcia, nie miał wątpliwości, że Michael Crowley kocha swoich ludzi, zwłaszcza tych najskromniejszych.

Spojrzał im w oczy.

– Ja pierwszy przyznaję, że nasi ludzie mają uzasadnione pretensje. Ale głową muru nie przebijesz. To niemożliwe, a w tym przypadku murem jest komisarz Curtis. Jeśli dalej będą go drażnić, znajdą się w sytuacji bez powrotu.

– Z całym szacunkiem, Michael – odezwał się Don Eastman – czego się po nas spodziewasz?

– Że z nimi porozmawiacie. Z waszymi ludźmi. Prywatnie. Przekonacie ich, że jeśli postawią komisarza w sytuacji, która wyda mu się nie do zaakceptowania, nie czeka ich nawet pyrrusowe zwycięstwo. Tu już nie chodzi o Boston.

Billy Coogan, beznadziejny lizus, machnął ręką.

– Ale właśnie chodzi o Boston. Boston wyleci w powietrze.

Crowley uśmiechnął się gorzko.

– Niestety, mylisz się, Billy. Policja z Londynu i Liverpoolu wzięła z nas przykład. Liverpool płonął, nie słyszeliście? Niepokoje opanowały dopiero okręty wojenne – wojenne, Billy! Mamy raporty, że w Jersey City i Nowym Jorku policjanci prowadzą negocjacje z AFP. A tutaj – w Brockton, Springfield i New Bedford, Lawrence i Worcester – wydziały policji czekają, żeby się przekonać, co zrobimy. Więc, również z całym szacunkiem, Billy, to nie tylko problem Bostonu. Cały cholerny świat się nam przygląda. – Usiadł, zgarbiony, na krześle. – W tym kraju wybuchło ponad dwa tysiące strajków w ciągu roku, panowie. Policzcie dobrze, a wyjdzie dziesięć dziennie. Chcecie wiedzieć, ile z nich zakończyło się sukcesem strajkujących?

Nikt nie odpowiedział.

Crowley pokiwał głową i zaczął uciskać czoło palcami.

– Porozmawiajcie ze swoimi ludźmi, panowie. Zatrzymajcie ten pociąg, zanim przepalą mu się hamulce. Zatrzymajcie, zanim rozpędzi się tak, że nikt go nie zatrzyma, a my wszyscy będziemy w nim uwięzieni.

Rayme Finch i John Hoover spotkali się w Waszyngtonie na śniadaniu w The White Palace Cafe na rogu Dziewiątej i D, niedaleko Pennsylvania Avenue. Widywali się tu co tydzień, chyba że Finch wyjeżdżał za miasto w sprawach BI, a Hoover przy każdym spotkaniu był niezadowolony z dania lub napoju i odsyłał je do kuchni. Tym razem chodziło o herbatę. Była za słaba jak na jego wymagania. Kiedy kelnerka wróciła z nowym dzbankiem, kazał jej zaczekać, dopóki nie napełnił filiżanki, dodał odrobinę mleka, żeby herbata zmętniała i pociągnął łyczek.

– Może być. – Odprawił ją ruchem ręki. Kobieta spojrzała na niego z autentyczną nienawiścią.

Finch był niemal pewien, że jego towarzysz jest ciotą. Pił, odchylając mały palec, był kapryśny i męczący, mieszkał z mamusią – wszystkie oznaki. Oczywiście z Hooverem nigdy nic nie wiadomo. Gdyby się okazało, że dyma kucyki, malując sobie twarz na czarno i śpiewając gospel, Finch nie byłby zdziwiony. Nic go już nie dziwiło. W czasie spędzonym w BI nauczył się jednego: wszyscy jesteśmy chorzy. Mamy chore głowy, chore serca. Chore dusze.

– Boston – rzucił Hoover i zamieszał herbatę.

– Co konkretnie?

– Policjanci niczego się nie nauczyli od tych z Montrealu i Liverpoolu.

– Najwyraźniej nie. Naprawdę myślisz, że zastrajkują?

– To głównie Irlandczycy – powiedział Hoover, lekko wzruszając ramionami – a ten naród nie pozwala, by przyzwoitość lub rozsądek miały wpływ na jego decyzje. Historia nas poucza, że Irlandczycy raz po raz sprowadzają na siebie apokalipsę. Nie sądzę, żeby w Bostonie miało być inaczej.

Finch pociągnął łyk kawy.

– Dobra okazja, żeby Galleani wkroczył do akcji.

Hoover pokiwał głową.

– Galleani i inni okoliczni wywrotowcy za trzy centy. Nie wspominając już, że przestępczy element różnej maści będzie miał używanie, co się zowie.

– Mamy się wmieszać?

Hoover spojrzał na niego swoimi przenikliwymi, pozbawionymi głębi oczami.

– W jakim celu? Może być gorzej niż w Seattle. Gorzej niż gdziekolwiek w kraju. A jeśli opinia publiczna zacznie wątpić, czy ten naród jest w stanie się obronić na poziomie lokalnym i stanowym, to dokąd się zwróci?

Finch pozwolił sobie na uśmiech. Można mówić o Johnie, co się chce, ale ten jego paskudny, obleśny mózg był fantastyczny. Jeśli w drodze na szczyt nikomu nie nadepnie na odcisk, nikt go nie powstrzyma.

– Do władz federalnych – powiedział.

Hoover pokiwał głową.

– Rozłożą przed nami czerwony dywan. Musimy tylko poczekać, aż się rozwinie do końca, a wtedy droga wolna.

ROZDZIAŁ TRZYDZIESTY CZWARTY

Na posterunku Danny rozmawiał przez telefon z Dipsym Figgisem z dwunastki o dostawie dodatkowych krzeseł na wieczorne spotkanie, kiedy wszedł Kevin McCrae z kartką w ręku i oszołomioną miną człowieka, który zobaczył coś niespodziewanego, na przykład od dawna nieżyjącego krewnego albo kangura w piwnicy.

– Kev?

Kevin spojrzał na Danny'ego, jakby usiłował sobie przypomnieć, kto zacz.

– Co się stało? – spytał Danny.

McCrae podszedł do niego z wyciągniętą ręką z kartką.

– Zostałem zawieszony. – Oczy mu się rozszerzyły. Przesunął kartką po głowie jak ręcznikiem. – Zawieszony, cholera. Uwierzysz? Curtis mówi, że wszyscy staniemy przed sądem za zaniedbanie obowiązków.

– Wszyscy? Ilu zostało zawieszonych?

– Słyszałem, że dziewiętnastu. Dziewiętnastu. – Spojrzał na Danny'ego oczami dziecka zagubionego w dzień targowy na rynku. – Co ja mam zrobić, do kurwy nędzy? – Przesunął ręką z kartką po wnętrzu. – To było moje życie – dodał cicho, niemal szeptem.

Zawieszono cały zarząd nowego Związku Policjantów AFP – z wyjątkiem Danny'ego. Jak również wszystkich policjantów, którzy zbierali podpisy za fuzją z AFP. Z wyjątkiem Danny'ego.

Wtedy zadzwonił do ojca.

– Dlaczego nie ja?

– A jak myślisz?

– Nie wiem. Dlatego do ciebie dzwonię.

Usłyszał brzęk kostek lodu w szklance. Ojciec westchnął i pociągnął łyk.

– Przez całe życie namawiałem cię, żebyś się nauczył grać w szachy.

– Przez całe życie namawiałeś mnie, żebym grał na fortepianie.

– To matka. Ja tylko ją popierałem. Ale szachy teraz by ci pomogły. – Kolejne westchnienie. – O wiele bardziej niż umiejętność grania ragtime'ów. Co myślą ludzie?

– O czym?

– O tym, dlaczego cię zostawili w spokoju. Wszyscy staną przed Curtisem, a ty, wiceprezes, jesteś wolny jak ptak. Co byś podejrzewał na ich miejscu?

Danny, stojący przy telefonie, który pani DiMassi umieściła na stoliku w przedpokoju, pożałował, że sam też nie ma drinka. Usłyszał, jak ojciec dolewa sobie do szklanki i dorzuca parę kostek lodu.

– Na ich miejscu? Pomyślałbym, że mnie nie wyrzucono, bo jestem twoim synem.

– I dokładnie tego chce Curtis.

Danny oparł skroń o ścianę i zamknął oczy. Usłyszał, jak ojciec zapala cygaro i zaciąga się dymem.

– Więc w to grają – powiedział Danny. – Zasiać niezgodę w szeregach. Dziel i rządź.

Ojciec roześmiał się krótko.

– Nie, chłopcze, nie w to grają. To dopiero przygrywka. Aidenie, ty niemądre dziecko. Kocham cię, ale chyba niedobrze cię wychowałem. Jak, według ciebie, zareaguje prasa, kiedy się okaże, że tylko jeden z członków zarządu związku nie został zawieszony? Po pierwsze, oznajmi, że komisarz jest człowiekiem rozsądnym i obiektywnym, a zatem tych dziewiętnastu zawieszonych musiało coś przeskrobać, skoro sam wiceprezes nie został ukarany.

– Ale wtedy stanie się jasne, że to tylko podstęp, że jestem przykrywką i…

– Idioto! – przerwał ojciec. Danny usłyszał stukot jego obcasów o biurko. – Idioto nieszczęsny! Prasa się zainteresuje. Zacznie drążyć. I szybko wyjdzie na jaw fakt, że jesteś synem kapitana posterunku. Wówczas o tym będą gadali, zanim zdecydują się zbadać sprawę dalej i wcześniej czy później jakiś uczciwy żurnalista dotrze do rzekomo niewinnego oficera dyżurnego, który wspomni, jakby od niechcenia, coś o „incydencie". A wszyscy dziennikarze spytają: „Jakim incydencie?", na co oficer dyżurny odpowie: „Nie wiem, o co wam chodzi". Wtedy dziennikarze zaczną ryć ze wszystkich sił. A wszyscy wiemy, że twoje niedawne wyczyny nie dodają ci splendoru. Curtis wyznaczył cię na kozła ofiarnego, a te bestie z lasu już chwyciły twój trop.

– Więc co ma zrobić idiota?

– Skapitulować.

– Nie mogę.

– Możesz. Jeszcze nie widzisz perspektywy. Daję ci słowo, okazja się nadarzy. Oni nie boją się waszego związku tak, jak sądzicie, ale trochę się boją. Wykorzystaj to. Nigdy się nie zgodzą na związek z AFP. Nie mogą. Ale jeśli odpowiednio zagrasz tą kartą, ustąpią wam w innych sprawach.

– Tato, jeśli zrezygnujemy z fuzji z AFP, zmarnujemy wszystko, co...

– Zrobisz, co chcesz – powiedział ojciec. – Dobranoc, synu, niech bogowie nad tobą czuwają.

Burmistrz Andrew J. Peters wierzył niezłomnie w jedną nadrzędną regułę: na ogół rzeczy same się układają.

Tak wiele osób marnuje cenny czas i energię, wierząc w mrzonki o kształtowaniu własnego losu, choć losy całego świata nieustannie splatają się i rozplatają, z nimi czy bez nich. Wystarczyło tylko spojrzeć na tę minioną straszną zagraniczną wojnę, by dostrzec głupotę podejmowania pospiesznych decyzji. Właściwie jakichkolwiek decyzji. Pomyśl tylko, mawiał Andrew Peters do Starr popołudniami, jakże inaczej wyglądałyby sprawy, gdyby po śmierci Franciszka Ferdynanda Austriacy powstrzymali się od pobrzękiwania szabelką, a Serbowie uczynili to samo. Pomyśl, jak bezsensowny był czyn Gawryło Principa, tego beznadziejnego głupca, który zabił arcyksięcia. Tylko pomyśl! Ilu ludzi zginęło, ile ziemi spalono, a po co? Gdyby zwyciężył rozsądek, gdyby powstrzymano się od działania i zajęto innymi sprawami... Jak piękny byłby ten świat.

Bo to wojna zatruła umysły tak wielu młodzieńców. Tego lata kolorowi, którzy walczyli w Europie, stali się głównymi siewcami niepokojów społecznych, a te doprowadziły do rzezi ich braci w Waszyngtonie, Omaha i, najstraszniejszej, w Chicago. Nie żeby Peters usprawiedliwiał białych, którzy ich zabijali. O, nie. Ale w ten sposób widać, jak do tego doszło, że kolorowym zachciało się buntu. Ludzie nie lubią zmian. Nie chcą się denerwować. Chcą zimnych napojów w gorące dni i podanych na czas posiłków.

– Determinacja – wymamrotał. Starr, wyciągnięta obok niego na brzuchu na sąsiednim leżaku, poruszyła się lekko.

– Co, papciu?

Pochylił się i pocałował ją w ramię. Zastanowił się, czy nie rozpiąć spodni, ale chmury gęstniały, a morze pociemniało jakby od wina i żalu.

– Nic, kochanie.

Starr zamknęła oczy. Piękne dziecko. Piękne! Policzki jak jabłka, tak dojrzałe, że wezbrane sokiem, jakby miały pęknąć. Tyłeczek też nie gorszy. A wszystko pomiędzy było tak bujne i jędrne, że Andrew J. Peters, burmistrz wielkiego Bostonu, czasami wyobrażał sobie, kochając się z nią, że jest Grekiem lub Rzymianinem ze starożytności. Starr Faithful – cóż za godne miano. Jego kochanka, jego kuzynka. Tego lata skończy czternaście lat, a jednak jest dojrzalsza i bardziej zmysłowa, niż mogłaby być Martha.

Leżała naga, jak w raju, a kiedy pierwsze krople deszczu spadły na jej plecy, Peters zdjął słomkowy kapelusz i położył go na jej tyłku. Zachichotała i powiedziała, że lubi deszcz. Odwróciła głowę, sięgnęła do jego paska i oświadczyła, że wręcz kocha deszcz. Zobaczył w jej oczach coś mrocznego i niepokojącego jak morska fala. Myśl. Nie, coś więcej, wątpliwość. To go dotknęło – nie powinna odczuwać wątpliwości. Konkubiny rzymskich cesarzy ich nie miewały, był tego pewien – a kiedy pozwolił jej rozpiąć sobie pasek, poczuł, że dotyka go mgliste, ale dotkliwe poczucie straty. Spodnie opadły mu do kostek; uznał, że najlepiej będzie wrócić do miasta i sprawdzić, czy zdoła komuś przemówić do rozsądku.

Spojrzał na morze. Było nieskończone.

– W końcu jestem burmistrzem – powiedział.

Starr uśmiechnęła się do niego.

– Wiem, papciu, i to najnajnajlepszym.

Przesłuchanie dziewiętnastu zawieszonych funkcjonariuszy odbyło się dwudziestego szóstego sierpnia w gabinecie komisarza Curtisa na Pemberton Square. Danny był przy nim obecny, podobnie jak prawa ręka Curtisa, Herbert Parker. Clarence Rowley i James Vahey stanęli przed Curtisem jako adwokaci występujący w sprawie. Wpuszczono po jednym dziennikarzu z „Globe'a", „Transcripta" „Heralda" i „Standarda". I na tym koniec. Za poprzednich komisarzy radę sędziowską stanowili trzej kapitanowie i komisarz, ale teraz jedynym sędzią był Curtis.

– Proszę odnotować, panowie – zwrócił się do reporterów – że pozwoliłem na obecność jedynego niezawieszonego funkcjonariusza będącego członkiem związku policjantów, by nikt nie twierdził, że ten tak zwany „związek" nie miał reprezentanta. Odnotujecie także, że oskarżeni są reprezentowani przez dwóch szanowanych prawników, panów Vaheya i Rowleya, bardzo doświadczonych w obronie robotników. Sam nie sprowadziłem prawnika.

– Z całym szacunkiem, panie komisarzu – wtrącił Danny – to nie jest proces sądowy.

Jeden z reporterów pokiwał gwałtownie głową i zapisał jego uwagę. Curtis omiótł Danny'ego spojrzeniem tych swoich martwych oczu, a potem spojrzał na dziewiętnastu mężczyzn, siedzących przed nim na rozchwianych krzesłach.

– Zostaliście oskarżeni o zaniedbanie obowiązków służbowych, najpoważniejsze przewinienie, jakiego może się dopuścić funkcjonariusz wymiaru sprawiedliwości. Pogwałciliście ustawę trzydzieści pięć kodeksu bostońskiej policji, w którym stwierdza się, że żaden funkcjonariusz policji nie może być członkiem żadnej organizacji, z wyjątkiem wydziału bostońskiej policji.

– Jeśli mielibyśmy się do niego stosować, nikt z nas nie mógłby należeć do organizacji weteranów, na przykład Fraternal Order of Elks.

Dwóch reporterów i jeden funkcjonariusz zachichotali.

Curtis sięgnął po szklankę wody.

– Jeszcze nie skończyłem. Jeśli pan pozwoli, nie jest to sąd. Jest to wewnętrzny proces bostońskiego wydziału policji i jeżeli zamierzacie podważać legalność ustawy trzydzieści pięć, musicie skierować sprawę do sądu najwyższego hrabstwa Suffolk. Jedyne pytanie, na które tu dzisiaj odpowiemy, to to, czy ci ludzie pogwałcili ustawę trzydzieści pięć, nie zasadność samej ustawy. – Curtis wyprostował się. – Proszę funkcjonariusza Dentona o powstanie.

Mark Denton, ubrany w granatowy mundur, z kopulastym hełmem pod pachą, stanął na baczność.

– Czy jest pan członkiem Bostońskiego Związku Policjantów numer szesnaście tysięcy osiemset siedem Amerykańskiej Federacji Pracy?

– Tak, jestem.

– Czy jest pan przewodniczącym rzeczonego związku?

– Jestem. Z dumą.

– Pańska duma nie ma żadnego znaczenia dla komisji.

– Komisji?

Mark Denton ostentacyjnie spojrzał na puste miejsca na lewo i prawo od Curtisa.

Ten pociągnął łyk wody.

– Czy zbierał pan w swoim posterunku podpisy za fuzją ze wspomnianą powyżej Amerykańską Federacją Pracy?

– Ze wspomnianą powyżej dumą.

– Może pan usiąść. Proszę o powstanie funkcjonariusza Kevina McCrae...

Ciągnęło się to przez dwie godziny. Curtis zadawał te same monotonne pytania tym samym monotonnym tonem, a każdy policjant odpowiadał z pretensją, pogardą lub rezygnacją.

Kiedy nadeszła pora na przemowę obrońcy, wygłosił ją James Vahey. Od dawna pełnił funkcję radcy generalnego Pracowników Tramwajów i Kolei Elektrycznej Ameryki. Zdobył sławę na długo przed przyjściem na świat Danny'ego. To Mark Denton wpadł na pomysł, by wciągnąć go do walki. Vahey przeszedł przez salę sprężystym krokiem sportowca, rzuciwszy oszczędny uśmiech dziewiętnastu oskarżonym. Zwrócił się do Curtisa.

– Aczkolwiek zgadzam się, że nie zebraliśmy się dziś, by dyskutować o prawomocności ustawy trzydzieści pięć, jednak pragnę podkreślić, że sam pan komisarz, autor wspomnianej ustawy, przyznaje, iż ma ona dość nieokreślony status. Skoro sam pan komisarz nie wierzy w jej zasadność, za co mamy ją uznać? Cóż, chyba za to, czym jest – całkiem jawnym, największym zamachem na osobistą wolność człowieka...

Curtis kilka razy uderzył młotkiem.

– …i najbardziej dalekosiężną znaną mi próbą ograniczenia jego wolności działania.

Curtis znowu uniósł młotek, ale Vahey wycelował palec prosto w jego twarz.

– To pan, panie komisarzu, odebrał tym ludziom ich najbardziej podstawowe ludzkie prawa pracownicze. To pan odmawiał im podwyższenia płacy powyżej absolutnego minimum socjalnego oraz zapewnienia bezpiecznego i higienicznego lokum, w którym mogliby pracować i spać, a także zażądał od nich tak przedłużonych godzin pracy, że narażali nie tylko bezpieczeństwo swoje, ale i obywateli. A teraz siedzi pan przed nami jako jedyny sędzia i usiłuje zatuszować fakt, że pan także ma wobec tych ludzi zobowiązania. To podłość, panie komisarzu. Podłość. Nie powiedział pan dziś niczego, co kazałoby nam zwątpić, że ci ludzie są oddani populacji naszego wielkiego miasta. Ci ludzie nie opuścili swoich posterunków, nie zaniedbali obowiązków, ani razu nie zaniechali chronienia ludności Bostonu. Gdyby miał pan na to dowody, z pewnością już by je pan przedstawił. Tymczasem ich jedyną przewiną – a dla porządku wyjaśniam, że używam tego słowa ironicznie – jest to, że nie skapitulowali przed pańskim żądaniem, by nie sprzymierzać się z narodowym związkiem pracy. To wszystko. Zważywszy, że zwykły kalendarz dowiedzie, iż pańska poprawka ustawy trzydzieści pięć została wprowadzona całkiem niedawno, jestem pewien, że każdy sędzia tego kraju uzna, iż to jawny podstęp, by ograniczyć prawa tych oto ludzi. – Odwrócił się do oskarżonych i dziennikarzy, imponujący w swoim stroju, w atmosferze godności i aureoli śnieżnobiałych włosów. – Nie zamierzam bronić tych ludzi, bo nie ma ich za co bronić. To nie ich patriotyzm powinniśmy dziś kwestionować – zagrzmiał Vahey – lecz pański, panie komisarzu!

Curtis bił młotkiem raz po raz, Parker nawoływał do zachowania spokoju, a oskarżeni wiwatowali, bili brawo i wstawali z miejsc.

Danny przypomniał sobie, co Ralph Raphelson powiedział mu o emocjonalnej retoryce i zastanowił się – choć dał się porwać Vaheyowi tak samo, jak reszta zebranych – czy adwokat osiągnął coś oprócz rozjątrzenia sytuacji.

Zebrani usiedli dopiero, gdy Vahey wrócił na swoje miejsce. Nadeszła pora Danny'ego. Stanął przed czerwonym na twarzy Curtisem.

– Powiem wprost: wydaje mi się, że ta sprawa dotyczy zagadnienia, czy połączenie związku z Amerykańską Federacją Pracy zmniejszy skuteczność sił policji. Panie komisarzu, stwierdzam z całym przekonaniem, że do tej pory tak nie było. Zwykłe zapoznanie się ze statystyką aresztowań, mandatów i ogólną wykrywalnością przestępstw w osiemnastu okręgach potwierdzi moje słowa. Oświadczam także z największą stanowczością, że tak pozostanie. Jesteśmy przede wszystkim policjantami i przysięgliśmy zaprowadzać prawo w tym mieście i strzec porządku. Zapewniam pana, że to się nigdy nie zmieni. Nie na naszej zmianie.

Zebrani zaczęli bić brawo. Danny usiadł na miejscu. Curtis wstał zza biurka. Był roztrzęsiony i dziwnie blady. Krawat miał rozluźniony, a włosy rozwichrzone.

– Wezmę wszystkie uwagi i zeznania pod rozwagę – powiedział, wpijając palce w krawędź biurka. – Dobrego dnia, panowie.

I po tych słowach wraz z Herbertem Parkerem wyszedł z sali.

POTRZEBNI SPRAWNI FIZYCZNIE MĘŻCZYZNI

Bostoński wydział policji poszukuje chętnych do Ochotniczego Oddziału Policji pod dowództwem byłego inspektora policji Williama Pierce'a. Tylko biali mężczyźni. Preferowane doświadczenie na wojnie i/lub udowodnione zdolności fizyczne. Zainteresowani proszeni o zgłaszanie się do Arsenału Stanowego od poniedziałku do piątku w godzinach 9–17.

Luther położył gazetę na ławce tam, gdzie ją znalazł. Ochotniczy Oddział Policji. Raczej banda białych albo tak głupich, że nikt ich nie chciał zatrudnić na stałe, albo tak pragnących udowodnić swoją męskość, że porzucą dobrą pracę. W każdym przypadku kiepski układ. Wyobraził sobie taką samą reklamę, zachęcającą czarnych i roześmiał się głośno, aż sam się zdziwił. Nie tylko on – biały, siedzący na sąsiedniej ławce, zesztywniał, wstał i odszedł.

Luther spędził rzadki dzień wolny, wędrując po mieście, ponieważ czuł się, jakby miał wyskoczyć ze skóry. Dziecko, którego nie widział, czekało na niego w Tulsie. Jego dziecko. Lila także, coraz bardziej mięknąc (miał taką nadzieję). Kiedyś sądził, że świat jest jedną wielką zabawą, która tylko czeka, aż się do niej przyłączy, zabawą interesujących mężczyzn i pięknych kobiet. To oni zapełnią jakoś w nim tę pustkę, każde na swój sposób, aż wreszcie, po raz pierwszy w życiu, odkąd ojciec opuścił rodzinę, poczuje się uzdrowiony. Ale teraz zrozumiał, że tak nie jest. Poznał Danny'ego i Norę i czuł do nich sympatię tak wielką, że ciągle go to zaskakiwało. I, Bóg mu świadkiem, kochał także państwa Giddreaux, znalazł w nich dziadków, o których często marzył. A jednak nie zmieniło to w nim niczego, ponieważ wszystkie jego nadzieje i uczucia wiązały się z Greenwood. A zabawa? Nic z tego. Zanim się zacznie, Luther będzie już w domu. Ze swoją kobietą. Ze swoim synem.

Z Desmondem.

Takie imię dała mu Lila. Luther przypomniał sobie, że kiedyś jakby się na nie zgodził, zanim zaczęła się sprawa z Diakonem. Desmond Laurence, po dziadku Lili, człowieku, który uczył ją Biblii i pewnie wpoił taką siłę charakteru, bo przecież skądś ją musiała wziąć.

Desmond.

Dobre, mocne imię. Luther nauczył się je kochać przez te letnie miesiące, kochać aż do łez. Sprowadził tego chłopca na świat, a pewnego dnia Desmond dokona wielkich rzeczy.

Jeśli Luther zdoła do niego wrócić. Do niej. Do nich.

Jeżeli człowiek ma szczęście, przez całe życie dąży do czegoś. Tworzy życie, pracuje dla białego człowieka, tak, ale pracuje też dla żony, dzieci, marzeń, że życie będzie lepsze, bo on przyszedł na świat. Luther wreszcie zrozumiał to, czego nie pojmował w Tulsie, a czego jego ojciec nigdy nie zrozumiał. Mężczyźni mają pracować dla tych, których kochają. To proste. Jasne i proste.

Potrzeba ruchu – jakiegokolwiek – tak go wciągnęła, tak mu zamieszała w głowie, że zapomniał, iż ten ruch musi służyć jakiemuś celowi.

Teraz już wiedział. Już wiedział.

I nie miał na to wpływu. Nawet gdyby zajął się sprawą McKenny (z cholernie mocnym akcentem na „gdyby"), nie mógł się przeprowadzić do rodziny, ponieważ tam czekał na niego Dym. I nie mógł przekonać Lili, żeby do niego przyjechała (od Bożego Narodzenia próbował parę razy), ponieważ uważała Greenwood za dom i podejrzewała – pewnie słusznie – że jeśli spakuje się i wyjedzie, Dym wyśle za nią kogoś.

Zaraz wyskoczę ze skóry, pomyślał Luther po raz pięćdziesiąty tego dnia. Normalnie wyskoczę.

Wziął gazetę z ławki i wstał. Po drugiej stronie Washington Street, przed sklepem Kresgego przyglądało mu się dwóch mężczyzn. Mieli jasne kapelusze i serżowe garnitury, obaj byli mali i wystraszeni i wyglądaliby komicznie – jak subiekci przebrani w przyzwoite ubrania – gdyby nie okazałe brązowe kabury, które nosili na biodrach, i wystające ostentacyjnie kolby pistoletów. Subiekci z gnatami. Inne sklepy wynajmowały prywatnych detektywów, banki żądały opieki szeryfów, ale mniejsze firmy musiały sobie radzić, szkoląc pracowników w obchodzeniu się z bronią. Byli zawodniejsi niż ludzie z ochotniczych oddziałów policji, przynajmniej tak zakładał Luther, który sądził, że ochotnicy przejdą nieco lepsze szkolenie, będą mieli lepszych dowódców. Ale ci pomocnicy, subiekci, chłopcy na posyłki, synowie i zięciowie jubilerów, kuśnierzy, piekarzy i służący – widziało się ich teraz w całym mieście i wszyscy byli przerażeni. Spanikowani. Nerwowi. I uzbrojeni.

Luther nie mógł się powstrzymać – widział, że na niego patrzą, więc podszedł do nich przez ulicę, choć początkowo nie taki miał zamiar, podszedł zawadiackim krokiem, rozkołysanym krokiem kolorowego, z błyskiem uśmiechu w oczach. Dwóch drobnych mężczyzn wymieniło spojrzenia, jeden wytarł ręce o spodnie tuż pod pistoletem.

– Ładny dzień, prawda? – Luther dotarł na chodnik.

Żaden nie odpowiedział.

– Piękne niebieskie niebo – ciągnął Luther. – Pierwszy raz od tygodnia. Powinni się panowie cieszyć.

Milczeli. Luther uniósł kapelusz i minął ich. Zachował się jak idiota, zwłaszcza że przed chwilą myślał o Desmondzie i Lili, i o tym że powinien się stać bardziej odpowiedzialny. Ale był pewien, że na widok białych mężczyzn z bronią zawsze obudzi się w nim diabeł.

Biorąc pod uwagę panujący w mieście nastrój, miało się ich pojawić dużo więcej. Luther minął namiot punktu opatrunkowego, widział pielęgniarki ustawiające stoły i łóżka na kółkach. Wcześniej przeszedł przez West End i Scollay Square, i mniej więcej co trzy przecznice mijał karetki pogotowia czekające na to, co zaczynało się wydawać nieuniknione. Spojrzał na „Heralda" w ręce, na artykuł na pierwszej stronie:

> Rzadko opinie tego społeczeństwa o wydziale policji były bardziej nieżyczliwe niż dzisiaj. Stoimy na rozdrożu. Zrobimy duży krok w kierunku „rusyfikacji", albo ku poddaniu się panowaniu sowieckiemu, jeśli pod jakimkolwiek pretekstem pozwolimy agencji rządowej na służbę cudzym interesom...

Biedny Danny, pomyślał Luther. Biedny, uczciwy, niedopasowany sukinsyn.

James Jackson Storrow był najbogatszym człowiekiem w Bostonie. Kiedy stał się przewodniczącym General Motors, przeorganizował firmę od piwnic po dach, nie zwalniając ani jednego pracownika i nie zawodząc zaufania akcjonariuszy. Założył Bostońską Izbę Handlową, a tuż przed pierwszą wojną światową przewodniczył Komisji do spraw Utrzymania. Podczas tego bezsensownego, dramatycznego konfliktu został mianowany przez Woodrowa Wilsona Federalnym Administratorem Paliw. Odpowiadał za to, by w domach Nowej Anglii nigdy nie brakowało węgla i nafty, czasami własnym kredytem gwarantując terminową dostawę zapasów.

Mówiono o nim, że nie obnosił się ze swoją władzą, ale tak naprawdę nigdy nie wierzył, że ta władza, w jakiejkolwiek postaci, to coś więcej niż ekstrawaganckie szaleństwo egocentrycznego serca. Ponieważ wszyscy egocentrycy są przerażeni do głębi swych niepewnych duszyczek, w barbarzyński sposób wykorzystują swoją „władzę", żeby świat nie zorientował się, kim są naprawdę.

Straszne to były dni. Między tymi, co posiadali władzę, i tymi, co jej nie posiadali, rozgorzała absurdalna walka – w tym mieście, które Storrow kochał bardziej od innych. Konflikt stał się najbardziej okrutny od siedemnastego października.

Storrow przyjął burmistrza Petersa w sali bilardowej swojego domu na Louisburg Square. Zauważył, że burmistrz jest opalony. To potwierdziło jego dawne podejrzenia, że Peters ma skłonności do dogadzania sobie, niepasujące do kogoś na tym stanowisku, a już szczególnie w tych okolicznościach.

Oczywiście był sympatyczny jak wielu rozwiązłych mężczyzn. Podszedł do Storrowa z szerokim, przymilnym uśmiechem, energicznym krokiem.

– Jak miło, że zechciał mnie pan przyjąć.

– Cała przyjemność po mojej stronie, panie burmistrzu.

Uścisk burmistrza był niespodziewanie silny; Storrow zauważył, że błękitne oczy Petersa patrzą jasno i przenikliwie, i zastanowił się, czy nie jest więcej wart, niż mu się początkowo wydawało. Proszę mnie zaskoczyć, panie burmistrzu, bardzo proszę.

– Wie pan, w jakiej sprawie przychodzę – powiedział Peters.

– Zakładam, że aby przedyskutować sytuację w policji.

– Otóż to.

Storrow zaprowadził burmistrza do dwóch krytych skórą foteli z wiśniowego drewna. Pomiędzy nimi stał stolik z dwiema karafkami i szklankami. W jednej znajdowała się brandy, w drugiej woda. Skinął dłonią w stronę karafek, zapraszając gościa do częstowania się.

Peters skinął głową i nalał sobie wody.

Storrow założył nogę na nogę i jeszcze raz zastanowił się nad oceną swojego gościa. Wskazał swoją szklankę, Peters napełnił ją wodą i obaj usiedli.

– Jak według pana mógłbym służyć pomocą?

– Jest pan najbardziej szanowanym mieszkańcem naszego miasta – oznajmił burmistrz. – Jest pan także kochany przez ludzi, ponieważ podczas wojny to dzięki panu mieli ogrzane domy. Potrzebuję pana i ludzi, których wybierze pan z Izby Handlowej, by zbadać postulaty policjantów i kontrargumenty komisarza policji Curtisa i zdecydować, które powinny zwyciężyć.

– Czy ta komisja będzie miała prawo decydować, czy jedynie doradzać?

– Przepisy twierdzą, że o ile komisarz policji nie zostanie oskarżony o poważne przestępstwo, ma on ostateczny głos we wszystkich sprawach dotyczących policji. Ani ja, ani gubernator Coolidge nie możemy na niego wpłynąć.

– Więc będziemy mieć ograniczoną władzę.

– Jedynie głos doradczy, w istocie. Ale ponieważ jest pan darzony taką estymą nie tylko w naszym stanie, ale w całym regionie i państwie, czuję się spokojny, że pański głos zostanie wysłuchany z właściwą powagą.

– Kiedy miałbym utworzyć taką komisję?

– Niezwłocznie. Jutro.

Storrow dopił wodę i odkorował karafkę z brandy. Podsunął ją Petersowi; burmistrz wyciągnął ku niemu pustą szklankę.

– Co do związku policjantów, nie widzę powodu, dla którego mielibyśmy pozwolić na jego fuzję z AFP.

– Jak pan woli.

– Chciałbym spotkać się niezwłocznie z reprezentantami związku. Jutro po południu. Czy to możliwe?

– Załatwione.

– Co do komisarza Curtisa… co pan o nim sądzi?

– Jest pełen gniewu.

Storrow pokiwał głową.

– Takim go zapamiętałem. Był burmistrzem, gdy ja zasiadałem w radzie Harvardu. Spotkaliśmy się parę razy. Zapamiętałem tylko gniew. Powstrzymywany, ale z tych najgorszych, wynikający z nienawiści do siebie. Kiedy taki człowiek dostaje władzę po zbyt wielu latach osamotnienia, zaczynam się martwić.

– Ja też – powiedział Peters.

– Tacy ludzie tańczą, gdy miasta płoną. – Storrow usłyszał własne przeciągłe westchnienie, które wyszło mu z ust z tak głośnym świstem, jakby zbyt długo je powstrzymywał. – Tacy ludzie kochają zgliszcza.

Następnego popołudnia Danny, Mark Denton i Kevin McCrae spotkali się z Jamesem J. Storrowem w apartamencie Parker House. Przynieśli z sobą szczegółowe raporty o warunkach sanitarnych na posterunkach, podpisane relacje o przeciętnym dniu lub tygodniu pracy, oraz analizy płac przedstawicieli ponad trzydziestu zawodów, w tym woźnych z miejskiego ratusza, motorniczych tramwajów i robotników portowych, przy których ich zarobki okazały się śmiesznie małe. Rozłożyli materiały przed Jamesem J. Storrowem i trzema innymi biznesmenami, którzy weszli w skład komisji. Zajęli się oni dokumentami, przekazując je sobie i wymieniając skinienia głowy oraz wyrażające zaskoczenie i konsternację mruknięcia, a także wznosząc oczy do nieba ze zniechęceniem. Danny przestraszył się, że przesadzili.

Storrow podniósł kolejną relację funkcjonariusza i nagle odepchnął stertę kartek.

– Już dość przeczytałem – powiedział cicho. – Zupełnie dość. Nic dziwnego, że czują się panowie zaniedbani przez miasto, które ochraniacie. – Spojrzał na trzech pozostałych i skinął głową Danny'emu, Markowi Dentonowi i Kevinowi McCrae'owi. – To hańba, panowie, i nie cała wina spada na komisarza Curtisa. Doszło do tego za czasów komisarza O'Meary, a także za wiedzą burmistrzów Curleya i Fitzgeralda. – Storrow wyszedł zza stołu i wyciągnął rękę. Uścisnął dłoń najpierw Markowi Dentonowi, potem Danny'emu i Kevinowi McCrae'owi. – Wyrazy najszczerszego ubolewania.

– Dziękujemy panu.

Storrow oparł się o stół.

– Chcemy tylko sprawiedliwości – powiedział Mark Denton.

– Co uważacie za sprawiedliwość?

– Na przykład podwyżkę o trzysta rocznie – odezwał się Danny. – Koniec z nadgodzinami i specjalnymi zadaniami bez płacy porównywalnej do tych trzydziestu innych zawodów, które wymieniliśmy w analizie.

– I?

– I – podjął Kevin McCrae – koniec z płaceniem za własne mundury i sprzęt. Chodzi nam także o czyste posterunki, czyste łóżka, zdatne do użytku toalety, bez gryzoni i robactwa.

Storrow pokiwał głową. Odwrócił się i spojrzał na pozostałych, choć było jasne, że tylko jego słowo się liczy. Spojrzał na policjantów.

– Przychylam się.

– Słucham? – spytał Danny.

W oczach Storrowa pojawił się uśmiech.

– Powiedziałem, że się przychylam. Poprę waszą sprawę i zarekomenduję rozwiązanie waszych problemów w sposób przez was wskazany.

Pierwsza myśl Danny'ego brzmiała: To takie łatwe?

Druga: Poczekajmy na „ale".

– Ale – dodał Storrow – mogę tylko doradzać. Nie mogę wymusić zmian. To może tylko komisarz Curtis.

– Z całym szacunkiem – odezwał się Mark Denton – komisarz Curtis decyduje właśnie, czy wyrzucić nas z pracy.

– Wiem o tym, ale nie sądzę, żeby to zrobił. To byłby szczyt nieprzyzwoitości. To miasto, wierzcie lub nie, stoi za wami. Lecz nie za strajkiem. Jeśli pozwolicie mi działać, możecie dostać to, czego żądacie. Ostateczna decyzja leży w rękach komisarza, jednak to rozsądny człowiek.

Danny pokręcił głową.

– Dotąd nie miałem na to dowodów.

Sorrow uśmiechnął się tak blado, że prawie nieśmiało.

– Miasto, burmistrz, gubernator i każdy rozsądny człowiek dostrzeże, obiecuję wam, logikę waszych argumentów tak wyraźnie, jak ja dzisiaj. Kiedy tylko napiszę i oddam mój raport, doczekacie się sprawiedliwości. Proszę o cierpliwość, panowie. Proszę o przyzwoitość.

– Otrzyma je pan – powiedział Mark Denton.

Storrow obszedł stół i zaczął przeglądać dokumenty.

– Ale musicie zerwać związek z Amerykańską Federacją Pracy.

Otóż to. Danny miał ochotę wyrzucić stół przez okno. A za nim wszystkich w tym pokoju.

– I na czyją łaskę mamy się zdać tym razem?

– Nie rozumiem.

Danny wstał.

– Wszyscy pana szanujemy, ale już zgadzaliśmy się na półśrodki i źle na tym wyszliśmy. Pracujemy za stawki z tysiąc dziewięćset trzeciego roku, ponieważ nasi poprzednicy dawali się zwodzić przez dwanaście lat. Dopiero w tysiąc dziewięćset piętnastym upomnieli się o swoje prawa. Przyjęliśmy słowo władz miasta, że po wojnie dostaniemy sprawiedliwą rekompensatę. I co? Nadal dostajemy płacę z tysiąc dziewięćset trzeciego roku. I co? Nigdy nie dostaliśmy rekompensaty. Posterunki są nadal brudne jak chlewy, a ludzie przepracowani. Komisarz Curtis powiedział prasie, że tworzy „komisje", ale nie wspomniał, że w tych „komisjach" zasiadają jego ludzie, wydający nieobiektywne opinie. Już zawierzyliśmy władzom miasta niezliczoną ilość razy i zawsze tego żałowaliśmy. A teraz chce pan, żebyśmy odtrącili jedyną organizację, która dała nam prawdziwą nadzieję i argument przetargowy?

Storrow oparł się o stół i spojrzał na Danny'ego.

– Tak, chcę. Możecie wykorzystać AFP jako argument przetargowy. Mówię to panu prosto w oczy. To inteligentny ruch, więc na razie z niego nie rezygnujcie. Ale synu, zapewniam pana, będziecie musieli z nimi zerwać. A jeśli zdecydujecie się na strajk, ja pierwszy zacznę optować za złamaniem was i dopilnowaniem, żebyście nigdy więcej nie odzyskali odznak. – Pochylił się – Wierzę w słuszność waszych argumentów. Naprawdę. Będę za was walczyć. Ale nie przyciskajcie mnie ani tej komisji do ściany, bo możecie nie przeżyć naszej odpowiedzi.

Okna za jego plecami wychodziły na najczystszy błękit nieba. Idealny letni dzień w pierwszym tygodniu września, tak piękny, że wszyscy zapomnieli o sierpniowych deszczach i uczuciu, że już nigdy nie będzie sucho.

Trzej policjanci wstali, zasalutowali Jamesowi J. Storrowowi i przedstawicielom komisji, po czym wyszli.

Danny, Nora i Luther grali w kierki na starym prześcieradle ułożonym na dachu kamienicy, między dwoma żelaznymi kominami. Był późny wieczór, wszyscy byli zmęczeni – Luther cuchnął nawozem, Nora fabryką – a jednak weszli na dach z dwoma butelkami wina i talią kart, ponieważ jest niewiele miejsc, w którym biali i czarni mężczyźni mogą publicznie siadać razem, a jeszcze mniej, gdzie może się do nich przyłączyć kobieta i jeszcze w dodatku nadużyć wina. Kiedy tak siedzieli we trójkę, Danny miał wrażenie, że rzucają światu jakieś wyzwanie.

– Kto to? – spytał Luther głosem rozwlekłym od wina.

Danny poszedł za jego wzrokiem i zobaczył Jamesa Jacksona Storrowa, który szedł przez dach w ich stronę. Zaczął wstawać; Nora chwyciła go za nadgarstek, gdy się zachwiał.

– Miła Włoszka z dołu powiedziała mi, że tu pana znajdę – odezwał się Storrow. Zerknął na resztę towarzystwa, na podarte prześcieradło z kartami, na butelki wina. – Przepraszam, że się narzucam.

– Ależ skąd – powiedział Danny. Luther wstał i podał rękę Norze. Chwyciła ją, a Luther podniósł ją na nogi. Wygładziła sukienkę.

– To moja żona, Nora, i mój przyjaciel Luther – powiedział Danny.

Storrow uścisnął im ręce, jakby takie spotkania trafiały mu się codziennie.

– Jestem zaszczycony. – Skinął głową obojgu. – Czy mogę na chwilę porwać pani męża?

– Oczywiście. Ale ostrożnie z nim, trochę się chwieje.

Storrow uśmiechnął się szeroko.

– Widzę. Nie szkodzi.

Uchylił kapelusza i poszedł za Dannym na wschodni kraniec dachu. Spojrzeli na morze.

– Zalicza pan kolorowych do ludzi równych sobie?

– Jeśli im to nie przeszkadza – odpowiedział Danny – to mnie też nie.

– A publiczne pijaństwo żony także panu nie przeszkadza?

Danny nie odwracał wzroku od portu.

– Nie jesteśmy w miejscu publicznym, a nawet gdybyśmy byli, pieprzyłbym to. To moja żona. Znaczy dla mnie o wiele więcej niż opinia publiczna. – Spojrzał na Storrowa. – I wszyscy inni.

– Szczerze. – Storrow włożył fajkę do ust i przez chwilę ją zapalał.

– Jak mnie pan znalazł?

– Nie było to trudne.

– Co pana sprowadza?

– Pańskiego prezesa, pana Dentona, nie było w domu.

– Aha.

Storrow pyknął z fajki.

– Pańska żona posiada uderzający cielesny urok.

– Cielesny urok?

– Tak. Łatwo zrozumieć, czym pana zauroczyła. – Znowu pyknął z fajki. – Co do kolorowego, nadal się zastanawiam.

– A przyszedł pan, ponieważ...?

Storrow odwrócił się tak, że stanęli twarzą w twarz.

– Mark Denton może i jest w domu, nie sprawdzałem. Przyszedłem do pana, ponieważ ma pan zarówno ogień, jak i umiarkowanie, a pańscy ludzie to czują. Funkcjonariusz Denton wydaje mi się dość inteligentny, ma jednak mniejszy dar przekonywania.

– Kogo mam przekonać i co mam mu wcisnąć?

– To samo, co ja. Pokojowe rozwiązanie. – Położył rękę na ramieniu

Danny'ego. – Proszę pomówić ze swoimi ludźmi. Możemy to zakończyć, synu. Ty i ja. Jutro prześlę mój raport do gazet. Będę zalecać spełnienie waszych wszystkich żądań. Z wyjątkiem jednego.

Danny pokiwał głową.

– Z wyjątkiem fuzji z AFP.

– Otóż to.

– I znowu zostaną nam tylko obietnice.

– Ale to moje obietnice. Poparte całym autorytetem burmistrza, gubernatora i Izby Handlowej.

Nora roześmiała się piskliwie i Danny obejrzał się; rzucała kartami w Luthera, a ten podnosił ręce w udanym przerażeniu. Danny uśmiechnął się. Przez ostatnie miesiące zauważył, że Luther okazywał Norze sympatię w przekomarzankach, a ona chętnie rewanżowała mu się tym samym.

Danny nie odwrócił od nich wzroku.

– Codziennie w tym kraju doprowadza się do rozpadu związków zawodowych. Mówi się nam, z kim mamy prawo się sprzymierzać, a z kim nie. Kiedy jesteśmy potrzebni, mówi się nam o rodzinie. Kiedy my czegoś potrzebujemy, mówicie o interesach. Moja żona, mój przyjaciel, ja... Jesteśmy wyrzutkami i sami prawdopodobnie byśmy utonęli. Ale razem stanowimy związek. Kiedy grube ryby wbiją to sobie do głowy?

– Nigdy – powiedział Storrow. – Myśli pan, że toczymy grę o większe sprawy i może ma pan rację. Ale to walka stara jak świat i nigdy się nie skończy. Nikt nie pomacha białą flagą, a nawet nie przyzna się do klęski. Czy uważa pan, że Lenin różni się od J. P. Morgana? Że pan, gdyby dostał władzę absolutną, zachowałby się inaczej? Czy wie pan, jaka jest główna różnica między ludźmi i bogami?

– Nie.

– Bogowie nie uważają, że mogliby się stać ludźmi.

Denny odwrócił się, spojrzał mu w oczy bez słowa.

– Jeśli nadal będzie się pan upierać przy fuzji z AFP, wszelkie nadzieje na lepszy los rozwieją się jak dym.

Danny spojrzał na Norę i Luthera.

– Czy mam pańskie słowo, że jeśli namówię moich ludzi do zerwania z AFP, miasto spełni nasze żądania?

– Ma pan słowo moje, burmistrza i gubernatora
– Chodzi mi tylko o pańskie. – Danny wyciągnął rękę. – Namówię swoich ludzi.

Storrow uścisnął mu rękę i przytrzymał ją w dłoni.

– Proszę się uśmiechnąć, młodzieńcze. Uratujemy to miasto, pan i ja.

– Miło by było, nie?

Danny namówił ich. W Fay Hall, o dziewiątej rano następnego dnia. Po głosowaniu, zakończonym nieprzekonującym wynikiem 406 głosów za do 377 przeciw, Sid Polk spytał:

– A jak znowu nas wystawią?

– Nie wystawią.

– Skąd wiesz?

– Nie wiem – odparł Danny. – Ale na tym etapie nie widzę w tym żadnego sensu.

– A jeżeli tu nigdy nie chodziło o sens? – spytał ktoś.

Danny uniósł ręce, ponieważ żadna odpowiedź nie przyszła mu do głowy.

Calvin Coolidge, Andrew Peters i James Storrow pojechali późnym niedzielnym popołudniem do domu komisarza Curtisa. Spotkali się z komisarzem na jego tarasie, z którego roztaczał się widok na Atlantyk pod zachmurzonym niebem.

W ciągu paru pierwszych chwil spotkania Storrow zrozumiał parę rzeczy. Po pierwsze, że Coolidge nie szanuje Petersa, a Peters go za to nienawidzi. Za każdym razem, gdy komisarz otwierał usta, żeby coś powiedzieć, Coolidge mu przerywał.

Po drugie, co było bardziej niepokojące, czas w niczym nie złagodził autoagresji i mizantropii Edwina Uptona Curtisa. Te uczucia wżarły się w jego organizm głęboko jak wirus.

– Komisarzu, jesteśmy tu… – zaczął Peters.

– …żeby pana powiadomić, iż pan Storrow być może znalazł rozwiązanie naszego kryzysu.

– I to… – zaczął Peters.

– ...jeśli zechciałby wysłuchać naszych argumentów, na pewno uzna pan, że osiągnęliśmy zadowalający kompromis. – Coolidge usiadł na leżaku.

– Jak się panu wiodło od czasu ostatniego spotkania?

– Dobrze, Edwinie. A panu?

– Pan Storrow i ja spotkaliśmy się na wspaniałym przyjęciu u lady Dewar w Louisburg Square – zwrócił się Curtis do Coolidge'a. – Bajeczna noc, prawda, Jamesie?

Storrow za żadne skarby nie mógł sobie przypomnieć tej nocy. Lady Dewar umarła ponad dziesięć lat temu. Jeśli chodzi o atrakcyjność towarzyską, była możliwa do zaakceptowania, ale na pewno nie najbardziej pożądana.

– Tak, Edwinie, to była niezapomniana chwila.

– Byłem wtedy oczywiście burmistrzem – dodał Curtis do Petersa.

– I to bardzo dobrym, komisarzu. – Peters spojrzał na Coolidge'a, jakby zaskoczony, że gubernator pozwolił mu skończyć myśl.

Ale była to niewłaściwa myśl. W małych oczkach Curtisa mignęła złość. To, co miało być komplementem, Peters zmienił w obelgę. Nazywając Curtisa komisarzem, przypomniał mu o jego obecnej funkcji.

Dobry Boże, pomyślał Storrow, to miasto spali się do fundamentów przez czyjś narcyzm i nieważny nietakt.

– Sądzi pan, że ci ludzie mają powód do narzekań? – spytał Curtis, wbijając w niego nieruchomy wzrok.

Storrow długą chwilę szukał fajki. Zużył trzy zapałki na jej zapalenie. Założył nogę na nogę.

– Myślę, że tak, ale ustalmy, że przejął pan tę sytuację po poprzednikach. Nikt nie sądzi, że to pańska działalność jest powodem ich skarg, ani że zrobił pan coś z wyjątkiem prób honorowego rozwiązania sytuacji.

Curtis pokiwał głową.

– Zaproponowałem im podwyżkę. Bezczelnie ją odrzucili.

Bo było o szesnaście lat za późno, pomyślał Storrow.

– Ustanowiłem parę komisji do zbadania ich warunków pracy.

Złożonych z doborowych lizusów, pomyślał Storrow.

– Tu chodzi o szacunek. Szacunek dla urzędu. Szacunek dla tego kraju.

– Tylko jeśli pan tak postawi sprawę, Edwinie. – Storrow usiadł prosto. – Oni pana szanują, komisarzu. Naprawdę. I szanują ten stan. Sądzę, że mój raport to podkreśla.

– Pański raport – rzucił Curtis. – A mój? Kiedy będę mógł wyrazić swoją opinię?

Dobry Boże, jakby się bili o zabawki w przedszkolu.

– Komisarzu – odezwał się gubernator. – Wszyscy rozumiemy pańskie stanowisko. Nie powinien pan ustąpić żądaniom ludu pracującego bardziej niż...

– Ustąpić? – rzucił Curtis. – Nic podobnego. Padam ofiarą wymuszenia, to proste i jasne. Wymuszenia.

– Niech będzie – powiedział Peters. – Uważamy, że najlepszym postępowaniem...

– ...jest tym razem zapomnienie o osobistych odczuciach – dokończył Coolidge.

– To nic osobistego. – Curtis wyciągnął szyję i przybrał minę cierpiętnika. – To sprawa publiczna. O to chodzi. To Seattle, panowie. I Piotrograd. I Liverpool. Jeśli pomożemy im tu wygrać, naprawdę nas zrusyfikują. Wartości, o które walczyli Jefferson, Franklin i Waszyngton, zostaną...

– Edwinie, proszę. – Storrow nie zdołał się opanować. – Zaaranżowałem umowę, która pozwoli nam zachować pozycję, na gruncie miejscowym i państwowym.

Edwin Curtis klasnął w ręce.

– Na pewno chętnie o tym posłucham.

– Burmistrz i rada miejska znaleźli fundusze, żeby podnieść płacę policjantom do sumy odpowiedniej na rok tysiąc dziewięćset dziewiętnasty i później. Tak jest sprawiedliwie, Edwinie, to nie jest kapitulacja, zapewniam pana. Mamy także środki, aby poprawić i udoskonalić warunki pracy na posterunkach. Mamy ograniczony budżet, więc paru pracowników służb miejskich nie dostanie dotacji, na które liczyli, ale postaraliśmy się zminimalizować ogólne szkody. Działamy dla dobra ogółu.

Curtis skinął głową. Wargi mu pobielały.

– Tak pan sądzi.

– Tak, Edwinie. – Storrow przemawiał ciepłym, łagodnym głosem.

– Ci ludzie sprzymierzyli się ze związkiem zawodowym wbrew

moim jasnym rozkazom, jawnie gardząc zasadami i przepisami wydziału policji. To przymierze jest afrontem dla całego kraju.

Storrow przypomniał sobie tę cudowną wiosnę na pierwszym roku w Harvardzie, kiedy wstąpił do kółka bokserskiego i doświadczył czystej euforii, jaką dawało użycie przemocy. Nigdy by sobie nie potrafił tego wyobrazić, gdyby w każdy wtorek i czwartek nie dostawał łomotu i nie spuszczał go innym. Jego rodzice w końcu się dowiedzieli i położyli temu kres, ale och, jakby teraz chciał zasznurować rękawice i przywalić Curtisowi w nos.

– Czy to powód, dla którego się pan upiera? Fuzja z AFP?

Curtis uniósł ręce ku niebu.

– Oczywiście!

– A gdyby, powiedzmy, zgodzili się wycofać z tego związku?

Curtis zmrużył oczy.

– A zgodzili się?

– Gdyby – powtórzył powoli Storrow – to co wtedy?

– Wtedy wziąłbym to pod rozwagę.

– I co dalej? – spytał Peters.

Storrow rzucił mu spojrzenie, miał nadzieję, że wystarczająco ostre. Peters spuścił oczy.

– Zastanowiłbym się, panie burmistrzu, nad ogólną sytuacją. – Oczy Curtisa spoglądały jakby do środka. Storrow często widywał to podczas negocjacji finansowych – litość nad sobą, ukryta pod pozorami zamyślenia.

– Edwinie – zaczął – ci ludzie zerwą przymierze z Amerykańską Federacją Pracy. Ustąpią. A pan?

Morska bryza poruszyła markizą nad drzwiami.

– Tych dziewiętnastu zostanie upomnianych, ale nie ukaranych – dodał gubernator Coolidge. – Umiar, komisarzu. Tylko o to prosimy.

– Rozsądek – dodał Peters.

Delikatne fale uderzały o kamienie.

Curtis wbił spojrzenie w Storrowa, jakby oczekiwał na ostatnią prośbę. Storrow wstał i wyciągnął do niego rękę. Komisarz uścisnął ją mokrymi palcami.

– Ma pan moje zapewnienie – dodał Storrow.

Curtis uśmiechnął się krzywo.

– To pocieszające. Wezmę to pod rozwagę, może być pan pewien.

Tego samego dnia wydarzył się incydent, który ośmieszyłby wydział bostońskiej policji, gdyby wiadomości o nim przeciekły do prasy. Oddział stróżów prawa zjawił się w nowej siedzibie Stowarzyszenia dla Postępu Kolorowych na Shawmut Avenue. Porucznik Eddie McKenna, wyposażony w nakaz rewizji, zerwał podłogę w kuchni i przekopał podwórko za domem.

Goście, którzy zjawili się na ceremonii przecięcia wstęgi, stali dokoła niego i doskonale widzieli, że nie znalazł niczego.

Nawet skrzynki na narzędzia.

Tego wieczoru raport Storrowa trafił do gazet.

W poniedziałek rano opublikowano jego fragmenty; w artykułach wstępnych nazywano Jamesa J. Storrowa zbawcą miasta. Rozbierano szpitalne namioty, które stanęły w całym Bostonie i odsyłano dodatkowe karetki sanitarne. Dyrektorzy dużych sklepów polecili przerwać szkolenie militarne pracowników i odebrali im zakupioną uprzednio broń. Zbierające się w Concord oddziały gwardii i kawalerii dostały wiadomość o odwołaniu alarmu.

O wpół do czwartej po południu rada miasta wydała rezolucję, by nazwać budynek lub ulicę na cześć Jamesa J. Storrowa.

O czwartej burmistrz Andrew Peters wyszedł z ratusza i ujrzał przed sobą tłum. Zebrani zaczęli wiwatować.

Za piętnaście piąta policjanci z osiemnastu posterunków spotkali się na apelu wieczornym. Wtedy właśnie oficerowie dyżurni powiadomili ich, że komisarz Curtis rozkazał natychmiast wyrzucić dziewiętnastu zawieszonych policjantów.

O jedenastej wieczorem w Fay Hall członkowie Związku Wydziału Policji Bostońskiej przegłosowali ponowne przymierze z Amerykańską Federacją Pracy.

O jedenastej zero pięć przegłosowali przystąpienie do strajku. Zgodzili się, że powinien się on rozpocząć podczas jutrzejszego porannego apelu. We wtorek półtora tysiąca policjantów porzuci pracę.

Wniosek przeszedł jednogłośnie.

ROZDZIAŁ TRZYDZIESTY PIĄTY

Siedzący w swojej pustej kuchni Eddie McKenna wlał do szklanki ciepłego mleka whisky na dwa palce i popił tym kurczaka z tłuczonymi ziemniakami, którego zostawiła mu na kuchence Mary Pat. Cisza w kuchni aż dzwoniła, a jedynym źródłem światła była mała lampa naftowa na stole. Eddie jadł przy zlewie, jak zawsze, kiedy był sam. Mary Pat wyszła na zebranie Towarzystwa Czujność i Ochrona, znanego także jako Nowoangielskie Stowarzyszenie dla Stłumienia Występku. Eddie, który najchętniej nie nadawałby imion nawet psom, nigdy nie rozumiał, po co nazywać organizacje, i to dwiema nazwami. No cóż, odkąd Edward Junior poszedł na studia, a Beth do zakonu, Mary Pat przynajmniej nie siedziała mu na głowie. Myśl o tych oziębłych babach, które wspólnie pomstują na pijaków i sufrażystki, wywołała uśmiech na jego twarzy, gdy tak siedział w tej ciemnej kuchni na Telegraph Hill.

Skończył jeść i wstawił talerz do zlewu, a obok pustą szklankę. Wziął butelkę irlandzkiej whisky i nalał sobie do pełna. Zaniósł szklankę i butelkę na piętro. Piękna noc, jeśli chodzi o pogodę. Dobra na parogodzinne rozmyślania, ponieważ poza pogodą wszystko tej nocy było do bani. Prawie miał nadzieję, że ten bolszewicki związek policjantów zastrajkuje, choćby tylko po to, by jego kompromitacja w Stowarzyszeniu dla Postępu Kolorowych nie trafiła na pierwsze strony gazet. Dobry Boże, ależ ten czarnuch go wystawił! Luther Laurence, Luther Laurence, Luther Laurence, rozbrzmiewało mu w głowie jak czysta kpina i destylowana pogarda.

O, Lutherze, przyjdzie ci gorzko pożałować, że cię twoja mamusia, ta stara pinda, wydała na ten świat. Daję ci na to słowo, chłopcze.

Na niebie wisiały mgliste gwiazdy, jakby narysowane niezdarną ręką. Strzępy chmur przepływały obok smug dymu z fabryki pakuł.

Widać było światła Amerykańskiej Kompanii Cukrowniczej, cztery budynki obrzydliwości, skąd nieustannie wylatywały lepkie zanieczyszczenia, a także szczury wielkie jak kuce. Fort Point Channel śmierdział olejem, ale Eddie McKenna nie mógł sobie odmówić przyjemności przyglądania się miastu, w którym on i Tommy Coughlin, szczeniaki, pracowali dla nowej ojczyzny. Poznali się podczas podróży, pasażerowie na gapę, których drugiego dnia podróży złapano na dwóch przeciwległych krańcach statku i zmuszono do niewolniczej pracy. W nocy, przykuci do nóg zlewu wielkości końskiego żłobu, opowiadali sobie historie ze starego kraju. Tommy porzucił ojca pijaka i chorego brata bliźniaka, którzy mieszkali w wynajętej chacie w Southern Cork. Eddie porzucił jedynie sierociniec w Sligo. Nie znał swojego papcia, a mamcia zmarła na gorączkę, kiedy miał osiem lat. I tak się spotkali, dwaj zmyślni chłopcy, ledwie nastoletni, ale pełni animuszu, że o matko, pełni ambicji.

Tommy, z tym swoim olśniewającym uśmiechem kota z Cheshire i pełnymi blasku oczami, okazał się ciut bardziej ambitny od Eddiego. Eddie bez wątpienia urządził się jak należy w przybranej ojczyźnie, ale Thomas Coughlin żył jak pączek w maśle. Idealna rodzina, idealne życie i tyle łapówek, że jego sejf zawstydziłby Krezusa. Człowiek obnoszący swoją władzę jak biały garnitur w noc czarną jak węgiel.

Początkowo podział nie był tak oczywisty. Kiedy wstąpili do policji, przeszli przez akademię i zaczęli pracować, nie różnili się niczym szczególnym. Ale gdzieś po paru latach Tommy ujawnił podstępny intelekt, natomiast Eddie posługiwał się lepiej pochlebstwami i groźbami. Jego ciało z każdym rokiem rozrastało się coraz bardziej, podczas gdy Idealny Tommy pozostał szczupły i zwinny. Nagle stał się czarnym koniem, zwycięzcą w aksamitnych rękawiczkach.

– Ach, jeszcze cię dogonię, Tommy – szepnął Eddie, choć wiedział, że to bzdura. Nie miał takiej głowy do interesów i polityków, jak Tommy. A gdyby nagle zdobył te zdolności, jego czas już dawno przeminął. Nie, będzie musiał się zadowolić…

Drzwi do jego szopy były otwarte. Właściwie uchylone. Podszedł i otworzył je na oścież. W środku wyglądało zwyczajnie – po jednej stronie miotła i jakieś ogrodowe narzędzia, po drugiej – dwie sfatygowane teczki. Pchnął je w głąb składziku i sięgnął na skraj podłogi. Szarpnął deskę, usiłując wyprzeć wspomnienie niemal takiej samej sytuacji na Shawmut Avenue, gdy te wszystkie dobrze ubrane czarnuchy wokół niego stały ze stoickimi minami, choć w środku tamci wszyscy ryczeli ze śmiechu.

Pod podłogą znajdowały się węzełki. Zawsze wolał myśleć o nich w ten sposób. Niech Thomas lokuje pieniądze w banku, nieruchomościach lub w sejfie w swoim biurze. Eddie lubił swoje węzełki i to tak, że po paru drinkach przychodził tutaj i je przeglądał, wąchał. Kiedyś zrobi się ich tu za dużo – problem, który z radością napotykał co jakieś trzy lata – a wówczas przeniesie je do depozytu w First National na Uphams Corner. Do tego czasu będą tu z nim. Były na swoim miejscu, jak pluskwy pod dywanem, tak jak je zostawił, no tak. Opuścił klapę na swoje miejsce. Wstał i zamknął szopę; zamek się zatrzasnął.

Zatrzymał się na środku dachu. Przechylił głowę.

Na murku, biegnącym wokół tarasu, spoczywał jakiś prostokątny przedmiot. Miał około trzydziestu centymetrów długości i piętnaście szerokości.

Co znowu?

Eddie pociągnął łyk whisky i rozejrzał się po ciemnym dachu. Zaczął nasłuchiwać. Nie tak, jak zwyczajny cywil, ale jak gliniarz z dwudziestoletnim doświadczeniem w ściganiu oprychów po zakazanych uliczkach i podejrzanych domach. Powietrze, które jeszcze przed chwilą pachniało olejem i Fort Point Channel, teraz miało zapach jego własnego rozgrzanego ciała i żwiru pod stopami. W porcie zahuczała syrena statku. W parku ktoś się roześmiał. Gdzieś niedaleko trzasnęło okno. Automobil przemknął przez G Street, zgrzytając biegami.

Księżyc nie świecił. Najbliższa latarnia gazowa była o piętro niżej.

Eddie natężył słuch. Kiedy wzrok mu przywykł do mroku, nabrał pewności, że ten prostokątny kształt to nie iluzja, nie figiel spłatany mu przez wzrok. To coś tam stało i cholernie dobrze wiedział, co to takiego.

Skrzynka na narzędzia.

Ta, którą dał Lutherowi Laurence, ta z pistoletami, które przez wiele lat wynosił z magazynów dowodów z różnych posterunków.

Eddie postawił butelkę na żwirze i wyjął z kabury trzydziestkęósemkę. Odciągnął kurek.

– Jesteś tam? – Podniósł broń i powiódł wzrokiem dokoła. – Jesteś tam, synu?

Kolejna minuta ciszy. Kolejna minuta, którą przeczekał nieruchomo.

I nadal nie słyszał nic z wyjątkiem odgłosów dzielnicy i ciszy dachu. Opuścił służbowy rewolwer. Poklepał się po udzie i podszedł do skrzynki. Tu było o wiele jaśniej; światło biło od latarni w parku i na Old Harbor Street, sączyło się z fabryk za mrocznym kanałem i za Telegraph Hill. Nie było wątpliwości, że to ta sama skrzynka, którą dał Lutherowi – te same odpryski farby, te same rysy na rączce. Eddie spojrzał na nią, napił się i zauważył, ile osób chodzi po parku. To rzadkość o tej porze dnia, ale był piątek, może pierwszy w tym miesiącu, którego nie zepsuł ulewny deszcz.

To właśnie wspomnienie deszczu kazało mu spojrzeć przez murek na rynny. Zauważył, że jedna oderwała się od ściany i przechyliła w prawo. Już sięgnął do skrzynki, kiedy przypomniał sobie, że są w niej tylko pistolety, i uświadomił sobie, że tylko idiota otwiera takie coś, nie zadzwoniwszy po oddział saperów. Ale skrzynka otworzyła się bez żadnych nieprzewidzianych atrakcji. Eddie McKenna schował rewolwer i spojrzał w osłupieniu na ostatni widok, jaki spodziewał się ujrzeć w tej konkretnej chwili.

Narzędzia.

Kilka śrubokrętów, młotek, trzy klucze i obcęgi, mała piła.

Czyjaś ręka dotknęła jego pleców niemal pieszczotliwie. Ledwie ją poczuł. Taki wielki człowiek, jak on, nie był przyzwyczajony do czyjegoś dotyku. Spodziewał się, że trzeba więcej siły, żeby go przewrócić. Ale był przecież pochylony, stopy miał zbyt blisko siebie, jedną rękę na kolanie, w drugiej trzymał szklankę whisky. Chłodne powietrze uderzyło go w pierś i nagle znalazł się między domem swoim i Andersonów. Usłyszał furkot własnego ubrania. Otworzył usta, myśląc, że teraz powinien krzyknąć. Okno kuchenne mignęło mu przed oczami jak przejeżdżająca winda. Wiatr, choć noc była bezwietrzna, wył mu w uszach. Pierwsza uderzyła o bruk szklanka, potem jego głowa. Nieprzyjemny dźwięk, a po nim rozległ się następny, równie nieprzyjemny: trzask pękającego kręgosłupa.

Eddie McKenna spojrzał na dach swojego domu; wydawało mu się, że ktoś stamtąd spogląda, ale nie miał pewności. Jego wzrok padł na odstającą od ściany rynnę; trzeba będzie dołączyć jej naprawę do długiej listy spraw do załatwienia. To długa lista. Nieskończona.

Znaleźliśmy śrubokręt na murku, kapitanie.

Thomas Coughlin oderwał wzrok od zwłok Eddiego McKenny.

– Słucham?

Detektyw Chris Gleason pokiwał głową.

– O ile rozumiemy, wychylił się, żeby usunąć starą śrubę przytrzymującą tę rynnę, nie? Pękła na pół. Usiłował ją wydłubać ze ściany i... – Detektyw wzruszył ramionami. – Przykro mi, kapitanie.

Thomas wskazał odpryski szkła w lewej ręce Eddiego.

– Miał drinka w dłoni.

– Tak, panie kapitanie.

Thomas znowu spojrzał na dach.

– Twierdzi pan, że odkręcał śrubę i jednocześnie pił?

– Znaleźliśmy tam butelkę Powers&Sons. Irlandzka whisky.

– Znam jego ulubioną markę. Nadal nie wyjaśnił mi pan, dlaczego trzymał szklankę w jednej ręce, a...

– Był praworęczny, kapitanie, prawda?

Thomas spojrzał Gleasonowi w oczy.

– I co z tego?

– Szklankę trzymał w lewej ręce. – Gleason zdjął kapelusz i wygładził włosy. – Kapitanie, pan wie, że nie chcę się z panem kłócić. Nie o to. Ten człowiek był legendą. Gdybym choć przez chwilę pomyślał, że brzmi tu jakaś fałszywa nuta, przetrząsnąłbym całą okolicę, tak że domy powpadałyby do wody. Ale ani jeden sąsiad nie słyszał nic podejrzanego. Park był pełen ludzi, a nikt nie widział na dachu innej osoby oprócz niego. Żadnych oznak walki, żadnych skaleczeń odniesionych w wyniku szamotaniny. Kapitanie, on nawet nie krzyknął.

Thomas machnął ręką, a jednocześnie pokiwał głową. Zamknął na chwilę oczy i przykucnął przy swoim najdawniejszym przyjacielu. Zobaczył ich obu – dwóch chłopców uświnionych jak nieboskie stworzenia po morskiej podróży, uciekających przed pościgiem. Eddie otworzył wytrychem zamki w kajdankach przykuwających ich do zlewu. Zrobił to ostatniej nocy podróży, a kiedy strażnicy, marynarze Laurette i Rivers, przyszli rano, oni już dawno się zgubili w tłumie pasażerów trzeciej klasy. Gdy Laurette ich zauważył, zaczął wymachiwać rękami i krzyczeć, ale trap został już spuszczony i Tommy Coughlin i Eddie McKenna rzucili się ze wszystkich sił między plątaniną nóg, walizek i skrzynek. Wyminęli tragarzy, celników i policjantów. Za nimi rozlegały się przeraźliwe gwizdy. Jak na powitanie. Jakby mówiły: „Ten kraj jest wasz, chłopcy, ale musicie go złapać".

Thomas obejrzał się na Gleasona.

– Proszę nas zostawić.

– Tak jest.

Ledwie kroki Gleasona ucichły, Thomas ujął prawą rękę Eddiego. Spojrzał na blizny na kostkach, brakujący czubek środkowego palca – pamiątkę po bójce na noże w roku 1903. Uniósł rękę przyjaciela i ucałował. Mocno ją uścisnął i przytulił do niej policzek.

– Złapaliśmy go, Eddie, prawda? – Przymknął oczy i przygryzł wargę.

Otworzył oczy. Położył dłoń na twarzy Eddiego i kciukiem zamknął mu powieki.

– O, tak. Z pewnością.

ROZDZIAŁ TRZYDZIESTY SZÓSTY

Na pięć minut przed każdym apelem George Strivakis, oficer dyżurny posterunku pierwszego na Hanover Street uderzał w gong wiszący przed budynkiem, żeby policjanci wiedzieli, iż pora się meldować. Kiedy późnym popołudniem we wtorek dziewiątego września otworzył drzwi, zapomniał o nodze, na którą utykał, i spojrzał na zebrany na ulicy tłum. Parę razy uderzył w gong metalową pałką, uniósł głowę i spojrzał na zebranych.

Było ich co najmniej pięciuset. Tłum ciągle się rozrastał, bo dołączali do niego przechodnie i ulicznicy. Na dachach domów przy Hanover Street siedziały głównie dzieci, choć także paru starszych mężczyzn o mrocznych jak węgiel oczach gangsterów. Sierżanta George'a Strivakisa uderzyła przede wszystkim cisza. Czasem szurały stopy, brzęczały klucze lub monety, ale nikt się nie odzywał. Jednak oczy tych ludzi błyszczały energią. Każdy, mężczyzna, kobieta czy dziecko, nosił w sobie tę skoncentrowaną siłę, każdy miał wygląd przyczajonego ulicznego psa.

George Strivakis oderwał spojrzenie od tłumu i spojrzał na ludzi stojących w pierwszych rzędach. Jezusie, to wszystko gliniarze! W cywilnych ciuchach. Znowu uderzył w gong i przerwał ciszę ochrypłym krzykiem: „Funkcjonariusze, do apelu!".

Danny Coughlin wystąpił naprzód. Wszedł po schodkach i zasalutował. Strivakis odpowiedział mu tym samym. Zawsze lubił Danny'ego, od dawna wiedział, że brak mu politycznej zręczności, by osiągnąć stopień kapitana, ale po cichu liczył, że może pewnego dna zostanie, tak jak Crowley, nadinspektorem. Serce mu omdlało, kiedy młodzieniec, którego uważał za tak obiecującego, okazał się uczestnikiem buntu.

– Nie rób tego, synu – szepnął.

Danny skupił wzrok na jakimś punkcie tuż nad prawym ramieniem Strivakisa.

– Sierżancie – powiedział – policja bostońska przystępuje do strajku.

Po tych słowach cisza prysła, a wszyscy zaczęli wiwatować, bić brawo i rzucać kapelusze pod niebo.

Uczestnicy strajku weszli do środka i zebrali się na dole w magazynie. Kapitan Hoffman dodał czterech policjantów w dyżurce. Strajkujący kolejno oddawali swój służbowy sprzęt.

Danny stał przed sierżantem Malem Ellenburgiem, którego błyskotliwe dokonania nie zdołały zaćmić niemieckiego pochodzenia. Od roku 1916 stał się domatorem, policjantem z tych, którzy często zapominają, gdzie noszą broń.

Danny położył swój rewolwer na kontuarze między nimi. Mal odnotował to i wrzucił broń do kubła pod kontuarem. Następnie Danny oddał instrukcję wydziałową, czapkę z numerem odznaki, klucze do skrzynek telefonicznych i szafek w szatni. Mal wszystko odnotowywał i odkładał do różnych kubłów. Spojrzał w milczeniu na Danny'ego.

Danny spojrzał na niego.

Mal wyciągnął rękę.

Danny zajrzał mu w oczy.

Mal zacisnął palce i znowu je rozprostował.

– Musisz poprosić, Mal.

– Dan, do cholery.

Danny zacisnął zęby, żeby powstrzymać drżenie warg.

Mal odwrócił spojrzenie. Potem oparł łokieć na kontuarze i wyciągnął dłoń ku piersi Danny'ego.

– Proszę oddać odznakę, funkcjonariuszu.

Danny zdjął kurtkę i odsłonił przypiętą do koszuli odznakę. Odpiął ją i wysunął szpilkę z materiału. Położył odznakę na dłoni Mala Ellenburga.

– Wrócę po nią – powiedział.

Strajkujący zebrali się w holu. Słyszeli tłum na zewnątrz; odgłosy świadczyły, że jego liczebność się podwoiła. Ktoś dwa razy załomotał w drzwi, które otworzyły się i do środka wpadło dziesięciu mężczyzn. Zatrzasnęli za sobą drzwi. Byli na ogół młodzi, a wyglądali, jakby wrócili z wojny. Mieli na ubraniach ślady uderzeń owocami i jajkami.

Zastępcy. Ochotnicy. Gnidy.

Danny oparł rękę na piersi Kevina McCrae'a, żeby dać mu znak, by przepuścić ochotników. Strajkujący rozstąpili się przed nimi, pozwalając im wejść po schodach.

Tłum na zewnątrz falował jak wzburzone morze.

Na posterunku słychać było stuk karabinów, wyjmowanych ze stojaków. Rozdawano broń, przygotowując się do tłumienia zamieszek.

Danny powoli odetchnął i otworzył drzwi.

Hałas uderzył weń ze wszystkich stron, także z dachów. Tłum nie podwoił się, ale potroił. Zgromadziło się tu co najmniej piętnaście tysięcy osób, a trudno się było zorientować, komu są przeciwni, ponieważ ich twarze zmieniły się w groteskowe maski radości lub furii, a okrzyki „Kochamy was, chłopcy" mieszały się z „Pieprzyć was, gliniarze" i łkaniami „Dlaczego? Dlaczego?" i „Kto nas obroni?". Oklaski walczyły o lepsze z urągliwymi wrzaskami i plaśnięciami rozgniecionych owoców i jajek, trafiających głównie w ściany. Ryczał klakson; Danny zauważył furgonetkę tuż za tłumem. Jadący w niej mężczyźni byli niewątpliwie ochotnikami, sądząc po przerażonych minach. Danny zszedł ku tłumowi, przyglądając się ludziom. Widział zarówno oznaki poparcia, jak potępienia. Mijał Włochów i Irlandczyków, młodych i starych, bolszewików i anarchistów ramię w ramię z członkami Czarnej Ręki. Nieopodal rozpoznał paru członków Gusties, największego ulicznego gangu w Bostonie. Gdyby posterunek znajdował się w południowej dzielnicy, na ich terenie, nie byłoby w tym nic dziwnego, ale fakt, że przyszli z drugiego końca miasta, nasunął Danny'emu myśl, że uczciwą odpowiedzią na okrzyki „Kto nas obroni?" byłoby „Nie wiem".

Z tłumu wypadł jakiś grubas i uderzył Kevina McCrae'a pięścią w twarz. Danny'ego dzielił od niego dziesiątek ludzi. Zanim zdążył się przepchnąć, usłyszał, jak grubas krzyczy „Pamiętasz, mnie, McCrae? Rok temu złamałeś mi rękę. Co mi teraz zrobisz?". Zanim Danny dotarł do Kevina, grubasa już dawno nie było, ale byli inni, który zjawili się, by się zemścić za wycisk otrzymany od tych już nie gliniarzy, tylko byłych policjantów.

Byli policjanci. O Jezu.

Danny podniósł Kevina; tłum opłynął ich, przesunął się dalej. Mężczyźni, którzy przyjechali furgonetką, schodzili z niej i przepychali się przez tłum. Ktoś rzucił cegłą i jeden z nich upadł. Rozległ się gwizd, drzwi posterunku otworzyły się, Strivakis i Ellenburg wyszli na schody w otoczeniu paru innych sierżantów i poruczników oraz pół tuzina śmiertelnie bladych ochotników.

Danny przyglądał się, jak ochotnicy przedzierają się ku drzwiom; Strivakis i Ellenburg pałkami torowali drogę nowo przybyłym. Instynkt wzywał go do rzucenia się ku nim na pomoc. Kolejna cegła śmignęła w powietrzu i musnęła skroń Strivakisa. Ellenburg podtrzymał go i zaczęli młócić pałkami z nową wściekłością. Po twarzy Strivakisa spływała krew. Danny zrobił krok w ich stronę, ale Kevin go odciągnął.

– To już nie jest nasza sprawa.

Danny spojrzał na niego.

Kevin, z zakrwawionymi ustami, powtórzył zdyszany:

– To nie nasza sprawa.

Ochotnicy dotarli do wejścia. Danny i Kevin znaleźli się na skraju tłumu. Strivakis po raz ostatni uderzył pałką i zatrzasnął za sobą drzwi. Tłum zaczął się do nich dobijać. Paru mężczyzn przewróciło furgonetkę, która przywiozła rekrutów, ktoś podpalił jej bak.

Byli policjanci, pomyślał Danny.

Przynajmniej na razie.

Dobry Boże.

Byli policjanci.

Komisarz Curtis siedział za biurkiem. Rewolwer położył tuż obok bibuły.

– Czyli się zaczęło.

Burmistrz Peters skinął głową.

– Tak, komisarzu.

Ochroniarz Curtisa stał za nim, założywszy ręce na piersi. Drugi czekał w korytarzu. Żaden nie pochodził z wydziału policji, ponieważ Curtis nie ufał już żadnemu policjantowi. Sprowadził ich z wydziału Pinkertona. Ten stojący za Curtisem był stary i zreumatyzowany. Wyglądał, jakby przy gwałtowniejszym ruchu miał się rozlecieć na kawałki. Drugi był otyłym wsiokiem. Żaden z nich nie robił wrażenia, jakby mógł ochronić komisarza własnym ciałem, mogli więc mieć tylko jeden atut: dobrze strzelali.

– Musimy wezwać gwardię stanową – oznajmił Peters.

Curtis pokręcił głową.

– Nie.

– Nie do pana należy ta decyzja.

Curtis odchylił się na krześle i spojrzał w sufit.

– Ani do pana, panie burmistrzu. To decyzja gubernatora. Pięć minut temu rozmawiałem z nim przez telefon. Bardzo wyraźnie stwierdził, że na tym etapie nie powinniśmy wzywać gwardii.

– A jaki etap by wolał? Zamieszki?

– Gubernator Coolidge oświadczył, że niezliczone badania potwierdzają, iż zamieszki nigdy nie wybuchają pierwszego dnia. Tłum musi mieć czas, żeby się zorganizować.

– Tylko że w bardzo niewielu miastach zdarzyło się tak, że zastrajkował cały wydział policji – powiedział Peters, usiłując panować nad głosem. – Zastanawiam się, ile z tych niezliczonych badań odpowiada naszej sytuacji, komisarzu.

– Panie burmistrzu... – Curtis obejrzał się na swojego ochroniarza, jakby się spodziewał, że ten powali Petersa na ziemię. – Musi pan przedstawić swoje wątpliwości gubernatorowi.

Andrew Peters wstał i podniósł z biurka słomkowy kapelusz.

– Jeśli się pan myli, komisarzu, niech się pan jutro nie fatyguje do pracy.

Wyszedł, usiłując nie zwracać uwagi na dygot nóg.

Luther!

Luther zatrzymał się na rogu Winter i Tremont Street i spojrzał w stronę, z której dochodził głos. Niełatwo było się zorientować, ponieważ ulice były zatłoczone. Słońce kładło się na czerwonych cegłach i zielonej trawie. Kilka grup mężczyzn grało otwarcie w kości na trawniku, nieliczne kobiety, które znalazły się na ulicy, szły szybkim krokiem, zapinając płaszcze i zaciskając kołnierze tuż przy szyi.

Ne ulega wątpliwości, pomyślał, skręcając w Tremont ku domowi państwa Giddreaux, że złe czasy właśnie nadeszły.

– Luther! Luther Laurence!

Znowu się zatrzymał. Na dźwięk własnego nazwiska zrobiło mu się zimno. Znajoma czarna twarz ukazała się pomiędzy dwoma białymi głowami, kołyszącymi się jak balony. Luther znał tę twarz, ale minęło parę trwożnych sekund, zanim zyskał pewność. Czarny mężczyzna przeszedł między dwoma białymi i ruszył przez chodnik z uniesioną ręką. Mocno uścisnął dłoń Luthera.

– Luther Laurence, a niech mnie! – Pociągnął Luthera ku sobie i objął go.

– Byron – powiedział Luther, gdy się rozłączyli.

Stary Byron Jackson. jego dawny przełożony z hotelu Tulsa, przewodniczący związku zawodowego pracowników hotelowych. Uczciwy człowiek, dzielący napiwki. Stary Byron, który obdarzał białych najpromienniejszymi uśmiechami i obrzucał ich najgorszymi obelgami, ledwie się odwrócili. Stary Byron, który mieszkał samotnie w pokoju nad sklepem żelaznym na Admiral i nigdy nie mówił o żonie i córce z dagerotypu ustawionego na pustej komódce. O, tak, Stary Byron był fajnym gościem.

– Trochę za bardzo na północ jak na ciebie, co? – zagadnął Luther.

– Święta prawda – powiedział Stary Byron. – Dla ciebie też. Niech mnie, nie spodziewałem się tu ciebie zobaczyć. Plotki głosiły...

Stary Byron obejrzał się na tłum.

– Co? – ponaglił go Luther.

Stary Byron pochylił się ku niemu i spuścił oczy.

– Plotki głosiły, że nie żyjesz, synu.

Luther skinął głową w kierunku Tremont Street; Stary Byron ruszył za nim. Dotarli do Scollay Square, oddalając się od domu państwa Giddreaux i South Endu. Szli powoli, bo tłum gęstniał z każdą minutą.

– Nie umarłem, tylko mieszkam w Bostonie – wyjaśnił Luther.

– Dlaczego tu tyle narodu? – spytał Stary Byron.

– Policjanci właśnie zastrajkowali.

– Nie gadaj.

– Naprawdę.

– Czytałem, że to możliwe, ale nie wierzyłem, że do tego dojdzie. Źle się to skończy dla naszego ludu?

– Nie wiem. Nieczęsto tutaj linczują, ale nigdy nie wiadomo, co się stanie, kiedy ktoś zapomni wziąć psa na łańcuch.

– Nawet najspokojniejszego psa świata, nie?

– Zwłaszcza takiego – uśmiechnął się Luther. – Co cię sprowadza aż tutaj?

– Brat. Ma raka. Zżera go żywcem.

Luther spojrzał na Byrona i zauważył, że ramiona mu obwisły.

– Ma jakąś szansę?

Stary Byron pokręcił głową.

– Rzucił mu się na kości.

Luther położył mu rękę na ramieniu.

– Współczuję.

– Dziękuję, synu.

– Jest w szpitalu?

Stary Byron pokręcił głową.

– W domu. – Wskazał kciukiem w lewo. – Na West Endzie.

– Jesteś jego jedynym krewniakiem?

– Mamy siostrę. Mieszka w Texarkana. Jest za słaba, żeby podróżować.

Luther nie wiedział, co powiedzieć z wyjątkiem kolejnego „współczuję". Stary Byron wzruszył ramionami.

– Co można zrobić, nie?

Na lewo od nich ktoś krzyknął; Luther zobaczył kobietę z zakrwawionym nosem i wykrzywioną twarzą, jakby spodziewała się kolejnego ciosu od mężczyzny, który zerwał jej naszyjnik i uciekł w stronę Common. Ktoś parsknął śmiechem. Jakiś dzieciak wspiął się na latarnię, wyjął młotek zza pasa i rozbił szkło.

– Robi się nieładnie – zauważył Stary Byron.

– O, tak.

Luther zastanowił się, czy się nie odwrócić, ponieważ tłum szedł jakby w stronę Court Square i Scollay Square, ale kiedy spojrzał za siebie, nie znalazł drogi ucieczki. Za nim ciągnęły się szeregi głów i ramion, do idących dołączyli się pijani marynarze, pryszczaci, z przekrwionymi oczami. Ruchoma ściana pchnęła ich naprzód. Luther miał wyrzuty sumienia, że wciąga w to Starego Byrona, że podejrzewał go, choćby przez chwilę, o bycie kimś innym, niż tylko starym człowiekiem, któremu umiera brat. Wyciągnął szyję, żeby spojrzeć nad tłumem i znaleźć drogę ucieczki; tuż przed nimi, na rogu City Hall Avenue grupa mężczyzn rzucała kamieniami w wystawy trafiki. Szyby pokrywały się siatką pęknięć, a potem szkło osypywało się na bruk.

Odłamek uderzył w oko drobnego mężczyznę, który zdążył jeszcze się za nie chwycić, zanim tłum porwał go i zaniósł do trafiki. Ci, którym nie udało się wejść, wybili wystawę sąsiedniej piekarni. Bochenki chleba i bułeczki pofrunęły w powietrzu i wylądowały w środku zbiegowiska.

Stary Byron patrzył na to przerażony, z szeroko otwartymi oczami. Luther objął go i usiłował uspokoić rozmową.

– Jak ma na imię twój brat?

Tamten przechylił głowę, jakby nie rozumiał.

– Jak się...

– Carnell – odpowiedział Stary Byron. – Tak. – Uśmiechnął się drżącymi wargami i pokiwał głową. – Nazywa się Carnell.

Luther też się uśmiechnął. Miał nadzieję, że jest to uśmiech niosący otuchę. Nadal obejmował Starego Byrona, choć bał się noża lub pistoletu, który – teraz to wiedział – stary miał gdzieś przy sobie.

Właśnie to „tak" potwierdziło jego obawy. Byron powiedział to takim tonem, jakby powtarzał samemu sobie, odpowiadał na pytanie egzaminu, do którego wykuł wszystko na blachę.

Brzęknęło szkło z kolejnej wystawy, tym razem po prawej stronie. I z kolejnej. Biały tłuścioch odepchnął ich brutalnie w lewo, pędząc ku sklepowi z kapeluszami. Pękały następne wystawy – w sklepie z galanterią męską Sala Myera, w obuwniczym Lewisa, kompanii odzieżowej Princeton, przyprawach i korzeniach Drake'a. Ostre, suche trzaski. Szklane okruchy skrzyły się na ziemi, chrupały pod podeszwami, śmigały w powietrzu. Parę kroków dalej jakiś żołnierz uderzył marynarza w głowę nogą od krzesła, już zabrudzoną krwią.

„Carnell. Tak. Nazywa się Carnell".

Luther puścił Starego Byrona.

– Gdzie pracuje Cornell? – spytał Luther. Minął ich marynarz o ramionach poranionych szkłem z wystaw, brudzący krwią wszystko, czego dotykał.

– Lutherze, musimy stąd uciekać.

– Gdzie pracuje Cornell?

– W pakowni mięsa.

– Cornell pakuje mięso?
– Tak! – krzyknął Stary Byron. – Lutherze, musimy się uwolnić!
– Myślałem, że nazywa się Carnell.
Stary Byron otworzył usta, ale nie odezwał się ani słowem. Rzucił Lutherowi bezradne, bezsilne spojrzenie, lekko poruszając ustami, jakby szukał właściwych słów.
Luther powoli pokręcił głową.
– Kto by pomyślał – powiedział. – Stary Byron!
– Mogę to wyjaśnić. – Tamten zmusił się do smutnego uśmiechu.
Luther odwrócił się, jakby był gotów go wysłuchać i nagle pchnął Byrona w najbliższą grupę po prawej stronie, a sam skoczył między dwóch mężczyzn, bielszych niż śnieg i przerażonych jak dzieci. Wcisnął się między dwóch innych, stojących do siebie plecami. Ktoś wybił kolejną wystawę, a potem rozległy się strzały w powietrze. Jeden pocisk, spadając, uderzył w ramię człowieka koło Luthera; bryznęła krew, facet wrzasnął. Luther dotarł na chodnik po drugiej stronie ulicy i pośliznął się na szklanych okruchach. Omal się nie przewrócił, ale w ostatniej chwili odzyskał równowagę. Odważył się obejrzeć. Stary Byron stał pod ścianą sklepu. Jakiś mężczyzna wywlekał świńską tuszę przez wystawę rzeźnika. Brzuch świni wlókł się po rozbitym szkle. Mężczyzna wyciągnął mięso na chodnik, gdzie dostał parę razy po głowie od trzech facetów, którzy przekazywali go sobie z rąk do rąk, aż w końcu wrzucili z powrotem do sklepu. Chwycili zakrwawioną świnię i ponieśli ją nad głowami przez Tremont.
Carnell, ty draniu!
Luther ruszył ostrożnie po szkle, usiłując trzymać się na obrzeżach tłumu, ale po paru chwilach znowu został wciągnięty w środek. Nie było to już ludzkie zbiorowisko, ale żywa bestia, posiadająca własne łono i rozum, myślący rój, który wydawał rozkazy tworzącym go pszczołom, pilnował, żeby wciąż były rozdrażnione, kąśliwe i głodne. Luther mocniej naciągnął kapelusz i ruszył z opuszczoną głową.
Dziesiątki osób pokaleczonych szkłem jęczało i zawodziło. Ten dźwięk i widok jeszcze bardziej rozjątrzyły rój. Wszystkim posiadaczom słomkowych kapeluszy strącano je z głów, ludzie bili się jak wariaci o skradzione buty, bochenki chleba i marynarki, przeważnie niszcząc przy tym obiekt pożądania. Bandy marynarzy i żołnierzy napadały wrogie grupy, nagle wyskakując z tłumu na przeciwników.

Luther ujrzał, jak paru mężczyzn wepchnęło do bramy kobietę. Słyszał jej krzyk, ale nie mógł się tam przedostać. Mur ramion, głów i pleców otaczał go jak pancerz. Znowu usłyszał krzyk kobiety i rechot mężczyzn, zobaczył ohydne morze białych twarzy odartych z codziennych masek i zapragnął je wszystkie wypalić żywym ogniem.

Gdy dotarli na Scollay Square, tłum liczył już chyba cztery tysiące osób. Tremont stawała się tu szersza i Luther w końcu zdołał się wyrwać ze środka tłumu. Ruszył na chodnik, usłyszał czyjś głos: „Czarnuchowi ostał się kapelusz" i przyspieszył, aż w końcu wbiegł w kolejną grupę mężczyzn, którzy wypadali ze sklepu z alkoholami, rozbijali puste butelki o chodnik i otwierali następne. Jakieś podejrzane typy wyważyły drzwi kasyna Waldron i rozległ się hałas. Kilku mężczyzn wyłoniło się po chwili, pchając przed sobą pianino z leżącym na nim pianistą. Jeden z tych drani siedział mu na tyłku i ujeżdżał jak konia.

Luther obejrzał się w prawo. W tej samej chwili Stary Byron Jackson ugodził go w biceps. Luther oparł się o ścianę kasyna. Stary Byron znowu zamachnął się nożem, twarz miał straszną, nieludzką, przerażoną. Luther kopnął go i rzucił się do ucieczki; tamten zadał cios, ale nie trafił. Nóż przejechał po ceglanym murze, aż poszły iskry. Luther rąbnął Byrona zdrowo w ucho, aż stary uderzył głową o ścianę.

– Po cholerę to robisz? – spytał.

– Mam długi – powiedział Stary Byron i rzucił się na niego.

Luther uskoczył i walnął w czyjeś plecy. Ten ktoś chwycił go za koszulę i odwrócił ku sobie. Luther wyszarpnął mu się i wierzgnął w tył; poczuł, że trafił Starego Byrona Jacksona, który stęknął cicho. Biały uderzył Luthera w policzek, ale Luther się tego spodziewał i przetoczył się w tłum, który nadal kłębił się pod sklepem z alkoholem. Przebił się na drugą stronę, przy wtórze radosnych wrzasków przesadził jednym susem pianino z pianistą oraz siedzącym na nim facetem. Wylądował po drugiej stronie, odzyskał równowagę, zauważył zdumioną twarz faceta, któremu tuż przed nosem z nieba sfrunął czarnuch, a potem zanurkował w tłum.

Ciżba sunęła przez Faneuil Hall. Parę krów uciekło z zagród; ktoś przewrócił wózek i podpalił go na oczach jego właściciela, który padł na kolana i zaczął sobie wyrywać włosy z krwawiącej głowy. Przed nimi nagle zajazgotały strzały, kilka pistoletów wypaliło nad głowami zebranych, a potem rozległ się desperacki krzyk:

– Jesteśmy policjantami w cywilu! Proszę się natychmiast rozejść!

Rozległy się kolejne strzały, a tłum zaczął krzyczeć:

– Bić gliny! Bić gliny!

– Bić gnidy!

– Bić gliny!

– Bić gnidy!

– Bić gliny!

– Cofnąć się, albo zaczniemy strzelać! Cofnąć się!

Chyba mówili serio, bo Luther poczuł, że tłum rusza nagle w przeciwną stronę. Został obrócony i popchnięty w kierunku, z którego przybył. Znowu rozległy się strzały. Kolejny wózek stanął w ogniu, żółte i czerwone refleksy zamigotały na brązowym bruku i czerwonych cegłach. Luther zobaczył własny cień, poruszający się wśród innych. Wrzask bił pod niebo. Zewsząd dochodził trzask kości, ostry krzyk, brzęk pękającego szkła, syreny pożarowe wyły nieustannie, aż przestawało się je słyszeć.

Potem zaczął padać deszcz, wielkimi kroplami, pluskającymi i syczącymi. Para buchała z głów. Początkowo Luther miał nadzieję, że tłum się zmniejszy, ale nagle pojawiło się jeszcze więcej ludzi. Rój niósł Luthera, niszcząc po drodze dziesięć innych wystaw i trzy restauracje; przetoczył się przez salę w Mechanics Building, gdzie trwała właśnie walka bokserska i pobił bokserów do nieprzytomności. Widzów też.

Na Washington Street wielkie sklepy – Filene's, White's, Chandler's i Jordan Marsh – były strzeżone przez uzbrojonych strażników. Ci przed Jordanem Marshem dostrzegli ciżbę z odległości dwóch przecznic i wyszli na chodnik. Nawet nie zamierzali dyskutować. Stanęli na środku Washington Street, było ich co najmniej piętnastu, i zaczęli strzelać. Rój przypadł do ziemi, potem zrobił parę kroków naprzód, ale ci od Jordana Marsha ruszyli na nich, strzelając raz po raz, więc tłum znowu zawrócił. Luther słyszał przerażone krzyki; ludzie od Jordana Marsha ciągle strzelali i rój wrócił na Scollay Square.

A tam wyglądało jak w cyrku. Wszyscy byli już pijani i wyli pod niebiosa. Oszołomione tancerki z rewii, odarte ze scenicznych strojów, paradowały z obnażonymi piersiami. Na chodniku płonęły przewrócone wózki. Nagrobki, wyrwane z cmentarza Old Granary, stawiano pod ścianami i płotami. Jakaś para pieprzyła się na przewróconym fordzie. Dwóch mężczyzn wdało się w walkę bokserską na gołe pięści na środku Tremont Street, a gapie, stojący wokół nich w strugach deszczu, robili zakłady. Czterej żołnierze zawlekli nieprzytomnego marynarza na zderzak jednego z przewróconych samochodów i obsikali go przy śmiechach tłumu. W oknie na piętrze pojawiła się kobieta, wzywająca pomocy. Tłum odpowiedział wiwatami, po czym jakaś ręka zasłoniła jej usta i odciągnęła kobietę od okna. Tłum wrzasnął jeszcze głośniej.

Luther zobaczył ciemną plamę krwi na rękawie, ale stwierdził, że rana nie jest głęboka. Zauważył nieprzytomnego faceta leżącego na chodniku z butelką whisky między nogami. Pochylił się i zabrał butelkę. Oblał ramię alkoholem, a potem pociągnął spory łyk. Znowu pękła szyba, znowu rozległy się krzyki i lamenty, ale wszystkie utonęły w obleśnych wrzaskach tryumfującego roju.

Przed tym? – miał ochotę wrzasnąć. Przed tym biłem pokłony? Przed wami, ludzie? Wywyższaliście się, bo nie byłem, jak wy? Mówiłem wam: „tak, panie", „nie, panie". Wam? Wy zasrane... zwierzęta!

Napił się znowu i jego spojrzenie zatrzymało się na Starym Byronie Jacksonie po drugiej stronie ulicy, stojącym przed zachlapaną wapnem wystawą, gdzie przed laty znajdowała się księgarnia. Była to chyba ostatnia ocalała wystawa na Scollay Square. Stary Byron spoglądał w Tremont w niewłaściwym kierunku. Luther opróżnił butelkę, rzucił ją i ruszył przez ulicę.

Wokół niego majaczyły białe, pozbawione masek twarze ludzi upojonych alkoholem, władzą i anarchią, ale także czymś jeszcze, do tej pory nienazwanym, czymś, co zawsze w nich było, choć udawali, że nie.

Dzikość.

O to chodziło. Codziennie robili różne rzeczy i nadali im nazwy, ładne nazwy – idealizm, obowiązek obywatelski, honor, cel. Ale teraz objawiła się prawda, stanęła im przed oczami. Każdy robi tylko to, co chce. Chcieli się burzyć, chcieli gwałcić, chcieli niszczyć jak najwięcej przedmiotów, i to tylko dlatego, że mogli.

Pieprzyć was, pomyślał Luther, pieprzyć to wszystko. Dotarł do Starego Byrona Jacksona, chwycił go jedną ręką za krocze, a drugą za włosy.

Wracam do domu.

Podniósł Byrona i zamachnął się nim. Stary zawył, a kiedy znalazł się w najwyższym punkcie, Luther puścił go i staranował nim wystawę.

– Czarnuchy walczą! – krzyknął ktoś.

Stary Byron wylądował na nagiej podłodze, obsypany deszczem szklanych okruchów. Usiłował zasłonić się rękami, ale szkło i tak go obsypało, ostry odłamek rozciął mu policzek, a inny rozpłatał udo.

– Zabijesz go, chłopcze?

Luther odwrócił się i spojrzał na trzech białych po lewej stronie. Chwiali się pijani.

– Może – powiedział.

Wszedł przez wybitą wystawę do sklepu. Stanął nad Starym Byronem Jacksonem

– Jakie długi?

Tamten sapnął, syknął, chwycił się za udo i jęknął cicho.

– Zadałem ci pytanie.

Jeden z białych za jego plecami zachichotał.

– Słyszycie? Ostro pyta.

– Jakie długi?

– A jak myślisz? – Stary Byron wtulił głowę w rozbite szkło i wyprężył się.

– Rozumiem, że bierzesz.

– Brałem całe życie. Opium, nie heroinę. Myślałeś, że kto zaopatrywał Jessiego Tella, idioto?

Luther stanął mu na kostce. Stary Byron zacisnął zęby.

– Nie wspominaj jego imienia. To był mój przyjaciel. Ty nim nie jesteś.

Jeden z białych zawołał:

– E, bambus! Zabijesz go w końcu, czy nie?

Luther pokręcił głową. Tamci jęknęli z rozczarowaniem i rozeszli się.

– Nie zamierzam cię ratować. Jak umrzesz, to umrzesz. Przybyłeś aż tutaj, żeby zabić jednego ze swoich, bo szprycujesz się gównem? – Luther splunął na szkło.

Stary Byron też splunął, krwią. Celował w Luthera, ale udało mu się tylko zabrudzić koszulę.

– Nigdy cię nie lubiłem. Uważasz, że jesteś wyjątkowy.

Luther wzruszył ramionami.

– Bo jestem, jeśli teraz nie stałem się taki, jak ty, albo tamci. – Wskazał kciukiem za siebie. – Masz cholerną rację, jestem wyjątkowy. Już się ich nie boję, nie boję się ciebie, nie boję się koloru mojej skóry. Pieprzę to na wieki.

Stary Byron przewrócił oczami.

– Jeszcze mniej cię lubię.

– Dobrze. – Luther uśmiechnął się i kucnął przy nim. – Pewnie przeżyjesz, staruszku. Wsiądziesz do pociągu do Tulsy. Słyszysz? A jak z niego wysiądziesz, zawlecz swoje żałosne dupsko prosto do Dyma i powiedz mu, że mnie nie znalazłeś. Powiedz, że to już bez znaczenia, bo nie będzie musiał za bardzo mnie szukać. – Pochylił się nad starym tak, że mógłby go pocałować. – Powiedz Dymowi, że go odwiedzę. – Uderzył Jacksona w nietknięty policzek. Mocno. – Wracam do domu. Powiedz to Dymowi. Jak nie – wzruszył ramionami – to sam mu powiem.

Wstał i ruszył po zbitym szkle do wystawy. Nie obejrzał się na Starego Byrona. Przepchnął się przez rozgorączkowanych białych, wśród krzyków, deszczu i zawieruchy roju. Czuł, że skończył ze wszystkimi kłamstwami, w które pozwalał sobie wierzyć, wszystkimi kłamstwami, którymi żył, w ogóle wszystkimi kłamstwami.

Scollay Square. Court Square. North End. Newspaper Row. Roxbury Crossing. Pope's Hill. Codman i Eggleston Square. Wezwania napływały z całego miasta, ale znikąd tak obficie, jak z terenu Thomasa Coughlina. Południowa część Bostonu wrzała.

Tłum zdemolował wszystkie sklepy przy Broadway i wyrzucił towary na ulice. Thomas nie mógł znaleźć w tym nawet odrobiny sensu – jeśli się coś kradnie, to żeby z tego skorzystać. Od portu po Andrew Square, od Fort Point Channel po Farragut Road nie ocalało ani jedno okno, ani jedna wystawa. Setki domów spotkał ten sam los. East i West Broadway zamieszkiwały tłumy, dziesięć tysięcy osób, a liczba ta coraz bardziej się powiększała. Gwałty – gwałty, pomyślał

Thomas z zaciśniętymi zębami – odbywały się na oczach ludzi, trzy na West Broadway, jeden na East Fourth, kolejny na nabrzeżu przy Northern Avenue.

A zgłoszenia ciągle napływały.

Kierownik Mully's Diner został pobity do nieprzytomności, kiedy wszyscy jego klienci uznali, że nie zapłacą rachunków. Biedny frajer leżał teraz na Haymarket ze złamanym nosem, pękniętym bębenkiem i bez sześciu zębów.

Na rogu Broadway i E jacyś rozrywkowi jegomoście uprowadzili powóz i wjechali nim przez wystawę do piekarni O'Donnella. Jednak zabawy było im mało – musieli powóz podpalić. Przy okazji podpalili piekarnię, obracając w ten sposób w popiół siedemnaście lat pracy Declana O'Donnella.

Lodziarnia Budnicka była zniszczona. Z Connor&Keffe pozostały zgliszcza. Wszystkie sklepy żelazne, lombardy, lokale krawieckie, nawet sklep z bicyklami na Broadwayu przepadły. Albo spaliły się do fundamentów, albo zostały nieodwracalnie zrujnowane.

Chłopcy i dziewczęta, na ogół młodsi od Joego, rzucali jajkami i kamieniami z dachu Mohican Market; garstka tych nielicznych funkcjonariuszy, których Thomas zdołał wysłać do akcji, doniosła, że nie mogą strzelać do dzieci. Wysłani strażacy oświadczyli to samo.

I najnowsze doniesienie – tramwaj musiał się zatrzymać na rogu Broadway i Dorchester Street, ponieważ wysypano tam stertę towarów ze sklepów. Tłum zgromadził tam pudła, beczułki i materace, a potem ktoś przyniósł benzynę i zapałki. Pasażerowie tramwaju musieli uciekać razem z motorniczym; większość została pobita. Tłum wpadł do tramwaju, wydarł siedzenia z metalowych uchwytów i wyrzucił je przez okna.

O co chodzi z tym upodobaniem do zbitego szkła? – myślał Thomas. Jak powstrzymać to szaleństwo? Miał pod swoją komendą dwudziestu dwóch policjantów, na ogół sierżantów i poruczników, przeważnie po czterdziestce, plus oddział przerażonych, bezużytecznych ochotników.

– Panie kapitanie?

Podniósł wzrok na Mike'a Eigena, niedawno awansowanego na sierżanta.

– Co znowu?

– Ktoś wysłał oddział policji z Metro Park do południowego Bostonu.

Thomas wstał.

– Nikt mi nie powiedział.

– Nie wiadomo, kto wydał rozkaz, ale ich wykończyli.

– Co?

Eigen skinął głową.

– W kościele świętego Augustyna. Padają jak muchy.

– Od kul?

Eigen pokręcił głową.

– Od kamieni, kapitanie.

Kościół. Bracia policjanci kamienowani w kościele. Na jego terenie.

Thomas Coughlin nie wiedział, że przewrócił biurko, dopóki nie usłyszał jego łomotu o podłogę. Sierżant Eigen cofnął się o krok.

– Wystarczy – powiedział Thomas. – Na Boga, wystarczy.

Sięgnął po pas z kaburą, który każdego ranka zostawiał na wieszaku. Zapiął go.

– Też tak sądzę, kapitanie.

Thomas sięgnął do dolnej lewej szuflady przewróconego biurka. Wyjął ją i postawił na dwóch górnych. Wziął z niej pudełko nabojów do trzydziestkidwójki i włożył do kieszeni. Spojrzał na sierżanta Eigena.

– Dlaczego pan tu jeszcze stoi?

– Słucham?

– Proszę zebrać wszystkich sprawnych ludzi z tego mauzoleum. Trzeba się zająć tą awanturą. – Thomas uniósł brwi. – I nie będziemy się patyczkować, sierżancie

Eigen zasalutował z szerokim uśmiechem.

Thomas poczuł, że też się uśmiecha. Wyjął broń ze stojaka nad szafką z aktami.

– Biegnij, synu.

Eigen ruszył do drzwi. Thomas naładował karabin. Uwielbiał trzask nabojów wślizgujących się do magazynka. Dzięki temu dźwiękowi odzyskał ducha po raz pierwszy, odkąd policjanci przystąpili do strajku. Na podłodze leżało zdjęcie Danny'ego z dnia, w którym ukończył akademię. Thomas osobiście przypiął mu odznakę do piersi. To była jego ulubiona fotografia.

Przeszedł po niej teraz w drodze do drzwi, nie mogąc powstrzymać dreszczu satysfakcji na dźwięk pękającego szkła.

– Nie chciałeś chronić naszego miasta, chłopcze? – mruknął. – Świetnie. Ja to zrobię.

Kiedy wysiedli z samochodów policyjnych pod kościołem, tłum odwrócił się w ich stronę. Thomas widział gliniarzy z Metro Park, jak usiłowali odstraszyć tłum pałkami i widokiem broni, ale już byli zakrwawieni, a sterty kamieni, leżące na białych schodach kościoła świadczyły, że rozpętała się walka, którą policjanci przegrywali.

Thomas znał dość prostą prawdę o tłumie – wszelka zmiana kierunku sprawia, że ciżba traci orientację, choćby tylko na chwilę. Jeśli wykorzysta się te sekundy, zapanuje się nad tłumem. Jeśli wykorzysta je tłum, to zapanuje nad tobą.

Wysiadł z samochodu, a oprych stojący najbliżej, Gustie, znany jako Phil Rączka Scanlon, roześmiał się i powiedział:

– Ooo, kapitan Cough...

Thomas rozorał mu twarz do kości kolbą pistoletu. Phil Rączka padł jak rażony gromem. Thomas położył lufę broni na ramieniu kolejnego gangstera, Sparksa Wielkiego Łba. Uniósł ją, wystrzelił i Wielki Łeb stracił słuch w lewym uchu. Zachwiał się, oczy mu się zmętniały, a Thomas zwrócił się do Eigena:

– Proszę czynić honory, sierżancie.

Eigen uderzył Sparksa pistoletem w twarz i na tym zakończył się występ Wielkiego Łba tego wieczoru.

Thomas skierował pistolet w ziemię i strzelił.

Tłum cofnął się o krok.

– Jestem kapitan Coughlin! – zawołał Thomas i stanął z rozmachem na kolanie Phila Rączki. Nie usłyszał dźwięku, o który mu chodziło, więc opuścił stopę jeszcze raz. Tym razem rozległ się przyjemny dla ucha trzask kości, a po nim, jak się należało spodziewać, wrzask. Thomas machnął ręką i jedenastu policjantów, których zebrał, rozproszyło się na skraju tłumu.

– Jestem kapitan Thomas Coughlin – powtórzył – i nie miejcie złudzeń. Zamierzamy tu doprowadzić do rozlewu krwi. – Przesunął wzrokiem po tłumie. – A konkretnie: waszej krwi. – Odwrócił się w stronę policjantów z Metro Park. Na schodach kościoła stało ich dziesięciu. Wyglądali, jakby chcieli się zapaść pod ziemię. – Podnieście broń albo przestańcie się uważać za funkcjonariuszy wymiaru sprawiedliwości.

Tłum cofnął się o następny krok, kiedy policjanci z Metro Park wyciągnęli ręce.

– Odbezpieczyć! – krzyknął Thomas.

Zrobili to; tłum cofnął się o kolejne kroki.

– Jeśli zobaczę, że ktokolwiek trzyma kamień – zawołał Thomas – będziemy strzelać, celując do was.

Zrobił pięć kroków naprzód. Jego broń dotknęła piersi człowieka z kamieniem w dłoni. Ten upuścił kamień; po jego lewej nodze spłynęła strużka moczu. Thomas zastanowił się, czy by mu nie okazać litości, ale szybko uznał, że będzie to miało zły wpływ na atmosferę. Rozbił czoło zasikańca kolbą rewolweru i przeszedł po mężczyźnie.

– Precz, wy kundle! – Powiódł po nich wzrokiem. – PRECZ!

Nikt się nie poruszył – byli zbyt wstrząśnięci – więc Thomas odwrócił sie do Eigena, swoich ludzi, policjantów z Metro Park.

– Strzelajcie.

Ci z Metro Park wytrzeszczyli na niego oczy.

Thomas westchnął. Wyjął służbowy rewolwer, uniósł go nad głowę i wystrzelił sześć razy.

Policjanci wreszcie pojęli. Zaczęli strzelać w powietrze i tłum rozprysnął się na wszystkie strony jak krople z rozbitego wiadra wody. Ludzie uciekali przez ulicę. Uciekali i uciekali, kryli się w zaułkach i bocznych uliczkach, wpadali na przewrócone automobile, padali na chodniki, tratowali się, popychali na wystawy i lądowali w rozbitym przez siebie szkle.

Thomas wytrząsnął puste łuski na ulicę. Położył karabin u stóp i załadował rewolwer. W powietrzu unosił się gryzący zapach kordytu i niosło się echo strzałów. Tłum nadal uciekał. Thomas schował rewolwer do kabury i przeładował karabin. Bezsilność i zagubienie, które męczyły go podczas tego długiego lata, zniknęły nagle. Czuł się znowu jak dwudziestopięciolatek.

Za jego plecami pisnęły opony. Thomas odwrócił się w chwili, gdy czarny buick i cztery inne samochody zatrzymały się w zaczynającym padać deszczu. Z buicka wysiadł inspektor Michael Crowley. Trzymał w ręce karabin, a rewolwer w kaburze na biodrze. Czoło miał obwiązane świeżym bandażem, a piękny ciemny garnitur pochlapany żółtkiem z kawałkami skorupki.

Thomas uśmiechnął się do niego; Crowley rzucił mu zmęczony uśmiech.

– Pora zaprowadzić porządek, co, kapitanie?

– Nie inaczej.

Ruszyli środkiem ulicy; reszta funkcjonariuszy poszła za nimi.

– Jak za dawnych czasów, co, Tommy? – mruknął Crowley, kiedy dotarli do tłumu zebranego na Andrew Square dwie przecznice dalej.

– Czytasz w moich myślach.

– A kiedy ich rozpędzimy...

Kiedy, nie jeśli. Thomas był zachwycony.

– Odbijemy Broadway.

Crowley klepnął go w ramię.

– Ach, jak mi tego brakowało.

– Mnie też. Mnie też.

Szofer burmistrza Petersa, Horace Russell, sunął rolls royce'em silver ghost po obrzeżach tłumu, nie wjeżdżając na ulice tak zaśmiecone lub zatłoczone, żeby nie można się było z nich wydostać. Dlatego burmistrz oglądał zamieszki z oddali, choć nie aż takiej, żeby nie słyszeć tych strasznych okrzyków wojennych, ryków i piskliwego śmiechu, wybuchów i strzałów oraz nieustannego brzęku szkła.

Objeżdżając Scollay Square, myślał, że zobaczył już najgorsze, ale później był North End, a niedługo potem południowy Boston. Burmistrz zrozumiał, że koszmary tak straszne, iż nie ośmielały się mu przyśnić, stały się rzeczywistością.

Wyborcy dali mu miasto o niezrównanej reputacji. Ateny Ameryki, miejsce narodzin rewolucji amerykańskiej i dwóch prezydentów, siedziba najwspanialszych uczelni w kraju, centrum wszechświata.

A za jego kadencji to piękne miasto obróciło się w ruiny i zgliszcza.

Przejechali przez most, zostawiając za sobą płomienie i krzyki slumsów południowego Bostonu. Andrew Peters kazał się zawieźć do najbliższego telefonu. Znaleźli go w Castle Square Hotel na South Endzie, w tej chwili jedynej spokojnej okolicy, przez jaką przejechali.

Burmistrz Peters, obserwowany ukradkiem przez tragarzy i kierownika, zadzwonił do arsenału stanowego. Przedstawił się żołnierzowi, który odebrał, po czym kazał mu wezwać natychmiast majora Dallupa.

– Tu Dallup.

– Majorze, tu burmistrz Peters.

– Słucham.

– Czy dysponuje pan oddziałem motocyklistów i kawalerzystów?

– Tak jest. Są pod rozkazami generała Stevensa i pułkownika Daltona.

– A gdzie oni obecnie są?

– Sądzę, że z gubernatorem Coolidge'em w State House.

– Zatem pan jest faktycznym dowódcą. Pańscy ludzie mają zostać w arsenale w gotowości bojowej. Nie wolno im się oddalić do domu. Czy to jasne?

– Tak jest.

– Przyjadę na inspekcję, by przekazać wam rozkazy.

– Tak jest.

– Będzie pan dziś tłumić zamieszki, majorze.

– Z przyjemnością.

Kiedy kwadrans później Peters przybył do arsenału, zobaczył żołnierza wychodzącego z budynku i idącego przez Commonwealth ku Brighton.

– Żołnierzu! – Peters wysiadł z samochodu i uniósł rękę. – A wy dokąd?

Tamten spojrzał na niego.

– A ty, kurna, kto?

– Jestem burmistrzem Bostonu.

Żołnierz natychmiast stanął na baczność i zasalutował.

– Bardzo przepraszam.

Peters odwzajemnił salut.

– Dokąd się wybierasz, synu?

– Do domu. Mieszkam zaraz...

– Dostaliście rozkaz pozostania w gotowości bojowej.

Żołnierz skinął głową.

– Ale generał Stevens odwołał ten rozkaz.

– Wracajcie do środka, żołnierzu – rzucił Peters.

Kiedy chłopak otworzył drzwi, kilku innych chciało go wyminąć, ale zapędził ich do środka, sycząc „Burmistrz, burmistrz".

Peters wszedł do arsenału i natychmiast odnalazł wzrokiem stojącego przy schodach człowieka z dystynkcjami majora.

– Major Dallup!

– Panie burmistrzu...

– Co to ma znaczyć? – Peters objął gestem ręki pomieszczenie, w którym żołnierze stali z rozpiętymi kołnierzykami, bez broni.

– Mogę to wyjaśnić.

– Słucham. – Peters z zaskoczeniem usłyszał brzmienie własnego głosu – podniesionego, ostrego.

Zanim major Dallup zdążył cokolwiek powiedzieć, ze szczytu schodów rozległ się grzmiący glos.

– Ci ludzie wracają do domu! – Na podeście nad ich głowami stał gubernator Coolidge. – Majorze, nie ma pan tu nic do roboty. Proszę także wracać do domu.

Coolidge zszedł po schodach w otoczeniu generała Stevensa i pułkownika Daltona. Peters podbiegł ku niemu. Spotkali się w połowie schodów.

– Miasto wrze!

– Nic podobnego.

– Widziałem to z bliska, panie gubernatorze i powiadam panu, powiadam, powiadam... – Peters nienawidził tego swojego nerwowego jąkania, ale nie wolno mu było teraz się zniechęcić – powiadam panu, że to nie są odosobnione przypadki. To dziesiątki tysięcy ludzi i...

– Nie ma żadnych zamieszek – oznajmił Coolidge.

– Owszem, są! W południowym Bostonie, na North Endzie, na Scollay Square! Niech pan sam spojrzy, jeśli mi pan nie wierzy.

– Patrzyłem.

– Gdzie?

– Ze State House.

– State House? – krzyknął Peters; własny głos wydał mu się piskliwy jak u dziecka. Dziewczynki. – Do zamieszek nie doszło na Beacon Hill, gubernatorze. Są...

– Dość. – Coolidge uniósł rękę.

– Dość?

– Proszę wracać do domu, panie burmistrzu. Natychmiast.

W jego tonie było coś, co rozwścieczyło Petersa – obojętny ton rodzica zwracającego się do rozkapryszonego bachora.

Wówczas burmistrz Peters zrobił coś, co z całą pewnością nie powinno się wydarzyć w sferach politycznych Bostonu – walnął gubernatora pięścią w twarz.

W tym celu musiał podskoczyć – Coolidge był tak wysoki, że cios nie wyszedł zbyt imponująco – ale pięść burmistrza trafiła w lewe oko gubernatora.

Coolidge tak osłupiał, że nawet nie drgnął. Petersowi spodobało się to do tego stopnia, że postanowił bisować.

Generał i pułkownik chwycili go jednak pod ręce, a kilku żołnierzy wbiegło na schody, ale przez tych parę sekund Peters zdołał przygrzmocić gubernatorowi jeszcze kilka razy.

Coolidge, co dziwne, nawet się nie odsunął ani nie zasłonił.

Kilku żołnierzy zniosło burmistrza Andrew Petersa na parter i postawiło na podłodze.

Zastanowił się, czy znowu nie biec do gubernatora.

Zamiast tego, wymierzył w niego palec.

– Bierze to pan na swoje sumienie!

– Ale na pańskie konto, panie burmistrzu. – Coolidge pozwolił sobie na nieznaczny uśmieszek. – Na pańskie konto.

ROZDZIAŁ TRZYDZIESTY SIÓDMY

Wśrodę o wpół do ósmej rano Horace Russell zawiózł burmistrza Petersa do ratusza. Ulice, bez pożarów, krzyków i mroku, utraciły swój upiorny wygląd, jednak efekty działalności tłumu widać było wszędzie. Od Washington po Tremont ani jedno okno nie ocalało. Ze sklepów zostały wypalone ruiny. Z aut – szkielety. Dookoła poniewierało się tyle gruzu i śmieci, że Peters mógł się tylko domyślać, iż tak wyglądają ulice po długich walkach i bombardowaniach.

W publicznym parku leżeli pijani do nieprzytomności awanturnicy. Inni otwarcie grali w kości. Na Tremont tylko parę okien było zabitych dyktą. Przed niektórymi sklepami chodzili mężczyźni z karabinami i strzelbami. Ze słupów telefonicznych zwisały przewody. Wszystkie znaki uliczne zostały wyrwane, a gazowe latarnie rozbite.

Peters osłonił oczy ręką, ponieważ poczuł przemożną chęć płaczu. W głowie rozbrzmiewała mu nieustająca mantra i dopiero po chwili dotarło do niego, iż ją powtarza szeptem: „to się nie powinno zdarzyć, to się nie powinno zdarzyć…".

Chęć płaczu zmieniła się w jakieś zimniejsze uczucie, kiedy zbliżyli się do ratusza. Burmistrz poszedł do swojego gabinetu i natychmiast zadzwonił do komendy głównej policji.

W słuchawce odezwał się głos samego Curtisa – zmęczone echo jego głosu.

– Halo.

– Komisarzu, tu burmistrz Peters.

– Rozumiem, że dzwoni pan w sprawie mojej rezygnacji.

– Dzwonię, bo chcę otrzymać raport o zniszczeniach. Zacznijmy od tego.

Curtis westchnął.

– Sto dwadzieścia dziewięć aresztowań. Pięciu uczestników zamieszek zastrzelonych. Nikt nie został poważnie ranny. Pięciuset sześćdziesięciu dwóch leży na Haymarket, w jednej trzeciej przypadków z powodu ran ciętych od zbitego szkła. Doniesiono o dziewięćdziesięciu czerech napadach. Sześćdziesiąt siedem napaści czynnych. Sześć gwałtów.

– Sześć?

– Zgłoszonych.

– Pańska ocena prawdziwej liczby?

Kolejne westchnienie.

– W oparciu o niepotwierdzone raporty z North Endu i południowego Bostonu oceniłbym tę liczbę raczej na kilka dziesiątek. Może trzydzieści.

– Trzydzieści. – Peters znowu poczuł napływające łzy, które jednak się nie pojawiły, pozostało tylko to kłucie w oczach. – Zniszczenie mienia?

– Setki tysięcy przypadków

– Setki tysięcy, tak. Też tak sądzę.

– Głównie małe sklepy. Banki i magazyny handlowe…

– Wynajęły strażników. Wiem.

– Strażacy już nie zastrajkują.

– Co?

– Strażacy. Strajk solidarnościowy. Moi ludzie z wydziału mówią, że tak ich wściekły te niezliczone fałszywe alarmy, na które wczoraj reagowali, że odwrócili się od strajkujących.

– Na co nam teraz ta informacja, komisarzu?

– Nie zrezygnuję – oznajmił Curtis.

A to bezczelność. A to tupeciarz. Miasto płonie, a ten myśli tylko o swoich interesach i dumie.

– Nie będzie pan musiał. Usuwam pana ze stanowiska.

– Nie może pan.

– Ależ mogę. Kocha pan przepisy, komisarzu. Proszę zajrzeć do części szóstej, rozdziału trzysta dwadzieścia trzy regulaminu miejskiego. Kiedy pan to zrobi, proszę uprzątnąć rzeczy ze swojego biurka. Pański następca zjawi się w gabinecie o dziewiątej.

Peters odłożył słuchawkę. Powinien czuć większą satysfakcję, ale kolejną z przygnębiających stron tej sprawy było to, że tryumf mógłby poczuć tylko wtedy, gdyby zapobiegł strajkowi. Kiedy się zaczął, nikt, a już na pewno nie on, nie mógł sobie przypisywać żadnego osiągnięcia. Zadzwonił do swojej sekretarki Marthy Pooley; przyszła do gabinetu z listą nazwisk i numerów telefonów, o które prosił. Zaczął od pułkownika Sullivana z gwardii stanowej. Kiedy ten odebrał, Peters od razu przeszedł do rzeczy.

– Pułkowniku, mówi burmistrz. Daję panu rozkaz, którego nie może odwołać nikt inny. Czy to zrozumiałe?

– Tak, panie burmistrzu.

– Proszę zebrać całe siły gwardii w okolicy Bostonu. Zlecam panu dowodzenie nad pułkiem dziesiątym, pierwszym oddziałem kawalerii, pierwszym korpusem motocyklowym i korpusem sanitarnym. Czy istnieje jakiś powód, dla którego nie mógłby pan wykonać tego rozkazu?

– Nie, panie burmistrzu.

– Proszę się tym zająć.

– Tak jest, panie burmistrzu.

Peters rozłączył się i natychmiast zadzwonił do domu generała Charlesa Cole'a, byłego dowódcy 52 Dywizji Jankeskiej i jednego z głównych członków Komitetu Storrowa.

– Generale...

– Witam, panie burmistrzu.

– Czy zechce pan służyć swojemu miastu jako pełniący obowiązki komisarza policji?

– Będę zaszczycony.

– Wyślę po pana samochód. Kiedy będzie pan gotowy, generale?

– Już jestem ubrany.

Gubernator Coolidge rozpoczął konferencję prasową o dziesiątej. Ogłosił, że reagując na zaistniały kryzys, burmistrz Peters poprosił generała brygady Nelsona Bryanta o objęcie dowodzenia nad wezwanymi oddziałami. Generał Bryant zgodził się i będzie dowodzić jedenastym, dwunastym i piętnastym pułkiem gwardii stanowej oraz kompanią artylerii.

Ochotnicy zaczęli się zgłaszać w Izbie Handlowej, gdzie odbierali odznaki, mundury i broń. Na ogół byli to dawni żołnierze z Dywizji Jankesów z Massachusetts, odznaczeni podczas wojny. Przysięgę ochotnika złożyło także stu czterdziestu pięciu studentów Harvardu, w tym cała drużyna futbolowa.

– Jesteśmy w dobrych rękach, panowie.

Na pytanie, dlaczego wczoraj nie wezwano gwardii stanowej, gubernator Coolidge odpowiedział:

– Wczoraj przekonano mnie do powierzenia spraw bezpieczeństwa publicznego władzom miasta. Już nie jestem do tego przekonany.

Kiedy dziennikarz spytał gubernatora, dlaczego ma podbite oko, Coolidge oznajmił, że konferencja jest zakończona, i wyszedł z sali.

Danny stał z Norą na dachu swojej kamienicy, spoglądając w dół na North End. W czasie najgorszych zamieszek ludzie zablokowali Salem Street oponami, które oblali benzyną i podpalili. Danny widział jedną z nich, wtopioną w ulicę i nadal dymiącą. Smród drażnił mu nozdrza. Tłum zbierał się przez cały wieczór, niespokojny, rozdrażniony. Koło dziesiątej przestał się burzyć i zaczął szaleć. Danny przyglądał się temu z okna. Bezsilnie.

Koło drugiej, gdy najgorsze minęło, ulice wyglądały jak po powodzi melasy, zrujnowane i zniszczone. Z ulic, okien kamienic i pensjonatów dobiegały głosy ofiar napadów, rabunków, bezsensownych bójek, gwałtów. Jęki, zawodzenia, płacz. W krzykach tych, którzy padli ofiarą przemocy, brzmiała świadomość, że na tym świecie nigdy nie zaznają sprawiedliwości.

I to była jego wina.

Nora mówiła, że nie, ale widział, że nie całkiem w to wierzyła. Zmieniła się przez tę jedną noc; w jej oczach pojawiło się zwątpienie. Co do jego wyboru, co do niego. Kiedy w końcu położyli się wczoraj do łóżka, dotknęła wargami jego policzka. Były zimne i niepewne. Zamiast zasnąć z ręką przerzuconą przez jego pierś i nogą na jego nodze, jak to miała w zwyczaju, odwróciła się na lewy bok. Dotykała go plecami, więc nie było to całkowite odtrącenie, ale i tak je odczuł.

A teraz, gdy stała z kawą na dachu kamienicy i przyglądała się zrujnowanej ulicy w mrocznym świetle tego pochmurnego poranka, położyła rękę na plecach Danny'ego. Był to bardzo delikatny dotyk i zaraz cofnęła rękę. Kiedy Danny się obejrzał, skubała zębami kciuk. Oczy miała wilgotne.

– Nie pójdziesz dziś do pracy – powiedział.

Pokręciła głową, ale nie odpowiedziała.

– Noro.

Przestała skubać kciuk i wzięła kubek z murku. Spojrzała na Danny'ego oczami wielkimi i pustymi, nieprzeniknionymi.

– Nie pójdziesz...

– Pójdę.

Pokręcił głową.

– To zbyt niebezpieczne. Nie chcę, żebyś chodziła po tych ulicach.

Niemal niezauważalnie wzruszyła ramionami.

– To moja praca. Nie chcę, żeby mnie wyrzucili.

– Nie wyrzucą.

Kolejny, prawie niedostrzegalny ruch ramion.

– A jeśli się mylisz? Skąd weźmiemy pieniądze na jedzenie?

– To się wkrótce skończy.

Pokręciła głową.

– Naprawdę. Miasto zorientuje się, że nie ma wyjścia i...

Odwróciła się do niego.

– Miasto was nienawidzi, Danny. – Wskazała ulice w dole. – Nigdy wam tego nie wybaczy.

– Więc byliśmy w błędzie? – Poczuł chłód samotności, tak lodowatej i beznadziejnej, jak jeszcze nigdy.

– Nie – powiedziała. – Nie. – Podeszła do niego, a dotyk jej dłoni na jego policzkach był jak wybawienie. – Nie, nie, nie. – Odwróciła jego twarz ku sobie, zmuszając, by spojrzał jej w oczy. – Nie byliście. Zrobiliście jedyne, co można było zrobić. Ale... – Znowu spojrzała na ulicę.

– Ale co?

– Ale tak się porobiło, że wasze jedyne wyjście okazało się wyjściem na szafot. – Pocałowała go; poczuł słony smak jej łez. – Kocham cię. Wierzę w to, co zrobiliście.

– Ale sądzisz, że już po nas.

Jej ręce osunęły się w dół.

– Sądzę... – Jej spojrzenie zaczęło się stawać coraz chłodniejsze. Już zdążył poznać tę jej cechę, potrzebę analizowania kryzysu na zimno. Podniosła oczy. Nie były już wilgotne. – Sądzę, że możesz stracić pracę. – Uśmiechnęła się smutno i blado. – Więc ja muszę zachować swoją, prawda?

Odprowadził ją do fabryki.

Wokół nich leżał szary popiół. Zgrzytało szkło. Na bruku między kawałkami cegieł i zwęglonego drewna poniewierały się strzępy zakrwawionych ubrań. Sklepy były osmolone. Ściany umazane rozgniecioną kiełbasą i wątróbką. Przewrócone wózki, przewrócone automobile, wszystkie leżały spalone. Dwa kawałki spódnicy walały się w rynsztoku, mokre i usmarowane sadzą.

Na North Endzie nie było gorzej, raczej tak samo, a kiedy dotarli na Scollay Square, zniszczenia nabrały większej skali i rozmachu. Danny usiłował przyciągnąć do siebie Norę, ale wolała iść sama. Od czasu do czasu muskała dłonią jego rękę i rzucała mu spojrzenie pełne czułego smutku, a raz, gdy wspinali się pod górę na Bowdoin Street, oparła się o jego ramię, ale nie odzywała ani słowem.

On też nie.

Nie mieli sobie nic do powiedzenia.

Kiedy odprowadził Norę do pracy, wrócił na North End i dołączył do policjantów pikietujących przed posterunkiem pierwszym. Przez cały ranek i popołudnie przechodzili z jednej strony Hanover Street na drugą. Niektórzy przechodnie witali ich okrzykami poparcia, inni wołali „Wstyd!", ale większość nic nie mówiła. Przemykali po chodniku ze spuszczonymi oczami albo spoglądali na Danny'ego i jego towarzyszy, jakby byli przezroczyści.

Ochotnicy przybywali przez cały dzień. Danny polecił, żeby pozwolono im przechodzić, jeśli będą ich omijać, nie przerywając ich szeregu. Jeśli nie liczyć jednego incydentu z przepychanką oraz paru urągliwych okrzyków, ochotnicy wchodzili na posterunek bez większych kłopotów.

Z Hanover Street dobiegał stukot młotków; zabijano okna arkuszami dykty, zamiatano szkło z ulic, wyciągano z odpadków i śmieci przeoczone przez tłum przedmioty. Znajomy szewc Danny'ego, Giuseppe Balari, stał długo, patrząc na ruinę swojego sklepu. Oparł kawałek dykty o drzwi i wyniósł narzędzia, ale kiedy miał zacząć zabijać dyktą wystawę, nagle odłożył młotek na chodnik i znieruchomiał z opuszczonymi rękami. Stał tak przez dziesięć minut

Kiedy się odwrócił, Danny nie zdążył na czas spuścić oczu. Giuseppe spojrzał na niego. Wpatrując się przez całą ulicę w oczy Danny'ego, wymówił bezgłośnie jedno słowo: dlaczego?

Danny pokręcił bezradnie głową i odwrócił się, krążąc przed posterunkiem. Kiedy znowu spojrzał, Giuseppe przyłożył już do wystawy arkusz dykty i zaczął ją przybijać.

W południe parę miejskich ciężarówek z holownikami zaczęło zabierać wraki z ulicy; żelastwo szczękało na bruku i kierowcy musieli się raz po raz zatrzymywać, żeby pozbierać pogubione szczątki. Wkrótce potem przy pikietujących policjantach zatrzymał się packard i z tylnego okna wychylił się Ralph Raphelson.

– Ma pan chwilkę, funkcjonariuszu?

Danny opuścił swój transparent i oparł go o latarnię. Usiadł na tylnym siedzeniu obok Raphelsona. Ten uśmiechnął się z zażenowaniem. Danny wyjrzał przez okno na krążących policjantów i zabite dyktą wystawy na całej Hanover Street.

– Odłożono głosowanie w sprawie strajku solidarnościowego – powiedział Raphelson.

Pierwszą reakcją Danny'ego było lodowate odrętwienie.

– Odłożono?

Raphelson pokiwał głową.

– Do kiedy?

Raphelson wyjrzał przez okno.

– Trudno określić. Mieliśmy problem z dotarciem do kilku delegatów.

– Nie możecie głosować bez nich?

Raphelson zwiesił głowę.

– Wszyscy delegaci muszą być obecni. To nienaruszalna zasada.

– Ile czasu minie, zanim wszyscy się zbiorą?

– Trudno powiedzieć.

Danny odwrócił się do niego.

– Ile?

– Może zbiorą się już dziś. Może jutro.

Odrętwienie Danny'ego zastąpił nagły strach.

– Ale nie później.

Raphelson nie odpowiedział.

– Ralph – szepnął Danny. – Ralph!

Raphelson odwrócił się do niego.

– Nie później niż jutro. Prawda?

– Niczego nie gwarantuję.

Danny usiadł prosto.

– O mój Boże. O mój Boże.

Luther i Isaiah pakowali uprane rzeczy, które przyniosła im pani Grouse. Isaiah, doświadczony podróżnik, pokazał Lutherowi, że o wiele lepiej jest rolować ubrania niż je składać. Razem ułożyli wszystko w walizce.

– W ten sposób więcej się zmieści – powiedział – i mniej się pogniecie. Ale musisz zwijać ciasno. O, tak.

Luther przyjrzał się Isaiahowi, po czym złożył nogawki spodni i zaczął je zwijać, poczynając od mankietów.

– Trochę ciaśniej.

Luter rozwinął spodnie i zwinął je dwa razy ciaśniej, mocno zaciskając dłonie.

– Zaczynasz rozumieć.

Luther starannie rolował materiał.

– Czy ona dojdzie do siebie?

– To minie, jestem pewien. – Isaiah położył na łóżku koszulę, zapiął ją, złożył, wygładził i zaczął rolować. Kiedy skończył, ułożył ją w walizce i jeszcze raz wygładził. – To minie.

Zeszli po schodach, zostawili walizkę i zajrzeli do salonu. Yvette podniosła głowę znad popołudniowego wydania „The Examinera". Oczy miała błyszczące.

– Mogą wysłać gwardię stanową w niespokojne miejsca.

Luther przytaknął.

Isaiah usiadł na swoim stałym miejscu przy kominku.

– Wydaje się, że zamieszki już prawie ustały.

– Też mam taką nadzieję. – Yvette złożyła gazetę i odłożyła

ją na stolik. Wygładziła sukienkę na kolanach. – Lutherze, zechcesz mi nalać herbaty?

Luther podszedł do stolika, na którym stał serwis do herbaty, włożył do filiżanki kostkę cukru, dodał łyżeczkę mleka, po czym zalał je herbatą. Postawił filiżankę na talerzyku i podał pani Giddreaux. Przyjęła ją z uśmiechem i skinieniem głowy.

– Gdzie byłeś?

– Na górze.

– Nie teraz. – Pociągnęła łyk herbaty. – Podczas wielkiego otwarcia. Podczas przecinania wstęgi.

Luther wrócił do stolika i zajął się następną herbatą.

– Dla pana...?

Isaiah uniósł rękę.

– Dziękuję, synu, nie.

Luther pokiwał głową, wrzucił do herbaty kostkę cukru i usiadł naprzeciwko pani Giddreaux.

– Miałem kaca. Przepraszam.

– Ten gruby policjant... och, jak się zdenerwował. Tak, jakby dokładnie wiedział, gdzie szukać. A jednak niczego nie znalazł.

– Dziwne – powiedział Luther.

Pani Giddreaux wypiła następny łyk herbaty.

– Bardzo fortunnie dla nas.

– Pewnie.

– A teraz wyjeżdżasz do Tulsy.

– Tam jest moja żona z synem. Wie pani, że nigdy bym nie wyjechał, gdyby chodziło o mniej ważny powód.

Uśmiechnęła się i spuściła wzrok.

– Może napiszesz?

Omal się nie złamał, omal nie padł na kolana.

– Wie pani, że będę pisać. Na pewno musi to pani wiedzieć.

W jej pięknych oczach przeglądała się dusza.

– Pisz, mój synu. Pisz.

Kiedy znowu spuściła wzrok, Luther spojrzał na Isaiaha i skinął mu głową.

– Jeśli mogę zasugerować...

Pani Giddreaux podniosła wzrok.

– Muszę jeszcze załatwić sprawy z moimi białymi przyjaciółmi.

– Jakie sprawy?

– Pożegnać się jak należy. Gdybym mógł zostać jeszcze jedną lub dwie noce, byłoby mi łatwiej.

Pochyliła się ku niemu.

– Traktujesz starą kobietę z góry?

– Nigdy bym nie śmiał.

Wycelowała w niego palec i powoli nim pogroziła.

– Co za chłód! Masło by się nie rozpuściło w twoich ustach.

– Może by się rozpuściło. Gdyby leżało na kawałku pani pieczonego kurczaczka.

– To jakiś podstęp?

– Nie inaczej.

Pani Giddreaux wstała i wygładziła spódnicę. Ruszyła do kuchni.

– Muszę obrać ziemniaki i umyć fasolkę, młodzieńcze. Nie zwlekaj.

Luther poszedł za nią.

– Nie ośmieliłbym się.

Tłum wrócił na ulicę po zmroku. W niektórych dzielnicach – południowym Bostonie i Charlestown – rozpętał się ten sam chaos, co poprzednio, ale gdzie indziej, właszcza w Roxbury i na South Endzie, nabrał wydźwięku politycznego. Kiedy dowiedział się o tym Andrew Peters, kazał Horace'owi Russellowi zawieźć się na Columbus Avenue. Generał Cole nie chciał go wypuścić bez eskorty wojskowej, ale Peters przekonał go, że nic mu się nie stanie. Jeździł wczoraj sam przez całą noc, a o wiele łatwiej poruszać się jednym samochodem niż trzema.

Horace Russell zatrzymał samochód na rogu Arlington i Columbus. Tłum szalał ulicę dalej; Peters wysiadł z samochodu i przeszedł pół przecznicy. Po drodze minął trzy beczki pełne smoły. Wystawały z nich pochodnie. Ten widok – jakiś średniowieczny – obudził w nim strach.

Gorsze były napisy. Wczoraj te, które widział, stanowiły głównie swobodne wariacje na temat: „Jebać policję" albo „Jebać gnidy", dziś pojawiły się nowe, starannie wypisane farbą czerwoną jak krew. Kilka po rosyjsku, reszta w bardziej zrozumiałym języku:

REWOLUCJA!
KONIEC TYRANII PAŃSTWA!
ŚMIERĆ KAPITALIZMOWI! ŚMIERĆ WYZYSKIWACZOM!
OBALIĆ KAPITALISTYCZNĄ MONARCHIĘ!

Był też jeden, który Andrew J. Petersowi wyjątkowo się nie spodobał:

SPALIĆ BOSTON!

Burmistrz wrócił pospiesznie do samochodu i polecił się zawieźć prosto do generała Cole'a.

Generał Cole pokiwał mądrze głową, słysząc wieści.

– Otrzymaliśmy raporty, że bandy na Scollay Square zajęły się polityką. Południowy Boston już prawie pęka. Nie sądzę, żebyśmy zdołali powstrzymać tamtych przy udziale czterdziestu policjantów, tak jak wczoraj. Wyślę ochotników, żeby sprawdzić, czy zdołają stłumić zamieszki. Z zastrzeżeniem, że mają nie wracać bez wiadomości o liczebności tłumu i działaniach bolszewików.

– Chcą spalić Boston – szepnął Peters.

– Nie dojdzie do tego, panie burmistrzu, zapewniam. Cała drużyna futbolowa z Harvardu jest uzbrojona i oczekuje na rozkazy. To wspaniali młodzieńcy. A ja jestem w stałym kontakcie z majorem Sullivanem i dowództwem gwardii stanowej. Są tuż obok, w gotowości.

Peters skinął głową. Ulżyło mu, choć nie za bardzo. Cztery pełne pułki plus oddział artyleryjski oraz korpus motocyklowy i sanitarny.

– Sprawdzę, co u majora Sullivana.

– Proszę uważać, panie burmistrzu. Już prawie się zmierzcha.

Peters wyszedł z gabinetu, który jeszcze wczoraj zajmował Edwin Curtis. Ruszył w górę stromej ulicy do State House i serce zabiło mu mocniej na ich widok – Boże, cała armia! Pod wielkim łukiem na tyłach budynku pierwszy oddział kawalerii paradował na koniach tam i z powrotem, bez ustanku. Stukot kopyt na bruku brzmiał jak stłumione strzały. Na trawnikach od frontu, od strony Bacon Street, żołnierze dwunastego i piętnastego pułków czekali w pozycji na spocznij. Po drugiej stronie ulicy znajdowały się dziesiąty i jedenasty. Peters nie chciał, żeby do tego doszło, ale na ów widok poczuł przypływ dumy. To była antyteza tłumu. Świadoma siła, zdolna w równym stopniu do umiarkowania, jak i brutalności. Oto pięść w aksamitnej rękawiczce demokracji – i jaka piękna!

Przyjął salut żołnierzy i ruszył po schodach do State House. Kiedy przeszedł przez wielki marmurowy hol i został skierowany do majora Sullivana, miał wrażenie, że jego ciało stało się nieważkie. Major Sullivan urządził sobie centrum dowodzenia pod łukowatym sklepieniem. Telefony i krótkofalówki ustawione przed nim na długim stole dzwoniły z wściekłą częstotliwością. Żołnierze zapisywali wiadomości na kartkach i przekazywali je majorowi Sullivanowi, który skinął głową burmistrzowi i wrócił do studiowania najnowszej depeszy.

Następnie zasalutował.

– Panie burmistrzu, przybywa pan w samą porę.

– Tak?

– Ochotnicy, których generał Cole posłał na Scollay Square, wpadli w zasadzkę. Wymieniono strzały, paru odniosło rany.

– Dobry Boże.

Major Sullivan pokiwał głową.

– Oni nie wytrwają. Nie wiem, czy pociągną jeszcze pięć minut.

No cóż, więc się stało.

– Pańscy ludzie są gotowi?

– Widział ich pan.

– Kawaleria?

– Nie ma szybszego sposobu na rozpędzenie tłumu i narzucenie mu swojej woli.

Burmistrz dostrzegł absurd tej sytuacji – dziewiętnastowieczne środki w dwudziestowiecznej Ameryce. Absurd, ale jakoś wydawał się stosowny do sytuacji.

– Proszę oszczędzić ochotników, majorze – polecił burmistrz.

– Z radością.

Major Sullivan zasalutował energicznie. Młody kapitan przyprowadził mu konia. Sullivan wsunął stopę w strzemię, nawet na nie nie patrząc, i wskoczył zgrabnie na siodło. Kapitan także wsiadł na swojego wierzchowca i uniósł trąbkę sygnałową.

– Pierwszy oddział kawalerii! Na mój rozkaz ruszamy przez Scollay Square na skrzyżowanie Cornhill i Sudbury. Jedziemy na pomoc ochotnikom, by zaprowadzić porządek. Nie wolno wam strzelać do tłumu, dopóki nie znajdziecie się w sytuacji bez wyjścia, powtarzam, bez wyjścia. Zrozumiano?

Odpowiedziano mu chóralnym:

– Tak jest!

– A zatem, panowie, baczność!

Konie stanęły w szeregach prostych i równych jak ostrze brzytwy.

Chwileczkę, pomyślał Peters. Nie tak szybko. Zaraz. Zastanówmy się nad tym.

– Do ataku!

Zagrała sygnałówka, wierzchowiec majora Sullivana skoczył rączo przed siebie. Reszta jeźdźców popędziła za nim; burmistrz Peters zorientował się, że biegnie w ślad za oddziałem. Czuł się jak dziecko, które po raz pierwszy widzi paradę, ale to było lepsze od jakiejkolwiek parady, a on nie był już dzieckiem, tylko przywódcą tych ludzi, człowiekiem odbierającym saluty, którymi żołnierze obdarzali go zupełnie bez ironii.

Na rogu przy ogrodzeniu State House omal nie zgniótł go koń. Skręcili w prawo i wypadli galopem na Beacon. Tętent galopujących koni nie przypominał burmistrzowi żadnego znanego dźwięku – jakby z nieba spadły setki, tysiące głazów. W oknach na Beacon Hill pojawiły się pęknięcia, a cała ulica zadrżała od szalonej furii tego galopu.

Kawalerzyści minęli go ławą, skręcając w lewo na Cambridge Street i pędząc ku Scollay Square, ale burmistrz Peters biegł dalej; na stromo opadającej ulicy zyskał dodatkowy rozpęd, a kiedy wypadł na Cambridge, ujrzał ich o przecznicę dalej, z uniesionymi szablami, gdy obwieszczali trąbką swoje przybycie. A przed nimi stał tłum. Ogromne ziarniste morze, rozciągające się we wszystkich kierunkach.

Jakże Andrew Peters żałował, że nie potrafi biec dwa razy szybciej, że nie ma skrzydeł, kiedy tak patrzył na te majestatyczne kasztanowate wierzchowce i wspaniałych jeźdźców, którzy wdarli się w tłum. Ziarniste fale się rozstąpiły, a Peters rzucił się biegiem w ich stronę. Ziarna stały się twarzami, dźwięki także nabrały wyrazistości. Krzyki, wrzaski, jakieś piski, które nie wydawały się ludzkie, dźwięk i brzęk metalu, pierwszy strzał.

Po nim drugi.

I trzeci.

Andrew Peters dotarł na Scollay Square, w chwili gdy jeździec wpadł razem z koniem w wystawę wypalonej apteki. Na ziemi leżała kobieta; z jej uszu sączyła się krew, na czole widniał ślad po podkowie. Szable siekły ludzkie kończyny. Obok burmistrza przecisnął się mężczyzna z twarzą zalaną krwią. Ochotnik leżał skulony na chodniku, ściskając bok i płacząc. Stracił prawie wszystkie zęby. Konie kręciły się z furią wokół własnej osi, tupiąc potężnymi nogami, a jeźdźcy wymachiwali szablami.

Jeden koń upadł na grzbiet z przeraźliwym rżeniem. Ludzie przewracali się, gdy uderzał ich kopytami, krzyczeli. Koń wierzgał. Jeździec mocno szarpnął go za strzemię. Koń wstał, błyskając oczami wielkimi jak jajka i szalonymi ze strachu. Wierzgnął zadnimi nogami i znowu się przewrócił z kwikiem przerażenia i rozpaczy.

Dokładnie na wprost burmistrza Petersa stał ochotnik z karabinem Springfielda. Twarz wykrzywiał mu strach. Andrew Peters na chwilę przed faktem zrozumiał, co się stanie. Zobaczył jakiegoś mężczyznę w czarnym meloniku i z laską, tak oszołomionego, jakby dostał po głowie, choć nadal trzymał laskę i tylko trochę się chwiał. A burmistrz Peters krzyknął:

– Nie!

Ale pocisk już wyleciał z karabinu i przeszył pierś oszołomionego przechodnia z laską. Przebił ciało na wylot i utkwił w ramieniu innego człowieka, który okręcił się wokół własnej osi i upadł. Ochotnik i Peters spojrzeli na mężczyznę z laską, który stał nieruchomo, zgięty wpół. Stał tak jeszcze parę sekund, a potem upuścił laskę i runął na chodnik. Nogi mu drgnęły, z ust wypłynęła kałuża czarnej krwi. Znieruchomiał.

Andrew Peters poczuł, że całe to straszne lato krystalizuje się w tym jednym momencie. Wszystkie marzenia o pokoju, rozwiązaniu korzystnym dla wszystkich stron, ciężkiej pracy, dobrej wierze i woli, o nadziei…

Burmistrz wielkiego Bostonu spuścił głowę i zapłakał.

ROZDZIAŁ TRZYDZIESTY ÓSMY

Thomas miał nadzieję, że robota, którą wykonał wspólnie z Crowleyem i jego zbieraniną, będzie stanowić jasny komunikat dla awanturników, ale tak się nie stało. Owszem, rozbili wczoraj parę łbów, czemu nie. Wtargnęli w tłum, wściekli i nieustraszeni, starli się z bandytami na Andrew Square, a potem na West Broadway i rozpędzili awanturników. Dwaj starzy wyjadacze i trzydziestu dwóch młodziaków o różnym stopniu doświadczenia i przerażenia. Trzydziestu czterech przeciwko tysiącom! Kiedy kapitan w końcu wrócił do domu, nie mógł zasnąć przez wiele godzin.

Ale tłum pojawił się znowu. Dwa razy liczniejszy. Jednak w przeciwieństwie do wczorajszej nocy był zorganizowany. Bolszewicy i anarchiści rozdawali broń i ulotki. Gangsterzy wraz z rozmaitymi oprychami miejscowymi i przyjezdnymi utworzyli oddziały i włamywali się do sejfów na całym Broadwayu. Przemoc, ale już nie bezmyślna.

Sam burmistrz zadzwonił do Thomasa z prośbą o powstrzymanie się od jakiegokolwiek działania do czasu przybycia gwardii stanowej. Thomas spytał, kiedy burmistrz spodziewa się nadejścia posiłków, na co burmistrz odpowiedział, że na Scollay Square napotkano pewne nieprzewidziane kłopoty, ale żołnierze przybędą w najbliższym czasie.

W najbliższym czasie.

Na West Broadway panowała anarchia. Obywatele, których Thomas przysiągł bronić, padali ofiarą przemocy. A jedyni wybawiciele mieli przybyć... w najbliższym czasie.

Thomas przesunął ręką po oczach, podniósł słuchawkę telefonu i poprosił panienkę z centrali o połączenie z jego numerem domowym. Odebrał Connor.

– Spokojnie? – spytał Thomas.

– Tutaj? Tak. Jak jest na ulicach?
– Źle. Nie wychodźcie.
– Potrzebujesz rąk do roboty? Mogę pomóc.
Thomas zamknął oczy. Chciałby bardziej kochać tego syna.
– Jeszcze jedna para rąk w niczym tu nie pomoże. Już za późno.
– Pieprzony Danny.
– Con, ile razy mam ci powtarzać, że brzydzę się wulgaryzmami? Czy wbiję ci to kiedyś do tej zakutej głowy?
– Przepraszam, tato, przepraszam. – Ciężkie westchnienie Cona popłynęło przez przewody telefoniczne. – Ale… To wszystko przez niego. Przez niego, tato. Miasto ginie, bo…
– To nie jest wina Danny'ego. Sam by tego nie dokonał.
– Aha. Ale miał być naszym bliskim.
Thomas poczuł jakiś rozdzierający ból. To „miał być". Czy to z powodu dumy z potomstwa? Czy to koniec tej drogi, która zaczyna się, gdy mężczyzna bierze swojego pierworodnego prosto z łona swojej żony, i pozwala sobie na marzenia o jego przyszłości? Czy to jest cena za ślepą, zbyt wielką miłość?
– Jest naszym bliskim – powiedział Thomas. – Łączą go z nami więzy krwi.
– Może z tobą.
O, Jezu. To ta cena. Z całą pewnością. Cena miłości. Rodziny.
– Gdzie twoja matka? – spytał Thomas.
– W łóżku.
Nic dziwnego – struś zawsze szuka piasku.
– Gdzie Joe?
– Też w łóżku.
Thomas stuknął obcasami o kant biurka.
– Jest dziewiąta.
– Aha. Cały dzień chorował.
– Na co?
– Nie wiem. Zaziębił się chyba.
Thomas pokręcił głową. Joe był jak Aiden – żadna choroba się go nie czepiała. Prędzej wydarłby sobie oczy, zanim położyłby się w taką noc do łóżka.
– Zajrzyj do niego.
– Co?

– Idź i sprawdź.

– Dobrze, dobrze.

Connor odłożył słuchawkę i Thomas usłyszał jego kroki, a potem skrzypnięcie drzwi. Cisza. Znowu rozbrzmiały zbliżające się kroki. Thomas odezwał się w chwili, gdy usłyszał, że syn podnosi słuchawkę.

– Nie ma go, co?

– O Jezu.

– Kiedy widziałeś go po raz ostatni?

– Godzinę temu. Ale nie mógł...

– Poszukaj go – rzucił Thomas i zdziwił się, słysząc zimny syk zamiast wrzasku. – Rozumiesz mnie, Con? Czy to jasne?

– Tak, ojcze.

– Znajdź swojego brata. Natychmiast.

Joe opuścił dom na K Street, przebiegł dwie przecznice i ruszył H Street w stronę, skąd dochodziły te hałasy. Słyszał je wczoraj w nocy w pokoju – West Broadway był jeszcze bardziej głośny niż zwykle. Znajdowały się tam knajpy i rzędy pensjonatów, hazardowych spelunek, na rogach ulicy chłopcy grali w trzy karty i gwizdali na kobiety stojące w oknach oświetlonych czerwonym, pomarańczowym lub musztardowym światłem. East Broadway wiodła do City Point, lepszej części południowego Bostonu, w której mieszkał Joe. Ale wystarczyło minąć East Broadway i zejść ze wzgórza aż do skrzyżowania East i West Broadway z Dorchester Street, a widziało się drugą część południowego Bostonu, tę większą. I nie była cicha, szacowna i zadbana. Pulsowała śmiechem, kłótniami, krzykami i fałszywymi śpiewami. Potem trzeba było iść w górę przez West Broadway aż do mostu i w dół przez Dorchester Street aż do Andrew Square. W tych okolicach nikt nie miał samochodu, a tym bardziej szofera jak ojciec Joego. Nikt też nie miał własnego domu; tu się je wynajmowało. A jedyną rzeczą rzadziej spotykaną od samochodów był ogródek. W głównej części Bostonu rozrywki szukało się na Scollay Square, w południowej – na West Broadway. Nie aż tak wspaniałej, nie aż tak jasno oświetlonej, ale było tu równie wielu marynarzy, złodziei i narkomanów.

Teraz, o dziewiątej wieczorem, wydawało się, że rozpoczął się karnawał. Joe szedł środkiem ulicy, na której ludzie pili prosto z butelek, nie kryjąc się z tym i trzeba było uważać, żeby nie nadepnąć na koc, na którym grano w kości. Naganiacz krzyczał: „Piękne panie na każdy gust!", a na widok Joego „Bez ograniczeń wiekowych! Jeśli masz sztywnego, a nie jesteś sztywny trup, zapraszamy! Piiiiękne panie czekają, by cię zadowolić!". Wpadł na niego, jakiś pijak. Joe przewrócił się, a tamten tylko zerknął przez ramię i dalej sunął przed siebie zygzakiem. Joe otrzepał się. W powietrzu czuć było dym; minęli go jacyś mężczyźni, ciągnący komódkę ze stertą ubrań na wierzchu. Co trzeci przechodzień niósł strzelbę. Kilku miało śrutówki. Joe przeszedł pół przecznicy i musiał wyminąć walczące na pięści kobiety; zaczął podejrzewać, że może nie jest to najlepsza pora na zwiedzanie tej okolicy. Dalej widział płonący sklep McCory'ego. Wokół stali ludzie, przyglądający się z zadowoleniem płomieniom i kłębom dymu. Rozległ się głośny trzask; Joe podniósł głowę i zobaczył ciało wypadające z okna na piętrze. Cofnął się; ciało uderzyło o bruk, rozpadło się na parę kawałków, a tłum ryknął radośnie. Manekin. Ceramiczna głowa pękła, jedno ucho rozsypało się na okruchy, a Joe podniósł głowę w samą porę, by zobaczyć następnego pikującego w dół manekina. Ten wylądował na nogach i złamał się na pół w pasie. Ktoś oderwał głowę pierwszemu manekinowi i rzucił nią w tłum.

Joe uznał, że najwyższa pora wracać. Odwrócił się i wpadł na niskiego mężczyznę w okularach, z mokrymi włosami i zbrązowiałymi zębami.

– Młodzieńcze, wyglądasz mi na miłośnika sportu. Jesteś sportowcem, John?

– Nie nazywam się John.

– A bo to imię jest ważne? Nie dla mnie. Więc jesteś miłośnikiem sportu? No? No? – Mężczyzna położył mu rękę na ramieniu. – Bo widzisz, John, tam w zaułku mamy najlepsze zakłady na świecie.

Joe strącił jego rękę z ramienia.

– Psy?

– Ano psy. Mamy walki psów. I kogutów. I walki psów ze szczurami, dziesięć na jednego!

Joe skręcił w lewo. Mężczyzna poszedł za nim.

– Nie lubisz szczurów? – Zarechotał gardłowo. – Znaczy się, warto je pozabijać. – Wskazał. – W tamtym zaułku.

– Nieee. – Joe usiłował się wykręcić. – Nie sądzę...

– Właśnie! Nie należy osądzać. – Mężczyzna pochylił się ku niemu; Joe poczuł jego oddech, śmierdzący winem i jajkami. – No, chodź, John. Tu, bliziutko.

Mężczyzna wyciągnął do niego rękę. Joe zauważył drogę ucieczki i przemknął obok natręta. Ten chwycił go za ramię, ale Joe wyrwał mu się i szedł dalej szybkim krokiem. Natręt ruszył za nim.

– Ale z ciebie elegancik! Prawdziwy lord John, nie? Ach, gnę się w pas i padam do nóżek! Nie przypadliśmy do jaśniepańskiego gustu?

Biegł za nim truchtem, kołysząc się na boki, jakby perspektywa nowego sportu go upoiła.

Znowu skoczył, usiłując złapać chłopca; Joe uskoczył w prawo i ruszył szybko przed siebie. Odwrócił się na tyle, żeby podnieść ręce w geście oznaczającym, że nie chce kłopotów, i szedł dalej w nadziei, że natręt się znudzi i zajmie łatwiejszym celem.

– Masz ładne włosy, John. Jak niektóre koty.

Joe usłyszał, że tamten przyspieszył, jego kroki zmieniły się w gwałtowny tupot. Chłopiec skoczył na chodnik, pochylił się i zanurkował między spódnice dwóch wysokich kobiet palących cygara. Machnęły na niego rękami i roześmiały się piskliwie. Obejrzał się, ale już się zajęły natrętem o zbrązowiałych zębach, który nie przestał go ścigać.

– A, zostaw go, kretynie ty jeden.

– Nie wtrącajcie się, panie, bo tu wrócę z kosą.

Kobiety parsknęły śmiechem.

– Jużeśmy widziały twoją kosę, Rory, i malutka jest, oj, malutka.

Joe znowu skoczył na ulicę.

Rory pobiegł za nim.

– Może buciki wyczyścić, panie lordzie? Albo łóżeczko posłać?

– Zostaw go, ty capie – rzuciła za nim jedna z kobiet, ale już bez zainteresowania.

Joe szedł, oganiając się rękami, jakby nie zauważał, że Rory biegnie za nim, udając małpę, machając rękami tak samo, jak on. Joe wpatrywał się przed siebie, usiłując wyglądać, jakby zmierzał do jasno określonego celu, coraz bardziej zbliżając się w stronę gęstniejącego tłumu.

Gdy Rory łagodnie musnął dłonią jego policzek, Joe uderzył go pięścią.

Trafił w stroń. Rory zamrugał w oszołomieniu. Kilku mężczyzn parsknęło śmiechem. Joe popędził przed siebie; śmiech rozbrzmiewał w ślad za nim.

– Czy mogę usłużyć? – wołał truchtający za nim Rory. – Czy mogę ulżyć w smutku? Może jest dla ciebie za wielki?

Doganiał go. Joe obiegł przewrócony wóz i grupę mężczyzn. Przebiegł między dwoma ze śrutówkami, wpadł do knajpy. Skręcił w lewo i stanął dysząc, wpatrzony w drzwi. Dopiero po chwili spojrzał na zebranych w środku mężczyzn. Wielu było w roboczych koszulach i szelkach, na ogół z sumiastymi wąsiskami i w czarnych melonikach. Wszyscy na niego patrzyli. Gdzieś w głębi knajpy, zza tłumu i dymu, dobiegały stękania i jęki; Joe zrozumiał, że przerwał jakieś przedstawienie. Otworzył usta, żeby wyjaśnić, że ktoś go goni. Jednocześnie spojrzał na barmana, który wskazał go palcem i powiedział:

– Wywalcie tego gnojka.

Dwie ręce chwyciły go za ramiona, uniosły w górę i rzuciły w powietrze, w stronę drzwi. Przejechał przez chodnik, upadł na ulicę, potoczył się po niej. Poczuł palący ból w obu kolanach i prawej dłoni, którą usiłował się zatrzymać. A potem przestał się turlać. Ktoś przeszedł po nim, nie zatrzymując się. Joe leżał, oszołomiony, bliski mdłości. Wtedy rozległ się głos Rory'ego o brązowych zębach:

– Pan pozwoli, wasza lordowska mość.

Rory chwycił go za włosy. Joe usiłował się wyrwać; Rory zacisnął chwyt.

Uniósł go nad ziemię, a Joe poczuł przeraźliwy ból skóry głowy. Rory rozdziawił usta w uśmiechu, ukazując poczerniałe trzonowce. Beknął; znowu zapachniało winem i jajkami.

– Masz obcięte paznokietki i ładne ubranka, jaśnie panie. Ładnyś jak z obrazka.

– Mój ojciec jest...

– Będę ci drugim ojcem, więc oszczędź sobie, wasza lordowska mość.

Szarpnął go, a Joe go kopnął. Udało mu się trafić w kolano; Rory rozluźnił chwyt, a Joe włożył całą siłę w drugiego kopniaka, który wymierzył w wewnętrzną stronę uda mężczyzny. Celował w krocze, ale nie dosięgnął. Kopniak był na tyle mocny, że Rory syknął, skrzywił się i puścił jego włosy.

Wtedy pojawiło się ostrze.

Joe opadł na czworaki i przecisnął się między nogami Rory'ego. Nie wstał, lecz dalej uciekał na czworakach, między ciemnym spodniami, potem między brązowymi, między dwukolorowymi getrami i brązowymi roboczymi buciorami z zaschniętym błotem. Nie oglądał się. Pełzł i czuł się jak krab, który ucieka w lewo, prawo, znowu w lewo. Nóg było coraz więcej, tlenu coraz mniej, a on pełzł wytrwale w środek tłumu.

Kwadrans po dziewiątej Thomas odebrał telefon od generała Cole'a, pełniącego obowiązki komisarza policji.

– Jest pan w kontakcie z kapitanem Mortonem z szóstki? – spytał generał.

– W ciągłym kontakcie.

– Ilu ma pod sobą ludzi?

– Stu. Głównie ochotników.

– A pan?

– Tyle samo, generale.

– Wysyłamy dziesiąty pułk gwardii stanowej na most Broadway. Pan i kapitan Morton macie popędzić tłum przez West Broadway w stronę mostu. Rozumie pan, kapitanie?

– Tak jest, generale.

– Tam ich dopadniemy. Rozpoczniemy aresztowania. Schwytanych umieścimy w więźniarkach. Ten widok powinien sprawić, że tłum się rozpierzchnie.

– Zgadzam się.

– Spotkamy się przy moście o dwudziestej drugiej. Sądzi pan, że do tego czasu zdąży pan ich zapędzić w naszą sieć?

– Czekam na rozkazy, generale.

– Otrzymał je pan. Do zobaczenia.

Generał odłożył słuchawkę. Thomas zadzwonił do sierżanta Eigena.

– Proszę niezwłocznie zebrać ludzi – rzucił w słuchawkę i rozłączył się.

Zadzwonił do kapitana Mortona.

– Jesteś gotowy, Vincent?

– Gotowy i chętny.
– Wysyłam ich do ciebie.
– Czekam.
– Do zobaczenia przy moście.
– Do zobaczenia.

Thomas dopełnił tego samego rytuału, co wczoraj – włożył pas z kaburą, napełnił kieszenie nabojami, załadował remingtona. Wyszedł z gabinetu do sali apelowej.

Wszyscy już czekali – jego ludzie, policjanci z Metro Park i sześćdziesięciu sześciu ochotników. Na widok tych ostatnich drgnął. Nie martwił się o weteranów wojennych, lecz o tych szczeniaków, zwłaszcza tych z Harvardu. Nie podobało mu się ich spojrzenie, ten łobuzerski błysk, jakby mieli spłatać jakiegoś figla. Dwóch takich ancymonków siedziało na stole, szeptało coś i chichotało, kiedy wyjaśniał im zadanie.

– ...a dotarłszy na West Broadway, zajdziemy ich z flanki. Utworzymy szereg, ciągnący się przez całą ulicę i nie pozwolimy go przerwać. Zepchniemy ich na zachód, w stronę mostu. Nie starajcie się odepchnąć każdego, ktoś może się przedrzeć. Jeśli nie stanowi bezpośredniego zagrożenia, dajcie im spokój. Przyjcie dalej.

Harvardzki futbolista trącił kolegę i obaj prychnęli śmiechem.

Thomas zszedł z mównicy i ruszył między ludźmi.

– Jeśli zostaniecie czymś obrzuceni, nie zwracajcie na to uwagi. Przyjcie dalej. Jeśli zostaniemy ostrzelani, wydam rozkaz otwarcia ognia. Tylko ja. Nie wolno wam odpowiadać ogniem bez mojego zezwolenia.

Harvardzkie ancymonki patrzyły na niego, uśmiechając się szeroko.

– W okolicach D Street – ciągnął – dołączą do nas policjanci z szóstego posterunku. Przystąpimy do ataku oskrzydlającego i zapędzimy to, co zostanie z tłumu, na most Broadway. Wówczas nie będziemy już zostawiać żadnych niedobitków. Zabieramy wszystkich.

Stanął przed szczeniakami z Harvardu. Unieśli brwi. Jeden, blondynek, miał błękitne oczęta, ten drugi, w okularach, był szatynem, czoło miał obsypane krostami. Ich przyjaciele siedzieli pod ścianą i patrzyli, co się wydarzy.

Thomas wybrał sobie blondynka.

– Jak się nazywasz, synu?
– Chas Hudson, kapitanie.
– A twój przyjaciel?
– Benjamin Lorne – odezwał się szatyn. – Do usług.
Thomas skinął mu głową i odwrócił się do Chasa.
– Wiesz co będzie, synu, jeśli nie potraktujesz tego zadania poważnie?
Chas przewrócił oczami.
– Na pewno mi pan powie.
Thomas uderzył Benjamina Lorne'a w twarz, tak mocno, że zrzucił go ze stołu. Jego okulary śmignęły aż pod ścianę. Benjamin znieruchomiał na kolanach. Z ust ciekła mu krew.
Chas otworzył usta, ale Thomas powstrzymał wszystkie słowa, które mogły z nich paść, ścisnąwszy go mocno za szczękę.
– Wydarzy się to, synu, że twój sąsiad zostanie ranny. – Thomas spojrzał na harvardzkich kumpli. Chas krztusił się krwią. – Dziś jesteście funkcjonariuszami wymiaru sprawiedliwości. Zrozumiano?
Osiem głów skinęło twierdząco.
Kapitan znowu zajął się Chasem.
– Nie obchodzi mnie, z jakiej pochodzisz rodziny, synu. Spróbuj popełnić dziś błąd, to strzelę ci prosto w serce.
Pchnął go na ścianę i puścił jego szczękę.
Odwrócił się do reszty zebranych.
– Jakieś pytania?

Wszystko szło świetnie, dopóki nie dotarli na F Street. Obrzucano ich jajkami i kamieniami, ale poza tym tłum przesuwał się płynnie przez West Broadway. Kiedy ktoś się ociągał, dostawał pałką. Inni natychmiast pojmowali aluzję i ruszali dalej. Kilku upuściło strzelby na chodnik, a policjanci i ochotnicy zabrali je po drodze. Po pięciu przecznicach każdy miał już po dwie strzelby, a Thomas kazał się ludziom zatrzymać, żeby usunęli naboje. Tłum także się zatrzymał. Thomas zauważył paru typów, którzy wyglądali, jakby mieli jakieś plany względem tych strzelb, więc rozkazał rozbić je o chodnik. Widząc to, tłum ruszył dalej, nieponaglany. Thomas nabrał tej samej pewności siebie, co zeszłego wieczoru, kiedy wraz z Crowleyem oczyścił Andrew Square.

Ale na F Street napotkali radykałów – niosących transparenty, krzykaczy, bolszewików i anarchistów. Kilku umiało walczyć i na rogu F i Broadway wywiązała się potyczka. Zuchwali wywrotowcy zaatakowali dwunastu ochotników z flanki. Na ogół walczyli rurami, ale potem Thomas dostrzegł uzbrojonego w pistolet gościa z krzaczastą brodą. Sięgnął po swój rewolwer, zrobił krok naprzód i strzelił do niego.

Brodacz, trafiony w bark, obrócił się i upadł. Thomas wycelował rewolwer w jego sąsiada; reszta bolszewików znieruchomiała. Thomas spojrzał na swoich ludzi stojących wokoło i wypowiedział tylko jedno słowo:

– Cel!

Lufy strzelb podniosły się płynnym ruchem, jak w balecie. Bolszewicy zawrócili i rzucili się do panicznej ucieczki. Paru ochotników miało rany, ale powierzchowne. Thomas dał im minutę na sprawdzenie swojego stanu. Sierżant Eigen zajął się człowiekiem, do którego strzelił kapitan.

– Przeżyje.

Thomas skinął głową.

– Więc zostawcie go tam, gdzie leży.

Od tej pory nikt ich nie atakował; przeszli kolejne dwie przecznice, pędząc przed sobą tłum. Przed D Street, siedzibą szóstego posterunku, zrobił się korek. Kapitan Morton i jego ludzie napierali z boku i tłum uwiązł między D i A Street, tuż przed mostem. Thomas widział Mortona na północnej stronie Broadwayu. Ich spojrzenia się spotkały, kapitan wskazał na południe, a Morton przytaknął ruchem głowy. Thomas i jego ludzie ruszyli tyralierą po południowej stronie ulicy, a ludzie Mortona – po północnej. Zaczęli napierać i to mocno. Lufami strzelb i siłą własnej furii zmusili tłum do pójścia naprzód. Przez kilka przecznic wyglądało to tak, jakby próbowali przepchnąć okazałe lwy przez mysią dziurę. Thomas stracił rachubę, ile razy go opluto i podrapano. Nie próbował się domyśleć, skąd pochodzą spływające po nim wydzieliny. A jednak w środku tego piekła znalazł powód, żeby pozwolić sobie na dyskretny uśmiech, bo dostrzegł niedawno tak zadowolonego z siebie Chasa Hudsona ze złamanym nosem i oczami otoczonymi ciemnymi sińcami jak u pandy.

Ale wyraz twarzy ludzi z tłumu nie budził w nim radości. To jego rodacy, te twarze były irlandzkie jak kartofle, wykrzywione obrzydliwymi, barbarzyńskimi grymasami wściekłości i rozpaczy. Jakby mieli do tego prawo. Jakby ten kraj był im winien coś więcej niż nadzieję na nowe życie. Miał ochotę odesłać ich prosto do Irlandii, prosto w kochające objęcia Anglików, prosto na te zimne pola, do zawilgoconych pubów i bezzębnych kobiet. Co dała im tamta szara kraina, z wyjątkiem melancholii, alkoholizmu i czarnego humoru ludzi wiecznie przegranych? Więc przybyli tutaj, do jednego z nielicznych miast na świecie, gdzie takich, jak oni traktuje się uczciwie. A czy zachowali się jak Amerykanie? Czy okazali szacunek lub wdzięczność? Nie. Zachowywali się jak to oni, czarnuchy Europy. Jak śmieli? Kiedy to wszystko się skończy, Thomas i inni dobrzy Irlandczycy będą musieli latami odrabiać to, co ta banda zepsuła przez dwa dni. Niech was szlag za to, że znowu oczerniliście nasz lud.

Tuż za A Street zrobiło się trochę luźniej. Broadway był tu szerszy, tworzył plac, na którym spotykał się z Fort Point Channel. Nieco dalej znajdował się most. Serce Thomasa zabiło mocniej na widok zebranych na nim żołnierzy i ciężarówek wjeżdżających na plac. Pozwolił sobie na uśmiech, po raz drugi tego wieczoru – i wtedy sierżant Eigen dostał postrzał w brzuch. Huk jeszcze nie ucichł, kiedy Eigen zrobił zdziwioną minę, a potem w jego oczach pojawiło się zrozumienie. Upadł na ulicę. Thomas i porucznik Stone dobiegli do niego pierwsi. Kolejny pocisk uderzył w rynnę z lewej strony; policjanci odpowiedzieli ogniem. Tuzin strzelb oddało jednoczesną salwę. Thomas i Stone podnieśli Eigena z ulicy i zabrali go na chodnik.

Wtedy Thomas zobaczył Joego. Chłopak biegł północną stroną ulicy ku mostowi. Thomas zauważył, że ktoś go ściga, parszywy alfons i naganiacz Rory Droon, zboczeniec i gwałciciel. Donieśli Eigena na chodnik i oparli plecami o ścianę kamienicy.

– Czy ja umieram, kapitanie? – spytał Eigen.

– Nie, synu, ale zdrowo się nacierpisz. – Thomas rozejrzał się w poszukiwaniu swojego syna. Stracił go z oczu, gdy nagle dostrzegł Connora, który biegł ku mostowi, wymijając, kogo zdołał, a resztę taranując. Thomas poczuł przypływ dumy i zdziwił się, bo nie pamiętał, kiedy ostatnio jego średni syn dał mu do niej powód.

– Złap go – szepnął.

– Słucham? – spytał Stone.

– Zostań z sierżantem. Zatamuj krwotok.

– Tak jest.

– Zaraz wrócę – dodał Thomas i skoczył w tłum.

Na odgłos strzałów ludzie zaczęli się burzyć. Connor nie wiedział, skąd padają kule, ale odbijały się z wizgiem od latarni, murów i szyldów. Zastanowił się, czy podobnie czują się żołnierze na wojnie, na polu bitwy, czy też otacza ich taki chaos, czy śmierć mija ich w powietrzu, odbija się rykoszetem od czegoś twardego i wraca, by znowu spróbować szczęścia. Ludzie biegali we wszystkie strony, zderzali się z sobą, skręcali nogi, popychali się, szarpali i wyli ze strachu. Jacyś dwaj przed nim upadli, trafieni pociskiem lub kamieniem, ponieważ nogi się im splątały. Connor przeskoczył nad nimi. Lądując, ujrzał Joego przy moście. Jakiś brudas chwycił go za włosy. Connor wyminął gościa wymachującego rurą, nie wiadomo w czyim kierunku, potem klęczącą kobietę, a brudas już się do niego odwracał, kiedy Connor walnął go pięścią w pysk. Z rozpędu wpadł na niego i przygniótł go do bruku. Zerwał się, chwycił przeciwnika za gardło i znowu podniósł pięść, ale tamten zemdlał, był nieprzytomny, a na bruku, gdzie przed chwilą upadł, lśniła mała kałuża krwi. Connor wyprostował się i spojrzał na Joego; mały zwinął się w kłębek, kiedy Connor przewrócił go razem z brudasem na ziemię. Joe spojrzał na niego wielkimi oczami.

– W porządku?

– Aha.

– Chodź. – Connor pochylił się, a Joe chwycił go za szyję i pozwolił się podnieść.

– Można strzelać!

Connor odwrócił się gwałtownie i zobaczył zjeżdżających z mostu gwardzistów z gotowymi do strzału karabinami. Tłum także wymierzył w nich broń. Kilku ochotników, jeden z podbitym okiem i złamanym nosem, dobyło broni. Wszyscy mierzyli we wszystkich, jakby nie było stron konfliktu, jakby każdy stanowił równie dobry cel.

– Zamknij oczy, Joe. Zamknij oczy.

Connor przycisnął głowę brata do swojego ramienia; wydawało się, że wszystkie strzelby wystrzeliły jednocześnie. W powietrzu zrobiło się biało od dymu z luf. Ktoś krzyknął przeraźliwie. Gwardzista chwycił się za kark, jakaś zakrwawiona dłoń uniosła się w powietrze. Connor pobiegł z Joem w ramionach w stronę przewróconego samochodu koło mostu. Znowu rozległa się kanonada. Pociski odbijały się od karoserii auta, bryzgając iskrami, brzęczały jak ciężkie monety wrzucane do metalowej miski. Connor mocniej przytulił głowę Joego. Na prawdo od niego świsnęła kula i trafiła faceta w kolano. Mężczyzna upadł. Connor odwrócił głowę. Dotarł już prawie na przód samochodu, kiedy pociski trafiły w szybę. Okruchy szkła bryznęły w powietrze jak grad albo deszcz, przejrzysty, srebrny prysznic.

Connor zorientował się nagle, że leży na plecach. Nie pamiętał, kiedy się pośliznął. Po prostu raptem znalazł się na ziemi. Kanonada stawała się coraz gwałtowniejsza, słyszał wrzaski, jęki i wołania. Czuł kordyt i dym, a także, z jakiegoś powodu, woń rozgrzanego metalu. Słyszał, jak Joe woła jego imię z coraz większym przerażeniem i rozpaczą. Wyciągnął rękę, poczuł, że Joe ją chwyta, ale nadal krzyczy.

Potem rozległ się głos ojca, uciszający chłopca, kojący.

– Josephie, Josepie, jestem tutaj, ćśśś.

– Tata? – odezwał się Connor.

– Tak.

– Kto wyłączył światło?

– Jezu – szepnął ojciec.

– Nic nie widzę.

– Wiem, synu.

– Dlaczego nic nie widzę?

– Zabierzemy cię do szpitala. Natychmiast, daję słowo.

– Tato?

Poczuł na piersi rękę ojca.

– Leż spokojnie, synu. Leż spokojnie.

ROZDZIAŁ TRZYDZIESTY DZIEWIĄTY

Następnego ranka gwardia stanowa postawiła na północnym końcu West Broadway karabin maszynowy na trójnogu. Drugi stanął na skrzyżowaniu West Broadway i Dorchester Street. Dziesiąty pułk patrolował ulice. Jedenasty sprawdzał dachy.

Powtórzyli tę procedurę na Scollay Square i wzdłuż Atlantic Avenue na North Endzie. Generał Cole zablokował dostęp do ulic prowadzących na Scollay Square i ustawił posterunek na moście Broadway. Każdy zatrzymany, który nie potrafił wytłumaczyć, dlaczego wyszedł na ulicę, natychmiast trafiał do aresztu.

Przez cały dzień w mieście panował spokój. Ulice były puste.

Gubernator Coolidge zwołał konferencję prasową. Choć wyraził żal z powodu śmierci dziewięciu osób i setek rannych, stwierdził, że tłum sam był sobie winien. Tłum i policjanci, którzy porzucili swoje posterunki. Oznajmił także, że choć burmistrz usiłował chronić miasto w czasie straszliwego kryzysu, okazało się, że jest całkowicie nieprzygotowany na taką sytuację, dlatego od tej chwili rządy nad miastem przejmuje sam gubernator w imieniu władz federalnych. Jego pierwszą decyzją było przywrócenie Edwinowi Uptonowi Curtisowi należnej mu funkcji komisarza policji.

Curtis stanął obok Coolidge'a na mównicy i zapowiedział, że wydział policji wielkiego miasta Bostonu, działając wspólnie z gwardią stanową, nie pozwoli na dalsze zamieszki.

– Od tej pory prawo musi być przestrzegane. Jeśli nie, konsekwencje będą poważne. Tu nie Rosja. Zastosujemy wszystkie dostępne nam środki, by zapewnić naszym obywatelom demokrację. Dziś kończy się anarchia.

Dziennikarz z „Transcripta" wstał i podniósł rękę.

– Panie gubernatorze, czy dobrze zrozumiałem, że według pana burmistrz Peters odpowiada za te ostatnie dwa dni chaosu?

Coolidge pokręcił głową.

– Odpowiada za nie tłum. I policjanci, którzy w karygodny sposób zaniedbali swoje obowiązki. Nie burmistrz Peters. On jedynie dał się zaskoczyć i w pierwszych etapach zamieszek okazał się nieco nieskuteczny.

– Ale, panie gubernatorze – powiedział dziennikarz – słyszeliśmy, że to burmistrz Peters chciał wezwać gwardię stanową już godzinę po strajku policji, a pan oraz komisarz Curtis zawetowaliście ten pomysł.

– Pańskie informacje są nieścisłe.

– Ale, panie gubernatorze...

– Pańskie informacje są nieścisłe – powtórzył Coolidge. – Konferencję prasową uznaję za zakończoną.

Thomas Coughlin trzymał syna za rękę i płakał. Connor nie odzywał się, ale spod białego, grubego opatrunku na jego oczach spływały łzy, skapujące mu po brodzie na kołnierzyk szpitalnej koszuli.

Jego matka wpatrywała się w okno, dygocząc. Oczy miała suche.

Joe siedział na krześle po drugiej stronie łóżka. Nie odezwał się ani słowem od chwili, kiedy wczoraj wnieśli Connora do karetki.

Thomas dotknął policzka Connora.

– Już dobrze – szepnął.

– Jak to „dobrze? – odezwał się Connor. – Oślepłem.

– Wiem. Wiem, synu. Ale to przetrwamy.

Connor odwrócił głowę i chciał cofnąć rękę. Thomas przytrzymał ją mocno.

– Con – powiedział i usłyszał bezradność w swoim głosie. – To straszny cios. Bez wątpienia. Ale nie poddawaj się rozpaczy, synu. To najgorszy grzech ze wszystkich. Bóg ci pomoże. Prosi cię tylko o siłę.

– Siłę? – Connor parsknął śmiechem, w którym słychać było łzy. – Jestem ślepy!

Siedząca przy oknie Ellen przeżegnała się.

– Ślepy – szepnął Connor.

Thomas nie znalazł odpowiednich słów. Może to właśnie było prawdziwą ceną posiadania rodziny – niezdolność złagodzenia najstraszniejszych cierpień bliskich. Niemożność usunięcia bólu z ich krwi, serca, głowy. Można ich trzymać za rękę, powtarzać imię, karmić i układać im życie na nowo, nigdy nie uświadamiając sobie do końca, że świat zawsze czeka, aby zatopić w nich zęby.

Danny wszedł do pokoju i skamieniał.

Thomas nie zastanawiał się nad tym, ale natychmiast zrozumiał, co Danny widzi w ich oczach: że to jego o to oskarżają.

No, oczywiście, że jego. A kogo?

Nawet Joe, który tak długo uważał Danny'ego za boga, patrzył na niego niepewnie i z urazą.

Thomas nie owijał w bawełnę.

– Twój brat zeszłej nocy został oślepiony. – Uniósł rękę Connora i pocałował ją. – W zamieszkach.

– Dan? – odezwał się Connor. – To ty?

– Ja, Con.

– Jestem ślepy.

– Wiem.

– Nie winię cię. Naprawdę.

Danny spuścił głowę. Ramiona mu zadrżały. Joe odwrócił wzrok.

– Naprawdę.

Ellen wstała z miejsca i podeszła do Danny'ego. Położyła mu rękę na ramieniu. Danny podniósł głowę. Matka zajrzała mu w oczy. Danny rozłożył ręce.

Ellen uderzyła go w twarz.

Danny pobladł. Uderzyła go znowu

– Wynoś się – szepnęła. – Wynoś się, ty… bolszewiku. – Wskazała Connora. – To twoje dzieło. Twoje. Precz!

Danny spojrzał na Joego, ale ten odwrócił wzrok.

Przeniósł wzrok na Thomasa. Ojciec przez chwilę patrzył mu w oczy. Pokręcił głową i odwrócił twarz.

Tej nocy gwardia stanowa otworzyła ogień do czterech mężczyzn na Jamaica Plain. Jeden zmarł. Dziesiąty pułk usunął graczy w kości z parku, przeprowadziwszy ich pod bagnetami przez całą

Tremont Street. Patrzył na to tłum gapiów. Oddano do nich ostrzegawcze strzały. Człowiek, który próbował uratować gracza, został postrzelony w pierś. Wieczorem zmarł.

W pozostałej części miasta panował spokój.

Przez następne dwa dni Danny szukał sprzymierzeńców. Zapewniono go osobiście, że związek telefonistów i telegrafistów jest gotowy natychmiast zastrajkować. Związek barmanów dał mu to samo zapewnienie, podobnie jak związek zjednoczonych żydowskich handlowców, jak również związek elektryków. Ale strażacy nie zgadzali się na spotkanie i nie oddzwaniali.

Przyszedłem się pożegnać – powiedział Luther.

Stojąca w drzwiach Nora odsunęła się na bok.

– Wchodź, wchodź.

Luther przekroczył próg.

– Danny w domu?

– Nie. Na zebraniu w Roxbury.

Luther zauważył, że Nora ma na sobie płaszcz.

– Idziesz tam?

– Tak. Podejrzewam, że nie pójdzie za dobrze.

– Więc pozwól się odprowadzić.

Uśmiechnęła się do niego.

– Chętnie.

W drodze do kolejki przyciągali wiele spojrzeń – biała kobieta i czarny mężczyzna idący przez North End. Luther zastanawiał się, czy nie iść o krok za nią, jak służący lub ktoś podobny, ale przypomniał sobie, dlaczego w ogóle wraca do Tulsy, uświadomił sobie, co myśli o tych tutaj i zmienił zdanie. Szedł obok Nory, z wysoko podniesioną głową, patrząc przed siebie.

– Jednak jedziesz – odezwała się.

– Tak. Muszę. Tęsknię za żoną. Chcę zobaczyć moje dziecko.

– Ale może być niebezpiecznie.

– A gdzie teraz jest bezpiecznie?

Uśmiechnęła się blado.

– Fakt.

W kolejce mimowolnie napiął mięśnie, kiedy przejeżdżali po wiadukcie zniszczonym przez powódź melasy. Wiadukt już dawno został naprawiony i wzmocniony, ale Luther wątpił, żeby mógł się kiedyś poczuć na nim bezpiecznie.

Co za rok! Czy gdyby żył dziesięć razy, jeszcze raz trafiłoby mu się dwanaście takich miesięcy? Przybył do Bostonu, szukając bezpieczeństwa, ale na myśl o tym chciało mu się śmiać. Eddie McKenna, melasowa powódź, zamieszki pierwszego maja i strajk policji – Boston musiał być chyba najbardziej niebezpiecznym miastem, w jakim zdarzyło mu się mieszkać. Amerykańskie Ateny, nie wiesz czasem. Przyglądając się zachowaniu tych szalonych Jankesów, Luther był gotów uznać Boston za amerykański azyl dla szaleńców.

Zauważył, że Nora uśmiecha się do niego z części dla białych. Uchylił kapelusza, a ona zasalutowała mu kpiąco. Co za dziewczyna. Jeśli Danny nie zdoła tego jakoś spieprzyć, będzie z nią szczęśliwy do końca życia. Nie żeby Danny zamierzał to spieprzyć, ale przecież był mężczyzną, a nikt od Luthera nie wiedział lepiej, jak łatwo mężczyźnie się potknąć o własnego fajfusa.

Kolejka przejechała przez wypaloną część miasta, upiorne ulice zasłane popiołem i okruchami szkła. Na ulicach nie było nikogo z wyjątkiem gwardzistów. Cała furia ostatnich dwóch dni została stłumiona. Może dzięki karabinom maszynowym, Luther w to nie wątpił, ale zastanowił się, czy nie chodzi o coś więcej niż demonstrację siły. Może potrzeba odsunięcia od siebie świadomości, że wszyscy jesteśmy jak ten tłum, była silniejsza od ekstazy poddania się szaleństwu. Może wszyscy obudzili się zawstydzeni, zmęczeni, nie mając ochoty na kolejną bezsensowną noc. Może spojrzeli na te karabiny maszynowe i westchnęli z ulgą. Tatuś wrócił do domu. Nie musieli się bać, że zostawił ich samych na zawsze.

Wysiedli na Roxbury Crossing i ruszyli ku Fay Hall.

– Jak państwo Giddreaux przyjęli wiadomość o twoim wyjeździe?

Luther wzruszył ramionami.

– Rozumieją. Yvette chyba polubiła mnie bardziej, niż sądziła, więc jest trudno, ale rozumieją.

– Wyjeżdżasz dziś?
– Jutro.
– Pisz.
– Tak, proszę pani. Wszyscy powinniście się zastanowić nad odwiedzinami.
– Zadbam o to. Nie wiem, co zrobimy, Luther. Naprawdę nie wiem.
Spojrzał na nią, na jej drżącą brodę.
– Myślisz, że nie odzyskają pracy?
– Nie wiem. Nie wiem.

W Fay Hall odbyło się głosowanie, czy pozostać z Amerykańską Federacją Pracy. Wynik był pozytywny, 1386 głosów za, 14 przeciw. Drugie głosowanie dotyczyło pytania, czy kontynuować strajk. Tu wynik był mniej jednogłośny. Ludzie pytali Danny'ego, czy Centralny Związek Zawodowy dotrzyma obietnicy o strajku solidarnościowym. Kolejny policjant wspomniał, że strażacy podobno się wahają. Byli wkurzeni o fałszywe alarmy podczas zamieszek, a wydział policji rozpętał wielką akcję naboru ochotników, których zjawiło się dwa razy więcej, niż się spodziewano.

Danny zostawił dwie wiadomości w gabinecie Ralpha Raphelsona, prosząc go o przybycie do Fay Hall, ale na razie nie dostał odpowiedzi. Wszedł na mównicę.

– Centralny Związek Zawodowy nadal usiłuje zebrać wszystkich delegatów. Kiedy im się to uda, zagłosują. Nie miałem żadnych sygnałów, że wynik ich głosowania będzie dla nas niekorzystny. Dziennikarze rozszarpują nas na strzępy. Wiem. Te zamieszki nam szkodzą.

– Rozszarpują nas też w kościołach! – zawołał Francis Leonard. – Szkoda, że nie słyszałeś, jak nas nazywali na porannej mszy.

Danny uniósł rękę.

– Słyszałem, słyszałem. Ale nadal możemy wygrać. Musimy tylko trzymać się razem i nie zmieniać zdania. Gubernator i burmistrz nadal boją się strajku solidarnościowego, a za nami ciągle stoi potęga AFP. Jeszcze możemy wygrać.

Danny nie wiedział, czy wierzy we własne słowa, ale poczuł nagły przypływ nadziei, bo zauważył Norę i Luthera, wchodzących do sali.

Nora pomachała mu z promiennym uśmiechem. Także się do niej uśmiechnął.

Przeszli na prawo, a na ich miejscu pojawił się Ralph Raphelson. Zdjął kapelusz i spojrzał na Danny'ego.

Pokręcił głową.

Danny poczuł się, jakby ktoś dźgnął go w brzuch lodowatym nożem.

Raphelson włożył kapelusz i odwrócił się do wyjścia, ale Danny nie zamierzał go wypuścić z rąk. Nie tak szybko.

– Panowie, powitajmy ciepło Ralpha Raphelsona z Bostońskiego Centralnego Związku Zawodowego!

Raphelson odwrócił się z grymasem. Wszyscy spojrzeli na niego i zaczęli bić brawo.

– Ralph – zawołał Danny, machając do niego. – Chodź do nas, opowiedz, co zaplanował związek!

Raphelson ruszył do niego sztywno, z niewyraźnym uśmiechem. Wszedł po schodkach, uścisnął rękę Danny'emu i szepnął:

– Zapłacisz mi za to, Coughlin.

– Tak? – Danny mocno uścisnął mu rękę, miażdżąc kości. – Mam nadzieję, że się zadławisz na śmierć.

Puścił go i cofnął się w głąb podium. Kiedy Raphelson wszedł na mównicę, Mark zbliżył się ukradkiem do Danny'ego.

– Chce nas sprzedać?

– Już to zrobił.

Danny odwrócił się, spojrzał w wilgotne oczy Marka i na ciemne sińce pod nimi.

– Jezusie, gorzej już chyba nie będzie.

– To jest telegram, który Samuel Gompers wysłał dziś rano do gubernatora Coolidge'a. Coolidge opublikował go w prasie, przeczytaj tylko zakreśloną część.

Danny przebiegł wzrokiem po kartce.

– „Choć sądzimy, że policjanci bostońscy byli traktowani źle, a zarówno pan, jak i komisarz policji Curtis nie przestrzegał ich praw pracowniczych, jednak Amerykańska Federacja Pracy odradza strajk wszystkim funkcjonariuszom służb publicznych".

Widownia zaczęła gwizdać. Łomotały przewracane krzesła.

Danny upuścił kopię telegramu na scenę.

– Jesteśmy załatwieni.

– Jest jeszcze nadzieja.

– Na co? Amerykańska Federacja Pracy i Centralny Związek Zawodowy wystawiły nas do wiatru jednego dnia. Nadzieja?

– Możemy odzyskać pracę.

Kilku mężczyzn wpadło na scenę. Ralph Raphelson cofnął się o parę kroków.

– Nigdy nie oddadzą nam pracy – powiedział Danny. – Nigdy.

Podróż kolejką na North End była okropna. Luther jeszcze nie widział Danny'ego w tak ponurym nastroju. Utonął w nim jak w bagnie. Usiadł w części dla kolorowych razem z Lutherem i łypał ponuro na wszystkich, którzy zerkali na nich znacząco. Nora usiadła obok i nerwowo gładziła rękę męża, aby go uspokoić, ale tak naprawdę, Luther wiedział, że chciała uspokoić siebie.

Luther znał Danny'ego na tyle, by wiedzieć, że tylko wariat stawałby z nim do walki wręcz. Danny był zbyt potężnie zbudowany, nieustraszony, zbyt obojętny na ból. Dlatego Luther nigdy by się nie wygłupił, kwestionując siłę przyjaciela, ale jeszcze nigdy nie czuł wyraźniej tej skłonności do przemocy, która tkwiła w Dannym jak druga, bardziej skryta dusza.

W końcu pasażerowie przestali na nich znacząco zerkać. Przestali w ogóle patrzeć. Danny siedział, gapiąc się na wagon oczami, które zdawały się nie mrugać, tymi mrocznymi oczami, które tylko czekały na pretekst do wybuchu.

Wysiedli w North Endzie i ruszyli przez Hanover ku Salem Street. Kiedy jechali kolejką, zapadła noc, ale ulice były niemal puste z powodu obecności gwardii stanowej. Mniej więcej w połowie Hanover, kiedy mijali Prado, ktoś zawołał Danny'ego. Głos był ochrypły, słaby. Odwrócili się. Nora pisnęła, bo z cieni Prado wyszedł mężczyzna z dymiącą dziurą w płaszczu.

– Jezu, Steve – powiedział Danny i złapał przyjaciela, który się przewrócił. – Nora, kochanie, znajdź gwardzistę, powiedz mu, że postrzelili policjanta.

– Nie jestem policjantem – odezwał się Steve.

– Jesteś, jesteś.

Danny położył Steve'a na chodniku. Nora rzuciła się biegiem przez ulicę.

– Steve. Steve.

Ranny otworzył oczy. Z dziury w jego piersi nadal ulatywał dym.

– Tyle się rozpytywałem... i po prostu na nią wpadłem. Skręciłem w ten zaułek między Stillman i Cooper... Spojrzałem i proszę, ona. Tessa. Bach.

Powieki mu zadrżały. Danny wyciągnął koszulę ze spodni i oddarł kawałek, zwinął i przycisnął do dziury w piersi przyjaciela.

Steve otworzył oczy.

– Ona... ucieknie, Dan. Zaraz.

Rozległ się gwizdek gwardzisty. Nora wróciła ku nim biegiem. Danny spojrzał na Luthera.

– Przyciskaj. Mocno.

Luther posłuchał i przycisnął szmatkę, która zabarwiła się czerwienią.

Danny wstał.

– Czekaj! Dokąd idziesz?

– Znaleźć osobę, która to robiła. Powiedz gwardziście, że to była kobieta, Tessa Ficara. Zapamiętasz?

– Tak, tak. Tessa Ficara.

Danny pobiegł przez Prado.

Dogonił ją, kiedy schodziła schodami przeciwpożarowymi. Znajdował się naprzeciwko tylnych drzwi sklepu z męską galanterią po drugiej stronie uliczki, gdy Tessa wyłoniła się z okna na drugim piętrze, stanęła na zewnętrznych schodach i zeszła po nich na podest. Rozłożyła drabinę i spuściła ją na chodnik. Kiedy się odwróciła, żeby zejść, Danny wyjął rewolwer i przekradł się przez ulicę. Tessa zeszła z ostatniego szczebla i stanęła na chodniku. Wtedy przyłożył jej lufę rewolweru do karku.

– Trzymaj ręce na drabinie i nie odwracaj się.

– Funkcjonariusz Danny – powiedziała. Zaczęła się odwracać, a wtedy uderzył ją wolną ręką w twarz.

– Co powiedziałem? Ręce na drabinie i nie odwracaj się.

– Jak sobie życzysz.

Przesunął dłońmi po kieszeniach jej palta i fałdach ubrania.
– Podoba ci się? Lubisz mnie obmacywać?
– Chcesz znowu oberwać?
– Skoro musisz bić, bij mocniej.
Dotknął twardego kształtu na jej kroczu. Zesztywniała.
– Zakładam, że fiut ci jednak nie wyrósł.
Przesunął dłonią po jej nodze, sięgnął pod sukienkę i halkę. Wyjął derringera zza gumki jej pantalonów i włożył go do kieszeni.
– Zadowolony? – spytała.
– Bynajmniej.
– A co z twoim fiutem, Danny? – spytała, wymawiając „fijut", jakby wypowiedziała to słowo po raz pierwszy. Choć, co wiedział z doświadczenia, nie było to prawdą.
– Podnieś prawą nogę – rozkazał.
Usłuchała.
– Stanął ci?
Miała na nodze sznurowany trzewiczek na niskim obcasie i z cholewką z czarnego aksamitu. Przesunął po nim ręką.
– Teraz druga.
Postawiła prawą nogę na chodniku. Podnosząc lewą, otarła się o Danny'ego tyłkiem.
– O, tak. Bardzo.
Za cholewką lewego trzewiczka znalazł nóż. Mały i wąski, ale niewątpliwie bardzo ostry. Wyjął go razem z prowizoryczną pochwą i schował wraz z bronią.
– Mam opuścić nogę, czy chcesz mnie przelecieć na miejscu?
Widział obłok pary ulatujący z jej ust.
– Nie mam cię dziś w planach, suko.
Przesunął znowu rękami po jej ciele i usłyszał powolny, równomierny oddech Tessy. Kapelusz miała z szerokim rondem, krepowy, z czerwoną wstążką zawiązaną z przodu na kokardę. Zdjął go jej, cofnął się i przesunął dłonią po przybraniu. Znalazł pod jedwabiem dwie żyletki i rzucił je na ziemię wraz z kapeluszem.
– Pobrudziłeś mi kapelusz – odezwała się. – Biedny kapelusik.
Uniósł rękę i wyjął z włosów Tessy wszystkie szpilki, które rozsypały się jej po plecach. Wyrzucił szpilki i znowu się cofnął.
– Odwróć się.

– Tak, panie.

Odwróciła się, oparła o drabinę i złożyła ręce w talii. Uśmiechała się, aż znowu zapragnął ją uderzyć.

– Myślisz, że mnie teraz aresztujesz?

Wyjął z kieszeni kajdanki i zakołysał nimi.

Tessa pokiwała głową, nie przestając się uśmiechać.

– Nie jesteś już policjantem. Wiem o tych sprawach.

– Obywatelskie aresztowanie.

– Jeśli mnie aresztujesz, powieszę się.

Teraz to Danny wzruszył ramionami.

– Dobra.

– I zabiję dziecko w moim brzuchu.

– Znowu wpadłaś?

– *Si*.

Spojrzała na niego oczami wielkimi i mrocznymi jak zawsze. Przesunęła ręką po brzuchu.

– Żyje we mnie człowiek.

– Och, och. Spróbuj z innej mańki, skarbie.

– Nie muszę. Zaprowadź mnie do więzienia, a doktor potwierdzi, że jestem w ciąży. Daję ci słowo, że się powieszę. A to dziecko umrze wraz ze mną.

Założył jej kajdanki i zatrzasnął tak mocno, że wpadła na niego, a ich twarze niemal się zetknęły.

– Nie igraj ze mną, ty kurwo. Raz ci się udało, ale dwa razy to za dużo szczęścia.

– Wiem – powiedziała. Poczuł ciepło jej oddechu. – Jestem rewolucjonistką, Danny, i…

– Jesteś terrorystką. Robisz bomby. – Chwycił za łańcuszek kajdanek i przyciągnął ją do siebie. – Zabiłaś człowieka, który przez dziewięć miesięcy szukał pracy. To był ten twój proletariusz. Kolejny biedak, który wypruwał z siebie żyły, żeby jakoś przeżyć, a ty go, kurwo, zastrzeliłaś.

– Były funkcjonariuszu Danny – powiedziała tonem starszej kobiety przemawiającej do dziecka. – Wypadki zdarzają się na wojnie. Spytaj mojego nieżyjącego męża.

Spomiędzy jej dłoni wystrzelił kawałek metalu i wbił się w jego ciało. Przeszył mięśnie, dotarł do kości i odłupał kawałek;

przez udo Danny'ego przebiegł spazm bólu, który dotarł aż do kolana.

Pchnął Tessę; zatoczyła się i spojrzała na niego spomiędzy opadających na twarz włosów. Usta miała mokre od śliny.

Danny zerknął na nóż wystający mu z biodra, a potem noga się pod nim ugięła, osunął się i usiadł; zobaczył, że po zewnętrznej stronie uda spływa mu krew. Wyciągnął czterdziestkępiątkę i wycelował w Tessę.

Ból nadchodził falami, które wstrząsały całym jego ciałem. Nawet gdy dostał postrzał w pierś, nie czuł gorszego bólu.

– Jestem w ciąży – powiedziała Tessa, cofając się o krok.

Danny wciągnął przez zęby powietrze.

Tessa wyciągnęła rękę, gdy trafił ją raz w brodę, a potem między piersi. Upadła w zaułku i rzuciła się jak ryba, wyciągnięta z wody. Jej stopy zabębniły o bruk; usiłowała się podnieść, zachłystując się głośno powietrzem. Krew spływała po jej płaszczu. Oczy wywróciły się białkami do góry, a potem uderzyła głową o kamienie i znieruchomiała. W oknach zaczęły się zapalać światła.

Danny położył się, a wtedy uderzyło go w rękę. Usłyszał strzał na pół sekundy przed uderzeniem kuli w prawą stronę piersi. Usiłował unieść własną broń. Podniósł głowę i zobaczył mężczyznę stojącego na schodkach przeciwpożarowych. Pistolet bluznął ogniem, pocisk odbił się od bruku. Danny nadal unosił rewolwer, ale ręka nie była mu posłuszna. I przez cały czas powracała do niego natrętna myśl: A to co za jeden?

Oparł się na łokciach. Broń wypadła mu z ręki. Wolałby umrzeć w jakimś innym dniu. W tym poniósł zbyt wiele klęsk, czuł zbyt wielką rozpacz, a wolałby opuścić ten świat, wierząc w coś.

Mężczyzna na schodkach oparł łokcie na balustradzie i wycelował.

Danny zamknął oczy.

Usłyszał krzyk, właściwie ryk. Zastanowił się, czy to on tak ryczy. Szczęk metalu, inny krzyk, bardziej piskliwy. Otworzył oczy i zobaczył, że tamten spada ze schodków. Jego głowa głośno trzasnęła o kamienie, a ciało zgięło się wpół.

Luther prawie minął ten zaułek, kiedy usłyszał pierwszy krzyk. Znieruchomiał. Przez niemal minutę nie słyszał niczego. Już miał znowu ruszać, kiedy znowu coś usłyszał – głośny trzask, a po nim następny. Wbiegł w zaułek. Zapaliło się parę świateł w oknach i w ich blasku zobaczył dwie sylwetki leżące na środku uliczki. Jedna usiłowała unieść broń. Danny.

Na schodach przeciwpożarowych stał jakiś mężczyzna. Miał czarny melonik i celował w Danny'ego. Luther zobaczył cegłę leżącą koło kubła na śmieci. W pierwszej chwili wziął ją za szczura, ale szczur się nie ruszył, gdy Luther zacisnął na nim palce, podniósł go i to jednak była cegła.

Danny oparł się na łokciach. Luther zrozumiał, że zaraz dojdzie do egzekucji, czuł to w sercu, więc wydał najgłośniejszy wrzask, na jaki go było stać, nieartykułowane „aaaaaaaaaa! ", które jakby wysączyło krew z jego serca i duszy.

Mężczyzna na schodkach spojrzał na niego, a Luther już się zamachnął do rzutu. Czuł pod stopami trawę, zapach pola u schyłku sierpnia, woń skóry, ziemi i potu, zobaczył gracza biegnącego do bazy, czego też się mu zachciewa, chce się popisać? Luther czuł, że jego ramię zmienia się w katapultę. Zobaczył czekającą rękawicę łapacza, a kiedy rzucił ku niemu cegłę, powietrze aż syknęło. Ta cegła poleciała, jakby jej się cholernie spieszyło, jakby jej twórca właśnie w tym celu wyciągnął ją z ognia. Ta cegła miała ambicję.

Uderzyła skurwiela w sam środek tego głupiego kapelusza, zmiażdżyła mu go, i pół głowy przy okazji. Facet się zachwiał. I przechylił. Spadł, usiłując się chwycić balustrady, zaczepić o nią nogą, ale nie było szans. Spadł jak kamień. Jak worek kartofli, z dziewczyńskim piskiem. Na główkę.

Danny uśmiechnął się. Krew bluzgała z niego jak ze strażackiej sikawki, a ten się uśmiecha!

– Już drugi raz ratujesz mi życie.

– Cicho.

Nora wbiegła w zaułek, stukając obcasami o bruk. Upadła na kolana przy rannym.

– Przyciśnij, skarbie – wykrztusił. – Szalikiem. Co tam noga. Pierś, pierś, pierś.

Przyłożyła szalik do dziury w piersi Danny'ego, a Luther zdjął marynarkę i przyłożył do większej rany w nodze. Uklękli, tamując krew z całych sił.

– Danny, nie zostawiaj mnie.
– Nie zostawię – wyszeptał. – Silny. Kocham cię.
Po twarzy Nory spływały łzy.
– Tak, tak, jesteś silny.
– Luther.
– Tak?
W mroku nocy rozległa się syrena, a po niej druga.
– Cholernie świetny rzut.
– Cicho.
– Powinieneś... – Danny uśmiechnął się, a na jego wargach pojawiły się bąbelki krwi – ...być jakimś baseballistą, czy co.

BABE JEDZIE NA POŁUDNIE

ROZDZIAŁ CZTERDZIESTY

Luther wrócił do Tulsy pod koniec września, w czasie fali upałów, kiedy wilgotny wiatr wzbijał kurz z dróg. Spędził nieco czasu w East St Louis u wujka Hollisa – tyle, by zapuścić brodę. Przestał się czesać i wymienił melonik na sfatygowany kapelusz kawalerzysty, z obwisłym rondem i główką nadżartą przez mole. Pozwolił nawet się przekarmiać, tak że po raz pierwszy w życiu miał mały brzuszek i drugi podbródek. Kiedy zeskoczył z pociągu towarowego w Tulsie, wyglądał jak włóczęga. I o to chodziło. Włóczęga z marynarskim workiem.

Kiedy spoglądał na ten worek, zaczynał się śmiać. Nie mógł przestać. Na jego dnie leżały pliki banknotów, owoc cudzej chciwości, cudze łapówki. Plon dziesięciolecia korupcji, pięknie poukładany i pachnący jego przyszłością.

Luther zaniósł worek na zachwaszczone pole na północ od torów i zakopał go, używając łopaty przywiezionej z East St Louis. Potem wrócił na drugą stronę torów do Greenwood i poszedł na Admiral, gdzie stały prostytutki. Po czterech godzinach z salonu bilardowego, którego tu w zeszłym roku nie było, wyszedł Dym. Salon nazywał się Poulson's i Luther dopiero po chwili sobie przypomniał, że to prawdziwe nazwisko Dyma. Gdyby wcześniej doznał tego olśnienia, nie pętałby się przez cztery godziny po Admiral.

Dym miał przy sobie trzech ludzi. Szli tuż przy nim, dopóki nie dotarli do wiśniowego maxwella. Jeden z nich otworzył tylne drzwi, Dym wsiadł i odjechali. Luther wrócił na zachwaszczone pole, odkopał worek, wyjął z niego to, czego potrzebował i znowu go zakopał. Wrócił do Greenwood, aż na przedmieścia i znalazł miejsce, którego szukał – złomowisko Devala, własność starego gościa, Latimera Devala, który czasami wykonywał jakieś prace dla wujka Jamesa. Luther nigdy nie poznał osobiście starego Devala, ale tyle razy przechodził koło złomowiska, że wiedział, iż Deval zawsze trzyma na trawniku od frontu parę gruchotów na sprzedaż.

Kupił od niego za trzy stówy franklina tourera z 1910 roku. Ledwie zamienili dwa słowa. Gotówka i kluczyki przeszły z ręki do ręki i już. Luther pojechał na Admiral i zaparkował o przecznicę od lokalu Poulsona.

Śledził ich przez następny tydzień. Nie pojechał do swojego domu na Elwood, choć to, że był tak blisko po tak długim czasie i nie mógł popatrzeć na swoich bliskich, sprawiało mu nieznany dotąd ból. Ale wiedział, że gdyby zobaczył Lilę albo synka, siły by go opuściły i musiałby do nich pobiec, chwycić ich w ramiona, oblać łzami. A wtedy byłoby po nim. Dlatego co noc jechał franklinem na bezpańskie pole i tam sypiał, a następnego ranka wracał do miasta, by uczyć się zwyczajów Dyma.

Dym jadał codziennie obiad w tym samym lokalu, za to kolacje ciągle gdzie indziej – czasem w Torchy's, czasem w Alma's Chop House, a czasem w Riley's, klubie jazzowym, który mieścił się w dawnym barze Wszechmogący. Luther zastanawiał się, o czym myśli Dym, opychając się przed tą samą sceną, gdzie niemal wykrwawił się na śmierć. Można by mu wiele zarzucić, ale miał facet nerwy.

Po tygodniu Luther nabrał uzasadnionej pewności, że zna na pamięć zwyczaje Dyma, ponieważ tamten miał skłonność do rutyny. Może codziennie jadał kolację w innym lokalu, ale zawsze zjawiał się w wybranym miejscu punktualnie o szóstej. We wtorki i czwartki chodził do swojej kobiety, do starej chałupy na zadupiu, a jego ochroniarze czekali na podwórku, aż załatwi sprawę i wyjdzie dwie godziny później, wpuszczając koszulę w spodnie. Mieszkał na piętrze nad swoim salonem bilardowym, a trzej ochroniarze szli za nim do budynku, potem wracali, wsiadali do samochodu i pojawiali się następnego ranka dokładnie o wpół do szóstej.

Kiedy Luther zorientował się w popołudniowym rozkładzie dnia Dyma – obiad o wpół do pierwszej, odbieranie pieniędzy i zbieranie zakładów od wpół do drugiej do trzeciej, powrót do salonu bilardowego o trzeciej zero pięć – postanowił odnaleźć jego dom. Poszedł do sklepu żelaznego i znalazł gałkę do drzwi, zamek i tarczkę podobną do tej na drzwiach do mieszkania Dyma. Spędzał popołudnia w samochodzie, ucząc się, jak wsunąć pasek papieru przez dziurkę od klucza, a kiedy umiał już otwierać zamek w niespełna dwadzieścia sekund, i udawało mu się to za każdym razem, zaczął ćwiczyć w nocy, w krzakach, by nie pomagało mu nawet światło księżyca, aż w końcu nauczył się to robić po omacku.

W czwartkową noc, kiedy Dym i jego ludzie byli u kobiety, Luther przeszedł przez Admiral w zapadającym zmierzchu i otworzył drzwi szybciej, niż kiedyś zaliczał bazy. Stanął przed schodami pachnącymi mydłem oliwkowym. Wszedł po nich i ujrzał następne drzwi, także zamknięte na klucz. Miały inny zamek, więc zastanawiał się nad nim jakieś dwie minuty. Potem drzwi się otworzyły i znalazł się w środku. Odwrócił się i przykucnął na progu. Wpatrywał się w niego tak długo, aż dostrzegł jeden czarny włosek. Uniósł go, położył na zamku i zamknął drzwi.

Rano wykąpał się w rzece, szczękając zębami z zimna. Umył szarym mydłem każdy cuchnący skrawek swojego ciała. Potem włożył nowe ubranie, które kupił w East St Louis i trzymał w worku na przednim siedzeniu samochodu. Słusznie zgadywał, że mieszkanie Dyma będzie równie schludne, jak jego ubiór. Wszystko w nim aż lśniło. Same puste powierzchnie. Ściany były nagie, tylko na podłodze salonu leżał dywan. Pusty stolik. Radio bez jednego pyłku kurzu, bez najmniejszej smużki.

Luther znalazł szafę w korytarzu, zauważył, że kilka płaszczy, w których widział Dyma w zeszłym tygodniu, wisi porządnie na drewnianych wieszakach. Pusty wieszak oczekiwał na niebieski prochowiec ze skórzanym kołnierzem, w którym Dym wystąpił dzisiaj. Luther wśliznął się między ubrania i zamknął drzwi.

Czekał jakąś godzinę, choć wydawało mu się, że minęło pięć. Usłyszał kroki na schodach, kroki czterech osób, wyjął zegarek, ale było za ciemno, żeby coś zobaczyć, więc wsunął go do kieszonki kamizelki. Zauważył, że wstrzymuje oddech, więc powoli wypuścił powietrze. Klucz obrócił się w zamku. Drzwi się otworzyły i męski głos spytał:

– W porządku, proszę pana?

– W porządku, Czerwony. Do zobaczenia rano.

– Tak jest.

Drzwi się zamknęły, a Luther uniósł pistolet. Na jedną straszną chwilę ogarnęła go panika, marzył, żeby zamknąć oczy i modlić się, żeby być teraz gdzie indziej, żeby wyskoczyć, gdy Dym otworzy szafę, i pryskać gdzie pieprz rośnie.

Ale było za późno, bo Dym podszedł natychmiast do szafy, otworzył drzwi i Luther nie miał wyjścia. Musiał przystawić lufę do czubka nosa Dyma.

– Piśnij, to cię zabiję na miejscu.

Dym uniósł ręce. Nadal miał na sobie ten niebieski prochowiec.

– Cofnij się o parę kroków. Ręce wysoko. – Luther wyszedł z szafy.

Dym zmrużył oczy.

– Wieśniak?

Luther pokiwał głową.

– Ciutek się zmieniłeś. Nigdy bym cię nie poznał na ulicy z tą brodą.

– Nie poznałeś.

Dym uniósł lekko brwi.

– Kuchnia – rzucił Luther. – Ty pierwszy. Spleć ręce na głowie.

Dym usłuchał. Ruszył korytarzem do kuchni, w której stał stolik nakryty obrusem w czarno-białą kratkę oraz dwa drewniane krzesła. Luther wskazał mu jedno z nich, a sam usiadł naprzeciwko.

– Możesz zdjąć ręce z głowy. Połóż je na stole.

Dym rozplótł palce i oparł ręce na blacie.

– Stary Byron do ciebie wrócił?

Dym przytaknął.

– Powiedział, że wyrzuciłeś go przez okno.

– Mówił, że do ciebie przyjdę?

– Coś wspomniał.

– Czyli po to te osiłki?

– Czyli po to. A także z powodu zbyt obraźliwej konkurencji z branży.

Luther sięgnął do kieszeni i wyjął torbę z szarego papieru, którą położył na stole. Dym spojrzał na nią. Luther pozwolił mu się przez chwilę pozastanawiać, co w niej może być.

– Co sądzisz o Chicago? – spytał.

Dym przechylił głowę.

– O zamieszkach?

Luther przytaknął.

– Cholerna szkoda, że zabiliśmy tylko piętnastu białych.

– Waszyngton?
– Dokąd zmierzasz?
– Proszę mi zrobić tę przyjemność, panie Poulson.
Dym uniósł brew.
– Waszyngton? To samo. Ale chciałem, żeby czarnuchy się postawiły. Te z Chicago mają więcej charakteru.
– Podczas moich podróży przejechałem przez East St Louis. Dwukrotnie.
– Tak? I jak wygląda?
– Zgliszcza.
Dym zabębnił lekko palcami w stół.
– Nie przyszedłeś mnie zabić, co?
– Nie. – Luther odwrócił torbę do góry dnem i wytrząsnął z niej plik pieniędzy, mocno ściśnięty czerwoną gumką. – To tysiąc dolarów. Połowa tego, co uważam za swój dług.
– Za to, że mnie nie zabijesz?
Luther pokręcił głową. Położył rewolwer na stole, odsunął go, cofnął rękę. Wyprostował się na krześle.
– Za to, że ty mnie nie zabijesz.
Dym nie od razu wziął rewolwer. Przechylił głowę w jedną, a potem w drugą stronę, zastanawiając się.
– Skończyłem z zabijaniem swoich – oznajmił Luther. – Wystarczy, że biali to robią. Nie chcę w tym brać udziału. Jeśli chcesz, to mnie zabij i weź sobie ten tysiąc. Jak mnie nie zabijesz, dostaniesz dwa. Chcesz mnie wykończyć, no to już, siedzę naprzeciwko ciebie i proszę, żebyś pociągnął za ten cholerny spust.
Dym już trzymał broń. Luther nie zauważył, żeby chociaż drgnął, ale nagle zobaczył lufę wskazującą w swoje prawe oko. Dym odciągnął kurek.
– Może mnie pomyliłeś z kimś, kto ma duszę – powiedział.
– Może.
– I może nie bierzesz mnie za człowieka, który strzeli ci prosto w oko, pójdzie do twojej kobiety, wydyma ją w dupę, potem poderżnie jej gardło, a jeszcze potem ugotuje zupę z twojego synka.
Luther nie odpowiedział.
Dym przesunął lufą po jego policzku. Przechylił rewolwer i przejechał muszką po twarzy Luthera, raniąc go do krwi.

– Nie będziesz – powiedział – spotykać się z hazardzistami, pijakami, narkomanami. Będziesz się trzymać z dala od nocnego życia Greenwood. Bardzo daleko od niego. Nigdy nie pojawisz się w miejscu, w którym mógłbym cię spotkać. A jeśli kiedyś zostawisz tego swojego syna, bo zwyczajne życie stanie się dla ciebie zbyt zwyczajne, będę ci odcinać po kawałku ciała i będę cię trzymać w silosie przez tydzień, zanim pozwolę ci umrzeć. Czy ma pan zastrzeżenia do którejś części naszej umowy, panie Laurence?

– Nie.

– Podrzuć mi te pozostałe dwa tysiące do salonu jutro po południu. Daj je człowiekowi imieniem Rodney. To ten, co wydaje bile klientom. Nie później niż o drugiej, jasne?

– Nie dwa tysiące. Tysiąc.

Dym spojrzał na niego spod półprzymkniętych powiek.

– Zatem dwa tysiące – powiedział Luther.

Dym zabezpieczył rewolwer i oddał go Lutherowi, który schował broń do kieszeni płaszcza.

– Teraz spieprzaj z mojego domu.

Luther wstał.

Był już w progu kuchni, gdy tamten rzucił:

– Zdajesz sobie sprawę, że przez całe swoje życie już nigdy nie będziesz miał takiego fuksa?

– Tak.

Dym zapalił papierosa.

– Więc nie grzesz więcej, palancie.

Luther wszedł po schodkach domu na Elwood. Zauważył, że balustradę trzeba odmalować i postanowił, że zrobi to jutro z samego rana.

Ale dzisiaj…

Nie ma na to słów, pomyślał, otwierając ekran z siatki. Drzwi wejściowe nie były zamknięte na klucz. Nie ma słów. Dziesięć miesięcy od tej strasznej nocy, kiedy stąd wyjechał. Dziesięć miesięcy ucieczki, ukrywania się i starań, by stać się kimś innym w innym mieście na północy. Dziesięć miesięcy życia ze świadomością, że nie zrobiło się w życiu ani jednej dobrej rzeczy.

Dom był pusty. Luther stanął w saloniku i zajrzał do kuchni. Tylne drzwi były otwarte. Usłyszał skrzyp naciąganych sznurków do prania. Pomyślał, że tym także musi się zająć, trochę naoliwić kółeczka. Ruszył przez pokój do kuchni; poczuł zapach dziecka, zapach mleka, zapach czegoś, co się dopiero kształtuje.

Zszedł po schodkach na podwórko, a ona akurat pochylała się nad koszem. Podniosła kolejną mokrą szmatę, ale potem odwróciła się i szeroko otworzyła oczy. Miała ciemnoniebieską bluzkę i spłowiałą żółtą spódnicę, swoją ulubioną. Desmond siedział u jej stóp. Ssał łyżkę i przyglądał się trawie.

Wyszeptała jego imię. Wyszeptała „Luther".

W jej oczach pojawił się cały dawny ból, cały żal, uraza, strach i troska. Czy znowu otworzy przed nim serce? Czy w niego uwierzy?

Luther zaklinał ją w duchu, żeby zdecydowała się na to drugie, posłał jej spojrzenie pełne miłości, zdecydowania, uczuć.

Uśmiechnęła się.

Dobry Boże, jak wspaniale.

Wyciągnęła rękę.

Ruszył ku niej. Ukląkł, ujął jej rękę i pocałował. Objął swoją żonę w talii i rozpłakał się w jej bluzkę. Lila osunęła się na kolana i pocałowała go, także płacząc. Musieli wyglądać jak wariaci, kiedy tak płakali, śmiali się i tulili, scałowując swoje łzy.

Desmond zaczął kwilić. Właściwie wyć, tak przeraźliwie, że bębenki Luthera omal nie popękały.

Lila odsunęła się od niego.

– No?

– Co „no"?

– Zrób coś, żeby przestał.

Luther spojrzał na to małe stworzenie, łkające na trawie, z czerwonymi oczami i cieknącym nosem. Sięgnął po nie i wziął w ramiona. Było bardzo ciepłe. Ciepłe jak czajnik owinięty ścierką. Luther jeszcze nigdy nie dotykał żadnego ciała, od którego biłby taki żar.

– Jest zdrowy? – spytał. – Gorący.

– Nic mu nie jest. Siedział na słońcu.

Luther uniósł syna. Oczy miał Lili, nos jego. Brodę matki Luthera, uszy ojca. Luther pocałował go w główkę. Pocałował w nosek. Dziecko nadal płakało.

– Desmondzie – powiedział i pocałował synka w usta. – Desmondzie, jestem twoim tatusiem.

Desmond nie dał się przekonać. Płakał, wrzeszczał i ryczał, jakby świat się kończył. Luther położył go sobie na ramieniu i mocno przytulił, pogłaskał po plecach. Zamruczał do ucha. Pocałował go tyle razy, że stracił rachubę.

I wreszcie znalazł słowo, które opisywało ten dzień.

Uzdrowiony.

Mógł przestać uciekać. Mógł przestać szukać czegoś innego. Niczego innego nie chciał. Tutaj znalazł spełnienie wszystkich nadziei, które piastował przez całe życie.

Desmond przestał płakać, jakby ktoś go wyłączył. Luther spojrzał na kosz na ziemi, pełen mokrego prania.

– Powieśmy te rzeczy – powiedział.

Lila wyjęła z kosza koszulę.

– O, chcesz pomóc?

– Jeśli dasz mi trochę klamerek.

Podała mu ich garść. Posadził Desmonda na biodrze i pomógł żonie wieszać pranie. Wilgotne powietrze wibrowało od świergotu cykad. Niebo było gładkie i jasne, i wyglądało, jakby wisiało tuż nad ziemią. Luther zachichotał.

– Z czego się śmiejesz? – spytała Lila.

– Ze wszystkiego – odpowiedział.

Danny spędził dziewięć godzin na stole operacyjnym. Nóż przebił mu tętnicę udową. Pocisk drasnął kość, a jej odłamki przebiły prawe płuco. Kula, która trafiła go w lewą rękę, przeszyła dłoń na wylot i palce na razie były bezwładne. Kiedy wynieśli go z karetki, został mu może litr krwi.

Ocknął się ze śpiączki szóstego dnia i był przytomny przez pół godziny, kiedy nagle poczuł, że lewa strona jego mózgu płonie żywym ogniem. Stracił wzrok w lewym oku i usiłował powiedzieć doktorowi, że coś się z nim dzieje, coś dziwnego, może palą mu się włosy? Zaczął się trząść. Nie panował na tym gwałtownym dygotem. Zwymiotował. Salowy przytrzymał go, wcisnął mu do ust coś skórzanego, bandaże na jego piersi pękły i krew znowu zaczęła płynąć z ran. Ogień szalał już w całej czaszce. Danny znowu zwymiotował, wyjęli mu to coś skórzanego z ust i przewrócili go na bok, żeby się nie udławił.

Obudził się parę dni później i nie mógł już wyraźnie mówić. Nie czuł lewej strony ciała.

– Miał pan wylew – powiedział doktor

– Mam dwadzieścia siedem lat – zdziwił się Danny, choć zabrzmiało to raczej jak „Ma chwaecha sieem chat".

Doktor pokiwał głową, jakby go doskonale zrozumiał.

– Dwudziestosiedmiolatkowie na ogół nie otrzymują ciosu nożem i trzech kulek jednocześnie. Gdyby był pan dużo starszy, wątpię, czy by pan przeżył. Szczerze mówiąc, i tak się dziwię.

– Nora.

– Czeka na korytarzu. Naprawdę chce pan, żeby pana oglądała w tym stanie?

– To moa hona.

Doktor pokiwał głową.

Po wyjściu lekarza Danny usłyszał słowa, które padły z jego ust. Potrafił je uformować w głowie: „to moja żona" – ale wychodziło mu „to moa hona". Ohydne, upokarzające. Z oczu popłynęły mu łzy, łzy strachu i wstydu. Wytarł je prawą ręką, tą zdrową.

Do pokoju weszła Nora, blada i przerażona. Usiadła przy jego łóżku, wzięła jego prawą dłoń i uniosła do twarzy, wtuliła w nią policzek.

– Kocham cię.

Danny zacisnął zęby, skupił się pomimo łomoczącego bólu głowy i skulił się, zmusił słowa, żeby zabrzmiały jak należy.

– Kocham cię.

Nieźle. Właściwie „chocham cie". Ale prawie.

– Doktor powiedział, że przez jakiś czas będziesz niewyraźnie mówić. Możesz mieć kłopoty z chodzeniem, wiesz? Ale jesteś młody i diabelnie silny, i będę z tobą. Będę przy tobie. Wszystko będzie dobrze, Danny.

Ona się stara nie płakać, pomyślał.

– Chocham cie – powtórzył.

Roześmiała się przez łzy. Otarła oczy i położyła mu głowę na ramieniu. Czuł jej ciepło na twarzy.

Jeżeli sytuacja Danny'ego miała jakieś plusy, to ten, że przez trzy tygodnie nie czytał gazet. Gdyby było inaczej, dowiedziałby się, że nazajutrz po strzelaninie w zaułku komisarz Curtis oznajmił, iż wszystkie posady strajkujących policjantów są wolne. Gubernator Coolidge udzielił mu poparcia. Prezydent Wilson rozstrzygnął sprawę, nazywając zachowanie policjantów, którzy opuścili swoje posterunki, „zbrodnią przeciwko cywilizacji".

Ogłoszenia zapowiadające nabór do policji zawierały nowe warunki pracy i płacę, zgodne z żądaniami strajkujących. Obecnie podstawowa pensja miała się zaczynać od tysiąca czterystu dolarów rocznie. Mundur, odznaki i służbowe rewolwery były bezpłatne. Po dwóch tygodniach od zamieszek na posterunkach pojawiły się ekipy sprzątaczy, hydraulików, elektryków i stolarzy, by wyczyścić pomieszczenia i przebudować zgodnie ze stanowymi standardami bezpieczeństwa i higieny.

Gubernator Coolidge zredagował telegram do Samuela Gompersa z AFP. Przed wysłaniem, opublikował tekst w prasie na pierwszej stronie wszystkich dzienników. Udostępnił go też agencjom telegraficznym, które w ciągu dwóch dni rozesłały tę wiadomość do ponad siedemdziesięciu gazet w całym kraju. Gubernator Coolidge stwierdzał, co następuje: „Nikt, nigdzie, nigdy nie ma prawa strajkować ze szkodą dla bezpieczeństwa publicznego".

W ciągu tygodnia te słowa zrobiły z gubernatora Coolidge'a narodowego bohatera. Niektórzy sugerowali, że powinien się zastanowić, czy w następnym roku nie startować w wyborach prezydenckich.

Andrew Peters zniknął z życia publicznego. Jego nieporadność uznano jeśli nie za zbrodniczą, to z pewnością za niewybaczalne zachowanie. Fakt, że nie wezwał gwardii stanowej pierwszej nocy strajku, uważano za karygodne zaniedbanie obowiązków. Powszechnie panowało przekonanie, że tylko szybkie myślenie i żelazna determinacja gubernatora Coolidge'a oraz niesprawiedliwie potraktowanego komisarza Curtisa ocaliły miasto.

W czasie, gdy los czynnych policjantów zawisł na włosku, Steve Coyle doczekał się pogrzebu z honorami. Komisarz Curtis wyróżnił byłego funkcjonariusza Stephena Coyle'a jako policjanta „ze starej gwardii", który przedkładał obowiązek ponad wszystko. Curtis przemilczał fakt, że Coyle został zwolniony niemal rok temu. Obiecał, że utworzy komisję, która zajmie się przywróceniem zasiłku dla bliskiej rodziny funkcjonariusza Coyle'a, jeśli ją posiadał.

W pierwszych dniach po śmierci Tessy Ficary gazety zachłystywały się ironią sytuacji: oto strajkujący funkcjonariusz w ciągu niespełna roku doprowadził do śmierci dwojga najbardziej poszukiwanych terrorystów, a także trzeciego, Bartolomea Stelliny, człowieka, którego Luther zabił cegłą, a który okazał się znanym galleanistą. Choć strajkujący policjanci byli obecnie traktowani z wrogością zarezerwowaną niegdyś dla Niemców (z którymi często ich porównywano), opis heroicznych wyczynów funkcjonariusza Coughlina znowu zjednał im sympatię opinii publicznej. Może, mówiono, gdyby natychmiast powrócili do pracy, niektórzy, przynajmniej ci z tak wybitnymi osiągnięciami jak funkcjonariusz Coughlin, mogliby odzyskać posady.

Jednak następnego dnia „Post" ogłosił, że funkcjonariusz Coughlin mógł znać Ficarów już wcześniej, a wieczorny „Transcript", powołując się na anonimowego informatora z BI, doniósł, że funkcjonariusz Coughlin mieszkał kiedyś z nimi na tym samym piętrze w kamienicy na North Endzie. Następnego ranka „Globe" opublikował artykuł, w którym kilku lokatorów opisywało znajomość funkcjonariusza Coughlina i Ficarów jako bliską, tak bliską, że jego kontakty z Tessą mogły przekroczyć granice przyzwoitości. Istniały nawet podejrzenia, że płacił za jej względy. W świetle tych wiadomości zastrzelenie męża Tessy nagle przestało się wydawać tylko obowiązkiem służbowym. Opinia publiczna całkowicie odwróciła się od funkcjonariusza Coughlina, nieuczciwego gliniarza, i wszystkich jego strajkujących „towarzyszy". Głosy o ich przywróceniu na dawne stanowiska ucichły.

Relacje w gazetach krajowych przypominały opowieści z tysiąca i jednej nocy. Kilka artykułów opisywało karabiny maszynowe, strzelające w tłum niewinnych przechodniów, podawało liczbę ofiar sięgającą setek zabitych, donosiło o szkodach szacowanych na miliony. W rzeczywistości życie straciło dziewięć osób, a szkody wynosiły niespełna milion dolarów, ale czytelnicy wiedzieli lepiej. Strajkujący byli bolszewikami, a w wyniku strajku w Bostonie wybuchła wojna domowa.

W połowie października Danny opuścił szpital. Nadal powłóczył lewą stopą i nie potrafił unieść w lewej ręce nic cięższego od filiżanki, ale mówił całkiem wyraźnie. Wyszedłby ze szpitala dwa tygodnie wcześniej, ale w jednej z ran rozwinęło się zakażenie. Danny doznał wstrząsu toksycznego i po raz drugi w ciągu miesiąca sprowadzono doń księdza.

Po opublikowanych w gazetach artykułach hańbiących imię Danny'ego Nora musiała się wyprowadzić z mieszkania na Salem Street i przeniosła ich skromny dobytek do kamienicy czynszowej na West Endzie. Tam właśnie zaprowadziła Danny'ego, kiedy wypuszczono go ze szpitala. Wybrała West End, ponieważ Danny miał rehabilitację w szpitalu Mass General, a z ich nowego lokum szło się tam zaledwie parę minut. Danny wdrapał się po schodach na piętro i wszedł z Norą do ponurej izby z jednym szarym okienkiem, wychodzącym na brudny zaułek.

– Tylko na tyle nas stać – powiedziała Nora.

– Jest dobrze.

– Próbowałam zmyć ten brud z okna, ale choć szorowałam, ciągle...

Danny objął ją ramieniem.

– Jest dobrze, kochanie. Nie zostaniemy tu długo.

Pewnej nocy w listopadzie leżał w łóżku z żoną po pierwszym udanym seksie od jego wypadku.

– Nigdy nie dostanę tu pracy.

– Możliwe.

Spojrzał na nią. Z uśmiechem przewróciła oczami i lekko uderzyła go w pierś.

– Tak się kończy sypianie z terrorystkami.

Zachichotał. Dobrze móc pożartować z czegoś tak ponurego.

Kiedy leżał w śpiączce, rodzina odwiedziła go dwa razy. Ojciec przyszedł raz, po wylewie, by powiedzieć Danny'emu, że oczywiście zawsze będzie go kochać, ale nigdy więcej nie wpuści go do domu. Danny skinął głową, uścisnął ojcu rękę i odczekał pięć minut po jego wyjściu, zanim się rozpłakał.

– Kiedy skończę rehabilitację, nic nie będzie nas tu trzymać.

– Nic.

– Jesteś zainteresowana przygodą?

Przesunęła dłonią po jego piersi.
– Jestem zainteresowana wszystkim.

Tessa poroniła na dzień przed egzekucją. Przynajmniej tak powiedział Danny'emu koroner. Danny nigdy się nie dowiedział, czy koroner skłamał, by mu oszczędzić wyrzutów sumienia, ale postanowił mu wierzyć, bo gdyby nie uwierzył, to by go chyba wreszcie złamało.

Poznał Tessę, gdy rodziła. Kiedy spotkał ją w maju, udawała ciężarną. A teraz, w chwili śmierci, znowu była w ciąży. Tak, jakby miała przemożną potrzebę ubrania swojej furii w ciało i krew, żeby ją przeżyła i przetrwała przez wiele pokoleń. Tej potrzeby (i w ogóle Tessy) Danny nie potrafił zrozumieć.

Czasami budził się w nocy i słyszał echo jej śmiechu.

Luther przysłał im paczkę. Znajdowały się w niej dwa tysiące dolarów i oficjalne zdjęcie Luthera, Lili i Desmonda przed kominkiem. Byli ubrani według najnowszej mody, Luther nosił nawet frak.

– Jest piękna – powiedziała Nora. – A to dziecko, dobry Boże.

List od Luthera był krótki.

Drodzy Danny i Noro,

Jestem już w domu. Jestem szczęśliwy. Mam nadzieję, że to wystarczy. Jeśli potrzebujecie więcej, natychmiast depeszujcie, a przyślę.

wasz przyjaciel
Luther

Danny otworzył paczkę banknotów i pokazał je Norze.

– Słodki Jezu! – Wydała okrzyk, który brzmiał trochę jak szloch, a trochę jak śmiech. – Skąd to wziął?

– Mam pewne podejrzenie.

– I?

– I, uwierz mi, nie chciałabyś wiedzieć.

Dziesiątego stycznia Thomas Coughlin wyszedł z posterunku. Prószył śnieg. Nowi rekruci zjawili się szybciej, niż się spodziewano. Byli na ogólni inteligentni i chętni. Gwardia stanowa nadal patrolowała ulice, ale oddziały zaczęły się demobilizować. W ciągu miesiąca miały odejść, ustępując miejsca policjantom.

Thomas ruszył ulicą w stronę domu. Na rogu, pod latarnią, czekał na niego syn.

– Uwierzysz, że Soksi sprzedali Rutha? – zagadnął.

Thomas wzruszył ramionami.

– Nigdy nie byłem wielbicielem tej gry.

– Do Nowego Jorku.

– Twój najmłodszy brat jest oczywiście zrozpaczony. Nie widziałem go w takim stanie od…

Nie musiał kończyć. Danny i tak poczuł przeszywający ból.

– Co u Cona?

Ojciec zakołysał dłonią.

– Ma dobre i złe dni. Uczy się czytać palcami. Uczą tego w takiej szkole na Back Bay. Jeżeli nie podda się rozgoryczeniu, poradzi sobie.

– A ty się poddajesz?

– Nie poddaję się niczemu, Aidenie. – Z ust ojca buchała para. – Jestem mężczyzną.

Danny nie odpowiedział.

– No, widzę, że doszedłeś do siebie. Więc pewnie pora się pożegnać.

– Wyjeżdżamy, tato.

– Wy…

Danny pokiwał głową.

– Opuszczamy ten stan. Jedziemy na zachód.

Ojciec wyglądał jak ogłuszony.

– To twój dom.

Danny pokręcił głową.

– Już nie.

Może ojciec sądził, że Danny będzie zawsze w pobliżu, wygnany, lecz w zasięgu ręki. Wtedy mógłby żyć złudzeniem, że jego rodzina jest nietknięta. Ale kiedy Danny wyjedzie, zostawi po sobie pustkę, na którą nawet Thomas nie był przygotowany.

– Więc jesteście spakowani.

– Tak. Będziemy w Nowym Jorku na parę dni przed wejściem w życie ustawy Volsteada. Nie mieliśmy prawdziwego miesiąca miodowego.

Ojciec pokiwał głową. Nie podniósł jej. Śnieg prószył mu na włosy.

– Do widzenia, tato. – Danny odwrócił się, by odejść. Ojciec chwycił go za ramię.

– Pisz do mnie.

– Odpiszesz?

– Nie. Ale chciałbym wiedzieć...

– Więc nie napiszę.

Ojciec zesztywniał, skinął głową i opuścił rękę.

Danny ruszył ulicą. Śnieg padał coraz gęściejszy, już prawie zasypał ślady ojca.

– Aidenie!

Danny odwrócił się. Ledwie widział ojca za wirującymi obłokami bieli. Płatki osiadły mu na rzęsach. Strzepnął je.

– Odpiszę! – zawołał ojciec.

Nagły podmuch wichru uderzył w samochody na ulicy.

– Więc dobrze! – odkrzyknął Danny.

– Uważaj na siebie, synu.

– A ty na siebie.

Ojciec podniósł rękę, Danny także, odwrócili się i rozeszli w przeciwnych kierunkach.

Cały pociąg do Nowego Jorku był pijany w dym. Nawet obsługa. O dwunastej w południe ludzie chlali szampana i żytniówkę, a w czwartym wagonie grała orkiestra, też urżnięta. Nikt nie siedział. Wszyscy ściskali się, całowali i tańczyli. Prohibicja miała zacząć obowiązywać za cztery dni, od szesnastego.

Babe Ruth siedział w prywatnym wagonie i początkowo usiłował trzymać się na uboczu. Przeczytał umowę, którą oficjalnie podpisał pod koniec dnia w gabinecie pułkowników na Polo Grounds. Był teraz Jankesem. Transfer został podany do wiadomości publicznej dziesięć dni temu, choć Ruth w ogóle się go nie spodziewał. Przez dwa dni pił, żeby sobie poradzić z depresją. W końcu Johnny Igoe znalazł go i otrzeźwił. Wyjaśnił, że Babe jest najlepiej opłacanym graczem w historii baseballu. Pokazał mu plik nowojorskich gazet, które jednogłośnie wyrażały wielką radość, nawet uniesienie ze zdobycia budzącego powszechny strach pałkarza.

– To miasto jest już twoje, Babe, a jeszcze się tam nie pojawiłeś.

Babe ujrzał sprawy w nowym świetle. Bał się, że Nowy Jork będzie za duży, zbyt potężny, za głośny. Że go pożre. Teraz zdał sobie sprawę, że jest dokładnie odwrotnie: to on jest zbyt wielki dla Bostonu. Zbyt potężny. Za głośno o nim. Boston nie mógł go pomieścić, był za mały, zbyt prowincjonalny. Nowy Jork stanowił dlań jedyną odpowiednią scenę. Nowy Jork, tylko Nowy Jork. Nie pożre go. To Babe go pożre.

Jestem Babe Ruth. Jestem większy, lepszy, silniejszy i popularniejszy niż ktokolwiek. Ktokolwiek.

Jakaś pijana kobieta wpadła na jego drzwi. Zachichotała i sam jej śmiech spowodował u niego erekcję.

Czemu tu siedzi, skoro może wyjść do ludzi, pogadać, rozdać parę autografów, ofiarować im wspomnienie, o którym będą opowiadać wnukom?

Wyszedł. Ruszył prosto do baru, przepychając się przez tańczący, pijany tłum. Na jednym ze stołów siedziała ślicznotka, machając nogami jak podczas tanecznego numeru. Ruth usiadł przy barze i zamówił podwójną szkocką.

– Dlaczego nas zostawiasz, Babe?

Odwrócił się, spojrzał na pijanego gościa nieopodal, konusa z dziewczyną. Oboje byli zalani.

– Nie zostawiam. Harry Frazee mnie sprzedał. Nie miałem nic do gadania. Jestem zwykłym robolem – powiedział.

– To może kiedyś wrócisz? Jak ci się skończy kontrakt?

– Jasne – skłamał Babe. – Dobry pomysł, stary.

Konus poklepał go po plecach.

– Dziękuję, panie Ruth.

– To ja dziękuję – powiedział Babe i zrobił oko do dziewczyny. Wypił drinka i zamówił następnego.

Potem zaczął rozmawiać z postawnym gościem i jego żoną Irlandką. Okazało się, że gość był jednym ze strajkujących gliniarzy, a jechał do Nowego Jorku na krótki miesiąc miodowy. Potem ruszał na zachód, żeby się spotkać z przyjacielem.

– Co wam strzeliło do głowy? – spytał Ruth.

– Chcieliśmy sprawiedliwości – powiedział były gliniarz.

– Ale to tak nie działa. – Ruth zmierzył łakomym wzrokiem jego żonę, cholernie apetyczną. Nawet ten jej akcent był seksowny. – Spójrz na mnie. Jestem największym baseballistą w historii świata, a nie mam nic do gadania, kiedy chcą mnie sprzedać. Nie mam władzy. Rządzą ci, którzy wypisują czeki.

Były gliniarz uśmiechnął się ponuro.

– Różne zasady dla różnych klas społecznych.

– No pewnie. Kiedyś było inaczej?

Wypili parę drinków i Ruth musiał przyznać, że jeszcze nie widział tak zakochanej w sobie pary. Prawie się nie dotykali i wcale się do siebie nie czulili, nie świergotali dziecinnymi głosami, nie mówili do siebie „kotusiu" ani nic w tym stylu. A jednak coś ich łączyło, coś niewidocznego, ale naładowanego elektrycznością, coś mocniejszego niż połączone dłonie. Ta więź była nie tylko elektryczna, ale i spokojna. Emanowała ciepłem i spokojem. Uczciwością.

Ruth posmutniał. Nigdy nie zaznał takiej miłości, nawet w pierwszych dniach z Helen. Nigdy nie czuł nic takiego do żadnej ludzkiej istoty. Nigdy.

Spokój. Uczciwość. Dom.

Boże, więc to możliwe?

Najwyraźniej, skoro ta para to miała. W pewnej chwili kobitka dotknęła palcem dłoni męża. Tylko dotknęła. Spojrzał na nią, a ona się uśmiechnęła, zagryzając wargę. Boże, Babe'owi omal nie pękło serce na widok jej spojrzenia. Czy ktoś kiedyś tak na niego patrzył?

Nie.

Czy kiedyś spojrzy?

Nie.

Trochę się rozpogodził, gdy wyszedł na stację i pomachał im na pożegnanie. Poszli stanąć w kolejce do taksówki. Było zimno, a kolejka długa, ale Babe nie musiał się martwić. Pułkownicy wysłali po niego samochód, czarnego stuttgarta z szoferem, który uniósł rękę na powitanie.

– To Babe Ruth! – krzyknął ktoś i parę osób wskazało go i zawołało jego imię. Na Piątej Alei zatrąbiło parę samochodów.

Babe obejrzał się na tamtą parę czekającą w kolejce do taksówki. Było zimno jak diabli. Przez chwilę chciał ich zawołać, zaproponować, że ich podwiezie, ale nawet na niego nie patrzyli. Manhattan wiwatował na jego cześć, trąbił, krzyczał „hura!", a tamci tego w ogóle nie słyszeli. Stali wpatrzeni w siebie, były gliniarz otulał swoją żonę płaszczem, chroniąc ją przed wiatrem. Babe znowu poczuł się samotny i opuszczony. Przestraszył się, że najważniejsza część życia jakoś przeciekła mu między palcami. Przestraszył się, że to, co przegapił, już nigdy mu się nie przydarzy. Odwrócił się i uznał, że tamci mogą poczekać na taksówkę. Dadzą sobie radę.

Wsiadł do samochodu i opuścił szybę, by pomachać nowym fanom. Zbliża się prohibicja, ale on na tym nie ucierpi. Chodziły plotki, że władze nie mają odpowiedniej liczby ludzi, żeby móc wprowadzić w życie tę ustawę. Babe i ludzie do niego podobni mogli liczyć na specjalne traktowanie. Jak zawsze. Tak to już jest na tym świecie.

Samochód przyspieszył; Babe podkręcił szybę.

– Jak masz na imię?

– George, proszę pana.

– Ale draka, ja też. Ale mów mi Babe. Dobra, George?

– Jasne, Babe. To dla mnie zaszczyt.

– E tam. Jestem zwykłym baseballistą. Nawet czytać dobrze nie umiem.

– Ale umiesz uderzać. Na całe mile. Chciałem pierwszy powiedzieć „Witamy w Nowym Jorku, Babe".

– A, dziękuję. Miło, że tu przyjechałem. To chyba będzie dobry rok.

– Dobra dekada.

– A żebyś wiedział.

Dobra dekada. Oby. W danym dniu można by w to nawet uwierzyć. Babe wyjrzał przez okno na Nowy Jork z jego gwarem i blaskiem, światłami, plakatami i wieżowcami. Co za dzień. Co za miasto. Co za czasy, w których przyszło mu żyć.